Негромкие люди
Марии Метлицкой

Читайте повести и рассказы

Марии Метлицкой

в серии «Негромкие люди»:

. . . .

Бабье лето

•

Понять, простить

•

Обычная женщина,
обычный мужчина

•

Свои и чужие

•

На круги своя

•

Такова жизнь

•

Странная женщина

•

Незаданные вопросы

•

Прощальная гастроль

•

Цветы и птицы

•

Жить

•

Черно-белая жизнь

Мария Метлицкая

Черно-белая жизнь

Москва
2021

УДК 821.161.1-32
ББК 84(2Рос=Рус)6-44
М54

Оформление серии *Петра Петрова*

Метлицкая, Мария.

М54 Черно-белая жизнь : [сборник] / Мария Метлицкая. — Москва : Эксмо, 2021. — 512 с.

ISBN 978-5-04-119355-3

Можно ли быть абсолютно счастливым человеком?

Наверное, нет, потому что даже в минуты острого счастья понимаешь: оно не вечно.

Да, жизнь похожа на зебру: черная полоса сменяется белой. Важно помнить, что ничто не вечно: неприятности и удачи, радости и разочарования.

Но есть то, что всегда будет с нами: любовь близких, тепло дома, радость общения.

И ради этого стоит жить.

УДК 821.161.1-32
ББК 84(2Рос=Рус)6-44

ISBN 978-5-04-119355-3

И все мы будем счастливы

Зал прибытия пахнул на Киру тревогой и беспокойством – она вздрогнула и растерянно огляделась. Нет, все вроде как обычно и как везде: чисто – и это надо признать. Она отлично помнила, как выглядел аэропорт, когда они улетали. Сейчас все вполне цивильно – бесплатные тележки для багажа, магазинчики известных марок с горящими надписями «Дьюти фри». Там, как и везде, царило оживление – прилетевшие спешно докупали подарки и сувениры.

Прибывший из дальних и не очень стран народ был спокоен, уверен в себе и очень прилично одет – куда лучше, чем в странах Европы. Тогда почему? Почему опять эта мерзкая внутренняя дрожь, испуг, холодок, легкий озноб и даже страх? Почему беспокойство, смятение? «Господи, да бред! – успокаивала она себя. – Просто бред воспаленного мозга. Здесь наверняка все спокойно. Вон сколько милиции!» И тут же вспомнила, что теперь и *они* стали полицией.

Вещи на ленту, кстати, тоже доставили быстро. «Как в цивилизованных странах», – усмехнулась она.

Тогда, сто лет назад, она улетала отсюда с надеждой. Нет, даже не так – почти с уверенностью. С уверенностью, что их жизнь переменится, повернется на сто восемьдесят градусов. Иначе – зачем? Зачем все эти усилия, нечеловеческие страдания, измученная и больная совесть? Зачем? Она улетала, чтобы у ее мужа, ее Мишки, все наконец сложилось. Не думала о себе – что там она? У нее все, в конце концов, не слишком сладко, но почти как у всех. Она как-нибудь, с божьей помощью проживет, приладится, свыкнется. Перетерпит. Как это умеет женщина. А вот он – нет. Не перетерпит. Потому, что не осталось сил терпеть. Да и улетали не в Антарктиду же они и не на Северный полюс, не в пустыню Сахару и не на Эверест. В Европу, в благословенную старую как мир матушку Европу. Любезный Старый Свет, между прочим!

Она помнила этот день, день отъезда. Точнее – вспомнила потом, через несколько лет, сильно напрягши память. Потому что тогда, в тот день, она почти ничего не запомнила – сквозь пелену слез, сквозь свой страх, сквозь нескончаемую свою тоску... Да и слава богу, что не запомнила! Слава богу, что услужливая и щадящая память «обнародовала» это потом, спустя много лет, когда уже чуть отпустило. Кира долго и тщательно восстанавливала все по минутам: три чемодана, набитых вещами. Три новеньких чемодана, остро пахнувших искусственной кожей. Как долго потом этот запах не выветривался. Коробки с книгами – их выклянчивали с черного входа гастронома, в продаже их не было. Ничего тогда не было, ничего. Все доставали с боем, с трудом невероятным. Как Мишка боялся, что эти коробки, перетянутые мохнатой ворсистой веревкой, с уже разъехавшимися углами и просвечивающими сквозь них корешками, развалятся. Еще Мишкин портфель с документами – старый, облезлый, когда-то рыжий, а теперь бурый, любимый Мишкин портфель. Как она умоляла его с ним расстаться! Говорила, что брать его в новую жизнь неприлично. Но нет, не уговорила. В портфель были уложены стопочкой аттестаты, дипломы, трудовые книжки. Мишка, при всей своей растерянности и безалаберности, к документам относился уважительно. Тоненькая пачечка фотографий – самых дорогих, тщательно отобранных: родители, Мишкина дочка, они с Мишкой. Последних совсем немного – как-то нечасто случалось им фотографироваться. Потом, спустя годы, когда Мишки не стало, совместные фото она убрала. Далеко. Захочешь – и не достать. Впрочем, ей не хотелось. Точнее – она боялась. Боялась увидеть себя счастливой.

* * *

Так вот, день отъезда и Мишкин уродец портфель, и в нем обменянные накануне деньги – валюта. Ничтожно, до смешного мало. А им казалось – богатство! Какими же дураками они были тогда! Впрочем, ими и остались. Что поделать – наивная советская интеллигенция, вызывающая у кого-то пренебрежение, у кого-то – жалость, а у кого-то и смех. Неумехи, топчущиеся по жизни, словно малые дети. Нищие, стеснительные, донельзя скромные, не умеющие жить – доставать, копить, завязывать нужные знакомства. Ничего не умеющие – только сладостно почитывать книжки, перелицовывать костюмы и юбки, вязать дурацкие толстые свитера, балдеть от отварной картошки с тощей и сухой иваси, танцевать под заезженную пластинку. Торопиться на свою идиотскую службу, приносящую унизительную копеечную зарплату – жалованье, если изволите! Караулить лишний билетик – конечно, на галерке, а где же еще?

И при этом – ни на что не жаловаться, ни-ни! И еще одна глупость – умение быть самыми счастливыми, самыми довольными, самыми непритязательными. Чудеса!

Нет, конечно, довольны они были далеко не всем. Власть презирали, посмеивались над ней. Ворчали на крошечных, прокуренных кухнях, передавали друг другу перепечатанный Самиздат, копили на привезенные *оттуда* пластинки: блюз или джаз – то, что отсутствовало тогда на прилавках.

Но пуританства, конечно, уж не было – женщины мечтали об импортной туши для глаз, о хороших духах, о нервущихся колготках, об импортных кофточках или юбках. Мечтали. Но как-то довольно легко с отсутствием всего этого великолепия справлялись – шили, вязали, красили, перекраивали. И упрямо считали себя счастливыми. Молодость.

Они не были борцами с режимом. И возмутителями спокойствия тоже. А вот легкими диссидентами – да. «Кухонными», как говорил Кирин муж.

Тогда уже муж! А до этого он был любовник. «У меня есть любовник», – с замиранием сердца, с каким-то священным ужасом повторяла она про себя. И холодела. Любовник! Нет, это слишком – любимый! Так приличнее, что ли? Спокойнее на душе. Хотя о каком покое тогда шла речь? Не было никакого покоя. И счастья, увы, тоже не было. Сплошные печаль и тоска, тысячу раз перемноженные на муки совести. Она так, между прочим, была дамой замужней. Встречались они раз в неделю – ужасно редко, кошмарно редко особенно в первое время.

Он был не просто ее мужчиной, не просто родным, близким и абсолютно понятным, *ее* человеком. Он для нее был всем – воздухом, водой, хлебом. Жизнью.

Раннее и скоропалительное замужество оказалось дурацким мероприятием, обреченным на предсказуемый провал. Нет, не было в той истории сволочей, негодяев, подонков. Были просто чужие. Те, без кого можно вполне обойтись. Ее муж, ее несчастный и ни в чем не повинный муж, был человеком хорошим. Приличным, порядочным, честным. О таких говорят – повезло. Повезло, что они попались на вашем пути. Кира понимала, но поделать ничего не могла, как ни старалась. А ведь вначале старалась, и очень! Но нет, не получалось. Не получалось любить. Муж оставался соседом, приятным и ненавязчивым, полудругом или близким родственником – точно что-то из этой категории. Они вместе ужинали, смотрели телевизор, читали перед сном. А потом Кира надолго уходила в ванную – пряталась и пережидала, когда муж уснет. Иногда получалось. А иногда...

Нет, женщина может все пережить. И это – в том числе. Закроешь глаза, стиснешь зубы, отвернешься. Но господи, господи! В эти минуты она себя ненавидела. И его, кстати, тоже. Но в чем он виноват? Он – точно нет. А вот Мишка... Он был виноват – ведь он должен решиться, правда? Решиться и взять ее за руку. И увести. Если любит.

Но о самом главном они с Мишкой не говорили еще года два с того времени, как случился их бурный роман. Наверное, ему было страшно. Их страхи были похожи.

Вот, например, ей было страшно не изменить свою жизнь, а обидеть своих – ни в чем не повинного обманутого мужа и замечательную свекровь. А больше страхов не было. Хотя нет, понимала: родители тоже осудят и ее не поймут.

Мишка говорил, что не уходит из семьи по той же причине – из жалости и чувства вины. Ситуации, конечно, несравнимые – у него был ребенок, четырехлетняя дочка Катюша.

Кира уже тогда была с ней знакома. Пару раз в воскресенье поутру они ходили в «Баррикады» на мультики. Кира заранее ехала на Пресню и покупала три билета – разумеется, рядом. У входа Катюшу отвлекали мороженым, и Кира потихоньку отдавала Мишке билеты. Садились рядом, и он брал ее за руку. Сорок минут под бодрую или грустную прекрасную музыку из «Ну, погоди!» они просто держались за руки. И после этого можно было снова прожить пару дней.

Как-то поставили «спектакль» – как бы случайно встретились у чугунных ворот зоопарка.

– Кира Константиновна, моя дорогая! Катька, познакомься – Кира Константиновна, мы вместе работаем!

Девочка равнодушно бросила на незнакомую тетеньку короткий взгляд и дернула за руку отца:

– Пап, ну хватит! Пойдем!

– Да, да, – кивал ответственный папаша. – А вы, Кира? Может, с нами?

И коллега милостиво, хоть и со вздохом, соглашалась.

Шли рядом, а когда девочка отвлекалась, тут же жадно и коротко сплетали руки в замок – господи, как электрический разряд, как вспышка молнии были эти тактильные ощущения. Голь на выдумки хитра – выкручивались как могли.

Мишка женился рано – через два года после школы, едва отслужив армию.

С Ниной, первой женой, познакомились случайно, в метро. Он рассказывал, что та понравилась ему своей чистотой и наивностью – в столицу приехала недавно, тяжело зарабатывала на хлеб на парфюмерной фабрике «Новая заря», и от нее сладко пахло духами. Сначала ему нравилась эта «душистость». А потом – раздражала.

К тому же верная Нина два года его ждала. Да не просто ждала и писала – моталась к нему в часть. Черт-те куда, между прочим, – шестьсот верст от Москвы.

После Мишкиного возвращения они спешно поженились – Нина забеременела. Он признавался – уже тогда не любил. Смотрел на нее как на чужую. А смыться было неловко – она ведь ждала. Жалко ее было до слез, до дурноты. Вот и женился, как порядочный человек. Правда, несчастливы были оба – обнаружилось это почти сразу. И оба молчали, не признавались в этом даже самим себе. Но уже была Катька – куда деваться? Мишка томился, но и жалел жену. Он говорил, что наивно думал тогда: «Ну так, значит, так. Стерпится – слюбится. Живут же люди и без огромной любви, в конце концов». Нина хороший человек и мать его дочери. И их он не может предать. Как женщина она давно его не интересовала. Да и говорить им было не о чем. Так, из бытового, из общесемейного – пеленки, распашонки, молочная кухня, врачи, дочкин первый зубик, первый шажок. А может, достаточно?

Были, конечно, легкие и необременительные, короткие связи. Но чтобы уйти? Нет, такие мысли в голову не приходили. Но появилась Кира. И их накрыло. Он говорил потом, что сначала ничего не понял – ну, какая-то женщина, вполне симпатичная, кто же спорит? Короткая встреча, случайная компания, куча народу. Да, милая женщина. Только несчастная – это не то чтобы бросалось в глаза, но он углядел.

Она обалдела:

– Да неужели?

Он подтвердил:

– Да, я сразу понял.

Это Киру потрясло. Ей казалось, что в тот вечер она замечательно выглядела. Новая, только из парикмахерской, прическа – модная короткая стрижка, недавно появившаяся в Москве, – называлась она по фамилии парикмахера «сассон» или «сэссон», все путали. Новое платье – роскошное, модное, английское тончайшее джерси, за черт-те какие деньги. А вот как оказалось...

Муж, кстати, от похода в гости тогда отказался – кажется, у него болело горло, но точно Кира не помнила.

Компания была шумная, праздновали Первомай, хотя это, конечно, был повод – праздников трудящихся Кирины знакомые не отмечали. Компания была полудиссидентская, кто-то уже собирался уезжать, и это усиленно обсуждалось. Врачи, итээровцы, молодые специалисты – средний класс, интеллигенция. Было очень накурено, и даже у покуривающей Киры разболелась голова. Какой-то незнакомый ей парень взял гитару и запел Окуджаву: «Наверно, эта дама – из моего ребра. И без меня она уже не сможет». Все замерли. Ах, как пел этот щуплый, совсем неинтересный, даже смешной, молодой мужчина! Все подвинули табуретки и стулья и сгрудились вокруг него, притихли, загрустили, вспомнив о своем.

Вот тогда они и оказались совсем рядом, в полуметре, нет, даже меньше, друг от друга на диване, почти впритык. Впрочем, все там сидели, как кильки в банках. Места не хватало, и кто-то уселся на палас и подоконник. И в эти минуты все чувствовали единение и душевную близость. А щуплый парень все пел, волнуя и распаляя души и тревожа сердца.

На улицу вывалились большущей компанией. И Кира увидела, как внимательно, изучающе на нее смотрит симпатичный бородатый мужчина – тот самый сосед по дивану. Она смутилась и фыркнула, чуть выпятив нижнюю губу. Он подошел к ней:

– Вам в какую сторону?

Кира растерялась и не ответила сразу.

– О! Кажется, вы забыли свой адрес. А я собирался напроситься к вам в провожающие.

– Ничего я не забыла! – буркнула Кира. – И провожатые, уж извините, мне не нужны! Во-первых, сама доберусь. А во-вторых, у метро меня встретит муж!

Сказано это было с вызовом, конечно, от смущения – ох, давно с ней никто не знакомился и давненько ее не кадрили, если честно.

Потом Мишка пенял ей, что она могла пропустить свое счастье и свою судьбу из глупости и заносчивости. А тогда он и не подумал отставать:

– И все-таки я вас провожу! Хотя бы до мужа!

И ей, если честно, это было приятно. Кстати, никакой муж встречать ее не собирался.

Потом Мишка рассказывал – сказочник, господи! – что вот тогда, увидев ее глаза, когда она слушала щуплого гитариста, он и влюбился в нее сразу и насмерть.

– А ты? – спрашивал он. – Ты когда поняла?

– Ты о чем? – недоуменно спрашивала она. – А, об этом! А я до сих пор не поняла! – смеялась она.

В тот вечер Мишка проводил ее почти до самого дома. И о чем только они не успели переговорить за этот час! И оба поняли все и сразу. Бывает и так.

Ну и понеслось. Почти два года – точнее, год и десять месяцев счастья и горя, радости и печали. Бесконечной тоски и любви.

Спустя полтора года ей стало все предельно ясно – от мужа она уходит, несмотря ни на что. Позор и осуждение переживет. Да и наплевать ей на осуждение. В конце концов, поговорят и забудут. Но все равно было страшно. Правда, в то время она была почти бесстрашной! Такой бесстрашной, что самой становилось страшно – вот такой несмешной выходил каламбур.

А Мишка все тянул, и однажды Кира не выдержала. Он со всем согласился. Да и доводы тут были ни к чему, все было предельно ясно – да, жить друг без друга они не могут, да, так продолжаться все это тоже больше не может. Да, надо что-то решать. Будет больно? Конечно! Не только им. Но что делать? Врать дальше? Еще больше загонять себя в угол? В конце концов, сейчас несчастные все – он, она, ее муж и его жена. Дочка, слава богу, пока ничего не понимает. А потом несчастных станет чуть меньше, потому, что прибавятся двое счастливых.

Ну и вообще. Унизительно. Страшно унизительно обзванивать знакомых в надежде найти ключи – хоть на час, господи. «Вы в кино? Два часа? Да хватит, конечно, хватит!»

Она слышала его разговор, и у нее падало сердце: два часа – хватит? Да ей жизни не хватит, господи, чтобы его любить. Насладиться им. Наговориться с ним. Наобнимать его. Нацеловать.

Но – куда уходить, куда им деваться? Миша, разумеется, оставит свою квартиру семье – дочери и жене. У Киры площади нет – к московской квартире она отношения не имеет, это дом свекрови и мужа, а в Жуковском, в ее квартире, точнее в квартире родителей, живут ее мать и отец. Туда, к ним, невозможно. Снять комнату или квартиру? Разве что очень сильно повезет – например, кто-то из знакомых уедет в длительную командировку. Можно снять комнату – но это опять везение. Общежитие им не положено – он москвич, у нее московская прописка.

Что делать, что? Но и так больше нельзя, невыносимо. Ей – определенно. А ему... хочется верить, что тоже. Но... разве она знала об этом наверняка?

Конечно, Кира пыталась любимого оправдать – в конце концов, его ситуация куда сложнее – там ребенок. Там верная и преданная ему женщина, которая два года его ждала.

Оправдывала, но на сердце была тоска – вечная, высасывающая душу тоска. И еще – страх. А если он не решится? Ну, если, например, заболеет жена – он часто говорил, что Нина слаба здоровьем. Или дочь – вдруг девочка устроит скандал, заболеет, узнав о разводе родителей? Такое бывает. Через это он точно не переступит.

Уходить Кире было некуда, но она все твердо решила – да будь что будет! В конце концов, почему она, ее судьба, ее собственная жизнь должны зависеть от его решения? От болезней его жены, от сложного характера его дочери? И она решила: оставаться с мужем – нет, никогда. Это было невыносимо – все эти полтора года бесконечного вранья, опущенных глаз и его прерывистого ночного дыхания, когда ей хотелось спрыгнуть с балкона. Разбежаться – и головой вниз. Чтобы больше никогда, никогда этого не было.

Украдкой, потихоньку, она собирала свои вещи. С разговором медлила по одной причине – ждала звонка от коллеги, обещавшей помочь с комнатой. А та тянула. Неделю, вторую. Кира терпеливо ждала. Мишке, кстати, она ничего не сказала – во-первых, боялась сглазить и без того призрачную надежду с комнатой, а во-вторых... Во-вторых, ей хотелось предстать перед ним эдакой героиней, мученицей во имя любви – отважной, решительной, смелой. За любовь – на костер! Ну и, разумеется, предполагались его бурная реакция, удивление, даже восхищение и восторг. Так же, как предполагалось еще и чувство вины: она, женщина, смогла, решилась, а он, мужик, – нет. Расчет был тонкий, но все же дело было не в этом, а в том, что оставаться с мужем она больше не могла.

По ночам обдумывала свой разговор с ним, чтобы помягче, чтобы поменьше ранить, чтобы без бурных выяснений, скандалов и прочего. Краем уха услышала, что свекровь собралась в Клин к сестре, но точную дату не знала – в эти выходные, в следующие?

Нет, конечно, можно спросить. Но Кира чувствовала, что свекровь о чем-то догадывается. Смотрит на нее странно, вздыхает и старается поскорее уйти в свою комнату. Совместные вечерние чаепития закончились, чему Кира была очень рада. Одним словом, приятной обстановку в квартире назвать было сложно.

Чемоданчик свой, почти собранный, Кира засунула под кровать. Вышла на кухню с легкой улыбкой:

– Вера Самсоновна, а вы в Клин собрались? К тете Наталье?

Свекровь посмотрела на нее и указала на табуретку.

– Сядь, Кира, – сухо сказала она и повторила: – Сядь. Тебе не кажется, что нам надо поговорить?

Кира сделала бровки домиком, выразив свое недоумение, и со вздохом присела на краешек табуретки. Глаза подняла на свекровь с большим, надо сказать, усилием.

– Кира, – начала та, – ну что ты решила?

Кира вздрогнула, покраснела и выдавила из себя:

– В каком смысле, Вера Самсоновна?

Свекровь хлопнула ладонью по столу.

– Дурочку передо мной не валяй – не заслужила! Это он, мой сын, – дурачок. Ничего не замечает. Мужики вообще замечают последними! А меня не обманешь. Или ты отказываешь мне в разуме?

Кира молчала, опустив голову.

– Я все поняла давно, еще полгода назад. По твоим сумасшедшим глазам, по дурацкой улыбочке – все мы становимся дурочками, когда... – Свекровь горестно махнула рукой. – Я бы тебя поняла, если бы не была его матерью. Поняла бы и поддержала – все в жизни бывает, что уж тут. Порадовалась, скорее всего – вон как тебя понесло! Любовь, не иначе – глаз горит, щеки алеют. Волосы вьются. Но, Кира, я его мать! И стоять буду за него – это ты, надеюсь, понимаешь!

Кира кивнула. Помолчали. Кира по-прежнему не поднимала глаз.

– Ладно, – прихлопнула ладонью по столу Вера Самсоновна. – Я все поняла. Значит, ты уже решила. Уговаривать тебя не буду, останавливать тоже. Твое решение и твоя жизнь. Сына поддержу – ему будет трудно. Да ничего, отболит, в молодости все быстро проходит. Слава богу, с детьми вы не успели. Вот это бы было для меня уж точно катастрофой. Все, Кира. Иди. Иди, пакуй вещи. Ты, кажется, почти собралась? И да! – выкрикнула она ей вслед. – А зачем ты вообще за него шла? Ты же его не любила!

О господи! Значит, Вера все понимала? И видела ее чемодан? Ну конечно! Она не была любопытной и бестактной тоже. К ним в комнату лишний раз никогда не заходила, а тут, наверное, заглянула по делу. Да какая разница?

Кира обернулась и чуть слышно пробормотала:

– Простите меня.

– Бог простит, – сухо откликнулась почти бывшая свекровь.

По всему выходило, что уходить надо было сегодня. Да, да, быстро покончить со сборами и уйти. А объяснение с мужем? В конце концов, он ничем ее не обидел – за что же с ним так?

Кира села на край бывшей супружеской кровати и замерла. Что делать? Ждать Володю? Глянула на часы – до его прихода с работы оставалось четыре часа. Невыносимо сидеть в этой комнате и ждать. Уйти из дома? Да, выход. Пойти в кино или пройтись по магазинам. Голгофа отодвигалась. После разговора с Верой ей стало легче. Она быстро оделась и с облегчением выскочила из квартиры.

Вернулась к семи – Володя ужинал на кухне. Свекровь смотрела у себя телевизор.

Разделась, зашла в кухню.

– Володя!

Он поднял на нее глаза.

Молчал. По его глазам поняла – Вера уже ему рассказала. Ну что ж, стало быть, объяснение отменяется. Уже хорошо.

– Володя, – повторила Кира, – я...

Он кивнул и отложил вилку. В тарелке остывала картошка. Кира сглотнула слюну – вспомнила, что с утра ничего не ела, ни крошки.

Он внимательно и выжидающе, даже с интересом, разглядывал свою жену.

– Я тебя внимательно слушаю, – наконец сказал он.

И эта спокойная, холодная фраза окончательно выбила Киру из колеи. Она разрыдалась – громко, бурно, с истерическими нотками, так несвойственными ей.

Володя все так же сидел напротив, уронив в руки голову, молчал. Потом не выдержал:

– Все, Кира, хватит. Решила – значит, так тому и быть. Останавливать и держать тебя не буду. Знаю, что ты человек разумный и с кондачка решений не принимаешь. Когда ты уходишь? Сегодня?

Растерянная Кира неуверенно забормотала какую-то глупость:

– Да, если надо, конечно, сегодня!

Он усмехнулся:

– Надо? Кому, извини? Мне – точно не надо. – И быстро вышел из кухни.

Просидев минут десять в полнейшем бессилии, она поднялась и пошла в комнату. Муж лежал на диване и читал книгу.

Кира вытащила из-под кровати чемодан, достала из шкафа сумку с мелочами и посмотрела на мужа.

– Ну я пошла? – неуверенно сказала она.

Он отложил книгу и кивнул:

– Да, разумеется. Удачи тебе!

– И тебе, – прошептала Кира. – И еще раз прости, что так получилось.

Не глядя на Володю, она быстро вышла из комнаты. У входной двери услышала что-то подобное рыку. Или стону. Или... Это было нечеловеческим звуком. Сердце оборвалось. В комнату к свекрови зайти не решилась.

Выйдя на лестничную площадку, услышала крик Веры Самсоновны:

– Сыночек!

Слышать остальное было невозможно – она схватила сумку и чемодан и, не дожидаясь лифта, бросилась вниз по лестнице. Чувствовала себя при этом преступницей. Нет, даже не так – убийцей.

От дома бежала, как от чумного барака. А когда устала и остановилась, поняла, что не знает, куда идти. Позвонить Мишке? Нет, невозможно – трубку может снять жена, что тогда? Да и к чему дергать его поздним вечером, что изменится? Села на скамейку и снова разревелась. Ну и поехала в отчий дом, в Жуковский. А куда деваться?

В электричке тряслась как осиновый лист – теперь предстояло еще и объяснение с родителями. А это куда хуже, чем объяснение с мужем и свекровью – точнее, бывшим мужем и бывшей свекровью.

Отец, военный человек, привыкший к режиму, уже спал – ложился он рано. А мама уже на пороге, внимательно глядя на дочь, сразу все поняла, но задала вопрос, еще предполагавший надежду:

– Поссорились с Вовой?

Кира зашла в квартиру, сняла плащ и туфли.

– Мам! Можно чаю и бутерброд? Очень хочется есть. И еще – если можно – давай не сегодня? – почти взмолилась она. – Пожалуйста!

Мать погрела ужин – макароны, тушеное мясо. Поставила на стол квашеную капусту:

– Ешь, витамины.

Кира ела молча и жадно и на мать не смотрела. Удивилась своему аппетиту – ну надо же, а?

– Чаю, мам! Если не трудно.

Молча выпили чаю.

– Кира! – наконец сказала мать. – Вот как мне сегодня спать ночью? С какими мыслями, дочь? Что думать, когда я вообще ничего не знаю? А мне, между прочим, завтра работать! Не молчи! Я же чувствую – что-то серьезное! Не просто поцапались, да?

– Не просто, – кивнула измученная Кира. – Если бы просто поцапались, мам... Ты же знаешь, мы почти не ругались. И уж не скандалили точно, Вовка человек спокойный и неконфликтный. Только я его не люблю! Разлюбила. Хотя нет, не любила никогда. И это сейчас, точнее, почти два года назад, я поняла. Так поняла, мама, что жить вместе уже невозможно. Невыносимо, мамочка! Все невыносимо – слушать его голос, есть за одним столом. Спать с ним, мам! Извини.

– Что же делать, Кира? Такой был удачный брак! И папа...

– Что – папа? – взорвалась Кира. – Это моя жизнь, правда? Или мне слушаться папу? Я, кажется, большая девочка и сама вправе...

– Оставь, Кира! – перебила мать. – Ты ж его знаешь. Без бури не обойдется. Ну что поделать – переживем.

Мать было жалко. Она искренне любила зятя, ценила его и считала, что дочери крупно повезло: приличная семья, хорошая свекровь, квартира в Москве. Нормальная жизнь. Они были спокойны за Киру. И конечно, очень ждали внуков – пора, дочери уже к тридцати – что они медлят?

Кира никогда не жаловалась родителям на мужа. И вдруг... Может, они чего-то не знают? Надо дожить до утра. Хотя

Кира молчунья, скрытница – в отца. Да и разговоры по душам у них как-то не приняты. Но главное, самое страшное для Кириной матери было то, как отреагирует отец. Вот это было самое страшное. Он был гневлив, суров, резок во мнениях. Конечно же, будет скандал. И как они уживутся – отец и дочь? Если бы Кира не вышла замуж и не ушла из дома, эти два строптивца просто сожрали бы друг друга!

Но отец, как ни странно, воспринял новость довольно спокойно:

– Ушла? Ну что же поделать – ее жизнь. Дура, конечно, что тут сказать. И что теперь? Кто-то есть? Да, скорее всего. Вы, бабы, просто так не уходите. – Сказано это было с презрением.

И мать, и дочь ждали скандала, а получили подобие понимания. Кира с нежностью смотрела на отца, но подойти и обнять духу не хватило – отец презирал «телячьи» нежности.

Правда, через пару дней, будучи не в духе, бросил резко:

– Только не думай, что я тебя поддерживаю! Ничего хорошего в этом нет – ушла, пришла. Сходила замуж, развелась. И выглядишь героиней – вот я какая! А что у тебя дальше? Как-то я не вижу, что ты очень счастлива!

Вот это была чистая правда – спокойнее Кира не стала, да и счастливее тоже. Даже после того, как вышла из загса с заветной и долгожданной зеленой корочкой в руках – свидетельством о разводе. С Володей, кстати, встретились спокойно, как старые и добрые приятели:

Привет.

– Привет.

– Как дела?

– А у тебя? Как Вера Самсоновна, не хворает?

– Твоими молитвами, – усмехнулся Володя.

И Кира тут же осеклась, замолчала.

Выглядел бывший муж, кстати, неплохо, и через год Кира узнала, что он женился на своей коллеге, Оле Зайцевой. Кира была знакома с ней шапочно, но никак не могла вспомнить ее лицо – как ни старалась.

От родителей она вскоре ушла – все-таки образовалась та комнатка на Плющихе, коллега не обманула. Кира с трепетом зашла с хозяйкой в квартиру – маленькую, двухкомнатную, но при этом коммунальную – во второй комнате жила соседка, одинокая старушка Елена Матвеевна, в прошлом детский врач.

Из окна открывался шикарный вид. Был июнь, бурно цвели тополя, пух залетал в распахнутые окна, стелился по старому рассохшемуся паркету и, как нашкодившая собака, забивался под кресло, диван и устраивался в углах.

Старый диван занимал почти половину комнаты – Кира его не собирала, потому что всегда, каждую минуту, ждала Мишку. Обстановка была незатейливой: журнальный столик, покрытый льняной пестрой скатеркой, торшер, книжный шкаф – на одной полке притулились коричневые керамические болгарские чашки – обливные, блестящие, словно покрытые шоколадной глазурью. И книги, много книг – Золя, Мериме, Мопассан. Видимо, хозяева любили французских классиков.

На маленькой кухоньке уместились два столика, двухкомфорочная плита и холодильник – один на двоих. Холодильник принадлежал Кириным хозяевам, но они разрешали им пользоваться Елене Матвеевне.

Старушка – нет, не так: пожилая дама – была тихой, почти незаметной и невероятно деликатной – если слышала, что Кира на кухне, из комнаты не выходила.

Кира даже шутила:

– Елена Матвеевна! У меня ощущение, что я живу в отдельной квартире! И еще я волнуюсь – вы хотя бы давайте понять, что у вас все в порядке!

Чудесная была эта старушка! Сейчас таких нет – все ушли. По выходным – если не было Мишки – Кира покупала торт и приглашала соседку на чаепитие.

Болтали о всякой ерунде: книги, телепередачи, магазины и цены. И ничего о личной жизни – ни слова! Ни словом Елена Матвеевна не обмолвилась, почему одна и что было в ее долгой и наверняка непростой жизни. Чудеса – обычно старики словоохотливы и обожают бросаться в воспоминания.

А позже узнала от своей хозяйки: Елена Матвеевна похоронила всю семью – мужа и двоих детей. Сын, полковник, погиб в Афганистане, а дочку сбила машина.

«Вот и человеческая судьба, – думала Кира. – Вот за что, кто ответит на этот вечный вопрос? Ведь сомнений никаких: Елена Матвеевна – человек замечательный. Скромный, интеллигентный, порядочный. За что же тогда, господи? А я вожусь со своим романом, со своими горестями, как с писаной торбой. И считаю, что ничего драматичнее, чем моя судьба, нет».

Старушку Кира жалела и старалась, как могла, облегчить ее невеселую старость: покупала продукты, ходила в прачечную, в аптеку.

Они стали почти родными людьми – вот как бывает. В хорошую погоду Елена Матвеевна выходила на лавочку – подышать воздухом. Кира поглядывала в окно – сидит, подставив лицо солнцу. Греется. Ну слава богу!

* * *

Мишка приходил почти каждый вечер, точнее, забегал на десять минут, на полчаса, на час – как получалось.

Смущенно, отводя глаза, бросал:

– Мне просто необходимо посмотреть на тебя, нюхнуть твои волосы – и все, можно прожить еще одну ночь и дожить до утра. Это такая таблетка, спасительный укол, чтобы не помереть.

Нет, приятно, конечно. Но копились, конечно, копились и обида, и раздражение. И даже злость. Она-то смогла! Решилась. Значит, она смелее его? Выходит, он трус?

Мишка ушел из семьи спустя год, когда она почти уже не надеялась, была готова к тому, что он не уйдет, и даже с этим смирилась. Главное – она была свободна! Не надо было врать, прятать глаза, отворачиваться по ночам, сползая на самый край кровати, рискуя упасть. И она была почти счастлива.

Но когда он возник на пороге квартиры – с жалким старым матерчатым чемоданчиком – господи, да где он его взял! – и со своим любимым портфелем, она растерялась и все не могла поверить: «Неужели все, навсегда?» И не ошиблась: так все и оказалось – навсегда, на всю оставшуюся жизнь. Пока смерть не разлучит. А та... Разлучила. Правда, выделила им почти двадцать лет счастья. Абсолютного счастья – без всяких «но» и многоточий. И это несмотря на все тяготы, лишения, неприкаянность.

Но разлучила – как бывает всегда. Как же рано, как невыносимо рано ушел ее Мишка! Как она кляла тогда судьбу, проклинала бога! А зря – двадцать лет счастья, знаете ли. Не все могут похвастаться. Им и так был сделан подарок – невозможно щедрый, немыслимый – их встреча и вся совместная жизнь, такая долгая и такая короткая.

Впрочем, они всегда были жадными – им всегда было мало, всегда не хватало времени, чтобы надышаться друг другом, наговориться, наслушаться. Просто быть рядом.

Тогда, на Плющихе, у них появился собственный угол. Нет, не так – у них появился роскошный дворец, туго набитый сокровищами. Сундуки с золотом и драгоценными камнями они открывали каждый день и ослеплялись их светом. Нет, правда – каждый день, каждый час и каждая минута были наполнены счастьем – таким ярким, ошарашивающим, о котором они и не догадывались.

И еще было страшно – а вдруг? Так же не бывает, не может быть, чтобы все совпадало, все, от мелочей до самого важного.

Никому – ни матери, ни отцу, ни жалкой кучке тут же забытых без сожаления подруг – она ничего не рассказывала: боялась сглазить.

А однажды мать со вздохом сказала, пристально поглядев на нее, как всегда, заскочившую накоротко, на час (Мам! Я спешу! Мишка с работы вернется!):

– Ох, пропадешь ты, Кирка! Пропадешь ни за грош! Тебя же бьет как в лихорадке, ну посмотри на себя! Так не живут,

Кира! Так может быть месяц, полгода. Ну в крайнем случае – год. А потом просто не выживают после такого.

Кира удивилась. Глупость какая! Что получается? Быть счастливой нельзя? Запрещено законом природы? А для чего тогда рожден человек? Для слез и страданий? Спасибо, она сполна нарыдалась. Нет, глупости! И она опровергнет всю эту чушь! А для чего тогда люди встречаются, ищут друг друга всю жизнь и наконец находят? Она долго рассматривала себя в зеркало, пытаясь понять, что там увидела мать. Да, кажется, ничего особенного. Ну да, глаз блестит. Посвежела, зарумянилась кожа. Волосы, пышные и пушистые от природы, распушились еще больше. Еще похудела, и походка стала другой, какой-то свободной. Но замечала – мужики оборачиваются вслед. Что так испугало мать? Нет, непонятно. Все это глупости, материнские страхи.

Отец, кстати, Мишку принял спокойно – душу не открывал, проникновенных бесед не вел. Так, сели за стол, открыли бутылку коньяка, да и ту не допили – отец из-за возраста, Мишка вообще пил неохотно и мало, как говорил, для аппетита. Да и к еде он был довольно равнодушен, что очень облегчало Кирину жизнь. А мать, кажется, тогда обиделась – как это так? Новый зять не оценил фирменный холодец, и вправду всегда удававшийся ей: светло-желтый, прозрачный, средней крепости. И пирожкам ее не подивился – тоже коронное блюдо. Не восхитился наполеоном. Так, пожевал и кивнул:

– Вкусно, спасибо.

Вяленько как-то, без особого энтузиазма. Тут же, конечно, вспомнился первый зятек, Володечка. Вот кто любил ее холодец и пирожки! Вот кто ел с удовольствием и не скупился не похвалу!

Вспомнила и взгрустнула: «Ох, что-то не так в этом Мише. Странный он – сложный какой-то. Не очень понятный. И что у него в голове? И что еще придет на ум? Чует материнское сердце – выкинет еще что-то, обязательно выкинет! И втянет туда нашу дуру – вот уж не сомневайтесь! Правда, ее и втягивать не надо – гуськом потянется, паровозом пойдет. Без уговоров. Потому что рехнулась, свихнулась от этой любви – это же очевидно! А страсти, как известно, до добра не доводят». Хотя что Кирина мать знала о страстях? В восемнадцать выскочила замуж за молодого лейтенантика и прожила с ним всю жизнь. И совсем неплохо, кстати, прожила – всем бы так. Многие ей завидовали: сестры, подруги, не у всех ведь сложилось. Да, разумеется, просто не было. Это когда появилась квартира в Жуковском! После сорока. А до того были и дальние гарнизоны в тайге, и военный городок в Азербайджане, под Кировабадом. Вот там настрадались! Жара, пыль, в магазинах ни мяса, ни молока – все на базаре. А откуда у них деньги на базар? Только для ребенка – винограда веточку, кураги горсточку, мяса кусочек. Сначала их поселили возле аэродрома в так называемой гостинице. Мест, как всегда, не было – дали комнатку, где хранились поломанные кровати и списанные матрасы. Там и устроились. Ничего, как-нибудь. Комнату в городке – в ДОСе, доме офицерского состава – дали почти через год. Уж получше гостиницы, но вода по часам – утром и вечером. Набирали полные ведра – как ребенка помыть? Правда, за комнату надлежало платить – девяносто рубликов в месяц. А зарплата у мужа была сто шестьдесят! Вот и попробуй прожить на семьдесят! Да еще и с ребенком! Но выживали. Вспоминала с горестью, как Костя, муж, приносил из офицерской столовки котлету – серую котлету на куске подмокшего хлеба. И с какой жадностью она ее съедала! И не было ничего вкуснее... Учительствовать там было негде – местных учителей было некуда девать. Устроилась хронометристом, и это была удача. Считала налеты, урсы и шторки. Но мечтали скорее уехать – к местному климату так и не привыкли. Да и Кира все время маялась животом. Все дети маялись – дурная вода, зеленые фрукты. Помнила, как уже тогда, в те, казалось, спокойные годы, на окраине города дрались армяне с азербайджанцами – насмерть дрались. Потом была Кема в Вологодской области, следующей – Чугуевка в Приморье, здесь уже было полегче.

Комнату дали сразу, в комнате печка – тепло. Но холода они не боялись – после Кировабада боялись жары. Маленький домик на две семьи, общая кухня. Женщины держали кур и вечно скандалили на эту тему – моя, не моя. А потом пометили разноцветной краской – зеленой, синей, красной. И скандалы закончились. Помнила, как однажды, муж был в командировке, ночью услышала тяжелый стук в дверь. Не встала и не открыла – испугалась до холодного пота. Так и продрожала всю ночь до рассвета. А потом оказалось – медведь. Огромный медведь-шатун. Спасли ставни на окнах.

Глупые мужики притащили из тайги медвежонка – маленького, пушистого симпатягу. Жены ругались, а те говорили, что детям на развлечение. Соорудили клетку, и медведик зажил. Детишкам, конечно, забава. А потом медведик подрос и стал порыкивать на старых друзей. А в Новый год пьяная компания пришла навестить медведика. Ну и оторвал он кусок нового пальто у майоровой жены. Та села в снег и давай рыдать! Пальто было жалко, конечно. А вредную бабу – не очень. Потом мишку отдали в зоопарк, и дети ревели, провожая его на пристани – в новую жизнь медведика увозили на пароходике.

Ладно, не про это, не о бытовых трудностях. Она задумалась, какие у них с мужем были отношения. Да нет, все было нормально. Без особых эксцессов. Жили как все. Ссорились, конечно. А как же? Мирились – тоже как все. Обсуждали домашние проблемы – что купить, как скопить, куда поехать в отпуск. Все как у нормальных людей. А что о жизни не говорили, о чувствах своих, не обсуждали *ничего такого*... Так это же правильно. Так их воспитывали. Так было у их родителей. Так было у всех.

Ну уж, во всяком случае, глаза у них не сверкали, и температура от этой вашей любви и страстей не кипела, не поднималась. Да и слава богу! И еще слава богу, что все *остальное* уже в прошлом. Нет, не то чтобы это ей было совсем не нужно... А вот закончилось с возрастом – и хорошо, как гора с плеч. Кончились строгие обязательства, негласный договор, обязывающий идти мужу навстречу, часто против желания.

Кирина мать искренне не понимала – во имя чего копья ломать? Да что такого необычного в этом обыденном деле? Получалось, что-то прошло мимо нее? Да и бог с ним – многое прошло мимо. Вся жизнь. Пролетела, прошелестела, проскочила, как вор в подворотне – едва зацепив плечом. Вроде все было нормально – хороший и негулящий муж, нормальная дочь. Работа, квартира. Участок в четыре сотки – не участок, огород. Но и это счастье и радость. Только хорошо это или не очень – то, что *это* ни разу ее не коснулось? Пронесло или обделили?

В конце концов она решила, что нечего вспоминать – все как у всех. Нормально они прожили. Потому что не знали, как можно прожить иначе.

А Кира? Вот дурочка! Аж дрожит. Прямо трясет ее от этого Мишки. И чем он ее взял? Непонятно. Мужик как мужик, даже вполне средненький – среднего роста, обычной комплекции. Никаких там атлетических плеч и мускулистого торса. И лицо обыкновенное – нет, неплохое лицо. Глаза хорошие – ясные, разумные. Спокойные. Нос, рот – да все самое обычное. Кстати, Володя, бывший ее, был куда интереснее! И повыше, и поплечистее. Да и вообще симпатичный был парень, приятный. Как они радовались с отцом! А вот понесло ж эту дуру!

* * *

Кире и Мишке даже на день расставаться было ужасно. Утром прощались, как навсегда, не могли расцепиться. Он уходил на полчаса раньше, а Кира стояла у окна – сначала махала ему, а потом, когда он скрывался за поворотом, все продолжала стоять – как в ступоре. Как будто ждала, что он вернется. Нет, точно – дура.

Потом она стряхивала с себя морок и быстро, кое-как, красила глаза, одевалась и выскакивала на улицу и, как обычно, опаздывала. Минут на пятнадцать уж точно. На работе смотрела на часы – когда же закончится эта мука? Мука, естественно, заканчивалась, и она первая, стремглав, выбегала из комнаты. Мужики посмеивались, а женщины судачили, что, дескать, ничего, пройдет. Молодожены – им положено, знаете ли. Но все же немного завидовали.

Самыми сладкими днями были выходные. В субботу подолгу спали, тесно, до перехвата дыхания, прижавшись друг к другу. Даже поворачивались с боку на бок одновременно, боясь на минуту потерять телесный контакт.

Первой вставала Кира – шла готовить обильный завтрак: кастрюлю вареной картошки с селедкой. Завтрак выходного дня – так это у них называлось. Конечно, кофе – большой кофейник кофе, который с удовольствием выпивался до дна.

Ну а потом снова в кровать – вот оно, счастье! И никуда не надо спешить, никуда! Валялись целый день: спали, болтали, читали, дремали.

А вечером выходили. Билеты в театр? Красота. В кино? Здорово. А можно просто погулять по улицам – поехать в центр и гулять там до бесконечности! Как они любили этот город! Больше всего Замоскворечье, с его узкими и уютными улочками, маленькими купеческими особнячками, с духом настоящей Москвы. А после прогулки покупали бутылку сухого вина, маленький тортик и спешили домой – продолжить свой праздник.

А вот в воскресенье было уже не так весело – Миша встречался с дочкой. Кире, кстати, поехать с ними никогда не предлагал. Она не обижалась – в конце концов, это их дело и их отношения. Имеют право побыть вдвоем. Да и у нее находились дела: глажка, стирка, готовка, магазины, рынок или поездка в Жуковский. Очень редко, примерно раз в три месяца, она встречалась с Маринкой, школьной подружкой. Та была женой военного и жила в Балашихе. Простоватая, немного наивная, но добрая и хлебосольная Маринка всегда мечтала выйти за офицера.

– Они мне понятны, – говорила она. – Они же все похожи, Кирка! Привычки, запросы – близнецы-братья. Профессия накладывает отпечаток.

– Не знаю, – смеялась Кира, – опыта нет!

Хотя Кира, как и Маринка, была дочерью военного, городок в Балашихе вызывал у нее смертную тоску. Она и представить себе не могла, как можно жить в замкнутом пространстве среди одних и тех же знакомых лиц – ужас какой! И эти вечные и бесконечные сплетни, разговоры о звездочках и погонах. Зависть и склоки.

Маринкины подружки шастали, как мыши: уйдет одна, тут же придет другая. Двери в квартиру не закрывались – не принято.

Против Лешки, Маринкиного мужа, Кира ничего не имела – нормальный был парень. Да и детей Маринкиных, Димку и Светика, погодок, она обожала.

Маринка мечтала вырваться из общаги и стать генеральской женой: «Ну когда-нибудь, а, Кирка? Дождусь?» Счастье представляла себе так – черная каракулевая шуба до пят, высокая норковая шапка сложного фасона, норки, конечно, побольше, австрийские замшевые сапоги и куча золота в ушах и на пальцах. А в квартире, понятное дело, ковры, чешский хрусталь в полированной горке, а еще финская кухня и голубой унитаз – непременно голубой. Да, самое главное – белая спальня «Людовик»!

– Видела ее? – полушепотом, с придыханием спрашивала Маринка.

– Не-а, – беспечно отвечала Кира. – Ты ж меня знаешь.

– Ну ты даешь! – Маринка явно жалела подругу.

Но вышло все не так – не сбылись Маринкины мечты. Ни одна не сбылась.

Лешку послали в Афган. А через полгода пришел груз двести. Маринка в тридцать пять лет стала вдовой, через семь лет спилась. Не получилось из нее генеральской жены – ни черной «Волги» с водителем, ни норковой шапки, ни богемского хрусталя с наклеенными цветочками. Дружба их с Кирой постепенно затухла еще до всех этих страшных событий, что поделаешь, слишком разными были их жизни.

В основном ходили в гости к Мишкиным друзьям, чаще всего к Зяблику.

* * *

Воскресенье тянулось долго и тягостно. Кира смотрела на часы и ждала вечера. Наконец, услышав щелканье замка, она вздрагивала и кидалась в коридор, и они застывали в объятиях.

Про встречу с дочерью и вообще про бывшую семью Мишка не рассказывал. Да и Кира, если честно, не спрашивала. Во-первых, ее это не очень касалось, а во-вторых, она четко провела демаркационную линию – *та* жизнь осталась в прошлом. А сейчас – жизнь другая, только их. И никаких посторонних – Кира и Мишка. Все.

Его, кажется, это устраивало. Да и ни разу он не предложил ей пригласить к ним дочь. Зачем травмировать ребенка?

С Еленой Матвеевной, дорогой и любимой соседкой, они по-прежнему дружили. Как-то старушка попала в больницу, и Кира провела там безвылазно почти две недели – пришлось взять липовый больничный. А спустя пять дней после выписки старушка скончалась.

Кира позвонила квартирной хозяйке, и та приняла грустную новость как руководство к действию – надлежало срочно перевести соседскую комнату на себя, чтобы туда не въехали новые соседи. Ей это удалось, хотя и не без труда. И, став обладательницей отдельной двухкомнатной, она, естественно, тут же решила сделать ремонт и сдавать ее уже по совершенно другой цене.

Кира с Мишкой понимали, что им не потянуть. Четырехлетний рай закончился. Тогда вообще все сразу рухнуло. Серьезно заболела Нина, бывшая Мишкина жена. Операцию сделали вовремя, но все понимали – болезнь может вернуться. Дочку отправили к бабушке в деревню. Миша разрывался между работой и поездками к Нине в Институт Герцена, а Кира по вечерам готовила для бывшей соперницы диетическую еду. Хотя какая она соперница? Смешно.

Спустя пару месяцев, когда чуть выдохнули с Ниной, заболел Кирин отец – прободение язвы. Кира тут же переехала в Жуковский, помогать матери. Оттуда моталась в Москву на работу.

Ну и самое главное – у Мишки в лаборатории начались большие проблемы. Собрались уезжать сразу двое – завлаб Семен Гольдфарб, большой Мишкин друг, и Андрюшка Лазарев, с которым он приятельствовал.

Лена Гальцева, не последний человек в лаборатории, вышла замуж и уходила в декрет. Илья Андреевич, самый древний, по его же словам, сотрудник, решительно собрался на пенсию – нянчить внуков. Мишка оставался один. А это означало, что работа его закончилась – тянуть проект было некому, лабораторию хотели закрыть.

Отъезжающих клеймили по полной программе – общее собрание, лес рук, злобные выкрики: «Государство на вас потратило деньги, а вы» – и все прочее, что прилагалось к этому омерзительному процессу.

Мишка попробовал перейти в другую, смежную, лабораторию. Но под разными предлогами ему отказывали – смотрели как на зачумленного: «А, Немировский! Это оттуда, из пятой?»

Уходить из института было страшно – жить на Кирины копейки? Нет, невозможно. Полгода еще поболтался по родному институту и ушел – дошел до точки, слишком все было обидно и унизительно.

А Семен и Андрюшка писали восторженные письма – Семен из Германии, а Андрюшка из Америки. Устроились ребята быстро, почти сразу. Темой их интересовались и там, и там. Особенно заливался эмоциональный и восторженный Семен: «Ах, оборудование! Ах, возможности! Ах, отношение!» Но в основном он восторгался страной – порядок, чистота, продукты в магазинах.

Мишка зачитывал Кире письма Семена и скептически усмехался. Неужели и вправду рай? Что-то не верилось. А вот когда написал Андрюшка – скупо, но четко и только по делу, он задумался.

Да, тогда все совпало – Нина, Мишкина работа, Кирин отец и потеря комнаты. Куда податься, куда? Еле сводили концы с концами, экономили на всем. Приютил их тогда Мишкин приятель Зяблов, к которому они и раньше частенько наведывались в гости. Но они понимали – злоупотреблять зябловским гостеприимством невозможно, неправильно.

Кира к Зяблову относилась скептически, точнее – она его не любила. Почему? Да все понятно – где они и где Зяблик, человек из другого мира, с другой планеты. С другими желаниями, потребностями, возможностями. Представитель золотой молодежи. Веселый бездельник, кутила, эдакий лихой купчина. Она презирала его за излишнюю легковесность, свободу во всем, и в первую очередь в отношении к жизни. Денег ему хватало с избытком, жил он в огромной квартире в самом центре Москвы, в придачу имелась и большущая дача в престижной Апрелевке. Странный и чужой был ей этот Зяблов, который по воле судьбы оказался старинным и лучшим другом ее Мишки. Чудеса!

Кира с удивлением наблюдала за хозяином квартиры. И вот что интересно: даже когда у него периодически случались затяжные и страстные романы, случайные девы и подруги при этом не заканчивались. Странно, не так ли? И это любовь?

Кира с Мишкой хихикали – зябловские романы были не только страстными, но и непременно трагическими и драматическими. Все не просто, а с вывертами. «Ни одного легкого случая, – шутил Мишка. – Зяблик не ищет легких путей. Видимо, по-другому не возбуждается».

Так и было – и Кира погружалась в перипетии очередного зябликовского романа, словно в интересную книгу или в кино. Вот уж страсти-мордасти! Куда там им с Мишкой!

У Зяблика было прозвище – Коллекционер. Кира смеялась:

– О да! Причем – во всех смыслах! И мебель, и картины, и, конечно же, женщины.

Ну вот, например, Алена. Как она была хороша! Даже Мишка, совсем уж не бабник и не ловелас, увидев ее, замер как вкопанный. Это был тогда еще незнакомый Стране Советов тип женщины – высоченная, на полголовы выше высоких мужчин, ноги, естественно, метра полтора. Роскошная медная грива волос, бледное лицо с узкими скулами. Это сейчас такой тип женщин не только моден, но и распространен. А тогда Алена выглядела инопланетянкой, случайно залетевшей на грешную планету.

Алена почти все время молчала – образ или дура? Вопрос. Закинув свою невероятную ногу, она томно закуривала длинную, с мундштуком, сигарету, изящно держа в тонких, длинных пальцах бокал с коньяком. На нее приходили смотреть, как на диковину.

В зябловской квартире она задержалась месяца на четыре.

На вопрос Киры: «А где же наша пришелица из других миров?» Зяблик вяло ответил: «Да замуж вышла и в Штаты махнула. Замуж очень рвалась, понимаешь?»

Была еще грузинская красавица Тамара – дочь какого-то высокопоставленного человека. Приезжала Царица Тамара на «Чайке». Вернее, ее привозили, и водитель открывал перед ней дверцу.

Тамара была красива жгучей, яркой и немного душной грузинской красотой – настоящая пери.

Она любила рестораны с очень громкой музыкой, обожала танцевать. Нраву была странного, истерического – то громко смеялась, то бурно рыдала. Наверняка у красавицы имелись проблемы с психикой. Зяблик был ею увлечен, но тоже недолго, через пару месяцев стал Тамарой тяготиться. И повезло ведь – приехал отец из Тбилиси и увез экспансивную дочь.

Была еще Лили, болгарка – улыбчивая, милая, стриженная под мальчика, с мальчиковой фигуркой и очень красивыми ногами. Лили пыталась со всеми дружить, надеясь таким образом привязать к себе Зяблика. Бедная девочка – ничего у нее не получилось, Зяблик быстро остыл.

Словом, хоровод этих зябловских баб, этих невозможных красоток, не кончался никогда. Он любил произвести впечатление – явиться, например, с новой сногсшибательной подружкой в Дом кино или в Дом журналиста. Ну а там, в ресторане, гульнуть по полной – с коньяками и винами, с черной икрой и балыками. С размахом и помпой – загулявший купчина. Противно.

Кира удивлялась и тормошила мужа, пытаясь разобраться: Мишка и Зяблик – как могут они быть близкими, самыми близкими друзьями? Ее бессребреник, скромняга и трудяга Немировский и этот Зяблов – невероятный модник, отчаянный бонвиван, московский мажор, по сути, бездельник, нарцисс и хвастун. Как? А вот так! Мишка говорил, что все мы из дет-

ства. Зяблик – друг со школьной скамьи, с первого класса. Ну и дальше, всю жизнь. «Разные? Ну да. А что тут такого? Мы понимаем друг друга с полуслова. Мы как близнецы. А то, что разные интересы... Иногда людей объединяют не интересы, а взаимная симпатия и доверие».

Кира с Мишкой даже в тот непростой период почти не ссорились, хотя их бесприютная кочевая жизнь здоровых нервов и настроения не прибавляла – Кира стала часто срываться. Ну скажите на милость, какая женщина, пусть даже исполненная самой жаркой благодарности за приют, даже самая непритязательная и спокойная, выдержит бесконечную круговерть посторонних баб, толпы друзей, бурные сборища и постоянные гулянки и пьянки? Мишка тоже не высыпался, хотя и участие в зябловских загулах почти не принимал: так, посидит с часок – и к себе в «норку», как они называли выделенный щедрым хозяином уголок.

Кира уставала и от бесконечного мытья посуды, уборки кухни и столовой – ну не ждать же домработницу, ей-богу! Принималась опустошать переполненные окурками пепельницы и очищать грязные тарелки – с утра будет невыносимая вонь.

Дальше так было невозможно, надо было что-то предпринимать. Она перестала спать по ночам – мысли терзали, как голодные волки. Деньги, деньги, будь они неладны! Как всегда, все упирается в них! Дурацкая, мерзкая и унизительная субстанция эти деньги. Но без них никуда... Чужой угол, где они приживалы. Но самое главное – муж без работы. Кира понимала – он пропадает и скоро совсем пропадет.

Наконец не выдержала и твердо сказала:

– Миш, надо устраиваться на работу. Хоть куда – все равно. Иначе ты чокнешься.

Он не обиделся, но страшно смутился и сжался в комок:

– Куда, Кира? Ты же видишь – все мои поиски тщетны, бесплодны.

– Да хотя бы в школу учителем физики – какая разница?

В школу. С его талантом. Со степенью. После его лаборатории. Еще одно унижение.

Ей было невыносимо жалко Мишку, а что делать? Чувствовала: еще немного – и он свихнется.

В школу взяли – правда, черт-те куда, в Ясенево. Директриса оказалась нормальным человеком, не побоялась взять не учителя, а ученого – тогда это не приветствовалось. Но с учителями была беда – район новый, школы полупустые, мало учеников, не хватает учителей. Ездить из центра до этих хмурых и продуваемых выселок было непросто – автобусы от метро ходили редко.

Она видела, что эта работа не только не ободрила Мишку, но усугубила его транс и тоску – он совсем замкнулся, почти не разговаривал – ни с ней, ни с Зябловым. И на кухню по вечерам не выходил – валялся на диване в «норке» и что-то читал.

– Увольняйся, – твердила Кира. – Проживем как-нибудь!

Мишка хмыкал и отворачивался к стенке. Молчал. Однажды горестно бросил:

– На что уходит моя жизнь, Кира! На что?

Она увидела его глаза и испугалась. Нет, надо срочно что-то менять!

Однажды, когда у Зяблика шла очередная гульба – стены дрожали, – Кира не выдержала:

– Миша! Я больше тут не могу! Все, сил больше нет. Давай съедем, а? Мне все равно куда. Только чтобы была тишина, понимаешь? Я устала от всего этого. Устала от своих мигреней и бессонных ночей.

Мишка повернулся и посмотрел на нее:

– Есть предложения? Я готов выслушать.

Вот этот тон, эти слова ее окончательно взбесили.

– А ты квартиру разменяй! Свою квартиру! Две комнаты, центр. Спокойно меняется на однокомнатную и комнату в коммуналке – я узнавала.

– Узнавала? – Мишка перебил ее и привстал на локте. – Ну надо же, какая прыть, Кира! И какая осведомленность! Признаться, не ожидал! И что, есть варианты?

Она испугалась его сарказма и совсем сникла. Что-то залепетала, мол, никаких вариантов. Подробно не узнавала. Так, подумала просто...

Он резко встал с дивана.

– Так вот, Кира. – Он замолчал, а она съежилась, сжалась в комок, ей захотелось исчезнуть, испариться. – Я попрошу тебя никогда – слышишь? – не заводить разговор на эту тему! Я оставил квартиру дочери. И жене. У нее, как тебе известно, в Москве площади нет. Я – прости – поломал, испортил им жизнь. Уж Нине – точно. К тому же Катя растет. А у Нины есть шансы как-то устроить личную жизнь, чему я был бы отчаянно рад. – Его лицо искривила болезненная гримаса, и он вышел из комнаты. На пороге обернулся: – Не думал, что ты когда-нибудь заговоришь об этом.

Кире стало страшно. Ужасно. Все это было ужасно. Стыд, кошмарный стыд. Зачем? Зачем она затеяла этот ужасный разговор? Ведь понимала же, понимала – по-другому и быть не может! Это Мишка! Разве он может иначе? Эта его вечная вина перед бывшей женой и безграничная тоска по дочери. «Господи! Какая же я дура, – твердила перепуганная Кира. – А вдруг он уйдет от меня? Сама все перечеркнула, все испоганила! Идиотка и сволочь!» Ревела от стыда, от страха а потом стала себя успокаивать: «Да что тут такого, в конце концов? Подумайте, какое благородство! А за чей, простите, счет? Вот именно, за мой! Ах, чувство вины! Подумаешь! А у меня нет чувства вины? Перед Володей, перед Верой Самсоновной? Не я ли нанесла им, замечательным людям, предательский, подлый удар в спину? И за что? За любовь и ласку? Вот именно.

Можно подумать, только ему стыдно и страшно! Только ему горько и плохо.

А мои родители? Им было просто? Они не переживали, не волновались? А как они любили Володю! А как дружили со сватьей!

Да что я такого сказала, что потребовала? Бриллианты и норковые шубы? Машину или виллу на море? Просто я тоже хочу нормальной жизни – это что, преступление? Своего угла хочу. Своих кастрюль и сковородок. Своего, а не зябловского, постельного белья. И ребенка. Мне, в конце концов, уже тридцать пять – не пора ли? И, между прочим, именно он должен решать такие проблемы, а не жить примаком у старого друга в «норке», не прятаться от проблем и от жизни вообще. И сколько это будет еще продолжаться? Ответа нет. Потому, что самое простое – обвинить другого. И оправдать себя, назначить себя благородным, меня записать в сволочи. Только бы подумал – за чей счет это его благородство? Вот именно, за мой».

Это был их первый серьезный раздор. Кира даже подумывала уйти из зябловской квартиры. Но куда?

Три дня он молчал и на нее не смотрел. Презирал? Ее это еще больше задело. «Ну и подумаешь! Все, съезжаю к своим. А ты оставайся со своим святым ликом и со своим презрением. Мне уже почти все равно, потому что обидел, сильно обидел».

Ссора была в среду, а в субботу она поехала в Жуковский. Написала записку: «Останусь ночевать». В ночь с субботы на воскресенье уже поняла – жизнь без Мишки ей попросту не нужна. Еле дождалась вечера воскресенья – скорее к нему! И наплевать на его презрение, на его тон, на его мнение о ней! Наплевать. Ей надо одно – поскорее увидеть его, обнять, прижаться. Уткнуться в его шею. Услышать его запах. Провести ладонью по шершавой небритой щеке. Дотронуться до его губ, глаз, бровей. И прошептать ему, наплевав на гордость и вообще на все: «Мишка, я без тебя не могу! Прости меня. Прости, прости. Я – полная дура. Только прости ради бога – я умираю!» – но это уже про себя.

И наплевать, если после этого унизительного собачьего скулежа он запрезирает ее еще больше – да пусть, ради бога! Ей нужно одно – чтобы не выгнал, чтобы простил. Чтобы они были вместе, как раньше.

Кира торопливо простилась с родителями, схватила полную, неподъемную сумку, набитую матерью: курица, пирожки, половина медового торта. Спорить, как обычно, не стала. Надела пальто, сапоги, кое-как повязала платок и почти скатилась по лестнице. Скорее в Москву! Как он там, господи? Неужели за это, за эту чушь, за эту бабью глупость, можно вот так взять и разлюбить? О господи, нет! Внизу, у двери парадной, вздрогнула и отшатнулась – темная мужская фигура маячила у двери. А через минуту дошло: Мишка! Господи, Мишка! Он приехал за ней! Значит, он не бросил ее? По-прежнему любит?

Она ткнулась ему в плечо, в мягкую и влажную ткань куртки.

– Мишка, Мишка, – зашептала она, – как я соскучилась, господи!

Платок сполз, и он гладил ее по волосам и тоже бормотал:

– Кирка, дурочка! Как я могу бросить тебя? Как могу разлюбить? Ты – вся моя жизнь, Кирка! Вся моя жизнь.

В электричке она, измученная своими страданиями и чувством вины, обессиленная, как после тяжелой работы, тут же уснула на Мишином плече. И ей было все равно, куда они едут – к Зяблику? Да пожалуйста! Хоть куда – на вокзал, на чердак, на помойку, лишь бы с ним, лишь бы был рядом Мишка. Ее любимый – на всю жизнь.

* * *

С работы Мишка уволился. Точнее – его попросили. Случился конфликт с одной важной мамашей по поводу двойки в четверти у ее ленивого отпрыска. Директриса, страшно смущаясь, попросила его написать заявление: «Дама эта – скандалистка отменная, профессиональная. Дойдет до министра образования, не сомневайтесь! Простите и войдите в мое положение!» Подробностей Кира не помнила, но очень обрадовалась, что так вышло.

Вот интересно – когда, казалось бы, уже полный тупик и безнадега, щедрая и мудрая жизнь выкидывает, как карту, как козырного туза, неожиданный выход. Так и вышло – на следующий день – в буквальном смысле слова – позвонила Кирина сослуживица и предложила дачу своей знакомой. Совсем рядом с Москвой, двадцать километров по Белорусской дороге, поселок Жаворонки.

– Известный кооператив музыкантов, все люди не то что приличные, а очень приличные – интеллигенция, – возбужденно тараторила сослуживица. – Знаешь, кто там обитает? Не знаешь? Ну, например, Пахмутова с Добронравовым! Окуджава! Сличенко, представь! Ну, как тебе, а?

Растерянная Кира вымолвила скупое «угу».

– Теплый зимний дом со всеми удобствами, – продолжала та. – Туалет в доме, ванная, сдает за копейки – десять рублей в месяц! Зачем ей это? Да охранять! Воруют, гады, – залезают в дома, сжирают консервы, крупы. Живут даже, ночуют! Вот сволочи, представляешь? Но и это не самое страшное – могут и поджечь! Уже сожгли два дома на соседней улице. Так вот, она всех спрашивает – есть ли приличные люди, интеллигентные, хорошо знакомые, которым можно доверить? Словом, свои. Ну я и подсуетилась – сказала, есть! Да еще какие приличные! Порядочные, интеллигентные, и им можно доверять! Ну, как тебе, а? Поедешь смотреть? Да, на работу добираться на электричке – а как ты хотела? За такие копейки в Москве не то что квартиру – комнату не найдешь! А там – воздух, лес, тишина! И удобства, Кира! Удобства!

Еле дотерпели до выходных и в субботу поехали смотреть. Да Кира бы и не смотрела – ее все устраивало заранее. Лишь бы сбежать, съехать от Зяблова в тишину и покой. Но все же поехали. С хозяйкой встретились на Белорусском.

Ехали недолго, около получаса. Вышли на платформе и обомлели – красота! Какая же красота! И какая тишина – просто звенит в ушах! Накануне выпал снежок – в Москве, конечно, он сразу растаял. А здесь лежал свежий, первозданный, белоснежный.

К дому шли по узкой лесной тропинке. По бокам стояли огромные припорошенные темные ели.

Шли и переглядывались. Ох, только бы сговориться! Только бы хозяйка не отказала. Кира этого точно не переживет.

Шли минут двадцать и наконец пришли. Домик был небольшой и очень симпатичный. Финский, как гордо сказала хозяйка. Он и вправду не был похож на обычные подмосковные дачи – громоздкие, темные, крашеные-перекрашеные, надстроенные и подстроенные.

На довольно большом участке густо росли елки, березы и сосны.

В доме было неожиданно тепло – работало газовое отопление. Кухонька, гостиная и две маленькие, уютные спаленки. Все небольшое, но ухоженное и милое.

– Чудо какое! – шепнула Кира мужу. – Тебе нравится?

Он кивнул. Слава богу, сговорились и отдали десятку за первый месяц. Хозяйка дала указания: попросила не топить камин и, отдавая ключи, строго сказала:

– Надеюсь, все будет хорошо!

Они поспешили ее успокоить.

Решили остаться ночевать сразу, в тот же вечер. Им не терпелось поскорее обустроиться в «своем гнездышке», а уж рано утром поехать к Зяблику за вещами.

И этой ночью было снова одно сплошное и бесконечное счастье.

– Как благосклонна к нам судьба! – шептала Кира. – Как щедра на подарки!

– Судьба всегда благосклонна к влюбленным, – усмехнулся муж. – Ты разве не знала?

«Влюбленным, – повторила она про себя и добавила: – И очень счастливым. Как бы не сглазить!»

* * *

Зима в тот год была суровой и снежной – за одну ночь наметало высокие сугробы – ни пройти, ни проехать. В шесть утра Мишка брал лопату и выходил чистить снег.

Кира пила утренний чай и в окно наблюдала за мужем – здесь, в Жаворонках, он немного поправился, и это невзирая на непривычную физическую работу: почистить снег, наколоть дров для костра, в котором они пекли картошку, сбегать на станцию за хлебом и молоком. Или скорее, так – подрумянился и окреп, подкачал «стариковские» дряблые, как сам говорил, мышцы. «Я же работник умственного труда, все мы такие», – с усмешкой говорил он. По утрам взялся обтираться у крыльца снегом – и его вопли разносились по всей округе.

Расчистив дорожку, он шел провожать Киру до станции. Шли они молча, взявшись за руки и любуясь красотой зимнего леса и чистотой белоснежного, девственного снега, глубоко вдыхая голубой и прозрачный воздух.

В ожидании электрички на перроне Мишка согревал ее озябшие руки и тер красные румяные щеки:

– Матрешка! – смеялся он. – Ну ты просто матрешка, Кирюшка! Такая краснощекая и глупоглазая кукла с кучей секретов внутри.

– Какие секреты, о чем ты? Какие у меня секреты?

Кира садилась в электричку и махала ему рукой. Почему-то сжималось сердце. Муж, самый дорогой, любимый и близкий ей человек, стоял на перроне – худой, сутулый, в нахлобученной по самые глаза старой кроличьей шапке, в тощей куртяшке, под которую уж точно требовалось поддевать парочку старых шерстяных свитеров, в чужих валенках и рукавицах, позаимствованных без всякого, разумеется, спроса у хозяйки, с заиндевелой бородой и бровями. Почему? Что было такого в этой картинке, почему у нее до боли сжималось сердце и накрывала тоска? Все же нормально? Они наконец вместе, и все неприятности, кажется, позади. У них есть свой дом, в конце концов, пусть временный. Живут они по-прежнему в большой любви, нежности, страсти, если хотите, и уж точно – в понимании. У них так все хорошо, что даже становится страшно.

Да, денег, конечно, не хватает. И это очень мягко сказано, если честно. Ее пустяковая зарплата – копейки. А еще плата за дом и электричество. Да, она мерзнет в старом пальто, отлично понимая, что о новом не следует и мечтать. Да, она четыре раза чинила сапоги, а они, сволочи, все равно протекают. Да, Мишка страшно страдает без своего дела, без науки, без своей разгромленной лаборатории. После писем от Семена и Андрюшки подолгу молчит и курит на крыльце. Она ничего у него не спрашивает – понимает, что ему очень больно и очень обидно. Как понимает и то, что он скучает по дочке и по-прежнему мается виной перед Ниной. Но дочку он, слава богу, видит. А Нина – ну что ж тут поделать? Кто-то платит всегда. И она, Кира, которая очень счастлива в браке с любимым мужчиной, она тоже платит, поверьте! Но плата у всех разная, это правда.

Нет, у них все хорошо – они вместе, и они так любят друг друга. Им так хорошо вдвоем, что никто больше не нужен. Но почему на сердце такая тоска?

На работе она была тиха и задумчива – коллеги и приятельницы удивлялись. А на обеде одна из них спросила:

– Кирка! У тебя что-то не так? Что-то случилось?

Кира вздрогнула и поторопилась успокоить девчонок – стала как будто оправдываться.

Видела, что выглядит все не слишком убедительно – вроде и счастливая, добилась своего, а, выходит, нет счастья на свете?

Вечерами Мишка ее всегда встречал на платформе. И она, видя его нескладную фигуру на перроне, краснела, как девочка: скорее, скорее! Обнять его, взять за руку. Как она соскучилась! А вы говорите – нет в мире счастья. Есть, друзья, есть! Но и тоска на душе не проходит. И никуда она не девается, не исчезает – как ни уговаривай себя, как ни убеждай, что все хорошо...Так же, как и печаль. Выходит, все это – непременное, необходимое сопровождение?

Вечерняя прогулка по зимнему лесу до их избушки взбадривала усталую Киру и немного приводила в порядок. А дома была вообще красота: тепло – к ее приезду Мишка, невзирая на просьбу хозяйки, осторожно, чуть-чуть, подтапливал камин, и в доме вкусно пахло смолой и дровами. Кира огонь обожала. В будние дни на хозяйстве тоже был Мишка, хотя изысков не наблюдалось, но тем не менее под подушкой, заботливо укутанная в два старых махровых полотенца, Киру ждала кастрюлька с горячей картошкой или пшенной кашей. Зажигали свечи и садились ужинать. И снова счастье вплывало в маленькую кухоньку теплым облаком, садилось на спинки кресел, присаживалось на угол стола, повисало на оранжевом абажуре, цеплялось за карниз с занавесками, уютно, как старый домашний кот, укладывалось на вытертый коврик у двери. Счастье было везде – оно было разлито в воздухе, во всем пространстве. И в их измученных и счастливых душах.

И ночью никуда не исчезало – даже наоборот. Но не душило – аккуратно и деликатно окутывало крошечную комнатку и обнимало их двоих – осторожно и нежно, словно боясь напугать. Но Кира все равно пугалась – сама не понимая, что ее мучает и что пугает.

Раза два в месяц ездили в город, к Зяблику, на этом настаивал Мишка. Но и Кира не возражала – в конце концов, хоть какое-то развлечение. «Совсем мы с тобой одичали в наших лесах». Там все было по-прежнему – Зяблик курил сигару, выпуская густое и ароматное облако, пил неразбавленный виски, щелкал орехи и слушал музыку – джаз, блюз. Пижон! Нет, Кира прекрасно понимала, что музыка замечательная, тонкая, щемящая. И все же очень печальная, даже тоскливая. На ее настроение – в самый раз. Оглядывая гостей Зяблика, она, конечно, понимала, как отличается от всех этих женщин – модных, дорого одетых, ухоженных, ярких, красивых. Очень уверенных женщин – куда ей до них! Маникюр и стрижки, обувь и сумочки, косметика и духи. Шубки и сапожки. И она – в своей перелицованной юбке и кофточке с катышками.

«Нет, я конченая дура! – укоряла она себя. – Я же все про них понимаю, откуда и что». И все равно было неприятно – и стыдно, и неловко, и немного обидно. Она ловила на себе и муже удивленные взгляды гостей хозяина – уж очень они отличались от постоянной публики, торчавшей в Зябликовой квартире. Впрочем, особенно они никого не интересовали. В конце концов, в знаменитой квартире всегда было полно разного народу – и известные художники, и знаменитые артисты, и дипломаты из разных стран. И юные балеринки, порхающие пугливыми стайками. И валютные проститутки, и тайные миллионеры, и фарцовщики, и богатые детки известных родителей. Врачи и даже один генерал из органов – вот все тогда удивились!

– Нужный человек? – недобро усмехнулась Кира.

Мишка пожал плечами – он не любил, когда она подсмеивалась над его лучшим другом:

– Значит, так надо.

Вот и весь ответ.

Зяблик ставил итальянское кино, щедро накрывал столы – впрочем, как всегда. Человеком он был не жадным, это уж точно. Разливал французский коньяк и итальянские вина, потчевал шатию-братию севрюжьей икоркой и югославской ветчиной. Словом, гуляли. От выпитого и накуренного у Киры начинала болеть голова, и она шепотом принималась упрашивать мужа поскорее уйти. Мишка злился, а она, чувствуя себя виноватой, искренне не понимала:

– Ну что тут интересного? Ну что, ты не видел всех этих пижонов, центровых продажных баб и спекулянтов? Ты и они – смешно! И еще очень странно! Нет, я искренне не понимаю!

Мишка молчал и нехотя огрызался. В электричке сидели надутые. А выйдя на платформу, Кира брала мужа за руку, и тут же все проходило – как не было. Войдя в дом, вообще все тут же забывали – их милый дом, их любимое гнездышко. И что им, дуракам, еще надо?

Наступила весна, и Кира впала в панику. Когда хозяйка попросит освободить дачу? Та бормотала что-то неопределенное, ссылаясь на дочь и внука, – мол, когда те захотят заехать, одному богу известно. Дочка – самодурка. Что ей в голову вступит? А она бы так и сдавала – будь ее воля, и спокойно, и копеечка капает. Странно и неприятно было зависеть от чужой непонятной воли и от капризов незнакомой им женщины. Кира умоляла хозяйку предупредить хотя бы за пару недель, смущенно объясняя, что деваться им некуда.

Как ни просила, а вышло все по-другому, нехорошо. Хозяйка появилась ранним субботним утром и, пряча глаза, объявила, что съехать им надо немедленно – день-два максимум. Кира расплакалась. Ни Кирино возмущение – договаривались ведь! – ни ее уговоры и просьбы, ни даже призывы к совести не возымели действия. «Дочь – самодурка и стерва, поделать ничего не могу, да и вообще, у всех свои проблемы». Но уступила и благородно дала на сборы неделю – и на этом спасибо.

Что делать? Опять они выброшены на улицу, в никуда. Опять надо унижаться, торопливо искать выход, понимая, что так быстро он не найдется – вряд ли им снова так повезет.

И как не хотелось съезжать! Стоял ранний и теплый апрель, на клумбах распускались фиолетовые и белые крокусы, снег почти растаял, обнажив зеленую траву. Уже пели птицы и хорошо пригревало солнышко. Красота. Но, увы, чужая, не их. Мишка впал в такой транс, что ни Кирины утешения и уговоры, ни искренние уговоры Зяблика: «Конечно, приезжайте! О чем ты!» – ничего не работало. Это была депрессия, болезнь пока еще не очень известная и не модная. Он почти ничего не ел, почти не разговаривал, валялся на диване или молча курил на крыльце.

А Кира снова металась – съездила в Банный, бестолково поболталась меж странных и неприятных людей – квартирных маклеров. Вдруг повезет? Не везло. Нет, квартиры сдавались – но цены! Совершенно неподъемные цены, куда им. Решилась и поехала в Жуковский. Прекрасно понимая, что общая жизнь с родителями у них не получится. Но не на вокзал же, ей-богу!

Мать выслушала ее с поджатыми губами и покачала головой:

– Нет, Кира, извини. Мы пожилые люди со своими привычками. Я все вижу наперед – сначала начнется недовольство, причем с обеих сторон. Потом скандалы – ты знаешь отца. Да и я не железная. Нет, дочь. Извини. И потом... – Она повысила голос. – А этот твой? Когда женился, не знал, что гол как сокол? И ты не знала?

Все правильно. Мама, конечно, права. И обижаться нечего – на правду вообще обижаться нечего. Только что делать? Но легко сказать – нечего обижаться! Конечно, обиделась. На всю жизнь. На похоронах матери стояла у гроба, и надо же – вспомнила! В такой момент и вспомнила! Стыдно было перед самой собой – уговаривала себя простить. Кажется, получилось. Тогда получилось. Но эта обида жила в ней долго, много лет. Мужу ничего не сказала – постыдилась. Родители, и не приютили единственную дочь – как о таком рассказать?

Обзвонили и оповестили всех – от хороших приятелей до приятелей приятелей. От близких родственников до дальних.

Кира нашла даже в записной книжке бывших сокурсников. Ни-че-го.

Что делать? Заняла денег и ждала звонка от квартирного маклера. Тот, жуликоватый, похожий на лакея или приказчика, – лоснящийся ровный пробор посреди головы и заискивающая улыбка – обещал что-то придумать, что-нибудь подобрать. Наконец позвонил. Встретились они с ним в Медведкове и поехали смотреть квартиру – черт-те где, у самой Кольцевой. Тряслись на автобусе почти полчаса. Потом минут пятнадцать по жидкой вяжущей грязи чапали до дома. В подъезде пахло кошками и мочой. Встали у хлипкой, почти картонной, двери – «приказчик» с пробором ковырял ключом в замке, а она думала: «Зачем здесь замок? Дверь, кажется, можно открыть легким толчком, без особого усилия и напряжения». Кира зашла в квартиру и разревелась. Квартира была абсолютно пустой – ничего! На кухне – плита и мойка, ни стола, ни стула, ни шкафчика. В комнате – два старых одеяла на полу, одна подушка с торчащими перьями и одинокая облезлая табуретка у окна. А как было холодно!

– И как тут жить? – всхлипнула Кира.

«Приказчик» тут же переменился в лице. Оно стало злым и колючим. Презрительно усмехнулся:

– А вы что хотели за пятнадцать рублей? Окна на Кремль и румынскую мебель? Радуйтесь этому.

Кира вытерла слезы и достала задаток – десятку. «Приказчик» хмыкнул, мотнул головой и попытался утешить:

– Да наберете с миру по нитке – кто стул, кто кровать. Вы ж не с Луны свалились! Знакомые-то у вас есть? – Сказано это было с пренебрежением и даже с брезгливостью.

Кира утерла ладонью щеки и коротко ответила:

– Разберемся.

– Ну вот! – оживился маклер. – А то и на помойке гляньте – район новый, люди переезжают из своих клоповников, покупают гарнитуры, а старье – на помойку! Только глядите, чтобы без клопов. Занесете в дом – пропадете! – Он сунул ей в руку одинокий ключ. – Ну устраивайтесь! С новосельем вас, так сказать.

Слабо хлопнула хилая входная дверь. Кира села на табуретку и снова расплакалась: «Да что за жизнь, господи? Одни унижения. Два взрослых человека с высшим образованием. Не приезжие – москвичи. С пропиской все как положено. И рыскать по помойкам в поисках дивана? Обзванивать знакомых и клянчить подушки, занавески, кастрюли, ложки-вилки и все остальное?» Нет. Она так не сможет. А куда ей деваться? И Мишке сказать нельзя – он еще больше впадет в депрессию. Ему-то каково, мужику? И про пустую квартиру она не скажет ему – пока не скажет. Зачем его унижать? Скажет потом, после – когда найдет какой-нибудь диван и еще что-нибудь. Ну и уберет здесь, все отмоет.

Она медленно встала, прошлась по квартире, провела рукой по подоконнику – он был влажный и очень холодный. На ладони остались грязные разводы. Она растерянно оглянулась – и вытереть нечем. Вымыла руки и с тяжелым сердцем вышла прочь.

Мишка был дома, и она удивилась – он был не то чтобы веселым, но возбужденным, почти радостным, другим. Глаза горели странным огнем, будто он выпил. Нет, вроде не пахнет. Да и спиртного в доме не имелось – накануне выпили последние полбутылки сухого вина.

Он усадил Киру на стул, сел напротив и взял ее за руки.

– Кирка! Я нашел выход, – смущенно покашливая и глядя ей в глаза, сказал он.

Она устало посмотрела на него:

– Какой выход, Миш?

В голове промелькнуло: «Какой выход, господи! Просто смешно. Он нашел выход! Как будто он есть, этот выход! А если и есть, то найду его я, а никак не он – это давно понятно». Она подумала, что очень устала. Знобило, подташнивало, да к тому же разболелась голова. Ей хочется горячего чаю и в постель, все. На разговоры у нее совсем не осталось сил.

Мишка сорвался со стула и заходил по комнате, как бывало всегда в момент сильного душевного волнения. Кира молча наблюдала за ним.

– Кирка! – наконец сказал он. – Я все решил! Мы уезжаем!

Кира нахмурилась.

– Да это и так понятно. Конечно, мы уезжаем. Точнее, нас выгоняют, Миша. Так будет правильнее. А впрочем, какая разница, как это назвать?

Он подошел к ней, взял ее за руки и помотал головой.

– Ты не поняла, родная! – Он улыбнулся. – Ты не поняла! Мы уезжаем совсем. Из страны. Я давно списался с Семеном. Ждал. Там есть место, Кира! Меня берут! Точнее – возьмут. Пусть пока на малую должность, почти лаборантскую. Какая разница? Я устроюсь, не сомневайся! В конце концов, с этим давно надо было заканчивать.

– С чем – с этим? – устало спросила она. – Ты о чем?

– Со всем этим. – Он скривился, как от зубной боли. – С нищетой, с безденежьем, бесприютностью. С тем, что ты, женщина, тянешь все на себе. А я, здоровый мужик... – Он замолчал и с отчаянием горячо продолжил: – Так больше нельзя, Кирка! Так больше невозможно, невыносимо! Унижение это, ну и все остальное.

Кира молчала, опустив глаза. А потом посмотрела на мужа и коротко спросила:

– Когда?

Он понял не сразу, а когда понял, облегченно выдохнул и быстро ответил:

– Как только оформимся. Это, конечно, не месяц. Но уж как получится. Главное, что нам стало все ясно – мы уезжаем! А все остальное – фигня! Так ведь, Кир? – Последнюю фразу он произнес жалобно, словно ждал от нее подтверждения. И, конечно, поддержки.

Она твердо посмотрела ему в глаза и проговорила:

– Да. Мы уезжаем.

И только после этого скривилась и расплакалась – сколько слез пролилось в этот день! Наверное, за полжизни. А впереди была бессонная ночь. Нет, не так – впереди было еще много бессонных ночей. Но эта была первой – из бесконечной череды всех остальных.

Кира думала о том, как она любит этот город. Эту огромную, безумную Москву – красавицу, без сомнения. Но подчас и коварную, и недобрую, и даже лживую. И все-таки она любит этот город, где не родилась, но который, безусловно, стал ей родным. Она любит и маленький, уютный и очень зеленый Жуковский – в нем прошла ее юность. Военные городки, в которых случалось проживать ее семье. Жаркий, с обжигающим ветром Кировабад, который она помнила плохо, кусками – шумный от гортанных выкриков местных смуглых, черноволосых, золотозубых людей. Вспоминался поселок в тайге – влажный лесной запах и хруст поломанных веток, печенье из геркулеса, которое пекла мама, – в городке подолгу не бывало муки. И шоколадную колбасу, которую мама готовила на ее дни рождения. И ледяную горку зимой, и мокрые мохнатые мальчуковые шаровары с комьями налипшего снега, уже почти льда. И запах лыжной мази – отец натирал ее лыжи в предбаннике возле квартиры.

И Новый год в городке – непременный концерт в клубе, конечно, своими силами, чистая самодеятельность – артисты, даже провинциальные, до них не доезжали. Аккордеон, запах хвои от красавицы елки, запах апельсиновой корки, нарядные и прибранные жены военных, ревниво оглядывающие соседок. И пироги на любой вкус, испеченные ими же, женами. На пироги устраивались конкурсы – чей вкуснее. И Кира помнила, как нервничали женщины – кому достанется первое место? Кого назначат лучшей хозяйкой? Настоящие страсти кипели, неподдельная конкуренция. Наконец торжественно называлась победительница, шедшая медленно, с достоинством на украшенную гирляндами сцену. А все остальные провожали ее немного завистливыми и расстроенными взглядами. А на сцене ждал приз – господи, приз! – жалкая вазочка из прессованного хрусталя или льняная скатерка. Помнила Кира бесконечный стрекот швейной машинки – мама шила платья на праздник, и себе и Кире. И грибные походы по осени – большая компания, десяток женщин с детьми, резиновые сапоги, куртки, платки и корзины, огромные корзины для грибов. Грибов было действительно много. И перекус на поляне — бутерброды с салом, пирожки с повидлом и луком, холодная картошка в мундире и травяной чай из термосов. Настоящего черного чая не было — иногда завозили развесной краснодарский, пахнувший лежалой травой. Поэтому собирали травы: жимолость, побеги цветущего вереска, молодые нежные листья таволги и бадана, листья брусники, кипрея, сушили ежевику и землянику. Вкусно, полезно, а главное — доступно и совершенно бесплатно. Какой это был чай! Возвращались с огромными горами грибов — крошечных боровичков, красноголовиков, рыжиков и груздей — белых и черных. Все остальное просто не брали — куда девать этот мусор, когда и благородного улова завались?

А по ночам чистили — голова падает на стол, руки черные, а гора на столе не уменьшается. Наконец мама сжаливалась и отправляла ее спать. Кира падала на кровать и тут же проваливалась в сон, как в черную яму — еще бы, устала!

А утром будил запах — с раннего утра мама варила грибы. Над плиткой сушились вязки боровиков — и сладкий грибной благородный дух витал по квартире.

Грузди и рыжики солили в эмалированных ведрах — из них несло чесноком и укропом. Мама придирчиво пробовала соленый гриб и качала головой — рано. А когда они «поспевали», их раскладывали по стеклянным банкам и сносили в погреб, который под домом, в подвале, сделали мужики — общий, для всех. На полках стояли надписанные банки: Фроликовы, Иванченко, Тезасяны, Крупинниковы, Валиевы. Даже азербайджанцев Валиевых приучили к грибам. «Иначе не получится, живем на подножном корме», — вздыхая, говорили женщины.

По осени начинались ягоды — брусника, клюква. В августе — малина, в июле — черника, а еще раньше, в июне, земляника. Труднее всего было собирать лесную малину — колючие кусты царапали руки и ноги. Но и клюква с брусникой не праздник — болото, чавкающий мох, мошка, комары.

— Да ладно! — отмахивалась от ноющей дочки мать. — А зимой? Что будешь лопать? Ага, вот именно! Печенье с земляничным вареньем, брусничный кисель! А соленые грибочки с картошкой? Вот и трудись, дочь. Без труда, сама знаешь...

Кира знала. Но знала и другое – в больших городах так не живут! В больших городах не расчесывают по ночам до крови искусанные мошкой руки и ноги, а главное – лицо. В больших городах нет погребов, а значит, не надо заготавливать впрок тысячи банок. Не надо топить печку, стоять часами за мукой и селедкой, ходить за хлебом через лес в соседний поселок – именно там и находилась пекарня. В больших городах продавались апельсины и мандарины, капроновые разноцветные ленты для кос и немецкие резиновые пупсы – как настоящие младенцы, вот-вот закричат. Как ей хотелось жить в большом городе, где никто не знает друг друга, где нет дурацких разборок и сплетен, где женщины не судачат о жене военкома. Нет, в городке было много хорошего – и подружки, и медведик. Правда, его увезли. И ледяная горка зимой, и теплая печка, у которой так уютно было погреться.

Но большого города не случилось – она попала в Жуковский. Снова провинция. Мама успокоила – до Москвы-то всего ничего. Полчаса, и ты в столице.

Кира помнила, как в первый раз они, всей семьей, поехали *в город* – так родители называли Москву. Красная площадь, улица Горького, Казанский вокзал. И бесконечный народ – везде, повсюду. Народ торопится, снует, толкается. Хмурится. Она замерла от недоумения и восторга – ее ничего не расстроило, нет!

А мама смеялась:

– Ну? И как тебе эта сумасшедшая Москва? Неужели нравится? Безумный город. Зачем он тебе?

Кира, сглотнув слюну от волнения, только кивала – ага, безумный. Только ей очень нравится.

А потом было кафе-мороженое, металлическая вазочка с шоколадным и ванильным шариками, политыми кисленьким вареньем. И жареные пирожки с мясом – длинненькие, ровненькие, как столбики. Из знаменитого Елисеевского – Кира могла съесть сразу три или даже четыре. И памятники Пушкину и Маяковскому. И Гоголю на зеленом бульваре, где только-только распустилась сирень. И Пушкинский, и Исторический, и Третьяковка.

Там было все, в этом городе, – театры, цирк, кафе и магазины. Там были нарядные, модные и загадочные женщины, за которыми струился шлейфом прекрасный и волнительный запах духов. Из булочных пахло теплым хлебом и ванилью, мороженое было восхитительно нежным и растекалось на языке, в магазине продавались дефицитные золотистые малюсенькие рыбки – шпроты, в стеклянных конусах – разноцветные соки: красный – томатный, прозрачный желтый – яблочный, а темно-бордовый, густой, как сметана, – сливовый с мякотью. В жужжащей колбе взбивался необыкновенный молочный коктейль – холодный, сливочный, с густой пенкой. На прилавках лежали свежие огурцы и краснобокие яблоки.

По величавой реке Москве с зелеными берегами ходили смешные и ловкие речные трамвайчики – все радость, восторг.

Она сразу полюбила Ленинские горы, густо поросшие зеленью, Парк Горького с колесом обозрения и комнатой смеха, высотки на Восстания, в Котельниках. Университет. Как Кира мечтала туда поступить и влиться в эту веселую, нарядную и смелую толпу студентов. Она открыла для себя тихий и немного провинциальный Арбат – гордость москвичей, розово-желтое купеческое Замоскворечье – тихое, спокойное, умиротворяющее, наверняка как в старые добрые времена.

Это был не город – это была сказка, мечта. Мираж. И Кира уже тогда точно знала – жить она будет здесь. Только здесь и нигде больше. И никуда из этого рая, из этой несказанной красоты, от этого счастья она не уедет! Ни-ког-да и ни за что.

И, надо сказать, этот город отнесся к ней благосклонно, не обманул и почти сразу принял в свои объятия. Нет, конечно, он был разный – были скучные и предсказуемые окраины, густо застроенные унылыми пятиэтажками. Разбитые дороги и тротуары, полупустые магазины, хамоватый и резкий народ. Но на Кирину любовь это не повлияло. Она по-прежнему, по-детски, счастливо и радостно, беззаботно и наивно, почти безоглядно была влюблена в этот город. В котором –

в этом она была абсолютно уверена – ей предстоит прожить всю свою жизнь. Всю свою длинную и счастливую жизнь. Здесь она будет счастлива – не сомневайтесь. И здесь родятся ее дети – двое, не меньше. Мальчик и девочка, Лизонька и Сережа. Вот, даже имена придумала – а что, красиво, правда?

Она тут же вступала в яростный спор, если кто-то принимался ругать ее Москву – только попробуйте!

Она легко поступила в институт – нет, не в вожделенный Университет, родители уговорили не рисковать, а в МИСИ. На прозаический факультет – градостроительство. Да, скучноватый и какой-то обыкновенный, не романтичный – какое нынче у нас градостроительство! Ну да ладно – все равно получилось главное: она училась в Москве! Общежитие положено не было – прописка была подмосковной, но Кира часто оставалась ночевать в общежитии у подруг. И за окнами снова гудела, шумела Москва.

А вот сейчас получалось, что из этого города, предназначенного ей судьбой, она должна была уехать. Расстаться с ним, как расстаются с любимым. Бросить, предать. Навсегда.

«Господи, о чем я думаю! – вздрогнула Кира. – Москва! Подумаешь, город! А родители? Как я забыла о них? Как сказать им об этом? Коммунисту отцу? Маме, не воспринимающей никаких критических разговоров про советскую власть, пусть даже вполне справедливых?»

Вспомнились слова отца: «Ты дочь военного!» Он повторял это всегда, когда Кира принималась капризничать или на что-то жаловаться. Дочь военного – это была карма, судьба. Это определяло характер – ныть, скулить, жаловаться не полагалось. «Ты дочь военного».

Господи... Отца же тут же отправят на пенсию! На что они будут жить? Как они вообще будут жить одни? Ведь впереди только болезни и старость. Она посмотрела на спящего мужа – Мишка похрапывал, и ей показалось, что он во сне улыбается. Мечтает о новой, светлой жизни? Наверное. Он натерпелся, все верно. Но ему легче – его родителей давно не было на этом свете. А Катя, дочь? Как он оставит ее?

И Нина – с ней тоже придется разбираться. И кажется, – Кира вспомнила, – нужно будет отдать крупную сумму денег, алименты до восемнадцати. Точно, есть такой закон: обеспечь дитя, предатель Родины! А где взять такие деньги? Где? Даже не у кого занять. А, Зяблик! Да, только Зяблик, а кто же еще?

Допустим, с Ниной он разберется. Но Катя? Он так любит дочь. Ладно, в конце концов, пусть это звучит отвратительно, но это его проблемы. А ее родители, как ни крути, проблемы ее.

Чистая правда Мишкины слова – терять им нечего. Уезжают многие, даже те, которым есть что терять – квартиры, машины, дачи, работа, успех, признание, деньги. И уезжают! Говорят, что за свободой, которой здесь так не хватает. А им и вправду терять нечего – ничем обрасти они не успели. У мужа работы нет. Ничего у них нет, ничего. Кроме друг друга. Но страшно. Все равно страшно – новая жизнь, которую придется начать с нуля. Все непонятно и незнакомо.

Но они молоды, у них есть образование, головы, наконец. Будущее. Там – есть. Здесь – едва ли. Или не так? Или все дело в них самих и нечего искать виноватых? Это они не смогли пробиться, и нечего винить советскую власть. Это они – безрукие, неприспособленные придурки. Вон, оглянитесь! Ровесники вступают в кооперативы и через год заезжают в новые квартиры. Копят и гордо усаживаются в новенькие и блестящие «Жигули». Достают у спекулянтов австрийские замшевые сапоги и дубленки, французские духи и финскую колбасу. Билеты в «Ленком» и «Современник», на премьеры в Дом кино. Запросто проходят в лучшие рестораны – и важные, похожие на генералов, в золотых галунах, швейцары с почтением и поклоном открывают перед ними тяжелые двери.

Значит, просто эти люди умеют жить? Договариваться, заводить полезные знакомства, не гнушаются мясниками, ловко отрубающими палку свиного карбоната? Размалеванными продавщицами, с опаской и оглядкой вытаскивающими из-под полы импортную кофточку или помаду? Официантами, сноровисто запихивающими трешку в карман. Парикмахерами, устало, с одолжением разглядывающими твою плохо постриженную и заросшую голову. С капризными и всемогущими кассиршами в театральных и железнодорожных кассах. Это они умеют подносить нужным людям подарочки, шутить, рассказывать анекдоты. Быть «своим» – или нужным, или просто платежеспособным. Унизительно? Да бросьте! Такая жизнь – что тут поделать? Иначе не получается. Нет, можно, конечно, иначе, без унижений. Только разве не унижение все остальное? Серая колбаса, купленная в обычном магазине. Отвратительный кофе из пачки с зеленой полосой? Кошмарное темное мясо с огромной костомахой? Советский легпром – колоды на ноги, мешковина на тело. Это не унижает? Нытье перед вокзальной кассой, в аптеке, в галантерее. Бесконечные очереди – кажется, отстоишь в них полжизни. И вечный подсчет копеек до зарплаты. И нескончаемые долги: заткнешь одну брешь – и тут же другая. А вранье? Везде, повсюду – по телевизору, по радио и в газетах? А невозможность купить хорошую книжку?

Да, они не умеют жить, все так – интеллигенция! За это, кстати, их многие презирают. Да, они не умеют зарабатывать деньги. Да, они такие – неловкие, дурацкие, глупые и гордые. Хотя – чем гордиться? Своим неумением жить? Тоже мне доблесть. А там, за бугром, в этой пресловутой Европе? Как сложится там? Они же не изменятся! Они такие, какие есть. Может, нигде у них не получится? А как это понять? Да никак.

У Киры началась паника – нет, нет и еще раз нет! Они не смогут, не потянут, у них ничего не получится. Надо срочно отговорить Мишку – делать это нельзя, невозможно! Ее родители, его дочь. Ее страхи. В конце концов, здесь – их дом. Их страна. Родной язык. Друзья. Родня. Разве этого мало? И все это менять на призрачное благополучие? Она готовила свою пламенную и, как казалось, убедительную речь. Но Мишка может ответить: «А как же Семен? А Андрюшка? Разве они толковее, талантливее меня?»

Действительно, почему не сможет ее умный Мишка? Трудяга, талант, светлая голова? Мишка, выгнанный, униженный, почти уничтоженный и растоптанный? И она – тоже почти разбитая, вечно усталая, хмурая, недовольная, остро подмечающая все вокруг? Не желающая принимать эти правила игры? Дочь военного, как же. Пионерка и комсомолка. И просто гордая и честная женщина. Ей противно. Противно все это. А по-другому, выходит, нельзя. Не получается по-другому.

И она любит его. А для него это шанс, которого, скорее всего, здесь не будет. Это они понимают, хотя вслух об этом не говорят – слишком больно и слишком страшно точно знать, что эта дыра навсегда.

«Нет, правда, подумай, Кира! – уговаривала она себя. – Что нас тут ждет? Даже черт с ним, с бытом, со всеми этими импортными колготками, сухой колбасой, «Жигулями» и прочими благами! В конце концов, все это можно пережить, мы не избалованы, привыкли. Главное – Мишка. Мишка, с его неустроенностью, с его депрессиями, тоской и потерей вкуса к жизни. Вот что страшно, вот где почти смерть. Как она может остановить его, не дать ему шанс? И как потом с этим жить?»

Ради мужа она должна это сделать. Там есть надежда. А здесь ее нет. Здесь она не может даже родить – куда принести ребенка? А ведь еще пара лет, и будет поздно. Правда, там тоже надо прижиться, устроиться. И получается, что будет тоже не до ребенка.

«Все, Кира, остановись! Хватит нюниться и разводить сопли. Мы молодые, здоровые. Мы вместе! И значит, все получится! Просто надо решиться. Или прозябать дальше в этой ужасной пустой и холодной квартире? В этой камере с видом на черный лес и Кольцевую? И платить за это огромные деньги, треть зарплаты? Клянчить подушки и сковородки? Нет, невозможно. Уезжаем».

И понеслось. Вызов из Израиля – иначе никак. Никакой родни у Мишки там не было – у него вообще не было родных. Вызов присылался каким-то сложным, загадочным путем, через знакомых – это была нормальная практика, было налажено. Главное, чтобы была хоть какая-то еврейская кровь. Мама у Мишки русская, Ольга Сергеевна Калязина, из деревни Верхушки, что в Псковской области. А вот отец – еврей, правда наполовину, но этого было достаточно.

Вызов пришел довольно быстро, и Кира снова испугалась – держала в руках узкий хрустящий конверт и тряслась: их решение обретало реальную форму. Нет, она почти успокоилась и внутренне почти приняла его. Но тут обнаружилось, что она беременна. Что делать? Ехать туда с пузом и сесть Мишке на шею, да еще и вдвоем с малышом? Остаться здесь? Нет, невозможно – ей будет нужно уйти в декрет, муж по-прежнему без работы, квартиры по-прежнему нет. Принести ребенка в этот кошмар в Медведкове? В этот вечный свистящий сквозняк?

Она ничего не сказала мужу. Понимала, чем это закончится – Мишка никогда не позволит ей сделать аборт. Но аборт состоялся. В больницу она приехала утром, к семи. А к вечеру уже была дома. Все, история эта закончилась. И она правильно сделала – все правильно, да. Ради них, ради Мишки. А знать об этом ему и не надо – зачем причинять новую боль?

Они обрели новых знакомых – «отъезжантов», как их называли. Публика, надо сказать, тут была разная – и научная интеллигенция, прижатая властями, и торгаши, убегающие от тюрьмы. И люди творческие – довольно известный пожилой актер с молодой и очень красивой женой, и неудачливый поэт, и немолодая балерина, давно оттанцевавшая свой балетный век и тоже выкинутая за борт.

Была пара, уезжающая ради больного ребенка, – помочь мальчику могли только там. Кто-то презирал власть и даже пытался бороться с ней. Кто-то мечтал о тряпках и полных полках в магазинах. Кто-то задумывался о будущем своих детей.

Многие оставляли родителей, ни в какую не желающих уезжать. Без сожаления бросали квартиры, дачи, машины, надеясь, что там, в новой жизни, всем этим добром они сто раз обрастут. Все были воодушевлены, возбуждены, и без конца из уст в уста передавались бесчисленные рассказы об уехавших знакомых – конечно же, самые радужные и обнадеживающие. Все тут же устраивались на работу, почти сразу покупали большие машины и дома с лужайками, все лечились у замечательных врачей, щеголяли в модных тряпках и питались заме-

чательными продуктами. Из рук в руки передавались цветные блестящие фотографии – не фотографии, а картинки из сказки. И вправду, машины были длинными, блестящими и серебристыми, тряпки – немыслимые джинсы, платья и кофточки – восхитительными. А еще йогурты всех цветов и любого вкуса – малиновый, грушевый, клубничный, чистые, без единого бочка, яблоки и груши, как искусственные – такие ровные и красивые. Такие бывают?

И чистейшие, гладкие, без единой жилочки и косточки, ровные куски мяса – загляденье, сладкая греза любой хозяйки. И гладкие розовые курочки с толстыми боками. При виде них перед глазами тут же всплывали в памяти родные синие птицы с крючковатыми желтыми, страшными когтями. Да все, господи! Все красивое, как из сладкого сна. Невозможного и нереального. А улицы? Такие чистые улицы – неужели такое бывает?

Все писали о совершенно невозможных, невероятных соседях и случайно встреченных незнакомых людях на заправках, в лавках и банках, которые постоянно улыбались и искренне готовы были помочь. И снова все качали головами и дивились: так бывает? Без нашего вечного хамства, вымогательств, гнусных чиновничьих рож? С улыбкой, добром и без унижений? Не очень верилось. Но в душе поднималась горячая волна – и у нас будет так же! И у нас будет красивая, сытая и счастливая жизнь. Интересная и любимая работа. И наши дети будут расти в этом мире – мире добра и любви. И сердце затопляла гордость за свою отвагу, решительность, смелость.

По рукам ходили списки, что обязательно надо везти и что – точно не нужно. И что интересно – списки составлялись для «богатых» и «бедных». В список для «бедных» входили спальные мешки, кухонная утварь, включая ручную кондовую мясорубку – на первое время, цветной телевизор «Юность». Ковер – непременно, а лучше – два: один себе, один на продажу, там они прекрасно идут! Только вот ковер надо было достать. И вдобавок нужны были деньги, чтобы его купить. История не для Киры с Мишкой, хотя новые знакомые предлагали помочь – возможности у некоторых были немалые.

Были в списке и подушки, и постельное белье, и почему-то ситцевые ночнушки, и даже горчичники с валокордином – смешно. Ну валокордин им точно не нужен, а вот белье и подушки вполне пригодились бы.

Книги оставались у Нины, в той семье. Мишка мечтал их забрать, к тому же подошло время для объяснений, надо было решать вопрос с алиментами для Кати. Кира видела: Мишка надеется, что Нина благородно не станет требовать деньги с безработного бывшего мужа. Кира, конечно, в это не верила – Нина остается с дочкой одна. Да и к чему благородство? Да, он оставил ей квартиру. Но когда это было и сколько воды утекло!

Решили так – на один день они разъезжаются. Мишка – к Нине, Кира – к своим. На самый трудный в их жизни разговор. Одновременно будет легче – каждому будет не до переживаний за другого.

Кира нервничала так, что с ночи страшно разболелась голова. По слабости духа подумывала разговор отложить. Но, увидев Мишкино решительное лицо, передумала: пропадать – так вдвоем! У них все вдвоем, пополам, вся их совместная жизнь.

На улице обнялись.

– Как на войну, – грустно усмехнулась Кира.

Мишка молча кивнул.

Дорогой в Жуковский Кира всплакнула – всех было жалко: и родителей, и себя. Но требовалось еще и родительское разрешение – вот и это было проблемой. Хотя чего ждать, на что рассчитывать? Реакция матери и отца была вполне предсказуемой – и Кира это отлично понимала.

* * *

Мать выглядела озабоченной и Кириного настроения, кажется, не заметила – вечно болеющий муж теперь был ее основной проблемой. Что там дочка? У нее давно своя жизнь, она давно отрезанный ломоть.

Кира села на кухне, и мать спросила:

– Голодная? Есть будешь? У меня сегодня кислые щи.

Кира обреченно кивнула: обед – небольшая оттяжка. Пусть будут щи.

Отец к обеду не вышел – спал. Мать посетовала, что он теперь много спит. Только приляжет, сразу засыпает. Ну и уже легче. При отце начать разговор было совсем страшно. Она молча хлебала щи и готовилась. «Кажется, так я никогда не боялась», – подумалось ей. Но и это надо пройти. Надо. И она это пройдет.

Наконец выдавила, как пискнула:

– Мама, у нас для вас новость. Не слишком приятная, но неизбежная.

Мать вскинула брови:

– Ну-ну! – поджала губы. – Чего от вас ждать? Одних неприятностей.

– Мама! – выдохнула Кира. – Мы уезжаем.

Мать растерянно моргала глазами – не понимала.

– Куда? – булькнула она. – И надолго?

Страшно было произнести – «навсегда».

Кира молчала.

Мать повторила:

– Куда вы собрались? Что еще в голову вздумалось этому твоему?

Кира оборвала:

– Мужу, мама! Как бы тебе это ни нравилось, Миша мой муж. И хватит, пожалуйста! – Помолчала с минуту и как в воду: – Мы уезжаем насовсем. Насовсем, мама! И вам надо принять наше решение. Ты же знаешь. – Кира, ободренная материнским молчанием и растерянностью, затараторила: – Мама! Ты же знаешь, что у Мишки с работой! Ты же знаешь, как мы живем. Тебе же известно, где мы и как. Мы устали слоняться по чужим углам! Мы уже взрослые люди и... – Кира заплакала.

Мать молчала.

– Мама! – выкрикнула Кира. – Ну не молчи! Умоляю! И еще – пойми меня! Пойми нас! Мама, пожалуйста!

— Вас? — хрипло сказала мать. — А меня? А отца? Нас кто поймет? — Она резко встала со стула и вышла из кухни.

Кира сидела как прибитая. Уйти? И что дальше? Что вообще дальше? Как быть? Так и сидела бы до второго пришествия. Если бы не услышала рыдания матери. Встала, прошаркала, как старуха, по коридору и наконец решилась зайти в комнату, где спал отец. Он лежал на спине с закрытыми глазами. «Как мертвец, господи», — мелькнуло у нее. Мать, притулившись на краю кровати, рыдала, закрыв лицо руками, и приговаривала:

— Беда, Костя, беда. Ой, какая большая беда!

Сердце сжалось до невозможно острой, как вспышка, боли.

— Мама! — выкрикнула Кира. — Ну какая беда? Ты же все знаешь! Тебе все известно про наши мытарства! Выхода нет, понимаешь? Мишка погибнет. Еще пару лет — и погибнет! А там — там я рожу! Это здесь я старородящая, убогий и презираемый перестарок. А там и после тридцати рожают, мама!

«Все, аргументы кончились», — подумала она.

Но мать прекратила рыдать — в секунду, как выключили. И спокойным голосом ответила:

— Погибнет? Как же! А если и погибнет, так и, прости, слава богу! Выйдешь нормально замуж — у тебя еще есть пара лет. А про внуков — да что это нам, если мы их не сможем растить?

Пораженная, Кира молчала, хватая ртом воздух, как выброшенная на берег рыба. Наконец из горла вырвался хриплый, сдавленный крик:

— Господи, мама! Как же ты можешь! Он... Я же люблю его, мама!

— Юля, — тихим голосом откликнулся отец. — Прекрати. Пусть делают что хотят. Их жизнь. Пусть коверкают, ломают — их право. А то, что дочь вырастили такую, так это к нам, а не к ней.

Он открыл глаза и повернул голову к Кире:

— Подпишем тебе твои бумаги, не беспокойся. Все, что надо, подпишем. И давай — в новую жизнь! У вас там получится, не сомневаюсь – если через нас перешагнула, через родину.

Кира ничего не ответила. Последнее, что запомнилось, – глаза матери, растерянные, удивленные и не верящие услышанному. Неужели это сказал ее муж? Как же так? Ведь она так на него рассчитывала.

Кира шла по улице и ревела. Облегчения не было – вроде бы все разрешилось, слово отца закон, как он сказал, так и будет. Отец не из тех, кто меняет решение. Только горечь на сердце, тоска. Душа рвется на части. А они ведь правы, ее старики! Хотя какие они старики? Слегка за пятьдесят – разве это возраст? Но очень скоро они и вправду превратятся в стариков. Отец и сейчас постоянно болеет – сказывается тяжелая жизнь в гарнизонах. Мать еще держится – женщина всегда сильнее. Но ведь они правы, а? Как они будут без поддержки, совершенно одни? Но разве есть альтернатива? Разве она может отказаться от их с Мишкой решения? Ну допустим, она остается – без любимого мужа, без надежд, без перспектив. По-прежнему без угла. Только теперь совершенно одна. С очень незначительным шансом устроить личную жизнь, потому что в первую очередь это не нужно ей самой. Окончательно без детей – это понятно. Но родителей не бросит. На алтаре две жертвы – родители и муж. Кого она выберет?

Вернуться к ним? Хорошо, и это допустим. Хотя что тут хорошего? Не уживутся они. Никогда. Даже в юности было сложно. А уж теперь! Но самое главное не это – самое главное, она им никогда не простит, что они сломали ее жизнь и лишили любимого. И довольно скоро – или не очень скоро, особой разницы нет, это все равно обязательно случится – она начнет их ненавидеть. Одинокая старая дева, снимающая убогую комнатку на задворках Москвы, считающая жалкие копейки, еле выживающая, – в такую она превратится очень скоро, лет через пять. А то и раньше. Нет, конечно, она их не оставит – будет мотаться по воскресеньям, проклиная и ненавидя свою одинокую жизнь. Отстаивать очередь за колбасой и «Юбилейным» печеньем, вырывать из чьих-то рук тощую синюю курицу – гостинцы родным. Тащиться в холодной электричке и снова проклинать свою судьбу.

А там, у родителей, бросаться пятеркой – мать непременно будет требовать, чтобы дочь взяла деньги: «Ты же и так считаешь копейки!» В результате, конечно, они поругаются. Кира откажется обедать, наорет на мать, швырнет на стол банку с вареньем – ответный гостинец – и, громко хлопнув дверью, с облегчением выкатится за дверь. А в электричке снова примется реветь. А потом вернется в чужой угол, на чужую кровать. И опять одиночество – кошмарное, дикое, беспросветное. Уже окончательно и навсегда.

А потом кто-то из них уйдет – уйдет первым. Это жизнь, это нормально. Допустим, отец – это скорее, хотя бывает по-всякому. Если мама останется, она справится. А если останется отец? Он не сможет себя обслужить – ему и сейчас это сложно, без мамы он никуда. И она, хорошая дочь, конечно же, переедет к нему – это не обсуждается. Ну и все, что к этому прилагается, – уход, врачи, таблетки, уколы. Каши на воде. Нытье, капризы. Мать привыкла, терпит – муж. А она, дочь? Нет, она не стерва – она, безусловно, исполнит свой долг. Станет выслушивать жалобы, претензии, терпеть. Злиться, раздражаться, но терпеть, неумолимо превращаясь в окончательную скрипучую зануду. Только простить ему она не сможет, нет! Меняя белье, купая его в ванной, подавая ему еду, она всегда – всегда! – будет вспоминать, что осталась из-за них. И это чистая правда.

Ну а если первым уйдет отец, с матерью начнутся вечные ссоры. Они никогда не понимали друг друга. И никогда – никогда! – она не забудет и не простит ей те слова: «Погибнет? Как же! А если и погибнет, так и, прости, слава богу! Выйдешь нормально замуж – у тебя еще есть пара лет».

Никогда. Если только не наступит полнейшая амнезия.

Ну а потом Кира стала себя успокаивать. «А на что ты рассчитывала, дорогая? На горячие объятия и бурную радость от эдакой вести? Ага. Ты, кстати, думала, что будет куда хуже – например, они откажутся подписывать разрешение на выезд. Была почти уверена в этом. И получается, что все сложилось совсем неплохо. В обморок никто не упал, «Скорую» не вызывали. Свыкнутся с мыслью, привыкнут – деваться-то некуда. Ни им, ни мне», – вздохнула она и слегка успокоилась. Надо подождать, переждать, и все устаканится. Главное, что она решила. И без потерь не бывает – во всяком случае, в подобных ситуациях. Всегда надо жертвовать. Всегда будут жертвы. В конце концов, таких, как они, сотни и даже тысячи. И все как-то живут. Жестоко? Жестоко. Будет за это платить? Безусловно. Готова? Готова. И переключилась мыслями на Мишку: «Как он там»?

Домой почти бежала. «Домой»... По темным окнам поняла – его еще нет. Сердце сжалось. Открыла дверь и поняла, что Мишка дома – споткнулась о его ботинки в прихожей. Бросилась в комнату – одетый, он лежал на кровати.

Села на край:

– Мишка, милый! Все – плохо?

Он дернулся, кашлянул и мотнул головой:

– Нет, все в порядке, если можно так сказать. – Истерично и коротко хохотнул.

Про нее не спросил – боялся?

Не дождавшись сколь-нибудь вразумительного ответа, Кира пошла раздеваться. В квартире, как всегда, было прохладно. Как ни заклеивай окна, как ни подкладывай под разбухшие от сырости рамы старые полотенца, все равно дует изо всех щелей. И не справиться с этим никак.

Надела старый теплый свитер, шерстяные носки, треники – и пошла готовить ужин. Открыла холодильник – почти пусто. В морозилке валялась пачка пельменей – вот оно, счастье! Такое простое и незатейливое, такое бедняцкое и насмешливое счастье. От отчаяния и жалости к себе брызнули слезы. Поставив на плиту кастрюлю с водой, Кира встала у окна. Было темно. Фонари не горели. От порывов ветра хлопала дверь подъезда. По темной Кольцевой проезжали машины, и от их фар коротко и ненадолго освещалась улица. Впрочем, пора было ставить чайник. На этой чертовой плите под названием «Лысьва» он закипал не меньше чем через полчаса. Не дождешься – особенно по утрам, когда торопишься на работу.

Вытащила пельмени, достала из холодильника майонез – тоже дефицит, кстати, – и пошла в комнату.

Мишка дремал – уже хорошо. Укрыла его одеялом и пошла есть одна – будить нельзя, пусть отдохнет. С трудом глотала уже остывшие пельмени, запивала горячим чаем и молча глотала слезы. Вымыв тарелку, осторожно легла рядом с Мишкой. Тихонько прижалась и закрыла глаза. И наступило блаженство. Такой покой наступил, что она улыбнулась. Вот ее жизнь. И по большому счету, никому, кроме друг друга, они не нужны в этом мире. У матери есть отец, и наоборот. У Кати есть мать и бабушка с дедушкой. А у них с Мишкой никого больше нет. Выходит, все они правильно делают. И все они переживут и через все пройдут. А может, не так все и страшно? С этими мыслями она наконец уснула.

У Мишки – вот странное дело! – выходило все более-менее. Нина новость восприняла спокойно и даже сказала, что внутренне была к ней готова. Не то чтобы поддержала бывшего мужа, но постаралась понять. Про Катю разговоров не было – что обсуждать? Что обсуждать, кроме денег?

Стала оправдываться: «Ты должен меня понять. Тяжело поднимать одной. Да, от тебя и раньше-то финансовой помощи не было – если по-честному. Не обижайся. А вот поддержка была – ты был рядом. Но пойми и меня. Обдирать тебя не буду. Много требовать – тоже. Но извини, дружба дружбой, как говорится...»

Короче говоря, итог переговоров был таков – две тысячи рублей. Деньги огромные, неподъемные. А еще предстояло купить кое-какие вещи в новую жизнь. Оставалось одно – идти на поклон к Зяблику.

– А если откажет? – тихо спросила Кира. – Что будем делать?

Мишка с надеждой ответил, что вряд ли. Для Зяблика это не такие уж дикие деньги. Про то, когда они отдадут этот долг, оба молчали. Что они знали, что понимали? Да ничего.

К Зяблику отправились в первые же выходные. Ехали как на каторгу. Понимали: если откажет – все, конец. Нет, был еще малюсенький шанс уговорить Нину обождать, пока они устроятся. Но не хотелось. А просить в долг хотелось?

У Зяблика было все по-прежнему – шумно, накурено, по дому слонялись красивые девицы, стол был уставлен яствами, пахло хорошими духами, настоящим кофе, кожей – уверенностью и богатством. В духовке запекалась баранья нога, и аромат был такой, что Кира громко сглотнула слюну.

Зяблик, в вельветовых, в крупный рубчик, зеленых брюках и в белом свитере, был, как всегда, хорош и вполне соответствовал всей обстановке. Вернее, обстановка соответствовала хозяину. Да и что могло измениться?

Негромко играла музыка, и Кира устало опустилась в кресло. «Сейчас решается наша судьба», – грустно подумала она.

Мишка с Зябликом удалились в кабинет.

Не было их минут десять, не больше. Кира вздрогнула, увидев их на пороге гостиной, – Мишка был весел, Зяблик растерян. Муж махнул Кире, позвал ее на кухню. Дрожали руки, дрожали ноги. Расселись, и Зяблик молча разлил коньяк и порезал лимон. Сел напротив.

– Ну, други! Покидаете, значит, меня?

Кира видела, что Зяблик расстроен, но внутри ликовала – было понятно, что деньги он дает. Зяблика быстро развезло – впрочем, и пузатую бутылку «Камю» они уговорили минут за двадцать.

– Вот, – наконец проговорил он, – и начались мои потери. Рано как-то. Нет, ребята, я все понимаю! Хреново у вас. И вы, наверное, правы, – жизнь покажет. Но я вам желаю от чистого сердца – уж в этом вы, надеюсь, не сомневаетесь!

Кира с Мишкой дружно кивнули.

– Но как я без вас? Как я без Мишки? – Зяблик пьяно хлюпнул носом.

Мишка накрыл Зябликову руку своей и тоже захлюпал. Кира встала, чтобы сварить кофе. Смотреть на них было непросто. «Всех жалко, – подумала она. – Все мы, по большому счету, одиноки. И даже Зяблик, вечно окруженный шумной толпой приятелей и прихлебателей, ни на минуту не остающийся в одиночестве, сейчас кажется совсем одиноким – ни семьи, ни детей. Бедные люди, бедные мы! Всех жалко. И себя – в том числе».

Но выбор сделан, и главное, что есть деньги. Путь открыт – добро пожаловать!

В целом, надо сказать, все складывалось довольно удачно. Про родителей и алчных бывших жен истории рассказывали разные, и даже страшные, между прочим, – Кира их слышала. К своим решила пока не ездить – пусть успокоятся. Правда, время поджимало – пора было оформлять документы, а без разрешения от родителей это было невозможно.

Дел было полно. Все-таки купили по мелочи: две кастрюли, пару сковородок, дешевый сервиз – это все называлось «на первое время». Кира воодушевленно бегала по магазинам – раньше такое за ней не водилось. С работы она уволилась – по-другому было нельзя. В Медведках телефона не было, позвонить родителям было невозможно. Наконец она собралась с духом и поехала – дальше откладывать было нельзя. На станции позвонила – трубку сняла мать. Услышав Кирин голос, заплакала:

– Доченька, дочка!

Кира от неожиданности оторопела – не ожидала такого приема. От волнения сердце заколотилось – вернулась на перрон и купила у бабульки букетик подснежников.

У двери квартиры постояла, попыталась справиться с волнением, выдохнула и наконец позвонила.

Мать тут же открыла дверь и выкрикнула в квартиру:

– Отец! Кирочка наша!

Кире опять показалось, что она попала не туда, не к своим – такого не может же быть!

Мать обнимала ее, вглядывалась в ее лицо, гладила по голове и причитала. Было такое ощущение, что встретились они спустя долгие годы разлуки – будто Кирина эмиграция давно состоялась и вот наконец пришло время долгожданной встречи.

Отец молчал и на дочь не смотрел, но и в его глазах осуждения не было. Переживает, увидела Кира. Просто страдает – и все. И в эти минуты ей снова стало невыносимо стыдно и больно — кажется, так стыдно и больно не было никогда. «Какая же я дрянь! — подумала она. — Просто законченная тварь и сволочь! Конечно, они любят меня и очень страдают. Теряют единственную дочь. Навсегда». Кира обняла мать и разревелась.

Это был лучший, самый трогательный день в их семье за последние лет десять. И, конечно, самый несчастливый. Но именно в то дождливое весеннее воскресенье Кира почувствовала себя дома, в семье.

Мать хлопотала на кухне, причитая и охая, что нет воскресного обеда: «Ты же не предупредила нас, Кирочка!» Да и никакого другого обеда не было, что для матери было невозможно. «Без супа и компота нет семьи», — всегда говорила она. Но, Кира заметила, холодильник был пуст, чашки после завтрака не помыты, да и после ужина, кажется, тоже — грязная посуда была навалена в переполненной мойке. На подоконнике скорчилась засохшая герань — и это было странно и невозможно: цветы свои мать обожала и берегла. Киру поразили давно не метенный пол, пыль на шкафах и — главное — стойкий запах ментола и валерьянки.

Мать очень сдала за это время, хотя прошло-то всего ничего. А как будет дальше, после ее отъезда?

Кира страдала. Первая радость и облегчение от перемирия отошли — как не было. И она разглядела лица родителей — одутловатое и болезненное отца, серое, с темными подглазьями матери. Увидела ее дрожавшие руки. Застиранный, блеклый от времени халат с затертыми обшлагами, старые, стоптанные на задниках тапки. И материнские пятки — заскорузлые, темные, как кусок старой коры. А она всегда следила за собой — никогда не пропускала маникюр и укладку. Отец тяжело и хрипло дышал. Губы у него были бескровные, голубоватые.

Мать чистила вялую, проросшую картошку и, порезав палец, громко расплакалась.

Кира поняла, что отвыкла от них. В последнее время ездила к ним с неохотой, зная, что ее ждет: вечные нравоучения, жалобы на хворобы и прочее, какие-то сплетни про соседей, которых она и не знала. Она привыкла думать о родителях с некоторым презрением. Мать – типичная гарнизонная жена. Вечные хозяйственные хлопоты – закрыть на зиму побольше банок с «консервой», как она говорила. И Киру эта «консерва» страшно бесила. Вечное откладывание денег «на черный день» – казалось, что всю свою жизнь они ждали черного дня.

Киру буквально трясло от «важного» мероприятия – обязательного, всегда торжественно обставленного, – закваски капусты на зиму. И почему? Почему ее так раздражали эта покупка кочанов почти в промышленных масштабах и весь дальнейший процесс? Капусту отец и мать солили вместе. Отец рубил, мать перемешивала горку наструганной капусты с морковью и солью, перетирала ее и комментировала:

– Отличная, Кость! Смотри, сколько сока!

Этот жизненно важный процесс занимал все воскресенье – нарубить, перетереть, утрамбовать в два эмалированных ведра – зеленое и темно-синее, оба со сколами. Ведра эти путешествовали с ними по гарнизонам, Кира их помнила.

Когда ведра были заполнены, отец торжественно и гордо выносил их на балкон. Мать подметала кухню, и они, усталые, но счастливые, садились пить чай. Мать продолжала возбужденно вещать:

– Ну все, Кость, слава богу! Витамины на зиму есть – запаслись!

И отец важно крякал, угукал и довольно кивал.

А этот невыносимый шиповник? Собирали его в лесу – лесной, конечно, полезнее. Сушили в духовке, сортировали и укладывали в трехлитровые банки. Банки покрывали марлей – чтобы ценная ягода не покрывалась коварной плесенью. И пили, пили этот кошмарный, кисловатый и почти безвкусный шиповник всю зиму и весну, почти до тепла!

Вечное «достать», «отложить», «запастись». Вечные клубки старой шерсти, из которой по пятому разу вязались свитера и шапки – страшные, косматые, размытых цветов.

Кира, выходя из дома в школу, тут же срывала шапку и прятала в портфель. А мать восхищалась:

– Такой шерсти сейчас нет. И не ищи!

Как будто Кира пыталась!

А запах нафталина из шкафа? А появление моли как вселенская трагедия? Кажется, даже моль брезговала этой «едой» – на «настоящей» шерсти следов нашествия не находили.

Кира считала родителей мещанами, мелкими и скучными обывателями, недостойными уважения. Она презирала их и тяготилась ими. Именно поэтому так рано сбежала из дома – торопилась с замужеством.

А ее первая свадьба? Как скривились их лица, когда они с Володей решили отпраздновать свадьбу в кафе! И кафе-то – скромней не бывает. Но родители напряглись – зачем тратить такие деньги?

– Какие? – смеялись Кира и ее будущий муж. – Подумаешь, тоже мне, деньги!

Кира отлично знала, что сбережения у родителей есть. Отец получал неплохо – военный. Да и откладывали всю жизнь. «По копеечке, – как говорила мать, – а копейка рубль бережет!» Да ничего им не стоило вытащить из загашника рублей тридцать-сорок и подарить детям радость! Так нет – справим дома. Можно у нас.

Как Кире тогда было стыдно! Конечно, страшно обиделась и сделала наперекор. Дома? Пожалуйста – для родни. А мы с друзьями пойдем в кафе! На свои! Какие там свои? Двадцатку подбросила свекровь, еще двадцатку дал Володин отец. Ну и пошли – семь человек. И было здорово! Заказывали без оглядки – денег полно. Салат столичный, нарезки мясная и рыбная, красная икра в яйце, цыпленок-тапака с жареной картошкой и кофе с мороженым. Торт принесли с собой. Шампанское, красное вино тоже в избытке. А главное – танцевали! Танцевали весь вечер.

Хорошая была свадьба. Свекровь, Вера Самсоновна, искренне радовалась, когда они отправились в кафе:

– Конечно, идите! И гуляйте от души, натанцуйтесь всласть!

А ее родители их по-прежнему осуждали: зачем тратить деньги, когда их можно отложить? А ведь не вредничали ни минуты – им действительно было это непонятно. А их отпуска? На них копили весь год, но на море было дорого: «Что ты, Кира! У нас нет таких *средств*!» Ездили обычно к материнской родне в поселок Шумиху, за четыреста верст.

Ах, если бы в настоящую, пусть глухую, деревню – разве Кира была бы против? Все экзотика – лес, грибы, ягоды, речка. Так нет. Поселок этот был при торфяном заводе, на котором горбатилась вся материнская родня. Было там убого и даже страшно: чистое поле, застроенное трехэтажными кирпичными бараками, один чахлый магазинишко и закусочная, где коротали время и пропивали зарплату местные работяги.

Конечно, в поселке все пили. Поди не запей от такой жизни! Пили, дрались, скандалили и сплетничали. Квартирки были плохонькими, под стать остальному невеселому антуражу. Во дворах висело белье, старухи сидели на лавках, дети носились и орали, а местная молодежь – поддатые парни и воинственно разукрашенные молодицы – терлись у распивочной, курили, пили из бутылок пиво и громко, напоказ, матерились. Рожали в поселке рано – в шестнадцать-семнадцать. Семьи разрастались, жилья не хватало, и в тесных квартирках собачились уже три поколения родственников.

Местные девицы жадно оглядывали «москвичку», но в свою компанию не приглашали – еще чего! Она была для них чужая, Кира и сама к ним не стремилась. Как же ей было тоскливо! Спасали только книжки – по счастью, в поселке была библиотека.

Материнская родня – две сестры, Оля и Надя, – были хорошими женщинами, при этом страшно несчастными – убогий быт, тяжелая работа, пьющие мужья и неудачные дети. Что они видели в этой жизни? Да ничего! Младшая, Юля, Кирина мать, была для них королевой и сказочной везуньей. А как же: непьющий муж, к тому же военный, приличная, тихая дочь. А какой у Юльки кримпленовый импортный костюм! А чешские туфли с бантиком?

Мать и вправду пару дней выпендривалась, но потом все вставало на свои места – она принималась за готовку, чтобы помочь сестрам. Какой она пекла наполеон, сколько она с ним билась! И какой же была счастливой, когда вечером, после работы, все садились за стол – несчастная Надя, бедная Оля и она сама, счастливая Юля. Тут же никчемные мужья теток и Кирин положительный и серьезный, всеми уважаемый отец. Два двоюродных брата и сестра – скучные, серые, совсем никакие, не о чем поговорить. Кирина двоюродная сестра Светка мечтала об одном – выйти замуж, и поскорее. На Кирин вопрос, а зачем так рано, усмехалась:

– Затормозишь – останешься в девках!

По вечерам все выходили во двор и устраивались на лавочках. Щелкали семечки и говорили за жизнь. Женщины не снимали халатов и тапочек – а зачем? Так и сидели во дворе – и смех, и грех.

Но разве они были плохими людьми? Ее несчастные тетки, вечные трудяги, не ведающие о другой жизни и тянувшие свой тяжелый воз? И ее родители, тоже вечно колготящиеся, бьющиеся за «достойную» жизнь? Суетливые, глуповатые, смешные.

Но плохие? Нет. Они всегда старались помочь – соседям, знакомым. Кира помнила, как она страшно удивилась, узнав уже в юности, что мать регулярно и без задержек, десятого каждого месяца, отправляла пятерку отцовской двоюродной сестре Тине – одинокой вдове с тремя детьми. Тина жила где то в сибирском захолустье, тяжело работала. Кто эта Тина была матери? Так, дальняя родственница. Виделись раз пять в жизни, и что с того? А ведь помогала. И деньги тогда это были немалые – и это при материнской скупости.

А как мама выхаживала соседку бабу Лену, одинокую, оставленную пьющими детьми? Носила ей еду, кормила с ложки, меняла белье, стирала его и проводила у постели старушки ночи и дни. И хоронила ее на свои, кстати, деньги, бабы-Ленины сыновья-пьяницы ничего дать не могли. И поминки мать собрала. Говорила – достойные.

А как она ухаживала за отцом – ночевала в больницах на кушетках, если вообще спала.

Да и отец – всю жизнь переписывался с однокурсниками по училищу. И, кстати, когда разбился его друг, отослал его вдове крупную сумму денег.

А то, что тогда мать не приняла их с Мишкой... Так, наверное, она была все-таки права – ни одного дня они бы не ужились, к тому же эти вечные хворобы отца.

Кира поняла, что сейчас разревется, и пошла в ванную. Потом зашла в свою комнату – свою бывшую комнату. Крошечную, как и, впрочем, вся квартира – словно конструктор, собранный для лилипутов. Большая комната в четырнадцать метров – «зал»! И ее, бывшая детская, – восемь метров. Сейчас здесь спала мать. Те же клетчатые шторки – синяя и белая клетка. «Крокодильчики» на металлической струне чуть провисли – то еще приспособленьице! Жесткая тахтичка – узкая, неудобная. Потертый коврик у кровати – полы всегда были холодными, «не дай бог Кира застудит почки». Письменный стол, стул. Двухдверный облезлый *шифоньер*, притараненный из гарнизона. Зачем надо было тащить его с собой? Как Кира злилась в юности: «А что, нельзя сказать «шкаф»?» Мать обижалась. А Кире еще больше хотелось вредничать – подмечать их промахи, нелепые привычки, дурацкие деревенские словечки. Чтобы обидеть, задеть, посмеяться.

А как родители радовались этой квартире-клетушке! Все, что отец заслужил за долгую службу. А ведь он принял ее как награду. Но разве это награда? Смешно.

И перед Верой Самсоновной Кира своих родителей стеснялась. И перед Володей. А уж перед Мишкой...

А сейчас стало стыдно – почему она их стыдилась? За что презирала? Но разве они виноваты в том, что жизнь их приучила копить, прятать, сберегать, оставлять на черный день? Разве они виноваты, что жизнь, сама жизнь, сделала их такими? Как она оставит их – немолодых, нездоровых? Совсем одиноких?

Пообедали молча. Только мать все извинялась, что обед вышел таким – картошка да капуста. Конечно, своя, квашеная, из синего эмалированного ведра:

– Почти вся осталась, Кира! Ты ж не брала! А мы уже не очень ее и едим, желудки не те. Вот приехала бы ты – и на всю зиму бы обеспечили! Витамины! Витамина С в ней больше, чем...

– Мамочка! – перебила Кира. – Ну хочешь, сейчас заберу? Навитаминимся к лету.

Мать грустно кивнула и украдкой отерла слезу. Ни о чем не спрашивали – ни об отъезде, ни тем более о Мише. Кира понимала – он для них враг, увозит родную дочь. Без него бы она ни в жизнь до такого не додумалась. И в голову бы не пришло – она ж дочь военного!

Кира сама начала про отъезд.

– Когда? – робко спросила мать.

Кира небрежно махнула рукой:

– Да не скоро, мам! Еще столько всего! И бумаг надо кучу собрать, и дождаться разрешения. Сколько – не знает никто. Они там могут выкинуть любой фортель.

– И не пустить? – с надеждой спросила мать.

Кира вздохнула.

– И в том числе не пустить.

И тут же пожалела об этом – вот, подарила надежду. Дура, ей-богу. Не пустить их, в принципе, не должны были, так считалось. Мишка давно ушел из института, сто лет назад. Но кто его знает, как сложится.

Потом долго пили чай и тоже молчали.

Наконец мать выдавила:

– Это ведь навсегда, Кирочка? Ну, если вас... выпустят?

Отец дернулся и покраснел.

– Мама! Не мучай меня, умоляю! Ну ты же сама все понимаешь! Мы же здесь пропадем!

Мать быстро заверещала:

– Кирочка, о чем ты? Никто не пропал, а вы пропадете? Почему, доченька?

Кира вздрогнула – мать никогда не называла ее доченькой. Ну, если только в далеком детстве.

– Почему пропадете? – повторяла мать. – Да, жизнь непростая. Но ведь никто не пропал, доченька, – все как-то живут. Не голодают же, а! Работают, детей рожают. Мебель покупают, дачки строят! Живут ведь люди! Куда вы собрались, дочка? Это же совсем незнакомый мир! Совсем чужой! Как вы там? Одни, без родных? А не приживетесь? Подумай, Кирочка! Умоляю тебя!

– Уже подумала,– жестко ответила Кира. – Мама, решение принято. У Миши там перспектива. Работа. Бывший коллега ему обещает. Дело его. Ну и я как-то устроюсь. Мама, там, знаешь ли, тоже еще никто не пропал! Никто, понимаешь? Ну и потом... Устроимся и вызовем вас! И будем все вместе.

Ни секунды она не верила этому. Прекрасно понимала – этого никогда не будет. А сказала.

– Ну нет! – Отец хлопнул ладонью по столу. – Мы туда никогда не уедем! Никогда, понимаешь? Плохо ли здесь, хорошо, а родина! Тебе мы это не объяснили – наша вина. Мы тебя не держим, езжай. А про нас и не думай, я всю жизнь ей отдал, родине своей. Плохой, хорошей – не знаю. – Он резко встал, качнулся, и мать тут же вскочила, чтобы его поддержать.

«Пора, – подумала Кира. – Все, надо ехать. В конце концов, это еще не прощание. Это – начало прощания. Только теперь надо почаще к ним ездить – единственное, что я могу. А сейчас вдвоем им будет проще, когда уйдет раздражитель. Вот так получается».

Мать увела отца в комнату, и Кира зашла попрощаться, помогла матери уложить его в кровать. Наклонилась.

– Папочка! Ты нас пойми, умоляю! Ну не складывается здесь у нас!

Отец чуть привстал на локте – Кира видела, что даже это простое телодвижение далось ему с большим трудом. Откашлявшись, просипел:

– А может, дело в другом? Не в стране и не в режиме? Может, дело в человеке? Знаешь, дочь, – он снова закашлялся, –

все от человека зависит. Если здесь он бесполезен и ни на что не годен... Подумай, дочь! – И повернулся к матери: – Не забудь!

Мать кивнула. Кира не поняла, о чем они. Да и ладно.

У двери мать протянула ей плотный конверт.

– Здесь деньги, Кира! Немного, но сколько уж можем. Вам в дорогу. Вам же многое надо – ну, разное там. Я с Раей Левиной говорила, у нее сестра с детьми уезжала. Она меня и просветила. Да тебе лучше меня все известно! Возьми!

Она держала в руках конверт, и в глазах ее были испуг и мольба. Чего она боялась? Что Кира откажется?

Кира прижалась к матери и тихо сказала:

– Спасибо, мам! Ты даже не представляешь, как нам это надо!

Мать всхлипнула.

В электричке Кира не могла сдержать слез. «Какая тяжесть на сердце, какая тоска. Электричка эта, кратовская, дорога, знакомая до каждой мелочи, каждого деревца, каждой урны. Дорога слез и тоски».

Ей всегда казалось, что она не очень любила своих родителей. Точнее, спокойно без них обходилась. Ей было вполне достаточно редких, раз в месяц, коротких и скупых встреч – повидались, и ладно. Она не ждала от них помощи – никогда и никакой – и не прибегала в родительский дом, когда ей было невыносимо плохо. И в голову бы это ей не пришло! Она никогда не рассказывала им о своих проблемах, уверенная, что так им будет спокойнее. Нет, вспомнила: что-то произошло на работе, какой-то конфликт с начальством, и она очень переживала. Приехав к родителям, неожиданно для себя начала подробно, в лицах, рассказывать об этом. Держаться не было сил – разревелась. И вдруг увидела, поняла, что им это точно неинтересно – отец продолжал листать «Советский спорт», иногда повторяя свое вечное «угу». А мать лепила пельмени. И вдруг, посреди Кириного рассказа, подняла глаза и сказала:

– Ой, Костя! А свинина-то постная! Может, сальца добавить?

Кира поперхнулась от возмущения и обиды, схватила пальто и выскочила на улицу. Как было жалко себя! Окна квартиры выходили во двор, аккурат на ту скамейку, где плакала обиженная Кира. Наверняка мать подходила к окну – она любила поглазеть во двор: кто как поставил машину, кто из соседок судачит на лавочке. Кира просидела на той скамейке около часа. Подняла глаза на окна родительской квартиры – мать отпрянула от окна. Она поднялась и пошла на станцию. С откровениями было покончено – теперь навсегда.

Трудно было с этим смириться – принять то, что она, по сути, им тоже не очень нужна. Обидно? Обидно. Может, дело в том, что она рано ушла из дома? Какая разница? Но вот сейчас, в эти дни, когда до отъезда оставались считаные месяцы, почему-то особенно болела душа.

А дома удивила Мишкина реакция – так удивила, что она смешалась.

– Раскошелились старички? Ух ты! И их пробило! Ну, Кирка! Гуляем!

Кира ничего не ответила. Было обидно – и юморок его дурацкий, и эта неприкрытая радость. И это «раскошелились старички».

Не удержалась, выдала:

– А они тебе чем-то обязаны, Миша?

Он ничего не понял.

– Мне – нет. А вот тебе... Ты же единственная дочь.

– А приличная единственная дочь не бросает своих, как ты изволил выразиться, «старичков» – приличная и единственная дочь живет возле них и заботится о них!

Сказано это было, естественно, с вызовом, и Мишка снова удивился:

– Что-то я не заметил, что ты стремилась жить возле них. Извини.

Конечно, Кира обиделась. Но назавтра хлопоты закрутили. Мишку она, конечно, оправдала – мужики, что с них взять. Лепят первое, что придет в голову. А по, сути-то, прав. Сама же ему рассказывала про вечные разговоры о деньгах, про вечные «отложить и сберечь», про пять сберкнижек, обнаруженных ею случайно. Про скупость родителей. Выходит, сама виновата. Ну, не подумал – Мишка такой, о форме не беспокоится. Бог с ним.

Дел было много. Бросилась по магазинам, судорожно сжимая в руке список «отъезжантов». А все надо было *доставать*, с потом и кровью. Одеяла, подушки, кастрюли, чайник – обязательно небольшой, на один литр. Попробуй найди! И со свистком непременно – там, знаете ли, денежки берегут и электричество понапрасну не жгут, как у нас. Одеяла надо было достать обязательно теплые, желательно пуховые, из тех же соображений экономии отопления. А еще шерстяные спортивные костюмы. Клей. Как будто они отправлялись на Северный полюс, а не в Европу!

Кира слушала умных и опытных – тех, кто списывался с уже отъехавшими. На своих ошибках, как говорится, учатся одни дураки. А дураками в очередной раз быть не хотелось.

В их новой компании говорили только об одном – об отъезде. И обо всем, что с этим связано. Кире начинало казаться, что поднимается весь Советский Союз и других забот у людей просто нет. Мишка тянул ее в эти «гости», она сопротивлялась, он настаивал. «Больше информации – меньше ошибок», – без конца повторял он.

Может, и так. Только как все это утомляло! Как хотелось сходить в театр, в кино. Просто отключиться от этих проблем хотя бы на пару дней. Забыть, что ты отъезжант, будущий эмигрант. Что ты навеки прощаешься с неласковой, но все-таки родиной. Что скоро закончится прежняя знакомая и понятная жизнь. И ждут тебя – а ждут ли? – чужие берега, непонятные, неизвестные.

Страшно. Но это и будоражило – сколько всего можно узнать! Например, посмотреть мир. Разве от такого отказываются? Да сколько людей мечтают об этом – получить этот шанс. У них этот шанс есть! Выходит, они счастливцы?

Пару раз съездили к Зяблику – тот был странно тих и молчалив. Да и в доме была тишина – никаких тебе красоток на длинных ногах, никаких иностранных дипломатов с вечными стаканами виски в руках. Никаких ночных покеров – тишина.

Кира удивилась. Мишка скупо объяснил, что у Зяблика тяжелый и бесперспективный роман.

— Очередной? — с сарказмом уточнила Кира. — Ну тогда не страшно, пройдет. Сколько раз уже было!

— Нет, здесь другое! — уклончиво ответил Мишка. А что — уточнять не стал. Секрет.

«Тоже мне, секрет! — подумала Кира. — Ну и бог с ними со всеми — с Зябликом, его роковой любовью, с Мишкой и с их общими секретами. У меня есть дела поважнее».

Был май — месяц, который Кира особенно любила. Месяц обновлений, надежд. Месяц свежий, душистый — первые робкие цветы, первые молодые и клейкие зеленые листочки. Запах черемухи, сирени, ландышей. Липы и тополей. И просветлевшие лица — люди ждали обновления вместе с природой.

Но этот май радости не приносил — сплошные тревоги.

Отъезд был назначен на конец июня — дни щелкали, как счетчик в такси. И утекали, как время — бесследно и неизбежно. Заканчивалась старая жизнь, и где-то там, за невнятным горизонтом, скоро должна была начаться другая.

Какой она будет? Кто знает.

* * *

В Жуковский Кира ездила часто, раз в три дня. Родители вглядывались в ее лицо, словно пытаясь найти признаки изменений. Но пока, естественно, не находили — дочь была все той же. Разве что более нервной, дерганой, измученной.

Кира старалась изо всех сил — делала вид, что ей весело, радостно. Что она так ждет этого часа. Что ей не терпится — поскорее бы. Но на душе было по-прежнему погано.

Трещала не переставая — рассказывала байки про отъезжающих, таможенников и прочее. Родители внимательно слушали, охали, удивлялись и, конечно, пугались.

Мать подружилась с Раечкой Левиной и проводила у соседки вечера. Опытная Раечка показывала ей фотографии сестры и племянников, хвасталась их успехами. Она все знала про цены – от хлеба до мяса. И надеялась вскоре «воссоединиться» с родными.

– У нее-то есть шанс, – однажды сказала мать. – Племянники хорошо устроены, вышлют вызов, и полетит наша Рая.

Отец с удивлением посмотрел на жену:

– А ты что, тоже хочешь вслед за этим?

Мать сурово подобрала губы и сухо ответила:

– Не за *этим*, а за дочерью! Разницу чувствуешь?

– Нас они не позовут – и не надейся. – Отец хлопнул ладонью по столу. – Кому ты там нужна? Ему? Или дочери своей? Так и ей ты давно не нужна! Не заметила? – Он вышел из кухни, а мать еще долго сидела в темноте и тихо плакала. Все было правдой. Муж сказал то, о чем она и подумать боялась. Только стало ли ей от этого легче? Нет, ни минуты – стало еще тяжелее.

«На что я рассчитываю, дурочка? – подумалось ей. – Костя прав. Прав, как всегда. Это я, дура, всю жизнь на что-то надеюсь, все за чистую монету принимаю».

* * *

Кира по-прежнему не замечала того, что происходило вокруг – в середине июня окончательно установилась жара, да такая, что старожилы ничего подобного не помнили. На улицах плавился асфальт, Москва задыхалась от жара и смога. По ночам было особенно невыносимо – распахнутые окна прохлады на давали, асфальт, стены и крыши домов не успевали остыть за короткую и светлую ночь. С раннего утра солнце нещадно палило.

Мишка слушал «вражеские голоса», ловил сводки погоды и бурно радовался:

– Кирка! У *нас* – двадцать два! Ты представляешь? Вот погодка!

Кира молчала: «У нас, ага. А что еще скажешь?» Она удивлялась, что Мишка не созванивается с Семеном – как же так, они ведь скоро приедут. Все ли там в порядке, все ли по-прежнему в силе? Нечего не поменялось?

Муж небрежно отмахивался:

– Да все в порядке! Что названивать, Кир? Три дня назад говорили, тебя не было дома. Конечно, все в силе! А как по-другому?

«Ну и ладно, – успокаивала она себя. – В порядке, и слава богу. Будет как будет».

Отъезжанты устраивали проводы – было так принято. Кто-то – если позволяла квартира – «провожался» дома. А те, у кого были средства, снимали кафе или ресторан – в зависимости от толщины кошелька. В квартире в Медведках не было ни места, ни посуды, ни стульев со столом. Решили найти недорогое кафе.

Принялись составлять список гостей. Конечно, родители. Вторым номером – Зяблик. Пара Кириных подруг – одна школьная, Алла, и две институтские – Света и Галя. Мишкины одногруппники, Дима и Стас. Ну и самые близкие «отъезжанты». А вот их набралось прилично, аж четырнадцать человек. И еще коллега Лерочка. Лерочка, к слову, очень им помогла – ее свекровь работала заведующей секцией в универмаге «Москва». Знакомство более чем ценное – волшебное. Она и помогла собрать «узелок» – югославские зимние сапоги Кире, австрийское пальто – там такая зима, что проходишь в демисезонном! – косметика кое-какая на первое время, пока точно не будет денег. Польские духи – на французские Кира денег пожалела: «Обойдусь». Джинсы и куртку Мишке – отличную теплую «аляску». «А разве такая нужна? – робко спросила Кира. – Вы же говорили, теплая зима». Тетка обиделась: Кире тут такое предлагают, а она еще и недовольна!

Народу получалось много, на такие деньги они не рассчитывали. И снова спас Зяблик – сообщил, что икрой, рыбой и мясными деликатесами он обеспечит. И вправду приволок огромного, метрового, осетра и банку черной икры – килограмма на полтора. Ну и еще всякой всячины – сухую колбасу, огромный целиковый окорок и здоровенный шмат буженины.

Кира, совсем не спавшая в последние дни, выглядела ужасно – от зеркала правды не скроешь. Похудела на шесть килограммов – раньше об этом мечтала, а теперь ей это не нрави-

лось. Не стройности прибавилось – рахитичности. В парикмахерскую, конечно, сходила – прическа, маникюр, все как положено. А выглядела все равно плохо. Даже новое платье, щедрый подарок Лерочкиной свекрови, настоящее джерси нежно-сиреневого цвета, не платье – мечта, не спасало.

Родители сидели тихие, скорбные и пришибленные, как на поминках. Совсем ничего не ели – в тарелках опадала горка салата, жухли огурцы, заветривалась рыба. Сидели, как незваные гости, словно боялись, что сейчас их опознают и погонят прочь. Мать расстаралась – высокая «башня» на голове, залаченная до твердости, стеклянности, кримпленовый костюм в крупную розу, лаковые туфли. Отец парился в темном костюме – кажется, единственном, купленном сто лет назад, на сорокалетний юбилей. Костюм был давно тесноват, галстук давил на шею, и было видно, что он страшно мучается.

Кира подошла к нему и помогла снять пиджак, потом стащила и галстук. С жалкой улыбкой отец выдохнул, порозовел и на радостях хлопнул хорошую стопку водки. А мать сидела по-прежнему вытянувшись в струну, словно окаменела. С удивлением рассматривала незнакомых гостей дочери и не понимала, как надо себя вести – сказать тост? Какой тост, господи? Пожелать им счастливого пути? Да, наверное, надо. Только она так нервничает, что громко сказать не получится – голос, кажется, сел. «Поднять отца? – Она мельком взглянула на мужа. – Нет, не стоит. Он, кажется, уже вполне хорош. Да и нервничать ему не след: не дай бог что – гипертоник». Она судорожно глотнула воды, взяла себя в руки, медленно поднялась, чувствуя, как дрожат и руки, и ноги. Подняла бокал с вином, осторожно постучала ножом по бутылке, призывая к вниманию. Но ничего не получилось – по-прежнему гремела музыка, кто-то танцевал, кто-то пил, кто-то ел, кто-то курил, а кто-то бурно что-то рассказывал. Ее так никто и не услышал – ни стука ножа о бутылку, ни слабого, хриплого призыва. «Товарищи!» – начала она, и слава богу, что никто не услышал. Слишком нелепо прозвучало здесь это «товарищи». Ее никто и не собирался слушать – все были заняты своими делами. Да и какие особые тосты на проводах? Так, коротенько: «Ребята, удачи! Счастливого пути и легкой посадки».

Что разводить? Да и тосты давно все сказаны – люди пьют, едят, танцуют и треплются. Какие тут тосты, о чем вы? Не столетний же юбиляр за столом! Кира поглядывала на родителей, и ей хотелось плакать. Знала – вот сейчас подойдет и... Не сдержаться... Откуда взять столько сил? Старалась не сталкиваться с ними взглядами. И думала – скорее бы это прошло, закончилось. Скорее бы, господи! Сколько можно кромсать по кускам! Как живодеры собачий хвост. Больно же, больно!

С родителями прощались у подъехавшего такси. Отец хмуро смотрел в сторону. К подошедшему зятю не повернулся – молча протянул руку и, не глядя, кивнул:

– Будь здоров.

Кира прощалась с матерью. Обнимая, шептала какие-то глупые слова, уткнувшись мокрым лицом в ее жилистую и твердую, пахнувшую прогорклыми духами шею, гладила ее по волосам, а мать замерла, напряглась – взгляд в никуда, плотно сжатый рот, деревянные руки – столб, а не человек. Обледенелый каменный столб.

– Мама! – в отчаянии крикнула Кира. – Ну скажи что-нибудь, я тебя умоляю!

Мать очнулась, мертвыми глазами посмотрела на дочь и, почти не открывая рта, тихо произнесла:

– Будь счастлива, дочка.

Ситуацию спас таксист. Открыв окно, заорал на всю улицу:

– Ну хорош разводить тут! Давай поехали! Ехать-то черт-те куда – за город! Хорош прощаться, не на похоронах!

Как раз на похоронах, мелькнуло у Киры. Да что там – хуже. Если, конечно, бывает хуже. После похорон, пройдя через боль и страдания, осознаешь: нет больше человека! Нет и не будет. И никогда, никогда тебе с ним не встретиться. И в конце концов после этого окончательного понимания и осознания приходит смирение. Это данность, увы...

А здесь... Здесь все вроде бы живы и даже вполне здоровы. Все живут своей жизнью – прежней или новой. Но увидеться они не смогут, несмотря на расстояние в какие-то ничтожные две тысячи километров. И получается, что это тоже смерть – только другая. Которую, может быть, воспринимать еще тяжелее, еще больнее.

Такси разворачивалось, и Кира в последний раз увидела растерянные, испуганные глаза матери. «В последний раз, – пронеслось у нее в голове. – Господи боже! И это правда? Как я могла?» Она села на корточки и в голос завыла. Мишка сел рядом и обнял ее. Он молча гладил по голове и что-то шептал. Но какие слова могли ее утешить? И правильно, что он замолчал. Так было легче. Если вообще здесь применимо это слово – «легче».

* * *

Самолет улетал в десять утра. Отвозил их Зяблик – Кира вспомнила, что на вчерашнем «празднике» тот был тих и печален. И смылся, кажется, рано – хотя, если честно, она за ним не следила, не до того.

И сейчас Зяблик казался хмурым и молчаливым. Переживает за лучшего друга? Наверное. А может, не выспался. Или свои неприятности. Да и что тут веселого – провожать близких людей на чужбину? Отпускать любимых в непонятную жизнь. Не до смеха.

Мишка заметно нервничал, а Кира была абсолютно спокойна. Но это не было раздумчивым и рациональным, трезвым и обнадеживающим спокойствием – это были, скорее всего, равнодушие ко всему, нечеловеческая усталость и полная опустошенность – как будет, так и будет. Всё.

Хуже уж точно не будет – не может быть хуже.

Она смотрела в окно машины, за которым все дальше и дальше уплывал от нее любимый и родной город. Город, в который она, скорее всего, никогда не вернется. Город, где прошли ее молодость, ее золотые годы – счастливые и не очень. В юности все они золотые – что говорить! Проехали Химки, и началось Подмосковье. Любимый город остался позади, как мираж.

Кира громко и шумно выдохнула, и Мишка, обернувшись, с тревогой посмотрел на нее. Она коротко мотнула головой – не волнуйся. «Всё, всё! – говорила она про себя. – Всё там, позади. А впереди – только новая жизнь. И точно – счастливая».

Этот последний день тоже был жарким – с раннего утра нещадно палило белесое недоброе солнце. Листья на деревьях посерели, пожухли, свернулись. Асфальт словно вздулся, припух и нестерпимо вонял гудроном.

Окна домов были распахнуты, но и это, конечно, жизни не облегчало. На Кольцевой стало чуть легче – немного пахнуло свежестью от леса. Зашли в здание аэропорта и дружно выдохнули – в здании было прохладно и немного сумрачно, словно это отрезало, отделило, отсекло, как демаркационная линия, их от города с его немыслимой жарой и их прошлым. Здесь, казалось, была уже совершенно другая жизнь.

* * *

Она не сразу узнала его. Как же он изменился! Вместо красавца и франта Зяблика напротив нее, жалко улыбаясь, стоял старик. Сутулый, седой, с потухшими глазами. Лешка Зяблов, бывший красавец, наследный принц, бабник, гуляка, кутила, картежник.

Увидев ее, он вздрогнул и подался вперед.

– Ну здравствуй, Кирюша! Как долетела? – Он подхватил ее дорожную сумку и неуверенно чмокнул в щеку. – Рванули? Машина там, на стоянке. Подождешь? Я подъеду.

Кира кивнула, пытаясь выдавить улыбку.

– Конечно, Леша! О чем ты? И спасибо тебе, что не проигнорировал, встретил. Ведь у всех своя жизнь, я понимаю.

Зяблик сделал большие глаза и возмутился:

– О чем ты? Глупость какая – проигнорировать? Ну, мать, ты даешь! – И, покачивая головой, направился к выходу.

А она отправилась за ним, с грустью и жалостью подмечая его стариковскую, шаркающую походку, согбенную спину и стоптанные каблуки на старых ботинках. И это было самым невероятным.

На улице наступили легкие сумерки.

Кира смотрела в окно, равнодушно отмечая перемены, и ничему, честно говоря, не удивлялась. Ну во-первых, все сведения сегодня были доступны – о переменах в столице вопили интернет, соцсети и пресса. С удовольствием ругали прежнего мэра и, кажется, с еще большим энтузиазмом нынешнего. Москвичам не нравились нововведения и так называемый креатив – ни праздничное освещение улиц, ни украшения в виде дурацких освещенных арок, ни букеты похоронных искусственных цветов в пластмассовых кашпо, висящие на фонарях. Не нравилась бестолковая трата денег на совершенно ненужные глупости. Народ возмущался, но, конечно же, ничего не менялось.

А Кире все это было до фонаря – с этим городом она давно распрощалась и он, слава богу, остался в ее воспоминаниях таким, каким был. А этот, новый, город она и не считала своим – не о чем горевать. Ее дом давно в другом городе – ухоженном, чистом, красивом. Городе на берегу реки Майн.

Зяблик коротко глянул на нее и усмехнулся:

– Ну как? Как тебе это все? – В его голосе чувствовалась грустная ирония.

– Да никак, – спокойно ответила Кира. – Это уже давно не мое.

– Тебе легче! – улыбнулся Зяблик.

Машина остановилась у легендарной высотки на Восстания. Здесь, казалось, все было по-прежнему: легендарная высотка была все того же серо-бурого цвета, наличествовали и шпиль на главном корпусе в двадцать четыре жилых этажа, и легкие ажурные башенки на боковых уступах, фасад с пилястрами, разбивающийся на пояски, входы со скульптурами с барельефами, подсветка на фасаде – снаружи все было по-прежнему. Только исчез – как не было – знаменитый Пятнадцатый гастроном, украшенный богато, с размахом, под стать самому дому и его важным жильцам.

Войдя в подъезд, некогда пышный, богатый, помпезный, Кира увидела, что все изменилось. Вместо роскошных красных ковров – истоптанная серая грязная дорожка, зеркала кое-где треснули, богатые рамы поблекли, роскошные бронзовые светильники с матовыми плафонами были заменены на более скромные – или ей показалось? Нет, витражи, главное богатство и красота подъездов, сохранились. И мраморный пол – серо-коричневый, с красными вставками – тоже. Но лифты, поразившие когда-то ее своей немыслимой роскошью, казались старыми и убогими.

– Ну? – усмехнулся Зяблик. – Что я тебе говорил? Былая роскошь, правда? И ничего не осталось от прежней – увы. А про никого я просто молчу.

– Совсем никого? – удивилась Кира. – А куда же все подевались?

– Это совсем просто. Старики, естественно, поумирали. Дети тех стариков тоже уже старики – вроде меня. Остались внуки, которые бросились распродавать наследство. Еще несколько лет назад за здешние радости давали приличные деньги! В крайнем случае можно было сдавать квартиры в аренду. Тоже, знаешь ли, приличный доход для безбедного существования. А кто стал новым жильцом? Естественно, нувориши. Те, кому раньше это было абсолютно недоступно, даже в мечтах. Внезапно разбогатевшие, мечтающие пожить в роскошном, респектабельном доме, где всегда жили сливки, элита. Вот и заполонили. Так что соседство у меня, – он вставил ключ в замок и не без усилий попытался открыть дверь, – нарочно и не придумаешь.

Кира кивнула и вспомнила, как она, впервые зайдя в этот роскошный и величественный подъезд, испугалась, застыла и оробела.

Наконец дверь открылась, и они зашли в квартиру. Вспыхнул свет. Кира огляделась. Кажется, все было прежним – широкая прихожая, переходящая в просторный холл. Та же люстра на потолке – синее стекло, белые матовые плафоны. Вешалка-рогатка из темного, почти черного дерева – мощная, устойчивая, неподъемная. Сундук-галошница, тоже темный и тяжелый, с тусклым медным запором-подковкой. Кира вспомнила, что наряду со сношенной обувью в нем валялись старые журналы и газеты. Пара офортов на стене, тоже знакомых: охота и конские скачки.

Прошли дальше. В холле по-прежнему стояли два кресла и бюро, старожилы квартиры. И торшер Кира узнала: на латунной крепкой ноге абажур малинового цвета с кистями – старый знакомец.

– Проходи, располагайся! – любезно пригласил ее хозяин. – Спать будешь в кабинете, если ты, конечно, не против. А сейчас будем ужинать! – добавил он. – Ты же наверняка проголодалась, а, Кир?

Кира кивнула. Нет, голодной она не была. Да и вообще – едок из нее еще тот, если честно. В последние годы, оставшись одна, она вообще ничего не готовила – сидела на бутербродах и творожках в пластиковых стаканчиках. Иногда заходила в китайскую лавку неподалеку от дома и брала навынос супчик с пельменями, жидкий и соленый, лапшу с креветками или рис с рыбой. К еде она всегда была равнодушна. Да и есть в одиночестве никогда не любила. Хозяйкой она была средней, если по правде. Но когда была семья, она, конечно, готовила – уж суп и котлеты освоила, будьте любезны.

Нет, есть Кира не хотела, а вот чаю бы с удовольствием выпила. Она зашла на кухню, и тут нахлынуло. В глазах защипало. Все тот же буфет-монстр, огромный и темный, еще более мрачный, как ей показалось, конечно же, стоял на месте. И стол стоял – куда ему деться? Большущий, овальный, на кривых и крепких ногах. Зяблик смеялся, что все вымрут, все сгниет, а стол и буфет останутся – вынести их невозможно, безумная тяжесть. Все так же висел на стене потускневший до зелени старый медный таз с деревянной ручкой, в котором когда-то варили варенье. И часы в фарфоровой раме с синими голубями – им тоже ничего не сделалось. Двадцать лет – разве это время для мебели и всяких предметов быта? «Вот только мы уже не те, – подумала Кира. – Совсем не те мы! От нас прежних, кажется, ничего не осталось».

И снова, в очередной, сто первый раз за последние три месяца, в течение которых она мучительно раздумывала, сомневалась, ехать в Москву или нет, она снова подумала: «Зачем? Зачем здесь? Зачем?» Чтобы не разреветься, глубоко вздохнула – негоже при Зяблике выказывать слабость. Да и в чем он виноват – встретил, привез, обустроил. Зачем ему это надо? Тоже немолод, кажется, не очень здоров – хромать вот стал еще больше. Да и лицо словно трактор проехал. Никого возраст не щадит – ни мужчин, ни женщин. Впрочем, женщинам определенно больнее. Только не ей – ей давно наплевать, с той поры, как не стало Мишки. Киру никогда не волновала собственная внешность, потому что она была любимой и счастливой. А когда это закончилось – тем более. Какая теперь уж разница?

Говорить ни о чем не хотелось – да и Зяблик, кстати, не настаивал. Или тоже устал, или понял, что она не готова. Из кабинета крикнул:

– Кира! Я тебе постелил! Иди отдыхай.

Она и пошла, надо сказать, с большим облегчением.

Все тот же диван, где и началась их с Мишкой счастливая, почти семейная жизнь. Почти – потому что без дома. Без собственного дома. Не включая света, Кира опустилась на диван и застыла. На знакомом до боли диване было неудобно, по-мужски было расстелено белье. «Все повторяется? – подумала она. – Нет, не так. Ничего не повторяется, но прошлое постоянно о себе напоминает». Воспоминания – самое ценное и самое прекрасное, что есть у человека. И самое ужасное, кошмарное, страшное. Когда ничего и никого уже не вернуть. Когда остаются только воспоминания. Точнее, напоминания о прежней жизни, о безвозвратно и навсегда ушедшем счастье – боже, какие пафосные слова! Но ведь чистая правда. И самое главное – от них не укроешься. Ну невозможно их вычеркнуть из головы и сердца – нет такого лекарства. И снова и снова оно возникают, как миражи. Снова картинки встают перед глазами – такие яркие, такие реальные, почти осязаемые. Но именно в этот момент ты понимаешь – уже окончательно, бесповоротно, – что ничего невозможно вернуть.

И именно в этот момент тебя накрывает такая невыносимая, безграничная тоска, что просто не хочется жить. И ты в который раз задаешь себе этот вопрос: зачем? Зачем вообще жить?

Одиночество. Ей хорошо известно, что это такое. И никого, никого у нее нет. И больше никогда вы не будете вместе пить кофе на кухне и слушать радио, обсуждать новости по телевизору, читать отрывки из любимой книги, чтобы любимый человек удивился, обрадовался вместе с тобой. Потому что все сходится, все совпадает. Все-все, до последней запятой, до последней точки! Это вас всегда удивляло, восхищало и приводило в оторопь – а так бывает? Оказалось – бывает. А что тут странного? Вы совпадали всю жизнь и почти во всем.

Ты больше не услышишь, как он фальшиво, а оттого безумно смешно напевает что-то в ванной, особенно по вечерам. Вы оба любите вечера, гораздо больше, чем утро, начало дня. Вы оба совы. И здесь вы совпали. Вы оба не выносите духоты, и это облегчает ситуацию – в любую погоду вы спите с открытым окном. Но вам не страшно – если вдруг вы замерзнете, то тут же прижметесь друг к другу. А может, вы специально устраивали ледник в квартире? Чтобы покрепче друг к другу прижаться? С вас сталось бы! Вы оба любите дождь.

И разговоры перед сном – да пусть не разговоры, а просто обмен репликами, немножечко сплетни. А что тут такого? Вы давно одно целое, один человек. Да вы можете и не разговаривать – просто смотреть друг на друга и все понимать. Сколько раз это было!

Почему? Почему, господи? Когда только-только появилась возможность немного расслабиться? Чуть-чуть выдохнуть? Когда, слава богу, как-то устроились, попривыкли и обжились. Обзавелись наконец своим домом. Хотя каким там домом – смешно: квартирка из двух комнат, тридцать два метра. Спаленка в шесть метров – полуторная кровать и крохотная тумбочка под лампу и книги. Но это была их первая собственная спальня. И кухонька – точнее, прилавок с малюсенькой, на две чашки, мойкой и одноконфорочной плиткой. Холодильничек, встроенный в стену, для экономии места. Но спасибо, что так – по крайней мере можно что-то приготовить на своей кухне. Духовки, конечно, не было – пирог не испечь, а вот блины – пожалуйста! Мишка так любил блины – со сметаной, вареньем, медом. Правда, в такой кубатуре от кухонных запахов было не скрыться. Они витали и в гостиной, и в спаленке – да везде. Но это не раздражало – наоборот! Запах еды – запах дома.

А ванная? Зайти только боком. Слава богу, они оба худые, не страшно. И никакой, разумеется, ванны – душ под занавеской и дырка для слива в полу. Напротив – максимум сорок сантиметров – унитаз, стоящий наискосок, иначе не влез бы. Да и бог с ним, с унитазом! Зато они смогли купить свою собственную квартиру. Кира, если честно, не верила ни минуты – откуда квартира? Копить они не умеют. Цены – ого-го! Сбережений никаких. Откуда, господи? Смешно. Мишка страдал, она его утешала. Всегда утешала. Все правильно – жена должна утешать. Хорошая жена. А она была хорошей женой. Но квартира появилась – когда не стало родителей.

Как смогли, они ее обустроили. Получилось уютно. Она открывала дверь и замирала от восторга и счастья – какая же красота! Конечно, смешно – все маленькое, как под лилипутов. Но никакого лишнего барахла. Хотя нет, лишним было то, что оставил прежний хозяин, но выкинуть это они не смогли – антик, старина, красота. Собственным барахлом за жизнь обрасти не успели – по съемным мотаться с вещами? Глупо. Да и вещизмом они не страдали – все эти вазочки, салфетки, картинки им были до фонаря. Но на новоселье кое-что Кира все же купила – например, сервиз. Молодцы те, кто придумал сервиз на четыре персоны! Не на двенадцать или двадцать четыре, а на четыре – четыре суповые тарелки, четыре под второе. Четыре десертные – дома, в России, они назывались, кажется, пирожковыми. Четыре чашки с блюдцами и даже блюдо – под фрукты или под торт. Салатник – ого! Пригодится. И даже сахарница и заварочный чайник! А, каково? Вспомнила, как нашла это «гороховое» чудо, и руки затряслись: хочу! А рисунок? Темно-зеленый, почти изумрудный, фон и крупные серебристые горошины – красота! Да и цена подходила вполне – рождественская распродажа. Кира тащила эту коробку и мечтала, как расставит все это. Пришлось под сервиз прикупить еще колонку, узкую, угловую – снова для экономии места. Сервиз разместился, конечно, но еще оставались две пустые полки. Вот туда она и поставила дорогие сердцу вещицы, привезенные из Москвы после маминого ухода: фигурку китаянки в национальном платье и с высокой прической – мамину любимую, пятидесятых годов. И мамину же вазочку – шершавую, нежно-салатовую, с белым барельефом – Вербилки, бисквит. Потом прочла, что это наш Веджвуд, технологии те же.

Коврик еще купила под журнальный столик. Не удержалась и прикупила парочку эстампов на стену – Париж, сумерки. Париж, дождь и фигуры размыты. Париж, туман. И тоже все нечетко, размыто. Поняла – любит смазанное, расплывчатое, пастельных тонов. Да и не очень понятное – завуалированное. Четкие линии и яркие цвета ее утомляли – в Пушкинском, например, зарябило перед полотнами Гогена. Поняла: не ее художник талантливый и прекрасный Гоген. А вот Писсаро и Моне – ее.

Сидя на диване в кабинете давно ушедшего зябликовского отца, она вдруг поняла, что уже соскучилась по дому. Удивилась – ее осиротевший после ухода мужа дом, опустевший и холодный, все равно оставался ее домом, ее пристанищем. И только там можно было укрыться и спастись. Она, ненавидящая толпу, шумные сборища, большие компании, не принимала это и в далекой молодости, а уж теперь, в весьма почтенном, как она говорила, возрасте, старательно этого избегала. Чуралась крупных торговых центров с праздно шатающимися толпами, больших кафе с отдыхающим народом, рынков, кинотеатров и прочего скопления людей – ей сразу становилось зябко, неуютно, тревожно. Она любила гулять по тихим, уютным улочкам, поддевая носком туфли разноцветные кленовые листья. Любила посидеть на лавочке в глубине парка, у озера, недалеко от своего дома. Выпить кофе в крошечной, на три столика, кондитерской возле дома – с чашкой американо и с куском марципанового штоллена или вишневого штруделя. А больше всего любила свою спальню в шесть метров, с неширокой кроватью и настольной лампой с темно-зеленым абажуром. И книгу на тумбочке – вот оно, счастье! И большую, синюю, тяжелую керамическую кружку с уже остывшим имбирным чаем. Кружка была из той жизни, московской. И тишину, тишину! Улочка у них была тихая, почти непроезжая – выбирали специально. Район был недорогой, но и не самый дешевый – зато тихий, зеленый, очень спокойный. Нет, можно, конечно, было купить квартиру побольше! Но такой тишины и покоя там точно бы не было.

Кира легла на прохладную простыню, а сон не шел – какое там! Десять лет она не была здесь, в Москве. Десять лет. Да и десять лет назад тоже почти не была – так, пробегом. Полдня, кажется, пару часов. Потому что неделю жила в Жуковском – хоронила маму, разбиралась с документами. Да и не хотелось ей ехать в город – совсем не хотелось.

Она долго ворочалась, окончательно сбив жесткую простыню, вставала и поправляла, расправляла ее без конца, но она снова сбивалась, и Кира чувствовала кожей грубую ткань потертого дивана. Привычно заныла спина, и она встала, чтобы размяться. Осторожно, на цыпочках, вышла из комнаты – понадобился туалет. Дорогу туда, конечно же, помнила. Шла босиком, осторожно держась за стену. Темно было – выколи глаз. Туалет нашелся, и, зайдя, она поморщилась – пахло там отвратительно. Никаких домработниц у Зяблика нет. И женщины нет – ни одна бы не потерпела подобного.

Уснула под утро и встала с разбитой головой. Ладно, надо прийти в себя. В конце концов, не валяться же она сюда приехала! Не в постели лежать и не жалеть себя. А зачем она сюда приехала? Вопрос... Нет, ответ, разумеется, был – приехала она по делам. Дела не то что срочные, нет... Но и откладывать их больше нельзя, потому что мучит совесть и скребет на душе. Ну и решилась. В конце концов, и так слишком долго откладывала – куда уж дольше? Дела надлежало решить и закончить. Поставив на этом жирную, окончательную и решительную точку. Вот тогда можно было продолжать жить. По крайней мере попытаться.

Зяблик торчал на кухне – пахло пригоревшим кофе. И точно – на плите расплылась кофейная гуща. Впрочем, плите, кажется, это было уже все равно – застывший жир, перемешанный с застарелой грязью, засохшей кофейной гущей и остатками какой-то еды, покрыл ее плотным, непроницаемым слоем. Грязь подгорала и невыносимо пахла какой-то адской смесью. Беда.

Зяблик, нахохлившись, сидел за столом, шумно втягивал в себя кофе и листал газету.

– Привет, – усмехнулась Кира. – А что, газеты еще читают?

– Смотря какие, – смутился он. – Есть и такие, которые вполне себе. Ну если не правду пишут, то по крайней мере не откровенную ложь.

– Уже хорошо, – вздохнула Кира. – Обнадеживает.

– Завтракать будешь? – любезно осведомился хозяин. И, кажется, тут же об этом пожалел. Потянул жалобно: – Кир, возьми что-нибудь сама, а?

Кира кивнула.

В холодильнике – тоже, кстати, не обошлось без запашка – нашлись твердый сыр, пачка масла и бутылка молока – для завтрака хватит вполне. Кофе, конечно, имелся – Зяблик без кофе? Нонсенс. Села напротив. При свете дня разглядела его окончательно. Да уж... Обычный потасканный пенсионер. Ни красоты, ни лоска. Не очень чистая майка, старые спортивные брюки с вытянутыми коленками.

Что делает время с людьми? Волосы – шикарные волосы, гордость хозяина, зависть женщин, – увы, поредели. И поседели, конечно. Где она, золотистая львиная шевелюра красавца Зяблика? Там же, где и он сам – в прошлом, увы.

Серая дряблая кожа, пустой «пеликаний» мешок под подбородком. Тусклые глаза, потерявшие свою ослепительную синеву и яркость. А зубы? Нет, все понятно – никого не минуло. Но – есть же, в конце концов, дантисты? Все как-то выходят из положения. А главное – руки. Кира глянула на его руки и вздрогнула. Длинная и красивая, аристократическая и интеллигентная рука – где она? Ровные ухоженные ногти – где?

Кургузая – почему, как? – лапа бедняка с криво и косо постриженными ногтями.

Кира вспомнила их первую с Зябликом встречу и свои ощущения – дрожь в руках и в коленях, запах его одеколона, который преследовал ее несколько дней, как и его тихий, вкрадчивый и очень волнующий голос. Господи, стыдоба! И никому не признаешься, никому. Стыдно даже перед самой собой. Их с Мишкой любовь и... Нет, это было коротко, всего-то на пару дней. Но неловко. И тогда она его невзлюбила, в том числе и за эту свою дурацкую слабость. Сильно, по-глупому, по-дурацки, по-бабски. Какая же дура, господи, он-то в чем виноват?

Кира шумно глотнула кофе, и Зяблик перехватил ее взгляд.

– Вот так, Кирюш! Не вышло, видишь?

– Ты о чем, Леша? – смутившись, осторожно спросила она.

– Да достойной старости не получилась. Жизнь была... Ну более-менее. А вот старость – не получилась. Да и жизнь – если по-честному. – И Зяблик жадно закурил сигарету.

– Брось, – махнула рукой Кира. – Эти мысли, знаешь ли, всех посещают: жизнь не удалась, не сделал того, что мог, что хотел. Мечты не сбылись. А ты – не успел, например. Хотел так – вышло совсем по-другому. Сам виноват, другие – какая разница? Не получилось, и все. И причины тут не важны, важен итог. Но – смысл? Ты мне скажи – какой в этом смысл? Все равно все закончилось, ничего нельзя изменить. И мы это все понимаем! И будет так, как есть. Не обижайся, прошу тебя! Думаешь, у кого-то не так? Лично у меня – то же самое. Веришь?

Зяблик уныло кивнул.

– Ага, утешаешь... Спасибо.

– Да ну, Леш! Поверь, что нет! Просто все это непродуктивно, бессмысленно и категорически вредно. Надо доживать так, как уж вышло. И не искать виноватых, не мучить себя. Все равно ничего не изменишь. Такая позиция хоть как-то примиряет с жизнью. Ты меня понял?

– Демагогия, Кира. Пустые слова. Как жить и не думать?

Не жалеть, не сокрушаться, не искать причины? Не искать виноватых? Не винить себя? Невозможно. Да и не нужно. Всегда надо делать выводы, всегда понимать.

– А для чего? – перебила она его. – Изменить ничего нельзя. Не хватит времени, сил, в конце концов! Да и кому нужны твои выводы и твои ошибки? Даже детям не передашь – все плюют на чужой опыт, как ты понимаешь. А уж нам с тобой, – она накрыла его руку своей ладонью, – ну вообще смешно! И передавать некому – детей у нас нет!

– У меня есть, – тихо ответил Зяблик и, словно извиняясь, тихо добавил: – Так получилось...

Кира охнула.

– Ничего себе! Ну ты даешь, Зяблик!

Хотя у них, у мужиков, все гораздо проще. А уж у Зяблика, бабника и гуляки, тем более. Да при его активной половой жизни у него могло народиться с десяток внебрачных детей!

Но уточнять подробности Кира не решилась – в конце концов, захочет – расскажет. Да и интереса особого не было – подумаешь, тоже мне редкость! Безусловно, Зяблик был женихом завидным – и собой хорош, и богат, и характер вполне: остроумный, заводной, словом, легким человеком был лучший друг ее мужа.

И снова некстати вспомнилось, промелькнуло, как ее взволновал лучший друг мужа при их первой встрече. Да и потом, если честно, бывало... Да ладно, какой же бред иногда лезет в голову! Просто неловко, ей-богу – сто лет прошло с тех времен, целая жизнь. И она уже давно, мягко говоря, немолодая, усталая и не совсем здоровая женщина. А тут воспоминания про половое влечение. Тьфу, ей-богу. Противно и стыдно.

Завтрак закончили, и хозяин поинтересовался ее дальнейшими планами – в смысле, отвезти, подвезти ну и все прочее. Кира вежливо отказалась:

– Спасибо, но ты живи своей жизнью. А я уж как-нибудь доберусь на метро или такси. Я же в прошлом москвичка, если ты не забыл.

– Ну как знаешь.

Кира ушла к себе в комнату, села на диван и застыла.

Дел, собственно, было не так и много. Самое несложное – съездить на кладбище, к родителям. Убрать могилы, посадить цветы, мама любила настурции и бархатцы и каждую весну выращивала в ящиках на балконе. Дальше найти женщину, договориться, чтобы покрасили ограду. Ну и самое главное – решить с памятником. Памятник на могиле родителей, собственно, был. Так себе, правда. Памятник поставила мама – через год после смерти отца. Был он, конечно, паршивым – серо-сизого грязного цвета, смесь бетона с гранитной крошкой, словом, самый дешевый, для бедноты. «Ну хоть такой!» – словно извиняясь, написала мама, выслав Кире фотографию.

А что Кира могла возразить? Помочь ничем тогда не могла – денег у них не было категорически, еле сводили концы с концами. Пару раз, правда, передала со знакомыми посылочку – пару копеечных кофточек с распродаж, из тех, что валяются при входе в магазин в ящиках – ковыряйся себе на здоровье. Туфли какие-то жалкие, шарфик с шапкой, свитер отцу и ему же три пары носков. Стыдно было, а они радовались как дети: «Кирочка, какая красота! Какие чудесные вещи!» И через пару недель прислали фотографию – оба в обновках, с торжественными и счастливыми лицами.

Как она тогда плакала...

Позже, когда чуть встали на ноги, когда они с Мишкой устроились, стала хоть как-то им помогать – если была оказия, передавала небольшую сумму. Ну и посылки, конечно. Уже что-нибудь поприличнее – даже полушубок маме отправила, хороший такой полушубок, как раз для русской зимы – тонкий и легкий, темно-серого цвета, молодой козлик. Красота. Как мама была счастлива, господи! Правда, целый год все сокрушалась, что дочка потратила «огромные деньги». Какие там огромные деньги? Просто сказочно повезло – зима в Германии была неправдоподобно теплой, и зимние вещи скидывались за бесценок. А мама носила серую шубку до самой смерти. Вот странно: отец почти не вставал и был совсем, как оказалось, плох. Мама от нее все скрывала. Но прожил он в таком состоянии долго и долго, мучительно умирал. А мама, будучи здоровой и крепкой женщиной, скончалась скоропостижно, в один день. Правда, утешало одно – она не болела и не страдала. Это и называется «легкая смерть».

«Опять грустные мысли лезут в голову. Конечно же, здесь все обостряется. Здесь оставлена целая жизнь. И никуда тебе от этого не деться – как ни старайся и как себе ни приказывай. Просто надо пережить эти семь дней. Пережить, и все, – повторила себе она. – А после ты вернешься в знакомую, такую привычную и даже почти любимую старую жизнь».

Итак, кладбище. Кира оделась и крикнула из коридора хозяину:

– Леша! Я ушла. Когда буду, не знаю. Словом, ты меня не жди и не беспокойся. Если что, позвоню.

Зяблик не ответил – наверное, уснул. Она вспомнила, что он любил поспать утром, приговаривая: «Хорош сон после обеда, но еще слаще после завтрака».

Кира доехала до Казанского вокзала, подивилась чистоте и удобствам: надо же, просто европейский вокзал, честное слово! А был помойка помойкой: бомжи, пьяницы, навязчивые цыганки в многослойных юбках: «Красавица, дай погадаю! Все расскажу – когда и чего. И про мужа твоего расскажу и про детей!»

Кира, конечно, отмахивалась от пестрой, шумной и навязчивой толпы. Но однажды поддалась: настроение было паршивое, дальше некуда – поссорилась с Мишкой, который в очередной раз не решался поговорить с женой, поругалась с родителями. Была поздняя осень, и она собралась в Жуковский. Тут ее и прихватили цыганки. Тащились за ней по платформе, канючили, гундосили, ныли про голодных детей. Наконец, раздраженная, Кира затормозила и резко развернулась. «Ох, ну и пошлю я тебя сейчас, матушка!» – подумала она, предвкушая. Чувствовала – надо было прокричаться вволю, даже нахамить, и ей полегчает. Резко развернувшись, столкнулась взглядом с цыганкой – она была молодой, несмотря на хриплый прокуренный голос, в уголке рта у нее была зажата тлеющая папироска. На голове, как обычно, цветастый платок с нитками люрекса. Конечно же, длинная и пышная цыганская юбка. Обычная вокзальная аферистка, которых лениво гоняют равнодушные стражи порядка. «Ты их в дверь – они в окно», – как-то услышала слова милиционера.

Возраст ее определить было сложно – то ли двадцать, то ли под тридцать, кто их поймет? Смуглое лицо, морщины у глаз и у рта, пара золотых зубов – все как положено. Но глаза Киру поразили – огромные, синие. Такой бездонной синевы Кира еще не встречала. Она остолбенела. Да и глаза эти невыносимо синие были не наглыми, нет. Скорее просящими, жалобными, жалкими.

– Ну что вам? – смущенно буркнула стушевавшаяся Кира. – Денег я вам не дам – не просите. Гаданьям не верю. Тоже мне, пророки и предсказатели! – фыркнула она и тихо, неуверенно добавила: – Ищите других клиентов, мадам!

Цыганка, молча и внимательно разглядывала ее.

– Иди с богом! – сказала она. – И ничего мне от тебя не надо. Только запомни – с *твоим* у тебя все получится. Ты обожди, наберись терпения, и все сложится.

Они стояли напротив друг друга и почему-то не могли разойтись. Бодались взглядами – кто кого?

И тут подошла электричка. Кира очнулась, кивнула цыганке и усмехнулась:

– Ага, поняла. Ну что же – спасибо! Прямо надежду вселили! – И сделала шаг к электричке.

Услышала вслед:

– И еще, дева. Уедешь ты отсюдова. Навсегда. Дорога у тебя дальняя.

Кира вздрогнула и остановилась. Что еще за бред? Куда уедет, какая дорога? Тем более – дальняя?

– Да ладно вам глупости говорить, – рассмеялась она, – сказки рассказывать! Ладно, прощайте!

Двери поезда со скрипом раскрылись, и Кира шагнула в тамбур.

Но почему-то оглянулась – синеглазая цыганка стояла на том же месте и печально смотрела ей вслед. Увидев обернувшуюся Киру, помахала ей как старой и доброй знакомой. И Кира, неожиданно для себя, тоже махнула в ответ.

В электричке села у окна, прислонилась горячим лбом к холодному и влажному стеклу, прикрыла глаза: «Какой же все это бред, господи! Уеду в другую страну! Большей чуши не слышала!» Но сладко заныло сердце, когда вспомнила другие слова: «С *твоим* у тебя все получится. Ты обожди, наберись терпения, и все сложится – будет твой. Только обожди, наберись терпения!»

Кстати! Вспомнила она о синеглазой цыганке только в самолете, уносившем их с Мишкой в другую страну *навсегда.* Вспомнила и обомлела: «Ну надо же! Вот как бывает».

* * *

Билет на электричку купила в автомате – тоже привычно и удобно, как в Европе. В поезде смотрела в окно – станции, конечно же, были все те же: Удельная, Красково, Томилино, Ильинское. Вспоминала, с каким нерадостным настроением всегда ехала туда, к родителям. И как потом за это терзала себя.

На платформе Отдых, в родном городке Жуковском, не было бабулек, торгующих всякой всячиной, как в старые и не очень добрые для нее времена. Семечки в граненых стаканчиках, по весне – сухие грибы, старая, слегка проросшая и оттого дешевая картошка, расфасованная в потертые, ветхие целлофановые пакеты, лук-севок в пол-литровых банках, репка или свекла из подпола – все, что осталось с зимы. Была еще бабулька с жареными пирожками – кривыми, мятыми, огромными, с тем, что подешевле: кислой капустой и рисом. Кира обожала эти еле теплые пирожки – бабулька держала их в алюминиевой кастрюле, укутанной ватником и старым пальто. От пальто пахло нафталином, от ватника – сыростью и землей. Кажется, запахи проникали внутрь кастрюли, где лежали помятые пирожки. Но Киру это не смущало – покупала всегда два, с рисом и капустой. Медленно шла через пролесок от станции в город и с удовольствием и жадностью жевала этот шедевр кулинарного искусства. И Мишку подсадила на эту «прелесть» – его слова. Только куснул – и закатил глаза от удовольствия: «Прелесть какая, а?»

Когда это было!

Бабулька с пирожками сидела всегда – все четыре времени года. А вот ассортимент других торговок менялся в зависимости от тех же времен года. Самое сладкое время – лето и осень: смородина красная, черная, белая, крыжовник всех видов – большущий зеленый, изумрудный, почти прозрачный. Или мелкий, красно-бурый, утыканный мягкими иголочками. И янтарный, желтый, совсем не кислый и с очень тонкой и нежной кожицей – надкусишь, и во рту расползается мягкая, сладкая, зернистая кашица. Кира обожала крыжовник. Но нигде больше его не видела – только здесь, в России. Малина в августе, яблоки, мелкие подмосковные грушки, похожие на маленькие учебные гранаты, терпкие и почти безвкусные. А вот яблоки были чудесными – коричные, белый налив, мельба, грушовка.

Где сейчас эти яблоки? Нет, конечно же, есть! Здесь – наверняка! А там, дома... Там, *дома*, были только ненастоящие, восковые, красивые, ровные, гладкие, как муляжи.

Алкаши торговали свежевыловленной мелкой рыбешкой – карасиками, плотвичкой. Кучка – рубль. Рыбки слабо трепыхались на подмокшей газете.

Как она любила бродить по платформе и покупать снедь у милых бабулек! Стакан ягод, стакан семечек. Малосольные огурчики. «Мне два, пожалуйста! – И, подумав секунду, сглотнув слюну: – Ну ладно, три».

Или мороженое – мороженщица в белом халате и белой косынке, с тележкой, стояла возле самых ступенек. Сливочное в вафлях, шоколадное, крем-брюле. Вафельный стаканчик с желтой или розовой розочкой. Твердая эта розочка, которая и была вкуснее всего, как потом выяснилось, делалась из крашеного маргарина.

Кира вышла на станции и огляделась – новые дома теснились друг к дружке, словно каждый мечтал выжить соседа или в крайнем случае – подвинуть и подпихнуть. У станции взяла такси. Машина везла ее по незнакомому городу – почти ничего не узнать. Хотя центр сохранился – спасибо и на этом. «Ну и ладно, какое мне дело, – подумала она. – Уберу у своих, договорюсь с кладбищенской теткой, зайду в гранитную мастерскую и уеду. Главное – договориться в мастерской, чтобы выслали на почту фотографию готового памятника после установки и я могла переправить деньги онлайн. Надеюсь, они согласятся. Полно же таких, как я, живущих не здесь, а за границей. Выходят же люди из положения. Ну, в конце концов, задействую Зяблика. Думаю, он не откажет. Или на крайний случай Катю. Хотя это вряд ли, да и смертельно не хочется к ней обращаться».

Но встреча с Катей была впереди, и это было неизбежно, увы – Мишкин наказ. «Только отложим это на предпоследний день», – успокаивала себя Кира.

На кладбище уладилось все довольно легко и быстро. Кира опять подивилась: да, быстро бывшие соотечественники поняли и приняли капитализм. Вспомнились прежние времена, когда все давалось с трудом и с кровью.

Цивилизованно, четко и грамотно – и никаких мутных деляг и забулдыг. Вполне симпатичный и модно одетый парень толково все объяснил, быстро составил бумаги и попросил небольшой аванс. Что ж, нормально. Сказал, что заодно после установки еще и покрасят ограду. В порядке бонуса, так сказать.

Камень для памятника выбрала, предложенный шрифт одобрила. Аванс отдала и договорилась о переводе денег после установки.

Снова вернулась к могиле. Прежний памятник, тот, что оставила мама, осыпался с углов, покрошился, прилично накренился и выглядел еще более жалко. Ну да бог с ним – скоро все будет нормально! На душе полегчало, ей-богу. Кира положила цветы, провела ладонью по шершавой поверхности камня и попрощалась. Наверное, теперь – навсегда.

Еще один приезд сюда она не планировала. Надо покончить с делами и вернуться в свою жизнь. А ее жизнь там, во Франкфурте. Уже давно, почти двадцать лет. Срок, что уж там говорить.

Никаких дурацких мыслей по поводу «заглянуть в школу» или «посмотреть на наш старый дом» даже не возникло. И слава богу! Что там смотреть? Школу? Она ее не любила. Старый дом? Квартира давно продана, через год после маминой смерти. Да и любила ли она ее, считала ли своим домом? Навряд ли. Слишком рано ушла из него. И слишком много не самых светлых воспоминаний.

И скорее отсюда, скорее! Ничего теперь ее тут не держит.

Приехав в Москву, решила прогуляться по городу – в конце концов, столько про него пишут и хорошего, и плохого, и даже ужасного, кстати! Вот и посмотрим. Да, между прочим, надо поесть и обязательно выпить хорошего кофе. Теперь это уже наверняка не проблема – кафе и рестораны мелькали и зазывали на каждом шагу.

Кира пошла по Тверской вверх, к Пушкинской. Магазины со знакомыми названиями – такие же, как и везде, по всему миру. Сверкающие витрины, модные тряпки и обувь. «Все как везде», – с удивлением повторяла она про себя. Ничего не соврали. Села в кафе, заказала салат, сэндвич с ветчиной, большой эспрессо. Быстро и вкусно. Что же, молодцы.

У Пушкина посидела на лавочке, передохнула.

Возвращаться к Зяблику почему-то не хотелось, но куда деваться? Пришлось. В конце концов, встретил, принял – все законы гостеприимства соблюдены. А то, что ей давно совершенно не хочется ни с кем общаться и разговаривать, – так это ее проблемы. Прошлась еще по Тверской, и домой – устала. Ноги гудели – не девочка, возраст.

В комнате Зяблика горел приглушенный свет – Кира вспомнила, что он не любил яркое освещение, говорил, что страдает странной болезнью – куриной слепотой. Глаза болели даже от снега. Кира не верила, считая, что это очередной выпендреж. Конечно же! Лишний повод объявить о себе как о человеке необычном, редком, отличающемся от других – вот, даже болезни у меня редкие, эксклюзивные, так сказать.

Верхний свет почти не включался – об этом все знали. Зато повсюду были натыканы различные светильники в виде торшеров, настольных ламп и настенных бра. Помнится, в спальне хозяина, у самой кровати, прижился даже настоящий старинный канделябр, кажется, с восемью свечами.

Кира разделась и пошла к себе – зачем его беспокоить и лишний раз напоминать, что она здесь. Да и ей категорически не хотелось, чтобы Зяблик ее развлекал. А уж ей развлекать его было бы просто невыносимо. Юркнула мышкой и притаилась. Даже свет не включила – прилегла на диван и в блаженстве вытянула гудящие ноги.

Но минут через десять в ее дверь осторожно постучали.

– Войдите! – с разочарованием выкрикнула Кира.

На пороге стоял Зяблик и улыбался:

– А мы уже на «вы», Кирюша?

Она села на диване, пригладила волосы, оправила свитер и стала оправдываться: мол, задремала, прости, спросонья и ляпнула.

Зяблик задумчиво разглядывал ее. Наконец произнес:

– Совсем не хочешь со мной разговаривать? Нет, я все понимаю – ты всегда была молчуньей, в общие беседы почти не вступала, я это помню. Толпу не любила, компаний, шумных сборищ не признавала. Помню, помню, – повторил он. – А уж теперь... Но мы же друзья, Кир? Или ты так не думаешь? Обещаю и даже клянусь, – Зяблик шутливо и галантно поклонился, – не доставать, в душу не лезть, воспоминаниями не мучить. – Он помолчал и жалобно, просяще добавил: – Пойдем чаю выпьем! Ты же все-таки у меня в гостях. Я и тортик купил, Кир! Ну? Пойдем?

Кире стало неловко. И правда, что она прячется, как крот в норе. Привыкла прятаться от людей. Даже неприлично. Да, страшно неохота делиться проблемами. Еще больше неохота вспоминать то, что было. Не просто неохота – невыносимо больно. А о чем могут еще говорить не очень, скажем так, молодые люди? О здоровье, конечно. Точнее – о подступивших болезнях. Ну так об этом вообще говорить неприлично, тем паче с мужчиной. Кира уверенно считала – попробуй поспорь! – что люди должны говорить о своих болезнях только с врачом. И никогда с близкими.

Вот и получалось – о прошлом нельзя. О проблемах – не стоит. А о болезнях – ни-ни! О будущем? Так его тоже нет! Об одиночестве? Точно не надо – и здесь слишком больно. А! Об общих знакомых! Так Кира почти никого из них не помнит. Значит, о Мишке. А вот здесь не просто табу, здесь череп с перекрещенными костями: влезешь – убьет.

«Что ж, поговорим о погоде», – решила Кира и стала извиняться перед Зябликом: дескать, не хотела тебя беспокоить. Вдруг тебе неохота трепаться? Знаю, как это бывает. Ой, извини ради бога! А чай – это здорово! Тем более с тортиком! И потрепаться, конечно, охота, – здесь душой покривила, но что поделать.

Тортик и вправду был как из детства – фруктовое полено, кажется?

– Ой, угодил! – благодарила Кира.

Зяблик смеялся:

– Старался! Ну не из итальянской кондитерской же тебя кормить – этим тебя точно не удивить!

Пили чай и болтали о всякой чепухе, ни о чем. Захочешь – не вспомнишь. К опасным темам не подбирались, и Кира была ему благодарна за это.

Отчиталась по кладбищенским делам – Зяблик кивал и соглашался:

– Да, сервис теперь здесь на уровне. Не поспоришь. Правда, и обмана до черта! Сидит это в людях – как объегорить собрата, плутоват наш народ, что уж тут. Да и законы, сама понимаешь. Здесь всегда было «как дышло». И не изменилось. – Зяблик грустно добавил: – Все на грани выживания. И я в том числе.

«Да уж, – подумала Кира, – и это заметно. Этот сортир с невыносимой вонью. Грязь на кухне – вековая, как говорила мама. Присохший жир и копоть, чашки с чайными разводами. Заплесневелый хлеб в холодильнике. И это у Зяблика, привыкшего к роскоши и идеальному порядку! Ну и холодильник... На деликатесы денег у него нет. Ладно я – с детства привыкла к экономии и даже лишениям. Мне проще».

Вопросов, конечно, Кира не задавала. В общем, светская беседа закончилась, и разошлись по своим углам.

Кира снова лежала без сна и вспоминала. Никуда от этого не деться – как ни убеждай себя, а отключить голову невозможно. Невозможно приказать сердцу. И вообще – что останется в нашей жизни, если убрать воспоминания? Вот именно – пустота. Черная бездонная дыра. Человек без прошлого – это животное.

* * *

Все оказалось не так, как обещал ей муж, пытаясь ее обнадежить. Он лгал все время, пока они собирались уехать – до самого отъезда. Молчал он и в самолете. И по дороге из аэропорта. И первые два дня в «отстойнике», как называли они свою гостиницу – кому как больше нравится. Вполне приличную, кстати! Маленький отельчик гостеприимно принимал эмигрантов. В одном из номеров была оборудована кухонька, где женщины умудрялись готовить, иначе было не выжить. Так вот, Кира замечала, что он как-то подавлен – кстати, в отличие от нее! У нее-то как раз настроение вдруг поднялось – сама удивлялась. Ей казалось, что самое страшное и неприятное позади – принятие тяжелейшего, почти невозможного, решения, невыносимый разговор с родителями, попытки найти деньги на отъезд и алименты. Сборы, наконец. Проводы. Ну и сам отъезд. Она наивно считала, что теперь все будет зависеть только от них – от их таланта, работоспособности, силы духа и поддержки друг друга. А уж в этом она ни минуты не сомневалась – они преодолели такое! Да и вся их прежняя жизнь была сплошным преодолением.

А Мишкино состояние духа? Вполне объяснимо – конечно, страх, а что же еще? Он мужчина, и ему отвечать. Растерялся, оробел. Все-таки новая жизнь. Но язык у Мишки был неплохой – немецкий учил он и в школе, и в институте. Плюс почти год занятий в группе отъезжантов. У Киры с языком было хуже – правда, она и не рассчитывала на работу в серьезном учреждении – понимала, по специальности ей не устроиться, по крайней мере вначале.

Конечно, вся надежда была на мужа, на Семена с его обещаниями.

Она тормошила Мишку, шутила, уговаривала. Удивлялась: «А почему Сеня не едет? Он же обещал нас сразу забрать? А почему ты с ним не созваниваешься? Почему, почему?»

Наконец он признался. Все выдумал, никаких обещаний со стороны Семена не было.

– Зачем? Да чтобы тебя сдвинуть с места, иначе тебя было не уговорить. Да, врал. Безбожно врал все эти полтора года. А что тут непонятного? Тебе ж было легче жить с надеждой. Разве нет? А я устроюсь, Кирюш! Не беспокойся! Конечно, устроюсь! Моя тема, ты же знаешь! Ты не веришь в меня? – последнее он говорил с отчаянием и болью.

Но Кира молчала. Сидела на узкой казенной койке и молчала. Ей было жалко не мужа – себя. Она была не просто озадачена или ошеломлена – она была совершенно раздавлена. Она и представить себе такое не могла: наивный простак Мишка – и навертел такую заковыристую и ловкую ложь? Как это не похоже на него! А как он врал! Как профессиональный аферист. Значит, надо будет – соврет еще? Да похлеще? Хотя куда уж похлеще!

Она, наивная дура, считала, что никаких секретов у них друг от друга не было и быть не могло. При их-то степени доверия и откровенности. При их взаимопонимании и честности. Тем более в серьезных вопросах. А вышло?

– Как ты мог? – только и сказала она. Голос сел, и из горла вырывался лишь сип.

В ответ Мишка закричал, что ему тоже было несвойственно. Нет, понятно, он чувствовал себя виноватым, а лучшая защита, как известно, – нападение. Но принять эту ложь и его жалкие оправдания Кира не могла.

– Значит, ты сомневался во мне? – повторяла она. – Получается, если бы ты не соврал и я была бы уверена, что договоренностей никаких нет, то струхнула бы? Испугалась и отказалась? Получается, я не верила в тебя? И винила только тебя в твоих неудачах? Тебя, а не обстоятельства, известные мне не хуже, чем самому тебе?

Мишка сник – доводы кончились, порох, видимо, тоже. Сел рядом и уронил голову в ладони.

– Прости, – бормотал он. – Прости ради бога! Мне казалось, что тебе так будет проще от всего отказаться. От всего, что у тебя было там.

– А что у меня было, Мишка? – прошептала она. – Что, кроме родителей?

Конечно, простила. Когда прошел первый и самый тяжелый шок. Кажется, дня через два окончательно пришла в себя и стала его утешать, как обычно, – женщина!

Через три дня приехала Надя, жена Семена. Вот тогда Кира и узнала самую окончательную и горькую правду. Поначалу все складывалось у них замечательно – Семен действительно получил работу в научном институте. Действительно хорошо зарабатывал. Действительно занимался знакомой темой. И действительно впереди – и совсем не за высокими горами – маячили приличные перспективы. Все так и было. И в письмах Семен не врал. Но случилось несчастье – инсульт. Конечно, переживаний хватало – и дома, в Москве, и здесь, в Германии. Эмиграция – дело серьезное. Нервничал страшно – как бы не облажаться на новой работе. Да и языка не хватало. К тому же поторопились и взяли в банке ссуду для покупки квартиры, наивно полагая, что уже все сложилось. Работа у него есть, работа перспективная, прилично оплачиваемая. Да и Надя работала, хотя и в полноги – преподавала музыку частным образом, скорее для удовольствия, чем из нужды. Сын оканчивал школу – хороший мальчик, за него они были спокойны.

И тут болезнь. Нет, никто Семена не увольнял – здесь такое невозможно. Пока платили зарплату и работала государственная страховка. Пока была еще надежда, что он восстановится, окрепнет и сможет работать. Но через полгода случился повторный удар, и стало понятно, что он уже не поднимется. Почти отнялась правая сторона – рука и нога. Почти была утеряна речь. Страховка теперь была муниципальной, по сути, для нищих и бомжей. Кредит за квартиру надо было выплачивать или переезжать в жилье для инвалидов – на улицу тебя никто не выкинет, люди защищены, но уровень медицины, жилья и всего остального при этом кардинально меняется.

Конечно, квартиру отдали банку и переехали в дом для пожилых и больных людей – одним словом, для неимущих. Ничего, кстати, плохого и страшного – обычная двушка, в таких счастливо живут миллионы советских людей. Но рухнули все планы, все мечты. Семен стал инвалидом. За учебу сына платить было нечем. И Надя стала единственным кормильцем в семье.

Она сидела в их казенной комнатке и монотонно рассказывала о своей невеселой жизни. Было видно, что она все давно приняла – все время повторяя: «Вот такая, ребята, судьба». Кира видела, как она постарела – да и понятно, что говорить. Тяжелобольной муж, неустроенный ребенок и постоянная пахота. Теперь она не преподавала музыку для удовольствия – теперь она работала тяжело и нудно в доме для престарелых, сиделкой и нянечкой. Вскоре туда определили и Семена – ухаживать за ним ей стало сложно. Надя считала, что им здорово повезло – и работа, и муж под присмотром. «Такая удача», – твердила она.

Конечно же, это и правда была большая удача – по крайней мере теперь, вернувшись с тяжелой смены, она отсыпалась.

Семен умер через четыре года. Горевала она ужасно.

* * *

Итак, все прояснилось. И надо было жить дальше. Поначалу не жить – выживать. Первый год или даже два было сложно, почти невыносимо, – правда, государство помогало как могло, и за это спасибо. Платили социальное пособие, оплачивали страховку, давали даже деньги на сезонную одежду, было и такое. Жили они по-прежнему в отеле. Встали в очередь на социальную квартиру. Конечно, на съемную, но по другой, меньшей, чем обычно, цене. Мишка подал анкеты во все профильные институты и научные лаборатории, но ответов не приходило. Он снова сник, потерял веру в себя – теперь, кажется, окончательно и бесповоротно. Твердил, что зря затеял «эту историю», вовлек туда ее, вынудил оставить родных и привычную жизнь.

Кира, если честно, устала его утешать и «приводить в порядок». К тому же уставала она и физически – теперь она работала. Надя устроила ее к своей приятельнице, эмигрантке из Саратова, некой Лиле. У той было агентство по уборке квартир.

Конечно, у Лили работали только наши, эмигранты. И это ей было очень выгодно – вновь прибывшие, не успевшие освоиться, плохо знающие или почти не знающие языка, дерганые и перепуганные до полусмерти, были счастливы и этой каторгой, искренне считая ее синекурой. А бесстыжая Лиля этим прекрасно и с удовольствием пользовалась. Платила она копейки, охрану труда не соблюдала, обращалась с нанятыми по-хамски. Но Киру записала в любимчики – во-первых, подруга Нади, а во-вторых, понимала, где Кира, москвичка с высшим образованием, и где все остальные.

Кира прекрасно отдавала себе отчет в том, что происходит у этой Лили, что она вытворяет и вообще что собой представляет.

Лиля, надо сказать, людей чуяла остро – нюх у нее, как у опытной деляги и аферистки, был острый, собачий, отменный. И была у нее, хабалки и хамки, одна маленькая слабость – Лиля страстно хотела дружить с интеллигенцией. Вот поэтому она и подружилась с Надей, и по этой же причине стала подкатывать к Кире.

Подкатывала осторожно: сначала пригласила в выходной съездить на озеро – конечно же, семьями. Это было ужасно. Лилин муж был младше ее лет на десять. Пустой и туповатый парень, впрочем, кажется, вполне беззлобный. Было видно, что Лиля его страшно ревнует.

День выдался теплый, но без конца начинался мелкий занудный дождик. Время шло к обеду, и Кира начала нервничать: денег – копейки, и те заработанные потом и кровью. Им и в голову бы тогда не пришло зайти в кафе – пусть даже на чашку кофе. Это казалось просто безумием. Один раз позволили себе на улице мороженое и мучились пару дней. Нет, конечно же, эти копейки ничего не решали – смешно. Но это была болезнь – эмигрантская болезнь первых лет: никаких кафе, киношек, мороженого.

С содроганием она вспоминала, как первые лет пять подолгу стояла в супермаркетах, в самых дешевых, для бедноты, в «Алде» или «Лидле», и разглядывала ценники в поисках акций и распродаж.

Как она радовалась, когда удавалось отхватить – какое знакомое слово! – что-то по выгодной цене! Почему-то чаще всего скидки в продуктовых распространялись на курицу. Ее и ели. Мишка шутил, что он скоро закукарекает.

После, когда все более-менее наладилось и они смогли себе что-то позволить, курятину они не готовили еще долго, года три точно.

Еще вспоминалось – о господи! – как она приходила к закрытию фермерских рынков, часам к пяти торговцы начинали продавать все почти даром. Кира, пытаясь скрыть нервную и радостную улыбку, начинала хватать яблоки, сливы, картошку, огурцы, помидоры и прочие радости. Сумки набирала неподъемные, но домой почти бежала, счастливая.

На озере действительно было красиво – какая природа! Сто лет они не были за городом, сто лет просто так, бесцельно, не гуляли. Но вдруг дождь зарядил серьезно – мол, хватит предупреждать и попугивать! Делать было нечего – только прятаться. И ушлая Лиля углядела кафешку метрах в тридцати от набережной. Побежала к ней, махнув им, зазевавшимся, рукой – догоняйте!

А куда было деваться? Приехали на Лилиной машине, как выбираться оттуда, не знали. Да и ходит ли общественный транспорт? Переглянулись с Мишкой и пошли.

Уже потом, спустя много лет, Кира поняла, что кафешка та была затрапезной – несколько пластиковых столиков, прилавок с банальными кексами и брецелями, чипсы, орешки и кофе – слава богу, из кофемашины. Чай, вода, мороженое из морозильного ящика при входе. В общем, ассортимент бензоколонки. Но им эта забегаловка тогда показалась роскошным рестораном с мишленовскими звездами.

Сняли мокрые ветровки и смущенно уселись за столик. Лиля, надо сказать, дурой уж точно не была – растерянность их просекла моментально. И угостила – берите все, что хотите! Надо сказать, ничем особым она не рисковала – разгуляться не позволял ассортимент. Но «разгулялись» – кофе, кексы, мороженое.

Кира видела Мишкин унылый взгляд. «Еще одно унижение, – прочитала в его глазах». Незаметно взяла его за руку, дескать, ерунда, не бери в голову!

Конечно, больше общаться вне работы совсем не хотелось – пару раз Лиля приглашала их в гости, но Мишка решительно отказывался. Да и Кире это было не нужно. Первый год Кира была «на общих основаниях» – убирала квартиры. А через год Лиля предложила ей должность заместителя – ничего себе, а?

– Карьера! – грустно вздыхал муж.

– Да, карьера, – соглашалась Кира. – И для начала вполне неплохая.

В деньгах, конечно, прибавилось. Физически стало легче. А вот морально... Лиля злилась, когда Кира защищала и жалела несчастных теток и всячески пыталась облегчить их нелегкую участь – разумно распределяла участки работы, пыталась заплатить положенные деньги. Короче – по словам хозяйки, – разводила либерализм и демократию. Лиля кричала, что они прогорят с ее благородством. Объясняла, как нужно. Кира упрямо не соглашалась. Лиля злилась, и через два года они расстались. Кира совсем не расстроилась – столько мук и страданий приносили Лилины выверты и обман.

К тому же Мишка уже тогда устроился на работу – с голоду они бы точно не умерли. «Все, что ни делается, к лучшему», – разумно рассудили они. Так, собственно, все и было – через три месяца и Кира устроилась на работу. Прекрасную, надо сказать, работу. Правда, снова не по специальности. Но все равно – счастье! Работа была в архитектурном бюро, секретарем.

Спустя лет десять она случайно встретила Лилю на улице – была середина декабря, город готовился к Рождеству, сиял и сверкал, утопал в елках и рождественских базарах, лица у людей были озабоченными и радостными. Приближались рождественские каникулы.

Киру окликнули, она обернулась. Напротив стояла высокая и очень худая женщина, совсем незнакомая.

– Не узнаешь? – усмехнулась она. – Так изменилась?

Лиля. Господи, Лиля! Но где та Лиля – полная, розовощекая, с хитрыми и безбашенными глазами? С безбожно вытравленными по российской моде волосами, выглядящими на улицах Франкфурта нелепо, по меньшей мере нелепо. Где яркий макияж, крупные серьги в ушах?

Той Лили не было – перед Кирой стояла старая, измученная, потухшая и несчастная женщина. «Болеет? Скорее всего», – мелькнуло у Киры.

Зашли в кафе, заказали кофе, пирожные. Кира видела, с каким удовольствием Лиля ест. Неужели все так ужасно?

Ела она неаккуратно, роняла крошки, облизывала пальцы. Кира заметила, как дрожат у нее руки.

При свете светильников стало окончательно ясно, что Лиля больна.

Все так и было. Лиля говорила торопливо, как ела: молодой муж бросил три года назад. Она всегда понимала – рано или поздно это случится. Конечно, нашел помоложе. Это не редкость – закономерность.

Переживала Лиля это чудовищно, очень его любила. Вспоминала, как вывезла его из Саратова, практически спасла. Занимался он там чем-то не совсем чистым – кажется, валютой, и ему запросто могли впаять срок. И здесь, в Германии, она пахала как лошадь, тянула все на себе. Возила его отдыхать, баловала – тряпки, машины. Надорвалась. Старела, конечно. И ревновала. Ребенка так и не родила – он не разрешал. Сволочь.

Ну и вот. Итог печальный, но предсказуемый.

Ну а потом заболела.

– Догадываешься чем? – спросила Лиля, уставившись на нее.

Кира нерешительно кивнула:

– Наверное.

Бизнес пришлось закрыть – контролировать его Лиля уже не могла. Живет на пособие – большую квартиру продала, купила маленькую. Да и зачем ей большая?

Лиля вопросов не задавала, лишь коротко бросила – кажется, в голосе ее промелькнула зависть:

– Вижу, что у тебя все хорошо!

Кира смущенно развела руками.

Через полчаса попрощались. Лиля усмехнулась:

– Думаю, телефон мой записывать ты не станешь – это понятно. Зачем я тебе? Ну, все. Прощай, дорогая. – И, не дождавшись ответа, развернулась и быстро пошла прочь.

Кира смотрела ей вслед – вот как бывает. Но как жалко было эту дуреху!

* * *

Кире нравилась пословица – когда судьба закрывает дверь, она всегда приоткрывает окно.

Так всегда и было – когда она ушла от Лили, в том числе. Мишку взяли на работу. Какая это была радость, господи! Он вернется в науку. Хватит ему заниматься ерундой, с его-то способностями! А как был рад он сам! В тот вечер, когда ему подтвердили приглашение на собеседование, она купила бутылку белого, маленький тортик и еще кое-какие вкусности – те, что в обычные дни они бы себе ни за что не позволили: баночку гусиного паштета, упаковку швейцарского сыра и триста граммов настоящего итальянского прошутто.

– Гуляем! – объявила она.

Было что праздновать, было.

Мишка, конечно, волновался – как примут будущие коллеги? Достаточно ли его знаний языка? Хотя уже понятно, что нет. Волновался, что нет хорошего костюма, приличных ботинок.

А сложилось все замечательно – собеседование он успешно прошел, коллеги приняли его доброжелательно: ободряли и похлопывали по плечу и тут же пригласили на кофе. Костюм не понадобился – дресс-кода в институте не было, все одевались вольно, кто как хотел. Мишка с радостью влез в любимые джинсы и свитера.

Вот тогда, пожалуй, впервые Кира увидела счастливого мужа. Через год удалось поменять и квартиру – сняли побольше, правда, в Эфенбахе, но близко от Франкфурта, там было дешевле. Две нормальные комнаты, хорошая кухня. Теперь они жили в хорошем районе – не богатом, но соседями их оказался средний класс, служащие различных бюро, мелкие клерки. И вид из окна был прекрасный – на парк и озеро.

Теперь Кирино сердце не екало при виде скидок на куриные грудки, осточертевшие до невозможности. Теперь они покупали и мясо, и хороший кофе, и швейцарский шоколад, и итальянские пирожные. Теперь она заходила в магазины не с целью «поглазеть», а вполне себе присмотреться.

Нет, осмотрительность, осторожность и даже страх, конечно, остались – это, кажется, уже навсегда. Но и уверенности прибавилось, и спокойствия. И исчезли напряженность, тревоги и страхи, терзавшие их почти всю совместную жизнь. Наверное, именно тогда они почувствовали себя счастливыми – все удалось, все получилось.

И Кира была довольна работой. А вскоре появилась и машина. Водила, конечно, Кира – Мишка был не из тех, кто водит машину. «Олух, лопушок, дуралей, простофиля», – с нежностью и любовью повторяла она. И он соглашался – все чистая правда. И даже был рад – что поделать, он был из тех мужчин, кто легко и радостно уступает своей женщине – хочешь рулить? Рули ради бога! Распределять семейный бюджет? Пожалуйста! А я займусь тем, что мне интересно.

Здесь, в эмиграции, их роли окончательно распределились, и Киру это ни на минуту не угнетало, как и его.

Муж-ученый. Она прекрасно знала, с кем связывает свою жизнь. Муж далек от хозяйственных дел? Да и слава богу! Тут же ей вспоминалась закваска капусты и невыносимый стук кухонного ножа по деревянной доске, когда родители делали заготовки.

Нет, ей точно такого не надо – здесь она сама разберется. Муж, заглядывающий в кастрюли, ей совершенно не подходил – насмотрелась, спасибо. Мишку мало интересуют деньги? Тоже слава богу – муж ей полностью доверяет, она хозяйка положения. Покупкам ее только радуется. Ни разу не попрекнул – золото, а не муж. Многие позавидуют.

Отношения с мужем были по-прежнему близкими. Задушевными, как говорила одна из новых, уже «немецких», Кириных приятельниц.

Вот только после того московского тайного аборта больше она не беременела. Конечно, страдала. Но – молча. Видела, что мужа этот вопрос совсем не беспокоит – у него была Катя.

Кира подумывала обратиться к врачам. Но почему-то боялась. Она всегда, кстати, боялась врачей. Но однажды на приеме у семейного доктора, милейшей русской Женечки из Киева, все-таки решилась спросить, можно ли что-то сделать.

Та сказала, что путь это долгий и трудный. Для многих – невыносимый. Риски? Большие. А в Кирином возрасте просто огромные! Но можно попробовать, можно. Положительных результатов – море, океан! «Знаешь, сколько я видела счастливейших женщин?» – добавила Женя.

Кира сидела, вытянувшись в струну, ловя каждое слово, интонацию. Пыталась уловить движение Жениных бровей, уголков рта. И ощущала, что уже сейчас готова бежать туда, где дадут надежду и, скорее всего, помогут.

Женя внимательно посмотрела на Киру и осторожно сказала:

– Только, Кир... Я вот о чем...

Кира испуганно смотрела на растерянную и смущенную Женю.

– Я вот что хотела сказать. Кир! – Она подняла глаза. – Послушай! Ты должна... Нет, ты обязана все хорошенько продумать! До точечки, до черточки! Сначала и до конца! Все предусмотреть, все просчитать – все риски, все осложнения. «От» и «до», понимаешь?

Кира не понимала. Смотрела на нее во все глаза и не понимала. Громко сглотнув, наконец спросила:

– О чем ты, Жень? Честное слово, не понимаю!.. Ты же сказала, что все может быть хорошо!

Женя ее перебила:

– Послушай! Вот именно – может быть! А может и не быть, понимаешь? Я же тебе объяснила – риски большие. Суть вот в чем, Кира: на это стоит пойти только в том случае, если без этого невозможно, ты понимаешь? Просто нельзя – и все, точка! Причем вам обоим – и тебе, и мужу! Если совсем бессмысленна жизнь. А иначе, Кира, не надо. Очень опасно, ты меня слышишь?

Кира вздрогнула, как от громкого звука, как от удара, пощечины.

– Все поняла.

Больше к этой теме они не вернулись ни разу. И старалась об этом не думать – очень болезненно, очень. Понимала – Женя права, все так – и поздновато, и страшновато. И, наверное, ни к чему – как говорится, проехали. Если вдуматься, им и так с Мишкой неплохо.

Но жизнь, как известно, дает возможность сделать только короткий выдох, а потом снова бьет по башке. Так и случилось – через год их счастливой новой жизни умер Кирин отец. Приехать на похороны она не смогла по многим обстоятельствам – во-первых, заболела, и крепко – проигнорировав, как всегда, простуду, получила осложнение, сильнейшее воспаление легких – три дня пролежала в госпитале. Да ладно болезнь – все равно бы сорвалась, как-то бы долетела. Но была и вторая причина – документы и виза. Узнала, что визу специально задерживали, и здесь не помогала даже телеграмма, заверенная главврачом жуковской поликлиники, – въехать в страну она бы все равно не успела. Надо было ехать в любом случае – не на похороны, так к маме: поддержать и просто побыть рядом. Но сил, если честно, совсем не было. Валялась как тряпка: бессильная, мокрая от пота, будто пойманная в мышеловку мышь. Решила не ехать. Потом, спустя время, корила себя страшно – надо было, надо. А, как всегда, пожалела себя.

Конечно, говорила с мамой по телефону по два раза на дню. Мама в сотый раз пересказывала подробности похорон и поминок – кто пришел, какие принес цветы и что было на поминальном столе. Кира удивлялась, раздражалась, но терпела, чувствуя свою вину.

Пыталась передать деньги, мама отказывалась категорически:

– Что ты, Кирочка! У нас все есть. Не надо, деточка! Купи лучше что-то себе!

Киру поразило, что мама по-прежнему говорит «у нас», словно отец, о похоронах которого она только что рассказывала, жив. Она понимала, что деньги у мамы действительно есть, наверняка она копила все эти годы. Но совесть по-прежнему мучила – не простилась с отцом, не простилась...

Тогда же начались и сложности с Катей, Мишкиной дочерью. Вроде бы обычные подростковые проблемы, и все вроде это понимали, но все равно Мишка страшно нервничал и почти перестал спать по ночам. Бывшая, Нина, на звонках не экономила – звонила раз в три дня. Рассказывала всякие страсти про наркоманию, выпивоны, ранний и опасный секс и ненадежных друзей дочери. Звонила, что характерно, на ночь глядя – говорила, что так дешевле.

Мишка рвался:

– Может, поехать?

– И чем ты поможешь, – пыталась охладить его пыл Кира. – Что ты сможешь сделать? Разве что поговорить?

Он успокаивался и соглашался, но ненадолго. Нина звонить продолжала. Наконец Кира не выдержала, позвонила ей и, стараясь быть вежливой, попросила ее не звонить с такой регулярностью. «Зачем трепать ему нервы, если он не может помочь, кроме как деньгами?»

Нина молча ее выслушала, а перед тем, как положить трубку, сухо сказала:

– Я тебя поняла. А вот ты меня – нет. Впрочем, чему удивляться? Тебе не понять, что такое ребенок! И вообще, ты не считаешь, что это дело родителей?

Ужалила больно. Кира положила трубку и разревелась – больнее ударить нельзя. Но и она хороша – зачем влезла? Нина права – это дело родителей. А кто она? Жена Катиного отца, все. Какое она имеет право давать советы и вообще вмешиваться? Ну и, конечно, не подумала о том, что Нина тут же, незамедлительно, об их разговоре доложит Мишке. Тот страшно разозлился. Поссорились и почти неделю не разговаривали.

Кира вяло оправдывалась:

– Да, некрасиво. Согласна. И, скорее всего, неправильно. И тут не возразишь. Но чем я руководствовалась, не подумал? Наблюдая за тобой? О ком беспокоилась? Вот именно. Было невыносимо жалко тебя.

Через пару недель окончательно помирились – потому, что наступил, увы, пресловутый форс-мажор. О котором походя упомянула Кира – ну чистая ведьма, ей-богу – сама испугалась.

Катерина залетела. Получается, Нина была права. Конечно, аборт – о другом просто не упоминали. И тут она, Кира, законченная, конечно, дура, опять встряла. Имею право, кричала она, больше, чем все остальные, – сама осталась бесплодной. И осеклась, увидев удивленные глаза мужа.

Тут же смущенно поправилась: ну, в смысле того, что не смогла родить, понимаешь?

Хорошо, что он, лопушок, так ничего и не понял тогда – пронесло.

Катя рыдала. Нина названивала по два раза на дню. Киру назвала конченой идиоткой, и Мишка теперь удалялся с телефонной трубкой в туалет – чтобы не услышала Кира. Кира – врагиня.

«Ну и черт с вами, – решила Кира, – разбирайтесь как знаете. В конце концов, Нина права – дочь не моя и не мне советовать».

Да и – если честно – какой ребенок в пятнадцать лет?

Но отношения с мужем подпортились. На эту тему больше не говорили – как там и что. Поняла, что аборт Кате сделали и что Мишка передал им приличную сумму денег. Взял он их из заначки – естественно, общей. Складывали туда то, что могли отложить – он и она. Пересчитывали вместе. Брали, если надо, уведомив друг друга. Советовались. А тут она обнаружила, что деньги изъяты, а ей об этом не удосужились сообщить. Обиделась, конечно. Но – промолчала. Ситуация была неловкой по многим позициям – вот и смолчала.

Отношения налаживали долго – инициатором, была, разумеется, Кира. Ну и бог с ним, что и с кем тут считаться? Столько лет вместе.

* * *

Назавтра решила звонить Кате – не откладывать на предпоследний день. Вполне допускала, что строптивая Мишкина дочь может от встречи вообще отказаться, скажет, что надо было предупредить заранее, у нее свои планы, ну и так далее. Понятно, что встречаться с женой отца ей не резон – зачем? Отца уже нет на этом свете, Киру она никогда не любила, близости у них не было, а вот обида за мать и за себя – была. Увела мужика из семьи, значит, стерва. Мужей от жены и детей уводят стервы, а не порядочные женщины.

Ах, как не хотелось звонить! Как это мучило и терзало! Но справедливости ради надо признать: Кира никогда не стремилась подружиться с дочкой мужа, никогда не искала к ней подход. Никогда не относилась к ней с теплотой, просто потому, что вообще не умела с теплотой относиться к людям. Даже с собственными родителями это не удавалось. Кира была суховатой, зажатой, внешне холодной. Никто и подумать не мог, что эта молодая и хмурая женщина ради любви и любимого готова на все – на любые подвиги, любые страдания, любые испытания и трудности.

Да, с Катей отношения построить она не смогла – это надо признать. Почему? Да причин было несколько: во-первых, ей не нравилась эта хмурая и неприветливая, грубая девочка.

Катя смотрела на нее исподлобья и не собиралась скрывать своего отношения к разлучнице. Во-вторых, Кира ревновала. Конечно, ревновала, видя привязанность мужа, его муки, вечное чувство вины. Обычная женская ревность. Да и сам Мишка не очень стремился их свести, полагая, что это не нужно, совсем ни к чему, лишняя травма для всех. Ну и, в-третьих, если бы она родила, если б у них с Мишкой был общий ребенок, все с Катей сложилось бы иначе. Ну и последнее обстоятельство, окончательно рассорившее их с Катей, – квартира. Чувствовала ли Кира свою вину в той истории? Скорее нет. Но осадочек, как говорится, остался. Вот и получалось, что не только Кире, но и Кате этот разговор, а уж тем более встреча, были в тягость. Два года перед смертью Мишка не мог с ней связаться – трубки она не брала. Информацию – скудную до невозможности – скупо и неохотно сообщала Нина: здорова, поступила в институт, вышла замуж, родила дочку, институт бросила, дура. Но в целом у нее все неплохо.

Пару раз прислала фотографии – Катина свадьба, Катина дочка.

В общем, отношения у Кати и Киры не сложились. Но Кира дала мужу слово, и его надо было держать. Ей необходимо было передать Кате письмо. Она верила, что там, наверху, на небесах, есть жизнь и ее муж, ее Мишка, все знает и видит. Так было легче жить, это примиряло с действительностью.

* * *

Зяблика – чудеса! – дома снова не наблюдалось. Интересно, куда он, пенсионер, девается спозаранку? Нет, правда – очень любопытно!

А с другой стороны, хорошо. Разговоры с самого утра – это уж точно не для нее. Раскачивается она медленно, с большим трудом – минут сорок положи, как пить дать. Две чашки кофе – она всегда страдала низким давлением, – две сигаретки между этими самыми чашками, просмотр новостей в интернете, тоник и крем на лицо и под глаза. Легкая зарядка – нет, просто разминка, производственная гимнастика, как шутил Мишка. А что, хорошее было дело, между прочим, – заставляли людей подниматься с рабочих мест и разминаться, разогнать кровь.

Вот после всех этих нехитрых мероприятий Кира была готова к каким-то действиям. И к разговорам – в том числе.

Решившись, она наконец набрала Катин номер. Трубку взяли не сразу – Кира уже хотела с облегчением дать отбой. Голос у Кати был недовольный и неприветливый.

– Кира? – Кажется, она очень удивилась. Немудрено.

– Да, я здесь, приехала. По делам? Ну, можно сказать и так. По делишкам, скорее, по мелким.

– Хотите увидеться? – Неподдельное удивление в голосе. Тоже понятно. В том давнем конфликте она, безусловно, винила Киру, а не отца. Своих всегда оправдаешь. – А зачем? – усмехнулась она.

Кира забормотала что-то дурацкое:

– Ну, это необходимо, поверь. Последняя просьба отца, мне надо кое-что тебе передать. Ну и вообще – посмотреть на тебя.

Последняя фраза получилась неловкой, неискренней.

Катя молчала. Потом презрительно хмыкнула:

– А вы в этом уверены? Ну что нам надо увидеться? – Потом снизошла: – Когда мне удобно? Ох, даже не знаю... Ксенька приболела – сопливит. Нет, я, конечно, могу ее оставить одну... Ладно, я вам перезвоню.

– Катя, – напомнила Кира, – я здесь еще четыре дня. Постарайся. Пожалуйста.

И, положив трубку, похвалила себя за этот звонок. Катя, если честно, та еще штучка.

Кира встала и решила пройтись по квартире Зяблика. Не очень прилично и правильно делать это без хозяина, ну да ладно, подумаешь! Ничего криминального.

Да. Ту, прежнюю квартиру, со всем ее антуражем, Кира, конечно, прекрасно помнила – картины на стенах, фарфоровые тарелки екатерининских, по словам владельца, времен. Никто в этом, кстати, не сомневался. Подсвечники из витой бронзы, китайские вазы из тончайшего, хрупкого фарфора, старые турецкие или персидские ковры – Кира, конечно, точно не помнила, что по этому поводу говорил Зяблик.

Был еще гобелен – огромный, на полстены: путешествие Синдбада. И странная, на Кирин вкус, аляповатая картина: зимний лес, в золотой раме с виньетками. Автором ее был художник со смешной фамилией Клевер. Кира о таком и не слышала – оказалось, художник известный и картины его висят в Третьяковке.

Еще два канделябра, козетка, канапе, ломберный столик – именно там, у Зяблика, она не только услышала эти слова, но и увидела сами эти предметы.

Она растерянно стояла на пороге гостиной и не знала, что и подумать. Стены, покрытые выгоревшими обоями, были пусты. Полки с посудой, дорогими сервизами и статуэтками, тоже. Не было и персидского или турецкого ковра – старый, рассохшийся и неухоженный паркет стыдливо оголился и зиял зазорами и щелями. Не было и ломберного столика, и бюро с инкрустацией. Сиротливо стоял диван из прежней жизни, книжный шкаф английского образца и потертая козетка – или канапе? А черт его знает. Надо посмотреть в интернете. Хотя какая теперь разница?

Что же случилось? Нет, все понятно – жить как-то надо, желательно достойно, хотя бы отдаленно приближенно к тому, к чему он привык. Но что-то не сходится! Понятно, на пенсию не проживешь. И все-таки... Было незаметно, чтобы Зяблик жил роскошно или просто хорошо – Кира вспомнила и пустой холодильник, и грязь, и запустение, и даже ощущение бедности, скудости, почти нищеты. Как это может быть? Проигрался в карты? Тоже навряд ли. Зяблик был всегда осторожен, играл по малой и никогда не отыгрывался. Ипподром? Да нет, ерунда. И там не просадишь такое богатство.

Зяблик был, безусловно, человеком не просто зажиточным, а богатым – правда, по меркам скудных и скромных советских времен. А сейчас, когда полно миллионеров и даже миллиардеров... И все-таки странно! Всего, что было вынесено и наверняка продано, вполне бы хватило на долгую и достойную жизнь. Ведь даже ей, плохо во всем этом разбиравшейся, было понятно, что весь его антиквариат стоит приличных денег. Кто тогда, в те времена, знал, что такое старинная мебель? Да почти никто – все мечтали и бурно радовались польской или гэдээровской стенке из ДСП, кто побогаче – рвались за румынской и югославской, из чистого дерева. Кира вспомнила друзей-отъезжантов. Бились за польские светильники и чешские хрустальные вазы. Ценили антикварное единицы – коллекционеры или просто люди понимающие, привыкшие к роскоши. А сколько их было? По пальцам пересчитать.

Еще непонятно, как он смог расстаться со своими вещами. Казалось, это невозможно, этого не будет никогда. Правда, с возрастом человеку вообще нужно гораздо меньше – почти исчезают желания и скромнее становятся потребности. Пропил все это? Да глупость. Зяблик непьющий – выпивающий.

Ей-богу, загадка! Молодая и капризная любовница, тянущая из старого Зяблика деньги? Тоже вряд ли. И в это не верилось. За свою бурную жизнь Зяблик должен был не только насытиться, но и пересытиться юными красавицами. Или все-таки бес в ребро? У мужиков это частенько случается. Именно когда уходят здоровье и молодость, крышу срывает. Правда, Зяблик был не из тех, кому сносит крышу. Больше всего он дорожил своими покоем, удобствами, привычками, комфортом. Да и человеком он был холодноватым, по-своему расчетливым, как всегда считала Кира. Щедрым, широким, но все же ей всегда казалось, что широта Зяблика, его купеческий размах были показушными, понтовитыми. Для него было страшно важно произвести впечатление. И все-таки Зяблик был отменным эгоистом и хитрецом. Этакий пуп земли, король со своей свитой, центр вселенной. Да и простачком Зяблика не назовешь – не то что ее мужа Мишку, олуха, душа нараспашку.

Куда все делось? Это так взбудоражило нелюбопытную Киру, что она точно решила – вечером спросит. Обязательно спросит. В конце концов, они старинные знакомые, почти друзья. Наверное, она имеет право.

Кира осторожно зашла в святую святых – спальню хозяина. Заглядывала она сюда пару раз на полминуты, не больше, но хорошо запомнила огромную, широченную «графскую» кровать с высоченной резной спинкой – светло-рыжую, чуть пятнистую, из карельской березы. Сейчас кровать стояла незастеленной, белье было откровенно несвежим, даже грязным. И не было роскошного напольного канделябра – его Кира помнила прекрасно.

Она ушла к себе, достала наугад из шкафа книгу – попался Мопассан. Кира улыбнулась – книга из детства. Вспомнила, что прятала Мопассана под кроватью – родители бы ее не поняли: как же, аморальный писатель.

Ну и отлично. Решила: поваляюсь, почитаю, а может, и подремлю. На улицу выходить неохота. Совсем стала ленивой, совсем... А ведь раньше любила прогулки по любимому городу. Только теперь он не любимый – чужой. Она отвыкла от него, как и он от нее.

Ладно, пусть ленивая и безынициативная – имеет право, пенсионерка. А когда вернется Зяблик... Нет, все-таки непонятно – куда Зяблик шастает? Любовницу отметаем. А может, все-таки на работу? Да нет, тоже вряд ли. Зяблик и работа? Смешно. Кем может работать Зяблик? Охранником? Глупости. При входе куда угодно стоят крепкие парни или дядьки, посмотришь и испугаешься. И рабочее время – не сходится, нет. Утром он исчезает, к обеду приходит. Чудно́. Ладно, спрошу. В конце концов, что здесь такого?

Она подремывала, пыталась читать, переворачивалась с боку на бок – в общем, маялась. И вспоминала, конечно. Почему она так не любила Зяблика? Он сам, его образ жизни – праздный, широкий, купеческий – ей были непонятны и неприятны. Конечно, тут же вспоминала Мишку – талантливый трудяга, выкинутый за борт, сбитый летчик, потерянный и растерянный, сломленный почти окончательно, вечный мытарь, вечный нищий недотепа. И неизменно нарядный и радостный Зяблик, которому все давалось легко. Сын богатых и знаменитых родителей, оставивших огромное наследство. Красавчик и модник. Все ему падало в руки само – только под-

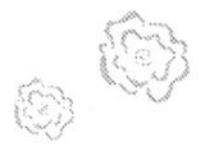

ставляй! Прекрасное образование – тоже родители постарались. Только ему оно не пригодилось. Зяблик где-то числился, немного работал – кажется, в театре администратором, взяли, конечно, из уважения к знаменитой бабке – актрисе. Лучшие женщины, первые столичные красавицы. Про таких, как он, говорят: родился с золотой ложкой во рту. Чистая правда. Всю жизнь Зяблик валял дурака – жил в удовольствие.

Она завидовала ему? Наверное. Только не богатству его, а легкости, беззаботности и беспечности, тому, как он шел по жизни со счастливой улыбкой, беря от нее все самое приятное.

И этот ребенок непонятно от кого, о котором он упомянул. Ничего удивительного – для мужиков это дело обычное. Да и ребенок наверняка взрослый, не нуждающийся во внезапно объявившемся папаше.

И все равно – детектив какой-то, ей-богу!

Дверь хлопнула, и Кира заторопилась подняться. Как-то совсем неприлично все это выглядит – целыми днями валяется, из дому почти не выходит.

Зяблик гремел на кухне посудой. Кира осторожно постучала по дверному косяку:

– Не помешаю?

Он обрадовался:

– Ты дома? Конечно же, заходи, выпьем кофе. Я вот тортик тебе захватил!

На столе стоял вафельный тортик. Кире стало не по себе – все-таки она полная дура. Надо было что-то приготовить – хотя бы почистить картошку. Нехорошо-то как, господи!

– Хочешь есть? – смущенно спросила она.

– Нет, я не голоден, меня покормили, – тоже смущенно ответил он.

– Да? – улыбнулась Кира. – И кто же это, интересно? Кто эта добрая фея? В общем, я поняла. – Она взяла шутливый тон. – Ты где-то столуешься! И судя по всему, фея твоя – хозяйка прекрасная! Не то что я, незваная гостья. – И уже серьезно добавила: – Лешка, прости! За шесть лет совершенно разучилась готовить и обленилась. Да и раньше-то пирогов не пекла – так, на скорую руку. Это, видимо, протест против родителей, с их заготовками, как будто мы жили далеко за Полярным кругом. Мать даже яблоки на компоты сушила – так дешевле, если в сезон. А сухой компот тогда стоил копейки, помнишь? Я вот любила купить граммов триста и есть прямо из кулька, грязным. Руки были от него черные и липкие, а вот вкуснее ничего не было.

– Нет, Кир! Сухой компот я не ел, этой радости познать не случилось! А вот курагу там всякую, дыню сушеную и прочее деду привозили из Самарканда. Помню деревянные ящики, заколоченные гвоздями. Бабушка варила для деда компот из кураги. Говорила, что полезно для сердца. Помню, дед вылавливал разбухшие ягоды из стакана и причмокивал – вкусно. А умер от инфаркта – не помогли эти волшебные фрукты, – грустно улыбнулся Зяблик. Ее слова по поводу феи он словно и не услышал.

Они пили кофе и вяло перебрасывались пустыми фразами. Оба чувствовали неловкость, обоим стало почему-то тягостно. Кира видела, как Зяблик устал – как посерело его лицо и под глазами залегли темные тени. Она заскучала и решила пойти на улицу. Как говорил Мишка, проветрить мозги.

Поблагодарила хозяина и пошла одеваться. Когда стояла в прихожей, подкрашивая губы, Зяблик позвал ее:

– Кир, можешь зайти?

Пришлось скинуть туфли.

Зяблик сидел на кухне, перед ним стояла коробка из-под обуви – большая, когда-то белая, а теперь желтоватая, с треснутыми и разъехавшимися углами. В ней кое-как, в совершеннейшем беспорядке, были навалены фотографии.

Сердце упало. Кажется, Зяблик решил устроить вечер воспоминаний – то, чего она больше всего боялась. Кира ненавидела перебирать старые фотографии, где все молодые, счастливые, не потерявшие надежду. Где у всех горят глаза и на лицах искренние улыбки, где у всех густые волосы, стройные ноги и никаких животов. Ей было нестерпимо рассматри-

вать ту прежнюю, счастливую жизнь, которая просто прошла. И нечего бередить душу.

– Лешка, – упавшим голосом сказала она, – ты что задумал?

– Да ничего такого! Просто вот...

Она резко оборвала его:

– Леш, извини! Я терпеть не могу рыться в воспоминаниях. Извини.

Зяблик смотрел на нее растерянно и удивленно, хлопал все еще густыми и длинными ресницами и не понимал, чем ее обидел.

Кире стало стыдно – ну он-то при чем? Он разве обязан знать, что ей нравится, а что нет. Она выдавила улыбку и присела на край стула. Взяла себя в руки.

– Ну что там? Показывай. Любишь поворошить прошлое?

– Да нет. Сто лет не смотрел, еле отыскал эту коробку. Но если ты не хочешь...

– Давай, давай! Да и что там такого страшного, верно? Все – занятие, все развлекуха.

Он вроде обрадовался и принялся вытаскивать из коробки чуть смятые, с загнутыми уголками, фотографии, как иллюзионист вытаскивает из ящика за уши кролика. При этом то и дело вскрикивал от удивления – было видно, что фотографии эти он действительно сто лет не смотрел.

Он удивлялся, или восхищался, или, наоборот, хмурил лоб, пытаясь что-то припомнить, и радостно вскрикивал, протягивая фото скучающей Кире.

– Это Сочи! А это Ялта! Таллин! Ох, как же мы тогда...

Кира только молила бога, чтобы не попались и их с Мишкой фотографии.

Выудив очередное фото, Зяблик не поспешил показать его гостье – долго и внимательно его разглядывал. Потом все же протянул его Кире:

– Помнишь ее?

На Киру смотрела молодая загорелая женщина с короткими вьющимися темными волосами и очень красивыми, большими, темными и грустными глазами.

– Нет, а кто это?

Зяблик закурил и коротко бросил:

– Сильвия. – И с удивлением переспросил: – Да неужели не помнишь?

Кира развела руками – дескать, прости. И не отказала себе в колкости:

– Разве всех твоих баб упомнишь, Зяблик?

Но тот настаивал:

– Вспоминай! Вы точно виделись! Они с мужем итальянцы. Он – высоченный такой пузан, брюхо уже тогда из порток вываливалось. Громкий, зычный. Смеялся так, что стены тряслись. Синьор Батисто, не помнишь?

– Кажется, помню, – неуверенно проговорила Кира.

– А это Сильвия, его жена. Ну, вспомнила?

– Вроде да. Но как-то плохо.

Зяблик расстроился.

Кира вгляделась в фотографию смуглой женщины и наконец вспомнила.

– Точно! Такая маленькая, худенькая до невозможности, прямо подросток! Очень смуглая, черноглазая. Лицо такое живое. Немножко похожа на обезьянку, верно?

Зяблик обрадованно закивал:

– Точно, точно! Я так ее и звал – Мартышка! Она и не обижалась – сама веселилась. У нее было прекрасное чувство юмора. – Он взял из Кириных рук фотографию Сильвии и погрустнел: – А ты знала, что у нас был сумасшедший роман?

Кира покачала головой:

– Нет, не знала. Или не помню, прости. Вся эта карусель твоих баб... Извини, Лешка! Я и имен их запомнить не успевала! Нет, вру – Алену помню, рыжую такую, высокую. Кажется, с телевидения.

Зяблик небрежно махнул рукой, дескать, не о ком говорить – Алена и Алена.

– А Тамара? Красивая девка, кажется, южных кровей.

– Грузинка, – коротко бросил Зяблик.

– Ну да, – сказала Кира и добавила: – Не обижайся! Я и этих-то двух запомнила только потому, что мы в то время у тебя жили. Да и память на лица у меня отвратительная.

Зяблик вглядывался в фотографию Сильвии, словно пытался что-то там отыскать. Кира видела, что это его взволновало и ему хочется об этом поговорить.

– Так что твоя итальянка? – из вежливости осведомилась она. – Тоже потеряла от тебя голову? Что, впрочем, неудивительно, – засмеялась она.

– Да, потеряла. Но здесь другая история, Кир. У нас вправду была любовь. Она даже решила уйти от мужа, ты представляешь?

– Вполне, – ответила Кира. – А что здесь такого, если любовь?

– Что такого? – усмехнулся Зяблик. – Да так, ничего. Только муженек ее был богат как Крез. И при разводе... Словом, ты ж понимаешь. И вообще, она хотела остаться здесь, со мной. И это после виллы в Тоскане, где у нее было полно прислуги, личный повар, лимузины и все остальное.

– И что же? – уже заинтересованно спросила Кира. – Чем дело кончилось, почему не срослось?

– Я ее отговаривал. Боялся за нее, если честно. Она была вообще впечатлительная и даже нервная. Такой темперамент! Да и он бы ей устроил – сволочь был еще та!

– А синьор этот был в курсе? – удивилась Кира. – Все знал, говоришь?

– В курсе, – кивнул Зяблик. – Она вообще ничего не скрывала. Я же говорю тебе – экспансивная была, нервная, чувства все через край. Ну и прямая.

– И вот тогда ты испугался? – догадалась Кира.

– Да, испугался. Такие женщины, знаешь, до добра не доводят. Сами горят и тебя в огонь тащат. Я тогда совершенно не был готов. И вообще, – он усмехнулся, – я никогда не был готов! Лет в сорок задумался – вроде пора. Нагулялся от вольного. Все видел, ничем не удивишь. Ну и стал осматриваться, поглядывать – кто бы, так сказать, подошел для этой нелегкой роли. – Он засмеялся.

– И что? – поинтересовалась Кира. – Кандидатки на роль верной жены не нашлось? Не присмотрел никого? Может, не там искал, Лешка?

– Не в этом дело, – убежденно ответил он. – Искал везде, веришь? Но передумал. Понял, что закоренелый и окончательный холостяк, и тему эту оставил.

– Не пожалел? – осторожно поинтересовалась Кира.

Зяблик задумался:

– Кажется, нет. – Но в его голосе звучало сомнение.

Он улыбнулся. И в эту минуту Кира увидела того, прежнего Зяблика – с яркими синими глазами во все еще густых и длинных ресницах, легкого, веселого и немного грустного – такая смесь Арлекино с Пьеро.

– Так, а что же твоя Сильвана Помпанини? – Кира вспомнила известную итальянскую актрису давних времен. – Расскажи, интересно!

Ей и вправду стало интересно – такие страсти, господи! А Зяблик ей всегда казался слегка равнодушным, пресыщенным, холодноватым.

– А дальше все как обычно. Она рвалась ко мне. Он вылавливал ее, караулил. Грозил, пару раз избивал. Она боялась обращаться в милицию. Умоляла, чтобы я оставил ее у себя. А я, как жалкий трус, все искал причины этого не делать. Мечтал, чтобы муж увез ее и эти страсти закончились. Так и получилось – через год они уехали. Потом я узнал, что она резала вены. Слава богу, спасли. Он тогда здорово перепугался.

– А ты откуда узнал? – удивилась Кира.

– Она мне звонила. Долго звонила. Писала письма. Я их даже не открывал – понимал, что там. Просто рвал или сжигал. Трус, я же тебе говорю. Ну а потом синьор Батисто скончался, и Сильва снова стала рваться сюда. «Поженимся и уедем в Италию. Мы свободны», и все такое. Но ты ж понимаешь! К тому времени многое изменилось. Нет, я ее вспоминал, только жил своей жизнью. – Он замолчал, встал и прошелся по кухне. Завозился с чайником: – Кофе будешь?

Кира машинально кивнула.

– Ты не любил ее?

– Не знаю. Мне трудно ответить на этот вопрос. Но если я кого и любил, то точно ее. Ох, какие искры между нами летели!

– И что с ней сейчас? Ты не знаешь?

– Она умерла не так давно, – после недолгой паузы ответил Зяблик. – Ей было всего пятьдесят два. Совсем молодая – сердце, наверное. В одну минуту – легко.

– Думаешь? – усмехнулась Кира.

Он не ответил.

– Зяблик, – тихо сказала Кира, – а ты потом пожалел? Ну, что пропустил любовь?

Не оборачиваясь, он тихо ответил:

– Знаешь, есть такое душевное уродство – неспособность быть преданным, верным. Не изменять. Видимо, я из этих уродцев. Не всем дано, понимаешь? Хотя, наверное, было чувство. Во всяком случае, тогда я страдал. В первый раз в жизни, сам удивился. Только не говори, что все впереди! – Он обернулся, и они рассмеялись.

Кира вспомнила эту Сильвию. Конечно же, виделись, и не раз! В который раз она посетовала на свою память, что та убирает ненужное, незначительное. Лица моментально стираются, фамилии исчезают, телефонные номера навсегда вычеркиваются. Это было и в молодости – кто-то ее мог окликнуть, а она вглядывалась и не узнавала. Ужасно неловко бывало, ужасно.

Но Сильвия эта, как ни странно, четко предстала перед глазами. Она не была красавицей, нет. И даже совсем наоборот – мелкая, без привлекательных форм, кажется, абсолютно безгрудая, с мальчиковой сухой попкой. Словом, разительно отличалась от роскошных, длинноногих и грудастых Зябликовых девиц. Волосы у этой Сильвии были чудесными – темно-каштановые, почти черные, густые, крупными кольцами. Лицо худое, скуластое, очень смуглое. И уже тогда щедро расцвеченное мимическими морщинами – вокруг глаз и губ. Мимичное, подвижное лицо хохотушки. Весь спектр эмоций на лице – радость, гнев, сострадание и печаль. Кира вспомнила, что тогда у нее промелькнула мысль: «Как быстро состарится эта женщина!» А еще она подумала: «Ох, тяжело ей, наверное, жить – так реагировать на окружающий мир».

По-русски Сильвия говорила легко и почти без акцента. Одевалась неброско, но сразу всем было понятно – иностранка. Узкие брючки и джинсы, мокасины – тогда у нас их еще не носили. Маечки, свитерочки – все простое, но сразу понятно, что не отсюда и недешевое. А вот украшения при всей этой скромности, видимо, обожала – на худых и жилистых кистях звенели золотые браслеты, в ушах висели крупные тоже золотые кольца, а тонкие и длинные пальцы были усеяны кольцами и колечками – узкими «дорожками» с мелкими бриллиантиками, крупная камея с головой горгоны Медузы и несколько колец с крупными, наверняка дорогущими камнями.

Удивительно, что при всем ее несерьезном, детском облике, при всей скромности одежды и полном отсутствии косметики все эти женские радости, все эти сверкающие и брякающие, звонкие цацки ей очень шли.

Вот если все это добро нацепила бы, к примеру, завсекцией ГУМа, нарядная, с соломенной «башней» на голове, в тщательном и обильном макияже, в дорогущем костюме и туфлях на каблуках тетенька, был бы кошмар. А здесь все гармонично: иностранка, другая культура.

Кажется, была она болтушкой, эта итальянка. Но вдруг замирала как застывала. И на лице отражалась вся скорбь мира. Нет, Зяблика можно понять!

А вот мужа «обезьянки» Кира припомнила с трудом – да, что-то большое, широкое, важное, пахнувшее душным и сладким одеколоном. У Киры был отличный, просто собачий, нюх. Кажется, муж Сильвии курил сигару и всегда держал в волосатых руках тяжелый стакан с чем-то темным – виски, коньяк? Эта пара как-то странно выглядела – они совсем не подходили друг другу.

Кира не заметила, не учуяла их страстный роман, хотя женщины так наблюдательны! Наверное, они с Мишкой жили тогда в Жаворонках и появлялись в высотке нечасто. А вот как, оказывается. Зяблик пережил страстный, тяжелый, долгий трагичный роман.

Кире показалось, что он все-таки жалеет о том, что у них с Сильвией не сложилось. Или ей показалось?

* * *

Фотографии рассматривали долго, еще часа два. Слава богу, их с Мишкой фото не попадались – фотографироваться они не любили и в кругу Зябликовых друзей и гостей робели.

Кое-кого Кира вспомнила, кого-то нет. Но очевидно было одно: все те люди, что улыбались в фотокамеру, были тогда всем довольны – счастливая молодость. А Кира? Вряд ли она выглядела беззаботной – у них с Мишкой была совершенно другая жизнь.

Но на самом дне коробки все же оказалось то, чего Кира боялась. Зяблик вытащил несколько фотографий и испуганно глянул на Киру – Зяблик и Мишка, совсем пацаны, лет по пятнадцать-шестнадцать. Невысокий, худой Мишка в задрипанной куртяшке и сбитых ботинках и величавый широкоплечий Зяблик в модных, явно привозных куртке и джинсах. И это в те годы! Ого! На лицах улыбки, в глазах плещутся радость и легкость. Рука Зяблика покровительственно лежит на Мишкином плече.

Кира долго и молча рассматривала фотографию, вглядываясь в лицо смешливого пацана, ее будущего любимого мужа.

– Смешные, – грустно сказала она. – Особенно он, – и кивнула на Мишку.

Зяблик молча протянул ей другую фотографию, и Кира узнала квартиру Зяблика, круглый стол, уставленный бутылками и тарелками. Вокруг стола – молодые люди, все с сигаретами, и девочки, и мальчики. И все нарядные – на парнях светлые рубашки, галстуки. Девчонки с прическами и накрашенными губами. Мишка стоит с бокалом в руке – скорее всего, говорит тост. Смешной, вихрастый, губастый Мишка. Нарядный и радостный, лучший друг хозяина и наверняка именинника.

— Что празднуем? — дрогнувшим голосом спросила Кира. — Твой хеппи бездэй?

— Угу. Мои восемнадцать. Важные уже такие — студенты. Стол еще мама накрывала — пироги там, салаты всякие. В последний раз. Через семь месяцев мы ее хоронили. Плакали вместе с Мишкой. Да если б не он, я бы тогда чокнулся. Всякие мысли были — отец ушел, когда мне было тринадцать. Дед и бабушка раньше — я был совсем маленьким. А потом мама. Я думал — за что? Все и почти сразу? Все ведь были хорошими людьми — дед был талантлив как бог, бабушка тоже. Отец тоже был умницей. Столько всего успел добиться! Не то что я. И мама... Такая красавица! Сейчас найду, покажу! Подожди!

Зяблик поспешил в комнату и быстро вернулся с альбомом. Получается, что фотографии мамы все же хранились в альбоме, а не в старой картонке из-под сапог. С фотографии на Киру смотрела красавица. Какое лицо, какие волосы, какие глаза! Зяблик, кстати, был вылитая мать. Вот откуда эта красота — гены. Только почему эта прекрасная молодая женщина такая печальная? Предчувствие скорой смерти?

— Как ты похож на нее! — Кира старательно вставила фото в прорезь альбома. — Просто одно лицо!

— Куда мне до нее! — отмахнулся Зяблик. — И вообще до всех них!

Помолчали.

— А через год ушла Ольга Сергеевна, Мишкина мама, — нарушил молчание Зяблик. — И тоже совсем молодой. Так мы и остались с ним — два сироты. Он да я. И мы друг у друга.

— А Мишкиного отца, — спросила Кира, — вы не пытались найти?

— Как же, пытались, и довольно долго искали. Нашли. Жил он в Кронштадте, служил в военной части. Рванули туда на майские — да, точно, на майские, — уже было довольно тепло, и мы поехали в одних рубашках. Очень было тепло, — повторил он. — Ну и приехали. Нашли этого... дядю. Все объяснили ему: Ольга Сергеевна умерла, Мишка, его родной сын, остался один на всем белом свете. Папаша этот... Смотрел на нас как баран на новые ворота. И молчал, брови хмурил. А потом выдал: и чего вы приехали? Говорите сразу, чего вам надо. Ну мы переглянулись и пошли себе прочь. Мишка, правда, тогда... Прости, может, мне не надо тебе это говорить... Мишка тогда разревелся. Прости, – повторил он.

– Какое «прости», Леша? – удивилась Кира. – Правда, я ничего об этом не знаю. Нет, про маму, конечно, знаю, про Ольгу Сергеевну. А вот про папашку Мишка мне никогда не рассказывал. Наверное, сильно болело.

– Болело, – кивнул Зяблик. – А как ты думаешь? Родной отец – и такая вот сволочь. В общем, стали мы выживать. Вдвоем. Правда, Мишка скоро женился на этой Нине.

– Ты ее знал? – спросила Кира. – В смысле – хорошо знал?

– Да что там было знать? Нина и Нина. Пригрела его, накормила. Создала, так сказать, иллюзию. Замуж очень хотела. Да, ждала из армии, было такое. Письма писала, поддерживала. За это, конечно, спасибо. Что говорить. В загс они пошли после того, как она объявила о своей беременности. Мишка не хотел. Говорил, что не любит ее. Но пришлось – куда денешься. А Катьку свою обожал, это правда. И мучился очень, когда... Ну, когда появилась ты. А я ржал, что его негативный опыт навсегда отвел меня от женитьбы. Спасибо ему говорил. А он обижался, дурак. Потому что был очень несчастлив, страдал – из-за дочки.

– Да, все у нас было непросто, – грустно сказала Кира.

– В Мишкиной жизни вообще все непросто, – подтвердил Зяблик. – Не то что у меня.

– Слушай, Леш, – решилась Кира, – ты меня извини ради бога, конечно, это совсем не мое дело. Но на правах старого друга... Леша, что у тебя происходит? Ну, эта квартира... – Кира смущенно и растерянно обвела комнату глазами. – В смысле, где всё? Все твои вещи? И куда ты – снова прости – исчезаешь по утрам? Нет, я не из любопытства, просто переживаю за тебя. Ты заболел? Или долги? Не хочешь – не отвечай, ты не обязан.

Зяблик встал, прошелся по комнате, постоял у окна. Раскурил новую сигарету и наконец ответил:

– Долги. Долги, Кира! И какие долги! Не расплатиться. Но я честно пытаюсь. – Он повернулся и внимательно посмотрел на нее. – А ты уверена, что хочешь послушать? Готова?

– Готова, – неуверенно сказала Кира, она уже была не рада, что затеяла этот разговор.

Зяблик по-прежнему стоял у окна.

– В общем, так. У меня, Кира, есть сын. Да, мой родной и единственный сын. Откуда? Ну ты ж понимаешь, в молодости наследил. – И он безнадежно и обреченно махнул рукой. – Мать его родила парня, как ты догадалась, не сказав мне ни слова. Просто взяла и родила «от любимого мужчины» – это ее слова. И никогда, ни разу, ничего не потребовала. Ни внимания, ни любви, ни денег – никогда, повторяю. Родила *для себя*. Это, кажется, так у вас называется?

Кира вздрогнула: «родила для себя», «это, кажется, так у вас называется». Зяблик ее реакцию не заметил и продолжил:

– Родила, сама принесла из роддома. Нет, кто-то, конечно, встречал: мама, подружки. Мать у нее, слава богу, была – тащили этот нелегкий воз вместе. Материально им было нелегко, конечно. Но повторяю – ни разу она не пришла ко мне за деньгами. Когда парень вырос и стал требовать правды, она рассказала, и была, думаю, права. Сын имеет право знать, кто его отец. Ну и потом, знаешь, я на всю жизнь запомнил Мишкины слезы – тогда, в Кронштадте, – на всю жизнь. Как мы обратно ехали в поезде и он рыдал – в подушку, конечно. Стеснялся. Даже меня, представляешь?

В общем, одним весенним деньком мой сын ко мне пришел, и мы познакомились. Как я был счастлив, Кира! Невероятно счастлив, поверь, просто разрывался от счастья. Мир, известный до самых гадких и отвратительных мелочей, давно неинтересный и мрачный, снова расцветился разноцветными красками – я снова стал чувствовать запахи: вот сирень расцвела, вот жасмин. А вот пахнет в лесу грибницей и прелыми листьями. Счастье, кругом одно счастье! И все тут. Я снова стал жить. Мне было для кого, Кира. У меня появился сын.

А я тогда уже отлично знал, что такое одиночество и усталость. – Он резко развернулся и посмотрел на нее.

– Да, да, Лешенька! – поспешила его поддержать Кира. – Конечно же, я все понимаю! Такое счастье, господи, – обрести сына! Ты ведь уже не надеялся, не рассчитывал. А тут сын!

Зяблик молча кивнул и повторил:

– Да, сын. Спасибо.

– За что же спасибо, господи? Я за тебя так рада, Зяблик!

– Ну, еще кофе? Или чаю?

Кира нетерпеливо отмахнулась:

– Да потом! Давай, рассказывай дальше! Делись своим счастьем! А мама его? Твоего мальчика? Вы... подружились?

– Подружились, можно сказать. Зла она на меня не держала. Это был ее выбор, я же ничего не знал. Нет, я себя не оправдываю, сволочью я был еще той! Бросил ее и все тут же забыл. Да и романа у нас особого не было – так, пару раз всего встретились, и все, разошлись как в море корабли. И никогда больше не пересекались. Она меня простила, конечно. Да и сколько воды утекло! Умница она была, все про меня понимала, про баб моих, про мою жизнь. Словом, все у нас с ней сложилось – по-дружески, по-соседски. И она была счастлива, что мы теперь есть друг у друга – я и ее сын. Мой сын. Я тебя не утомил? – спросил он. – Ты не устала?

– О чем ты, ей-богу? – горячо возразила Кира. – Давай продолжай!

И Зяблик продолжил:

– С парнем моим у нас сложились хорошие отношения. Не сразу, конечно. Шли мы тихонько и осторожно – боялись спугнуть. Но в конце концов мы подружились. Два раза вместе ездили на море – он захотел. Ох, как я ненавижу эти переполненные народом пляжи, эти тела, эти курорты! Но стойко терпел – ради сына. В Карелии были, сушили грибы, собирали ягоды – бруснику, клюкву. Он говорил – мама любит. А я и не знал, что она любит, его мать... А на море, в Алуште, он искал ей подарки – и радовался, когда покупал.

Женился он рано, едва исполнилось двадцать один. Говорил, что страшно влюбился. Мать его отговаривала, а я поддержал: сам прожил бобылем, остался одиноким – слишком долго раздумывал. Да и девочка оказалась хорошая, из Питера. Правильная. Сыграли свадьбу, и они зажили. Я подарил им машину – продал тут кое-чего и подарил. В общем, все было нарядно. – Зяблик замолчал и нахмурился. – А потом, Кира... А потом они поехали в путешествие. В Ригу. И по дороге разбились. Она умерла сразу, не приходя в сознание. А он... Его, слава богу, спасли. За три года девять операций.

Мы привезли его в Москву. Я поднял всех, как понимаешь. Вызвали лучшего хирурга из Склифа. Собирали его по частям. – Зяблик снова замолчал и закурил сигарету.

– И? – не удержалась Кира. – Как он сейчас? В порядке?

– В порядке. После того, что случилось, он в полном порядке. Потому что живой. Только не ходит – позвоночник. Руки работают плохо, но ложку *мы* держим! Он все понимает – мозг не пострадал, интеллект полностью сохранен. А ноги... Ног нет. В смысле, мертвые ноги.

Кира молчала, не находя слов. Чем утешить? Банальным «держись»? Какие там слова, когда такое беспросветное, бездонное горе! Господи боже! Бедный Зяблик, бедная мать его сына! И бедный парень! Кошмар.

– Ну и еще его вечная вина за жизнь жены. И моя, – за то, что я купил эту чертову машину, будь она проклята!

– Зяблик! – Кира погладила его по руке. – Ты герой, Зяблик! Знаешь, я ведь всегда считала тебя человеком... – Она запнулась, подыскивая слова. – Прости – облегченным, что ли? – равнодушным... немного. Считала, что ты из тех, кто не заморачивается, не берет ничего в голову. Была уверена, что всякие там сопли, сентиментальность ты считаешь лишними. Словом, живешь для себя и во имя себя.

Зяблик горько улыбнулся.

– А в чем ты ошиблась, собственно? За что извиняешься? Дорогая моя, все так и было! Скотиной я был порядочной, чего уж там. Оставлял своих женщин, жил в свое удовольствие, плевал на всех, кроме себя. Нет, намеренно зла не делал, по крайней мере мне так казалось. Но и добра, кстати, тоже, увы...

– Что ты! – возмутилась Кира. – Как же – не делал добра? А нам с Мишкой? Да если бы не ты! – Она махнула рукой. – Ты и представить себе не можешь, что значили тогда для нас твои деньги! Не просто помогли – они нас спасли! А то, что ты нас приютил, дал нам кров?

– Перестань. Какой там «спасли»? Дал кров, говоришь? А что я, уступил вам свою квартиру? Нет. Меня это как-то задело и ущемило? Ни разу. Я был вынужден потесниться? Разумеется, нет! Так в чем же мой подвиг? Ну а про деньги... Кира, девочка! Разве ты не поняла, что эти несчастные пара тысяч рублей для меня были просто не деньги! Две тыщи рублей! Да я мог проиграть их за день в карты или на ипподроме! И не дать их лучшему другу? Как ты думаешь? И это было мне легко и уж совсем не больно, поверь! В чем мой подвиг, Кирюша? А, молчишь! Вот и правильно. Не смущай старика и не приписывай ему героические истории. Смущаюсь, ей-богу. – Он помолчал, помял в пальцах сигарету и тихо добавил: – Твой Мишка... И мой Мишка – это лучшее, что было в моей жизни! Самое верное, самое чистое и самое светлое.

Кира молчала. Понимала, если продолжать сыпать благодарностями, Зяблик ее перебьет – лести он никогда не любил, что правда, то правда. Восхвалять его и восхищаться его героизмом по поводу сына? Да тоже как-то... неправильно. Что тут такого уж героического? Поддержал родного ребенка? Ребенка, попавшего в страшную, непоправимую беду? В чем тут героизм? Мысли ее перебил голос Зяблика:

– И вообще, Кир... После того, как нашелся мой парень, и после того, как случился весь этот ужас, я словно очнулся – как мелко и дешево я проживаю свою жизнь. Да, собственно, почти прожил... Что я сделал хорошего? Ничего. Ну да, кому-то помог. Устроил куда-то – в институт, на работу, в заграничную командировку. Дал кому-то денег – было. И что? Это было проще всего. Жениться я не хотел, боясь, что потеряю свободу. Детей не хотел – по той же причине. И знаешь, еще: я искренне думал, что все это, – он сделал жест пальцами в воздухе, – бесконечно. И навсегда! А оказалось, что нет. Иссякли желания, пропал интерес ко всему, что я любил. От людей я стал уставать. От удовольствий тоже – наверное, обожрался. Мне стали неинтересны мои любимые увлечения: карты, лошади, бабы. Прости.

Наверное, это была депрессия – я отключил телефон, вырубил дверной звонок, плотно задернул шторы и валялся целыми днями один, вспоминая и обдумывая все. Да, конечно, это был кризис среднего возраста. Хотя какой уж там «средний» – мне было за сорок, почти к пятидесяти. Совсем взрослый мальчик. Я никого не хотел видеть, ты представляешь? Чтобы я и без компании? Без лучших баб города, клоунов и шутов, богемы и богачей, дельцов и фарцы? Я возненавидел их. Но еще больше возненавидел себя. Нет, даже не так – я стал себя презирать, а это хуже, поверь! Я ощутил себя мелким ничтожеством, рабом своих прихотей и желаний. Такая навалилась тоска – высасывающая душу, тягучая, черная и горькая тоска по профуканной жизни. Хотя ты ж понимаешь – у меня была репутация удачливого, золотого мальчика, которому все падает с неба. И никто не знал про мое детство, про мою мать, со смертью которой я так и не смог смириться. Про отца, который бросил меня и тоже вскоре ушел навсегда.

Я устал от себя и от своей никчемной жизни. Устал так, что перестал ее, жизнь, ценить. Все обесценилось, понимаешь? Я понимал, как одинок. И понимал, что виноват во всем сам. Сам выбрал такую жизнь. Сам, сам...

И вы с Мишкой уехали. Ты и представить не можешь, как я по нему тосковал! Так тоскуют по матери, это мне отлично знакомо. Так тоскуют по ушедшей любимой. Мишка был самым близким мне человеком. Только с ним, только ему... Понимаешь? А потом Сильвия и наша любовь. Словом, все както подряд, друг за другом.

В общем, я даже подумывал... Ну, ты поняла. И это меня совсем не пугало – меня! Такого любителя жизни! Просто мне все опостылело, все. Я совершенно спокойно подыскивал способы, чтобы полегче и как-то поэстетичнее.

Кира кивнула. Она была так ошарашена и так взволнована, что ей стало трудно дышать. Она слушала Зяблика, боясь пропустить хоть слово, не поднимала глаз от смущения и растерянности, пораженная не только его откровением, но и своим открытием – как она, оказывается, была слепа! Она крутила в руках изящную, случайно оставшуюся от прежних времен серебряную кофейную ложечку с витой черненой ручкой и боялась поднять на него глаза.

– Ну и... – Зяблик осекся, закашлялся и глотнул остывший кофе. – Тут мне послал бог Сережу.

Наконец Кира решилась поднять глаза.

– Сережа? Твоего сына зовут Сережа? Мое любимое имя! Мою первую любовь звали Сережей – Сережа Краснов, представляешь, я помню фамилию! А это, между прочим, было в четвертом классе! – Она тараторила, боясь остановиться, и боялась продолжения этого тяжелого и страшного разговора.

– Сережа. Сережа, – повторил Зяблик. – Это и спасло меня, понимаешь? Вытащило за волосы из черного омута, прости уж за пафос. И я вдруг понял, что все это неспроста! Почему он появился в моей жизни именно в этот момент? Бог послал? И я ринулся в их жизнь, бросился наперерез. Его мать просто обалдела, с такой прытью и страстью я туда ворвался! Она даже испугалась, и это понятно: я оставался в ее памяти беспечным и нагловатым богатеньким Буратино, тем же равнодушным прожигателем жизни, а тут она увидела измученного, почерневшего, заросшего и нелюдимого человека.. Ей стало страшно от того, с какой яростью я набросился на них, пытаясь вписаться в их жизнь. Кажется, она пожалела, что все рассказала сыну. Я приезжал к ним почти каждый день и просто сидел на их скромненькой бедненькой кухне. Сидел и смотрел на Сережу. И любовался.

– Он тебе сразу понравился? – тихо спросила Кира.

– Конечно! А он не мог не понравиться, понимаешь? Ну во-первых, – Зяблик оживился и разрумянился, – он красавец! Высокий и стройный, с правильным и хорошим лицом. Моя бабушка так говорила: хорошее лицо! Я понял позже, что это значит: доброе, милое, интеллигентное. Он был сдержан, корректен, вежлив.

Мать хорошо его воспитала, и я был так ей благодарен! Она дала мальчику прекрасное образование – он много читал, замечательно разбирался и в живописи, и в музыке.

Я был счастлив. Я летал. Жизнь обрела смысл. Сережа спас меня, и я стал суетиться. Мне хотелось отдать то, что я не отдал. Я уговаривал их сделать ремонт – хороший и крепкий ремонт, с импортными материалами, красивой кухней, ну и всем прочим. Они отказались. Решительно отказались, без вариантов.

Я пытался купить Сергею одежду – одет он был бедно. Какие у них были возможности? Он снова отказывался. Но здесь было проще – я купил все сам и притащил. Целый ворох – от белья и носков до костюма и дубленки. Он страшно смутился, а его мать возмутилась и яростно потребовала, чтобы я все это унес. Еле уговорил! Но надевать подарки он не торопился. А я его мучил: «Сережа, где куртка и новые джинсы?» Он страшно смущался.

Конечно, я таскал мешками продукты – все лучшее, самое-самое. Сережина мать раздражалась и ссорилась со мной. Вечно скандалили по этому поводу. Но я настоял. Я купил им путевки в Италию – Венеция, Флоренция, Рим. Она хлопнула дверью, почти выкрикнув мне в лицо, что сын пришел ко мне не за этим. Я постоянно, все время оправдывался перед ними. Но не уступал – ни пяди! В конце концов мы договорились, что мои «наступления» станут потише. Я согласился. Но в Италию они все же поехали и были, конечно, счастливы – это было их первое путешествие за границу.

Потом мы съездили на рыбалку под Ахтубу. Сережка оказался заядлым рыбаком. Нет, ты представь – я и удочка. Я и рыбалка! Я и палатка на берегу – комары и шершни, жара и духота. Кошмар и ужас, но я все выдержал. И снова был счастлив. Веришь, я повторял про себя: «Я на рыбалке со своим сыном. Я со своим сыном. У меня есть сын. Господи боже, какое счастье!»

– Верю, – отозвалась Кира. – Конечно же, верю! А его мать, извини? Как у тебя с ней? Сложилось? Ну и вообще, – совсем растерялась она.

– Не сразу сложилось, если по-честному. Но сложилось. Так, кое-как. Она меня терпела, я ее терпел. Мне было легче – я чувствовал свою вину и со всем соглашался. Хочешь – так, не хочешь – о'кей. Все будет по-твоему. Потом она стала ревновать сына ко мне. Но это тоже понятно и вполне объяснимо. Только знаешь... – Он на минуту задумался. – Мне было на все наплевать! На ее обиды, на ее претензии, на ее ревность. Я не обращал на это внимания. Я был счастлив, и мне было все равно, что там и как. Главное – это мой сын, мой Сережа.

Кира кивнула.

Зяблик снова прошелся по кухне. Зачем-то открыл холодильник и обернулся к ней:

– Слушай, ты, наверное, проголодалась?

– Нет, нет! Продолжай!

Он снова прошелся по кухне, встал у окна и спустя пару минут глухо сказал:

– А дальше... Дальше тебе все известно. Дальше была авария и все остальное. Все, Кира, – неожиданно твердо подытожил он. – Закончили.

Долго, минут десять, молчали.

– Зяблик, – вдруг вскинулась Кира, – а если нам куда-нибудь рвануть, а? В крутой ресторан, например! Или еще куда? Гульнуть широко, а, Лешка? Я угощаю! Засиделись мы с тобой, закисли совсем.

– Прямо сейчас? – Он, кажется, испугался. – Вот прямо сегодня?

– А что нам мешает? Мы ведь с тобой свободные люди!

Зяблик неуверенно произнес:

– Пожалуй, да. У *своих* я уже был и на сегодня свободен.

Ну и разошлись по своим комнатам – собираться. Кира оделась мгновенно – вспомнила, как Мишка всегда удивлялся: «Ты словно отслужила срочную, Кирка, – готова по команде «подъем»!»

Да что там собраться? Пустяк. Брюки и блузка, нитка любимого серого жемчуга на шею – Мишкин подарок. Кольца она не снимала – тоненькое, копеечное обручальное, дороже всех бриллиантов мира, и серебряное с крупным желтым цитрином – ей всегда нравился желтый цвет. К этому кольцу присматривалась долго – лежало оно на витрине и при солнечном освещении вспыхивало золотистыми искристыми всполохами. Стоило, кстати, немало. А однажды собралась с духом и купила. И как радовалась, господи! И тоже не снимала – казалось, кольцо приросло к ней и никогда не мешало.

С прической было совсем просто – в молодости Кира носила короткую стрижку, знала, что у нее красивая, длинная шея. Как говорил Мишка, беспомощная. Глупости, Кира никогда не была беспомощной или слабой. А с возрастом волосы отрастила и закалывала на затылке. Гладкая прическа ей шла – худощавое лицо, высокие скулы, прямой нос, неяркие, но правильные черты лица. Да и возни с ними меньше и уж точно дешевле – не надо думать о парикмахере. Косметикой она почти не пользовалась, даже в молодости. Понимала, что тип лица ей дан такой, что боевой раскрас точно не для нее. Мишка говорил, что ее внешность олицетворяет среднерусскую мягкую, неторопливую, интеллигентную красоту. Нет, красивой она себя не считала, но миловидной – пожалуй.

Подкрасила ресницы – совсем чуть-чуть – и мазнула светлой помадой по губам. Все, достаточно. Покрутилась перед зеркалом. А что, неплохо! Моложавая и вполне себе стройная женщина с небольшими мимическими морщинами возле глаз, сероглазая, светловолосая – словом, на все времена. Заметить трудно, но никогда не устанешь смотреть – никаких раздражающих факторов. Ну и со вкусом, надо сказать, порядок: ничего лишнего или кричащего – женщина, осознающая свой возраст и, самое важное, относящаяся к нему терпеливо, с достоинством.

Вышла в коридор и окликнула хозяина:

– Лешка! Ты готов?

– Закопался! – ответил он. – Кир, подойди, а?

Ох уж эти мужики!

Дверь в комнату Зяблика была приоткрыта. Растерянный и удрученный, он крутился перед овальным зеркалом в серебристой витой раме.

– Кир! – виновато протянул Зяблик. – Вот, не могу подобрать! – и он кивнул на гору брюк и рубашек, сваленных на кровати. – Мне кажется, все как-то не очень.

Кира мгновенно оценила ситуацию и вытащила из кучи сваленного тряпья серые, в мелкую полоску, брюки и голубой свитер.

– Леша! Вот это! – уверенно сказала она. – Это – на все времена.

– Да? – неуверенно протянул он. – А мне кажется, все такое... немодное.

– Винтаж! – засмеялась Кира. – Сейчас это – самое-самое! А если по правде, Зяблик, классические серые брюки в полоску и классический свитер еще никто не отменял! Ну, мне-то ты веришь?

– Сто лет ничего не покупал. Или двести, – оправдываясь, виновато улыбнулся он. – Чучелом тоже не хочется выглядеть. Все-таки в ресторан иду! И с шикарной, заметь, женщиной!

– Давай, балабол, одевайся! – с напускной строгостью сказала Кира. – Шикарная, кстати, готова давно! Стыдитесь, мужчина!

Оба засмеялись.

Кира стояла в прихожей, терпеливо поджидая закопавшегося приятеля, и думала: «Странно! Мне вдруг стало с ним так легко и просто, как не было никогда! Ведь я всегда с ним робела, стеснялась его, понимала, что мне далеко до его женщин. Да и он меня, скорее всего, просто не замечал – принимал как приложение к Мишке, лучшему другу. Ну есть и есть, хорошо. Мишка со мной счастлив – отлично, что еще надо? Мы, кажется, никогда не разговаривали, даже оставшись наедине».

Как долго она раздумывала, стоит ли ей останавливаться у Зяблика! Как сомневалась! Верх, конечно, взял банальный расчет – гостиницы в столице стоили о-го-го! Выложить подобную сумму для скромной пенсионерки было почти невозможно. Решила, если будет невмоготу – найдет себе что-нибудь скромненькое и съедет.

Но Мишке точно было бы страшно приятно, что она остановилась у Зяблика.

Наконец он вышел в прихожую, и Кира ойкнула. Зяблик был гладко выбрит, подтянут, вполне прилично одет и источал запах одеколона.

– Ох, Зяблик! Ну ты как всегда! Такой же красавец, ей-богу!

– Ага, – смущенно отозвался он. – Ален Делон, не иначе. Ты это хотела сказать?

Вечер был теплым и тихим. Весна наконец окончательно укрепилась в своих правах. Распустилась сирень, и вовсю зазеленели деревья.

Кира уверенно взяла Зяблика под руку и шепнула:

– Спину! Выпрями спину и расправь плечи! – И с усмешкой добавила: – Делон!

Выбранный ресторан был далек от шикарного и пафосного – и слава богу. Но при этом был вполне милым и уютным. В полутемном углу тихо наигрывал гитарист – что-то спокойное, знакомое, умиротворяющее и расслабляющее.

Заказали закуску и красное вино.

О чем они говорили в тот вечер? Кира помнила плохо. Да обо всем, господи! Кира была оживленной и разговорчивой – болтала без перерыва. Конечно, сказывалось выпитое – пьянела она моментально. К горячему взяли еще бутылку – гулять так гулять.

Им было легко друг с другом. И, кажется, очень приятно.

Гитарист – на удивление – не раздражал. А когда он запел «Под музыку Вивальди», Кира расплакалась. Их с Мишкой песня. Пели они ее часто, когда собирались – всегда. Чудесная мелодия, чудесные слова. Все – по сердцу, все понятно и знакомо. И все про них – не очень удачливых, но точно счастливых. Одними губами, неслышно, она подпевала. Зяблик погрустнел и притих, нахмурился.

Гитарист закончил, и Зяблик, грустно усмехнувшись, повторил:

– «И все мы будем счастливы когда-нибудь, бог даст». Да, именно так, когда-нибудь. Только когда – вот вопрос!

Кира, незаметно утерев глаза, повторила:

– Когда-нибудь. Бог даст, Лешка.

И они грустно, очень грустно, почти через силу, улыбнулись друг другу.

Только на улице, споткнувшись при выходе, она поняла, как здорово набралась. Зяблик подхватил ее под руку и укоризненно поцокал языком. Кира кокетливо вскинула голову: дескать, бывает, извини.

Долго бродили по почти пустым улицам – идти домой совсем не хотелось. Чудесный был вечер, чудесный. И все же устали и поймали такси. А вот в машине Киру сморило.

Дома, перед тем как попрощаться и разойтись по своим комнатам, Кира, смущаясь, повернулась к нему:

– Зяблик, прости, что я так напилась.

Он вскинул на нее удивленные глаза:

– О чем ты, господи? Подумаешь, дело! – И, чуть помолчав и отведя глаза, тихо добавил: – Спасибо тебе, Кир! Сегодня я ненадолго вернулся туда, где так давно не был, – в нормальную жизнь.

Кира промолчала, ей стало как-то неловко.

Улегшись в постель, обнаружила пропущенный звонок от Кати. Конечно же, не услышала в ресторане! «Балда», – отругала она себя. Глянула на часы – полдвенадцатого, даже для Москвы поздновато. Вспомнилось, что дома, в Германии, звонить принято до девяти вечера максимум, а после ни-ни. Решила перезвонить утром, но очень расстроилась – так ведь ждала этот звонок, и на тебе, пропустила.

Ну и Катин характер. Теперь вообще может отказаться от встречи. Она такая, дай только повод. Да и эта квартира, камень преткновения, яблоко раздора. Они с Катей чужие. Только *чужая* бы так поступила. Правда, Мишка дочь изо всех сил выгораживал, всю вину взял на себя, дескать, Кира ни при чем. Но Катя не поверила. И правильно сделала. Это Кира настояла на том, чтобы ей отказать. И всю жизнь, кстати, была уверена, что была абсолютно права. Мишка сомневался, а вот она – нет! И после конфликта, а затем и разрыва с Катей, когда Мишка сходил с ума от чувства вины перед дочерью, именно Катя перестала с ними общаться. То есть разорвала отношения окончательно.

После выпитого Кира не уснула. Такое было у нее свойство организма: после алкоголя – бессонница. А Мишка наоборот – выпивал бокал вина и тут же хотел спать. Кира ворочалась с боку на бок, подтыкала сбившуюся простыню, закутывалась в одеяло и понимала, что бесполезно – она не уснет. Ну, дай бог, к рассвету, и то в лучшем случае.

Конечно, дело было не только в алкоголе – вспомнился тот давний скандал с Катей, из-за которого, собственно, все и произошло.

Все случилось после смерти Кириной мамы. Мама ушла внезапно, если вообще так можно сказать о сильно пожилом человеке. Нет, все же внезапно, ничем таким страшным и затяжным она не болела. Кира приехала на похороны и, конечно, позвонила Кате. Та скупо выразила соболезнования и сказала, что на похороны приехать не может – дела. Ну, дела так дела – Кира не обиделась, все понятно: кто Кате ее мама? Никто. А вот то, что она не захотела повидаться, пусть ненадолго, Киру слегка удивило.

– Не сможешь? – уточнила она. – Я буду здесь еще неделю. Точно не сможешь? Знаешь, я все понимаю, я тебе не нужна. Но папа... Папа будет расстроен. Может, ради него ты все-таки выберешь время?

Катя ответила коротко:

– Подумаю.

Ну и ладно, в конце концов ее право.

Через два дня, поздно вечером, после похорон, созвонились с Мишкой. Мужа своего знала отлично. Улавливала все по малейшим интонациям, по молчанию, по вздоху, по взгляду. И сейчас чувствовала: он что-то недоговаривает.

– Мишка, что-то случилось? – допытывалась она.

Он довольно долго отнекивался, ну а потом раскололся. Оказалось, все просто – Катя попросила его отдать ей квартиру. Нет, конечно, не подарить – что она, сумасшедшая? Отдать на время. Пожить. Потому что с мамой жить невозможно, невыносимо. Мама лезет во все, буквально во все: все контролирует, комментирует, во все сует нос. Мужа Катиного она возненавидела сразу, с первой минуты. Ну и пошло-поехало. В доме сплошные скандалы – ни дня без строчки, как говорится. Жить невозможно. Не разъедутся с мамой – разойдутся с мужем, все к этому идет. А мужа Катя любит. И если он уйдет... Нет, не дай бог! Катя этого не перенесет. Да и ребенок, Ксенька! Ребенок останется без отца. В общем, ситуация безвыходная – на съемную квартиру денег нет.

Мишка почти выпалил все это скороговоркой, одним предложением. И испуганно замолчал. Молчала и Кира. Ну а потом все сказала, как говорится, начистоту, без утайки и реверансов. Как Катя никогда не любила ее, как отказалась увидеть ее, Киру, – даже сейчас, когда ей так тяжело. Могла хотя бы по-дружески, по-человечески поддержать ее в такой тяжелой ситуации. Да бог со всем этим, в конце концов Кира взрослая женщина и это переживет. Но отдать квартиру? Да с какой, собственно, стати? Когда сейчас впервые у них наконец появилась возможность обрести свой собственный угол? Продать квартиру в Жуковском и купить что-то во Франкфурте? Им уже хорошо под пятьдесят. И никогда – никогда! – у них не было своего угла. Всю жизнь по чужим квартирам, на чужих кроватях и кухнях. Как Катя могла такое предложить? В конце концов, Мишка оставил ей и ее матери квартиру – свою, между прочим, свою! Пусть разъезжаются, размениваются. Да что угодно! Нина приезжая, но всю жизнь прожила в собственной квартире в прекрасном районе. А они с Мишкой? Нет, ни за что и никогда. Кира была настроена решительно и безапелляционно.

– Никогда, слышишь? Да и наглость это, прости, просить о таком! Мало мы намучились, мало надергались, мало настрадались. Нет и нет, все, точка. Точка, ты меня слышишь?

Мишка слышал и – молчал. Ну а потом что-то промямлил, вроде:

– Ты права, но... Может быть, на время? Ну на полгода хотя бы? А там что-нибудь придумаем, а? Нет, я все понимаю! Да и квартира твоя...

«Как всегда, – со злостью подумала Кира. Как всегда – миротворец. Ни с кем неохота ссориться, всегда ищет компромисс. Всегда по-хорошему – это его постулат. Но здесь «по-хорошему» не получится – уж извините! У меня своя жизнь и свои проблемы. И я буду их решать. И мне кажется, я имею на это полное право».

Киру колотило от возмущения. Во-первых, просить об этом Катя должна была Киру, хозяйку квартиры, а не действовать через отца. Во-вторых, она должна была с ней повидаться. Или хотя бы позвонить. Ну а в-третьих, решать свои проблемы за счет других некрасиво и подло. Да и потом, Кира понимала, что полгода могут растянуться на много лет. Только запусти! А как потом выгнать, как попросить? Да никак. Будет еще хуже. Это наивный Мишка так думает, а на деле так не бывает. Попросили – пустили. Родня! Что такое полгода? Да миг! А как быть потом? Нет и еще раз нет! Она этого не допустит.

Катя ей так и не позвонила. По возвращении Кира боялась разговора с Мишкой, но никакого разговора не было – стало понятно, что на эту тему муж говорить не хочет. И, конечно же, понимает, что Кира права. В общем, замяли. Но больше Катя с отцом не общалась. К телефону не подходила и на письма не отвечала. Обиделась сильно и, видимо, надолго. Спустя несколько месяцев Кира ей написала, Мишка об этом не знал. Все разложила по полочкам, по крупинкам. Получилось доходчиво и, кстати, честно – как есть. Просила не обижаться на отца – он очень страдает. Вину взяла на себя. Но Катя ей не ответила. Ну и ладно. В конце концов она попыталась исправить ситуацию. Почти извинилась. Но ее извинения не приняли. Вот так банальнейшая житейская ситуация разорвала отношения отца и дочки.

Мишка, конечно, страдал, но виду старался не подавать – ему было неловко. О своем письме Кира ему не сказала. Может, и зря. Но не хотелось его в очередной раз огорчать.

Изредка он позванивал Нине, Катиной матери, узнавал, здорова ли дочь. Нина отвечала скупо и коротко. Обида ее так и не прошла.

А через восемь месяцев квартиру в Жуковском продали – им повезло, кстати: цены тогда были неоправданно высоки. А еще через полгода они купили квартиру. Свою первую квартиру. Свою! И были, конечно, счастливы.

Мишка говорил, что у них снова начался медовый месяц. А Кира, смеясь, отвечала, что у них медовая жизнь. Правда, мед бывает разный – и горький в том числе. Кажется, горный? Или каштановый? Она точно не знала.

Мишку она жалела, Катю осуждала и злилась на нее – да кто она ей, в самом деле? Положа руку на сердце, Кира переживала не по поводу Катиных неудач, а за мужа. Но переживания ее быстро закончились – радость от новой квартиры затмила все.

Как тщательно они подбирали свое первое в жизни жилье! Как не ленились ходить на просмотры – полгода почти ежедневно, без капли раздражения или усталости. Ну и наконец выбрали – Остенд считался недорогим, но вполне приличным районом.

Была осень, и под окнами их квартиры густо желтели и краснели клены – резные листья можно было тронуть рукой, только открой пошире окно!

Прежний хозяин оставил и кое-какую мебелишку – например, деревянный комод голландского производства, несколько стульев, обитых потертым зеленым бархатом, и узкий, высокий книжный шкаф, небрежно заваленный книгами на немецком – куча пособий по квантовой механике и, как ни смешно, пособия по кулинарии. Книги, конечно, вынесли – что с ними делать? Квантовая механика не входила в число их увлечений, как и кулинария на немецком.

Кира тогда совсем перестала спать по ночам – кружила, бродила по квартире, как призрак отца Гамлета. Не включая света, проводила ладонью по поверхностям мебели, по подоконникам, подолгу стояла у окна, вглядываясь в темноту улицы. И гулко стучало от счастья сердце.

И всего этого ее хотели лишить? Нет, господа! Нет и нет. И ни за что!

Когда Мишка заболел и врач честно предупредил Киру, что времени осталось совсем немного, месяца четыре, не больше, она, конечно, позвонила в Москву.

Было жаркое лето – Европа горела и подыхала от зноя и засухи. А в Москве лили бесконечные дожди. Трубку взяла Нина и сухо, совершенно без эмоций, выслушав Киру, ответила, что Кати и внучки в Москве нет, они отдыхают.

– Далеко? – допытывалась Кира. – Но с ними же должна быть связь?

Помолчав, Нина ответила, что да, далеко, где-то на Северном Кавказе, у бабушки подружки. Кажется, в Осетии или в Дагестане, нет, в Дагестане – на море. В Осетии же моря нет?

– Но мы, – Нина запнулась, – мы не созваниваемся. Плохая связь. Горное село и все такое.

Кира поняла, что отношения у Нины и Кати по-прежнему плохие. Ничего не поменялось за эти годы. Так и грызут друг друга, словно мыши в тесной норе. Впрочем, нора, оставленная бывшим мужем, не была так уж плоха – по крайней мере, куда просторней, чем их квартирка в Остенде.

– Приедет – конечно же, сообщу, – неуверенно пообещала Нина и, помолчав, все-таки спросила: – А что, все так серьезно?

Кира, еле сдерживая рыдания, выдавила скупое «да» – без подробностей. Да и зачем им подробности, скажите на милость?

Был июль, и впереди, по уверениям врача, оставалась еще осень. Последняя осень в их жизни.

Но к концу августа Мишке стало хуже, и его увезли в бюргер-госпиталь. Двадцать второго сентября его не стало, общей осени у них не случилось.

Катя позвонила в начале октября и, услышав короткую Кирину фразу: «Ты опоздала», с нескрываемым раздражением буркнула что-то по поводу дочки – корь или ветрянка, какая-то ерунда по сравнению с тем, что отца больше нет. Разговор окончился ничем. Катя не спросила подробности о смерти отца, Кира не задала ни одного вопроса о жизни Кати.

Казалось бы, все было закончено. Мишка ушел, и отношения с Катей оборвались окончательно. Кира была уверена, что Кати, Нины и Ксении в ее жизни больше не будет. Но нет, все оказалось не так. Оставалось еще то, что муж просил непременно сделать – выполнить его последнюю волю, передать Кате его прощальное письмо и колечко с гладким и мутным темно-зеленым изумрудом. Кольцо его матери, Катиной бабки Ольги, с которой встретиться им не довелось.

Колечко было так себе, красоты никакой. И ценности наверняка тоже. Старинное? Наверное. Но ерунда, а не колечко, это было понятно. Ценность оно представляло только для Мишки – кольцо его матери, доставшееся той от ее бабки.

Кстати, он спрашивал, знает ли Катя о его болезни? Конечно, Кира врала – нет, Катя не знает, они с дочкой в отъезде, черт-те где, без связи, сообщить ей невозможно. Да так и было на самом деле.

И Мишка тогда успокоился – ему было легче принять то, что дочь ничего не знает, чем то, что она отказалась приехать. В августе он еще спрашивал про дочь, а в сентябре уже нет – сознание его было плавающим, нечетким и спутанным.

Катя, удивив Киру, позвонила утром следующего дня, спросила, не может ли Кира подъехать к ней. Да, домой! А что тут такого? Ксюха болеет, и оставить ее нельзя, невозможно – температура под сорок.

Кира ее перебила:

– Да, Катя! Конечно! – И, чуть помолчав, осторожно спросила: – А ты считаешь, что это... Удобно?

Катя усмехнулась:

– А, вы про маму? Не беспокойтесь – ее нет в городе.

Ну и договорились – к часу дня, к ним домой. Хорошо.

Кира торопливо выпила кофе – Зяблик, кажется, спал. Написала ему записку, удостоверилась, что колечко и письмо в сумочке, на самом дне, и вышла из дому.

По дороге купила фруктов, коробку конфет и коробку пирожных – красивых до невозможности, похожих на глянцевые пасхальные свечки.

Квартира находилась в хорошем районе: золотая миля, кажется, это так здесь называется? Малая Грузинская, когда-то там жил Высоцкий. Восьмой этаж, налево от лифта – Кира помнила. Была она здесь дважды – конечно, оба раза ни Нины, ни Кати дома не было.

Зашли они по каким-то делам – кажется, Мишка искал документы. Ничего у них там не было и быть не могло. Но все равно осталось отвратительное чувство, что она без спроса, по-воровски ворвалась в чужую жизнь.

У двери Кира перевела дух и позвонила. Удивилась, что колотится сердце. «Волнуюсь?»

Дверь открылась, и на пороге квартиры возникла Катя.

Она, конечно, изменилась, а что удивительного? Прошло много лет, Кира знала ее почти ребенком, потом строптивым подростком, а сейчас перед ней стояла взрослая, много чего повидавшая женщина – разведенная и имеющая дочь.

Катя была явно смущена и отводила глаза.

Кира прошла, разделась.

– Куда, Кать? На кухню?

Катя кивнула. Наша вечная привычка – на кухню! На кухнях нам определенно уютнее и как-то проще – и чайничек под рукой, и банка с кофе. Советская кухня церемоний не предполагала. «Воистину кухня для русского человека – все!» – подумала Кира.

Кухня была небольшой и запущенной, неухоженной. Холостяцкой. Старая мебель – еще с тех, давних времен. Кира помнила этот пластиковый гарнитур – кажется, из семидесятых годов, купленный еще Мишкиной мамой. Потертый линолеум, почти потерявший свой цвет, старая плита и маленький холодильник – наверняка ровесник всему остальному.

«Странно, – подумала Кира, – неужели все так печально? Ну хотя бы раз в жизни люди меняют кухонный гарнитур? Или плиту? А холодильник? Конечно, меняют! Неужели такая беспросветная бедность? Или просто равнодушие к быту, неряшливость и нежелание что-то улучшить?» Кира вспомнила, что Мишка смеялся над ее неуклюжими хозяйственными потугами: «Не волнуйся, я привык! Нина тоже меня не баловала. Ну, если только вначале». «Не повезло тебе с женами», – шутила Кира. Мишка искренне удивлялся: «Что ты, Кирюша? Мне сказочно повезло – уж с тобой точно!»

Наивный и смешной был ее Мишка, ее некапризный и непритязательный муж.

Катя включила чайник и открыла коробку с пирожными и конфетами, хмыкнула, удивившись их искусственной красоте. В глазах ее читалось: «Такое бывает?»

– Чай? – спросила она.

Кира кивнула. Почему-то она подумала, что кофе в доме может не быть.

Неловкость и смущение висели тяжелым туманом, как в сильно накуренной комнате.

Катя по-прежнему не смотрела Кире в глаза, Кира покашливала, крутила на пальце кольцо, и разговор не клеился, не начинался.

«Скорее бы это закончилось! – думала Кира. – Зря я все это затеяла. Надо было сделать умнее и проще – все передать через Зяблика. Ну или просто накоротко встретиться у метро: здравствуй, Катя. Это тебе от отца. Сунуть конверт и тем самым облегчить жизнь и себе, и ей».

Ну да ладно, время не течет – бежит. Чашка чая, разговор ни о чем, например о погоде, и все. До свидания. Точнее – прощай навсегда.

Никогда больше она не увидит эту угрюмую и нелюбезную молодую женщину, не усядется напротив, не станет пыжиться и подыскивать фразы, источать любезности и «делать вид». Сегодня и все, все. Все!

Но зато на свободу с чистой совестью. Последнюю Мишкину волю она исполнила.

Но как поскорее хотелось вырваться из этой захламленной и душной квартиры!

Наконец Катя налила чай, и Кира начала разговор.

– Ну, как вы живете? – осторожно спросила она.

– Да как-то так... как все, наверное. Ну, или как большинство.

– Работаешь? – осведомилась Кира.

– Куда деваться? – усмехнулась Катя. – Есть что-то надо.

Где и как – Кира не уточняла: понимала, что вряд ли услышит хорошее.

– Как Ксюша?

– Тяжело, если честно. Переходный возраст – тринадцать лет. Сейчас они такие... Кошмар.

– Ну и мы тоже подарками не были, – улыбнулась Кира, – и я, и ты!

Сказала и испугалась. Как суровая Мишкина дочь воспримет ее слова? Поймет ли шутку? Вот начнет сейчас вспоминать свою детскую травму и безотцовщину!

Но этого не случилось. Катя, как ни странно, улыбнулась.

– Ну, а как вы? – спросила она и слегка покраснела.

Кира махнула рукой.

– Что я, Катя? Пенсионерка. Практически списанный материал. Живу как-то. Ковыряюсь, копаюсь. Все незначительно, мелко – и заботы мои, и привычки. Знаешь, возраст, усталость. Да и после смерти Миши мне многое стало неинтересно.

Она снова испугалась своих слов и коротко глянула на Катю.

Та побледнела.

– Я понимаю. Знаете, всем как-то невесело. Мне вообще кажется, что люди сейчас мало радуются, что ли? Я вот на лица смотрю – а на них написано: не подходи. Не подходи – мне и так плохо. Мне тяжело, у меня проблемы, мне все надоели. Я устал. Нет, не так? Я не права?

Кира смутилась.

– Ну... я не знаю. Разные люди, разные лица. Но в целом, – она спохватилась, – ты, кажется, права. Мир немного, увы, перевернулся и стал тревожным и неспокойным.

«Про отца не спрашивает, – мелькнуло у нее. – Боится или неловко? Чувствует свою вину или по-прежнему в большой обиде на него?»

– Послушайте! – вдруг оживилась Катя. – А давайте с вами выпьем? Ну так, по чуть-чуть? У меня есть коньяк! Еще с дня рождения. – И она опять покраснела.

Кира обрадовалась: вот и выход! Конечно, после пары рюмок станет проще.

Катя торопливо выскочила из кухни и вернулась с початой бутылкой. Выпили быстро и как-то обрадованно. Катя наливала уже по второй.

Неужели любит выпить? Вполне может быть. Жаль. Но похоже – серая кожа, потухшие глаза. Бедный Мишка! Слава богу, он ничего не узнает.

После двух рюмок Катя порозовела и оживилась.

Нет, про отца она по-прежнему ничего не спрашивала, но Кира за это ее не осудила. А говорить начала торопливо, словно боясь пропустить что-то важное:

– Мама? Да ее давно нет в Москве! Да, да. Четыре года назад она уехала. Куда? В монастырь. Вы не ослышались, нет, мама ушла в монастырь. Сначала послушницей. К вере пришла лет семь назад. Говорила, что осознала свои ошибки. Мне поначалу не верилось, если честно. Мама и осознание? Мама и чувство вины? Нет, невозможно. Знаете, – Катя запнулась, – я ведь тогда ее ненавидела. Началось все с того, как ушел отец. Она всегда его поносила, когда еще он жил здесь, с нами. Мало денег, ни на что не хватает – это вечный рефрен, по жизни. Она ничего про него так и не поняла: он другой! Он вообще с другой планеты, ей недоступной. Все ведь у них получилось случайно – приезжая девочка, тихоня и скромница, совсем одинокая в огромном городе. И он сирота, никого. Вот и встретились два одиночества. А единым целым так и не стали – слишком разными были. Несовместимыми. Нет, я потом и ее поняла – после всей ее бедности, голода в селе и лишений: пара сапог на трех сестер – в школу ходили по очереди, – вдруг столица! Машины, дома. Нарядные люди. И голова закружилась. Как и ей всего этого хотелось, можно понять. И поначалу ей показалось, что все получилось: хороший, непьющий и образованный муж, прекрасная квартира. Даже свекровь отсутствовала – вот ведь свезло! Никто не запилит до смерти, никто не попрекнет, что приезжая. Да, муж зарабатывал мало, но, может быть, позже что-то изменится? Но не изменилось. А хотелось ей многого – вокруг сплошные соблазны! А у него одна работа на уме, одна наука. Ничему не завидовал, ни к чему не стремился. «Какая машина, Нинуль, когда есть метро? Ремонт? А зачем нам ремонт? И так все хорошо и даже отлично!» Отлично, ага! Нет, вы посмотрите! А ему все хорошо, его все устраивает – и мебель эта, старая и вонючая. Нет, правда – пахло от нее каким-то лежалым старьем, как в ее отчем доме, в деревне. Обои эти. Мать от них тошнило. Прямо настроение портилось, когда падал взгляд на всю эту рухлядь. А ему опять хорошо: «У нас так уютно, а, Нин? Да и мама... Мама так это кресло любила!» А кресло это... Да мрак! Нет, он точно блаженный. И увлечения у них были разные – гитару его дурацкую она ненавидела. Как только он брал ее в руки – врубала пластинки. Всякие там «Песняры», «Голубые гитары». Отец морщился и уходил. А книги? Как она ненавидела его книги, этот Самиздат, пачкающий пальцы. Последние деньги ведь тратил на это дерьмо! А знаете, что она однажды сделала? Нет? Отец вам не рассказывал? Стеснялся, понятно. И я бы не рассказала, с каким монстром живу. Так вот, отец принес в дом Солженицына, перепечатку, конечно. Дали ее ему на несколько дней. А Нина Ивановна... Ну, вы догадались? Ага, порвала. Порвала и сожгла, как вам, а?

Я помню, как отец плакал, назвал ее чудовищем. А она злорадно смеялась. Слава богу, не грозилась донести на него. Хотя, если честно, я бы не удивилась. Они не просто были разными – они были невозможно противоположными, несовместимыми, нестыкующимися. Во всем. И как они прожили почти семь лет? Не понимаю.

Он мучился, страдал – из-за меня в том числе. И она страдала. Конечно, страдала – думала, что ничего в жизни не вышло, ничего не сложилось. И я страдала – все понимала. А потом появились вы. И это отца спасло. Иначе... – Катя замолчала и махнула рукой.

Кира вздрогнула. Уж чего-чего, а этого она точно не ожидала! Господи, какой поворот! Нет, невозможно.

А Катя жарко продолжила:

– Да, да! Я была почти счастлива, когда вы появились! Честное слово! Да потому что все понимала – останься отец с нами, случится что-то ужасное. Я страшно тряслась за него. Но когда он ушел и мы с мамой остались одни, стало еще ужаснее. Мама совсем слетела с катушек. Истерила, сводила меня с ума, пробовала поддавать, правда не получилось. У нее была странная для деревенского человека реакция на алкоголь – после первой рюмки ей становилось плохо. Работу свою она ненавидела, отцу посылала проклятия, ну и на мне отрывалась по полной. А в общем... Несчастная глупая и одинокая баба. Это я потом поняла.

Естественно, я ее ненавидела. И, конечно же, ни в чем себе не отказывала. Подростком была дерзким, непредсказуемым. Хлестала словами, как пулями: «Это ты, это из-за тебя! Ты сумасшедшая, психопатка! Он правильно сделал, что сбежал от тебя. И я бы сбежала, только куда?» Ну и так далее.

И замуж я выскочила, чтобы избавиться от нее – мне казалось, что после замужества она оставит меня в покое. Но как бы не так – какой, к черту, покой, если мы продолжали жить вместе? Муженька моего она кляла похлеще отца: и ленивый, и бессовестный, и наглец, и бедняк. И свинья безответственная.

Я, конечно, тут же, как Матросов, на амбразуру. Мужа своего защищала, отстаивала – как же, жена! Но на самом деле, – Катя грустно посмотрела на Киру, – мама была права. Именно таким он и был – ленивым и безответственным, наглым и неряшливым. Чистая правда. Открылось это почти сразу, но я продолжала его защищать – наверное, назло матери, только чтобы ей насолить.

Катя молча раскуривала сигарету.

– В общем, жизнь у нас была... Ад, а не жизнь, если честно.

Вот тогда я и... Ну, вы поняли. Это насчет квартиры.

Кира кивнула.

– Я, дура, все списывала на мать. Дескать, съедем, и начнется райская жизнь. Ага, как же. Ничего бы не изменилось, поверьте. Из хама не сделаешь пана. Но я упорствовала. Скорее всего, мне нужно было найти виноватых – сначала мать, ну а потом... вас. Вас и отца. Но мне не стало легче. Сплошная тоска.

– Столько лет прошло, Катя, – тихо сказала Кира, – что вспоминать? Все мы, знаешь ли, ошибались. Все давно быльем поросло, успокойся.

– Поросло, это верно. Только с отцом своим я перестала общаться. И даже не попрощалась. Да и вообще, сколько же тогда во мне было злости – Мировой океан! Я ненавидела всех – ее, свою мать. Мужа своего ублюдочного. Отца, бросившего меня. Ну и вас – заодно.

– Нормально! – отозвалась Кира, желая как-то утешить эту несчастную, так и не выросшую девочку. – Это нормально. Знаешь, как я в таком возрасте презирала своих родителей? А у меня, между прочим, была вполне благополучная семья! Никто никому не изменял, никто ни от кого не уходил, детей не бросали, пьяницами не были. Типичная, среднестатистическая советская семья, даже почти образцовая. Папа – военный, мама – училка. Компоты там всякие, соленые огурцы. Капуста ведрами – витамины! А меня трясло от них, как будто подключили к розетке. Просто колотило, веришь? А что, спрашивается, они делали плохого? Да ничего. Жили убого? Так все так жили. Честные, порядочные трудяги. Обыватели, мещане? Конечно. И что? За что их было так презирать? За то, что я хотела жить иначе? Знаешь, я их очень стеснялась, а теперь вот стыдно, казнюсь. Всегда считала их скрягами, а они просто боялись. Всего боялись: обмена денег – такое ведь было, – увольнения, пенсии.

Но когда мы собрались уезжать, отдали нам почти все, что собрали. При том, что отец был коммунист и ничего не хотел замечать: «Все у нас в стране хорошо! Да, есть какие-то сложности, неполадки, но в целом все замечательно». И уж, конечно, эмигрантов, «предателей родины», презирал от души. А вот меня, изменницу, удерживать не стал... и почему, интересно? Загадка.

Катя, уткнувшись в столешницу, молча водила пальцем по клеенке.

Кира увидела, какие неухоженные, совершенно неженские у нее руки – мальчишеские, подростковые, с коротко остриженными ногтями, с заусенцами и цыпками.

Эта молодая и, кстати, довольно хорошенькая женщина по-прежнему казалась хмурым и нелюдимым подростком – недолюбленным, обманутым, использованным и преданным.

Эх! Привести бы ее в божеский вид – подкрасить, сделать хорошую стрижку, маникюр, научить пользоваться косметикой и кремами, привести в порядок кожу на руках. Чего уж, господи, проще? Ну и приодеть, конечно же, – эти безразмерные портки, эта линялая майка. Эти тапки – нет, все понятно, домашний вид. Но Кира не сомневалась, что и уличный вид ее падчерицы мало чем отличается от домашнего. А выражение лица? Кто посмотрит на женщину с поджатыми губами, сведенными бровями и недобрым взглядом? Никто. Жаль. Очень жаль. У Кати приличная фигура, хорошее лицо и прекрасные волосы. Но ведь не скажешь об этом! Тем более – ей, Кире! Какое она имеет право учить Катю жизни? Чужая тетка.

И вдруг ее сердце заволокло необъяснимой жалостью к этой угловатой и нелепой женщине-подростку, одинокой, обиженной и не очень счастливой. Чужой и сейчас почти незнакомой.

Чужой?

Но это была не только жалость – это была еще и... – Кира вздрогнула. – Нежность?

Ее обдало жаром, и она резко расстегнула дрожавшими пальцами пуговицы на блузке.

– Катя, Катечка! – хрипло сказала она. – Девочка! Да все нормально! Вот видишь, мы с тобой все-таки встретились! И даже поговорили! И все у нас хорошо, правда? И папа, – Кирин голос дрогнул, и она с трудом проглотила сухой и твердый комок, застрявший в горле, – и папа все это видит! Ну или чувствует – я не знаю. Не понимаю, как там все это... устроено, как происходит! Но то, что там, наверху, что-то есть... – От волнения она закашляла и смутилась от своих нелепых и несуразных фраз. Такие рассуждения были ей совсем не свойственны.

Катя всхлипнула и кивнула:

– Я тоже... не знаю, что там. Но хорошо бы, чтобы он знал. Кира, скажите, он тяжело уходил?

– При такой болезни уходят всегда тяжело, – горько вздохнула Кира. – Там, у нас, все гуманно, страдать от болей не дают. Но все равно тяжело.

Катя молча кивнула.

– Чаю еще хотите? – не поднимая глаз, спросила она.

– Да бог с ним, с чаем. Ты мне про Ксеню расскажи, что она, как? Ну и про маму, если ты, конечно, не против!

Оказалось, что с дочкой отношения были хорошими – Катя отлично помнила все свои детские комплексы и обиды и очень старалась, чтобы это не повторилось с ее дочкой. Бывший муж был вычеркнут из жизни раз и навсегда – денег не приносил, дочку не видел. Дерьмо, а не человек.

Мама... Вот с мамой вообще приключилась странная история.

Пять лет назад Нина серьезно заболела – вернулась старая, казалось, давно отступившая болезнь. Ну и, как часто бывает, болезнь привела ее в церковь. Катя относилась к этому скептически – ну, во-первых, сама она в бога не верила и все отрицала, а во-вторых – это касалось именно матери, – она категорически не верила ни в ее искренность, ни в какой бы то ни было положительный результат. Нина стала ездить на богомолье, паломничала, завела новых друзей, по воскресеньям выстаивала долгие службы и даже взялась работать при храме – с усердием мыла полы и чистила овощи в трапезной.

Кате, конечно, так было спокойнее – мать, что называется, при деле и от них с Ксенькой почти отстала. Да и из дому стала частенько отлучаться – тоже приятно. Ну а через два года Катя заметила, что мать начала меняться. Даже не так – Нина стала другим человеком. Не было больше претензий и скандалов, она сделалась тихой, задумчивой, мягкой – словом, блаженной.

Катя и Ксенечка иногда испуганно переглядывались, когда Нина выдавала такое, что они просто терялись.

Слава богу, болезнь отступила, и врач отпустил Нину на год.

И вот однажды она позвала дочь на разговор. Нина просила прощения – у дочки, у бывшего мужа, у внучки. Она не плакала – взгляд у нее был чистый и ясный, почти безмятежный. Плакала Катя – от неожиданности, от удивления, от перемен в матери. А от ее просьбы ее *отпустить* совсем растерялась.

– Отпустить? Куда? – испуганно бормотала Катя. – Как это – отпустить? Навсегда?

– Да, навсегда, – спокойно и радостно ответила Нина. – Отпустить в монастырь.

Конечно, придя в себя, Катя ее не отговаривала – какое она имела на это право? Осторожно спросила, хорошо ли та подумала.

Нина, увидев понимание дочери, расцвела, расслабилась и принялась с жаром рассказывать дочери о Коробейниковском монастыре, о своем «новом доме», куда она так стремилась.

– Алтайский край? – удивилась Катя. – А почему так далеко? Неужели не было ничего ближе?

Оказалось, что мать там была в паломничестве и там, в Богородице-Казанском, в Коробейникове, на нее *сошла благодать.*

– Мое место, мое, доченька! – с жаром рассказывала она. – Как вошла туда, так почувствовала!

Оказывается, решение было принято давно.

– Только все не решалась сказать тебе, отпроситься. Боялась, – торопливо и смущенно призналась она.

– Боялась? Чего? – удивилась Катя. – Как я могу тебе запретить?

И Нина, расплакавшись, снова начала просить прощения и сетовать, как много она дочке должна. Вот что ее мучает – имеет ли она право? Имеет ли право оставить дочку и внучку и уйти?

– Впервые, – тихо сказала Катя, – впервые мы разговаривали. Просто разговаривали, и все – обо всем. Просто о жизни. И я впервые относилась к ней как к матери, а не как к врагу. Без опаски, понимаете?

Я никогда не верила, что человек может так измениться. Церковь и все прочее вызывало у меня опаску. А уж что касается моей матери... Нет, невозможно. Тогда я думала так: ну да, болезнь. Тяжелая болезнь. Одиночество. Нужны какая-то соломинка, нить, чтобы удержаться на этом свете. Вера во что-то. Но чтобы человек так изменился? И не просто изменился – стал совершенно другим? Да бросьте! Тем более моя мать. Я смотрела на нее во все глаза, слушала торопливый рассказ про ее детство, юность, молодость. Про приезд в Москву, знакомство с отцом, мое появление. И в моем сознании что-то переворачивалось, вставало с головы на ноги. Я видела несчастную, одинокую приезжую девчонку, растерянную и испуганную. Почти наяву видела комнатку в общежитии парфюмерной фабрики – с тараканами и клопами, с вечно холодными батареями, на которых не сохли даже трусы. Ее соседок по комнате, ушлых и хорошо поживших лимитчиц, без стеснения приводящих в общую комнату, на скрипучую кровать, кавалеров. И ужас матери, затыкавшей ватой уши, чтобы, не дай бог, не услышать.

И бесконечный портвейн по выходным – девчонки *отмечали*. Что? Да какая разница? Все подряд – День колхозника, День учителя, ноябрьские, Женский день, выходные, Люськины месячные – общую радость. Я словно услышала пьяные песни и увидела пьяные ссоры и вечные кухонные разборки. И почувствовала зависть и ревность, которыми был буквально пропитан воздух в убогой комнатенке. Все человеческие пороки проявлялись здесь одновременно, потому что, когда жизнь убогая и нищая, все всплывает на поверхность, как дерьмо.

И тут отец – скромный, симпатичный, москвич, воспитанный, интеллигентный. Такой никогда не станет распускать руки, как парни из общежития. Конечно, она влюбилась. А кто б устоял? У отца к тому же была квартира. Как же ей завидовали подружки! Но – как его *обженить*? Он не торопится – зачем ему торопиться? Ну и, послушав разговоры ушлых подруг, она решилась. Попалась довольно скоро – дело нехитрое – и предъявила ему эту новость. Правда, дрожала как осиновый лист: а вдруг не получится? Но получилось. Правда, будущий папаша растерялся и онемел, но в чувство скоро пришел: так – значит так. Пошли подавать заявление.

Сказано это было, надо заметить, без особой радости, но разве дело в этом? Дело в результате, вот в чем.

Через месяц их расписали по справке.

И Нина Кожухова, уроженка деревни Горохово, из общаги на улице Павла Андреева въехала в собственную двухкомнатную квартиру в центре и окончательно стала москвичкой.

Задумывалась ли она о том, любит ли он ее? Кажется, нет. Так глубоко не копала. Да вроде бы любит. Отчего ее не любить? Симпатичная, стройная, светлоглазая. Печет пироги, чистюля: вон как сарай этот, квартиру его холостяцкую, отдраила – и не узнать!

Жить да жить бы и добра наживать. Но почему-то не получалось...

Скоро Нина поняла – Миша не из тех, кто заботится о семье. А заботу Нина понимала так: налаженный и сытый быт. Денег он приносил мало, а вот книг покупал много. Отдых на море, например, не понимал – куча народу, несусветная жара, на пляже некуда приткнуться и положить полотенце, комната душная и убогая, а уж про общепит и говорить нечего – в столовку очередь часа на два, есть расхочется. Мишка не был капризным, но в этом случае сопротивлялся. Для него лучшим отдыхом были палатка на берегу реки или озера, грибы и рыбалка, гитара и книга – все как всегда. Словом, расхождения у них были по любому поводу и даже без. Скоро Нина поняла, что мужчина ей нужен попроще. А куда деваться? Ребенок, квартира. В общем, терпела. Жили они, как плохие соседи.

Правда, ребенка Мишка любил да и от нее, Нины, ничего не требовал.

А потом у него появилась женщина. Нина сразу поняла: что-то нечисто. Поначалу в голову не брала и ревновать не ревновала – подумаешь!

А когда поняла, что там все серьезно, здорово испугалась – конечно же, из-за квартиры! В лучшем случае придется разменивать. Ну и достанется им, тоже в лучшем случае, однушка в дальнем районе. А Катька растет. И как Нине устроить жизнь в однокомнатной квартире? С Катькиным-то характером? Да никак. Эта уж точно никого не потерпит – папашу любит до смерти! И в кого уродилась такой? Стерва просто.

Но вышло все иначе. Квартиру муж разменивать не стал, а просто в одночасье ушел. Да, благородство его она оценила, но понимала – это сейчас, на сегодняшний день. А что будет завтра? Ну допустим, та баба родит? Или просто начнет требовать размена? Нина на ее месте действовала бы именно так.

Но снова ничего не произошло. Ни та баба, ни бывший муж по-прежнему ничего не требовали. И Нина наконец успокоилась. Правда, несмотря на наличие двух комнат, личную жизнь устроить так и не удалось – не везло. Были пара романчиков – так, ни о чем. Один был женат, а второй поддавал.

С дочкой отношения не складывались, и чем дальше, тем хуже. Ругались по-страшному. В уходе отца из семьи дочь, конечно, обвиняла ее.

Нина прекрасно понимала, что с каждым годом она превращается в окончательную неврастеничку. Ну и в конце концов заболела – недаром говорят, что все болезни от нервов. А когда услышала свой диагноз, накрыло такой беспросветной тоской, таким горем и ужасом, что решила: жить больше не хочет. И бороться не хочет – пошли вы все! Даже про дочку не думала – проживет! К тому же Катька давно выросла, сходила замуж, родила дочку, развелась, но по-прежнему скандалила с матерью. А разве Нина была не права, когда говорила, что Катькин муж – сволочь?

По ночам Нина раздумывала, как бы попроще уйти из этой постылой жизни. Да, грех – понимала. А сотворить с ней такое? Не грех? На нее все наплевали, и она наплюет.

А однажды в феврале, в разгар страшных, до тридцати, морозов, она шла мимо церкви. Первая мысль – зайти, чтобы согреться. В бога никогда не верила, над бабкой своей деревенской, когда та молилась, насмехалась – как же, пионерка, а потом комсомолка.

И зашла – правда, подумала пару минут, засомневалась. Даже споткнулась на пороге. Встала тихонечко, сбоку. Шла служба. Неуверенно зажгла тоненькую, самую дешевую свечку.

– На что ставишь? – шепнула ей какая-то бабка.

Нина совсем растерялась и пожала плечами.

– Да не знаю... Не понимаю я в этом.

Бабка посмотрела на нее пристально, с прищуром:

– Болеешь, дочка? Бледная вон! Тогда ставь Пантелеймону-целителю, за здравие. – И подвела ее к иконе, с которой строго смотрел темный лик. Ничего доброго Нина в нем не увидела. Помочь ей поправиться? Окончательно выздороветь? Бред и ерунда.

Но службу достояла, хоть и было тяжело. Но когда слушала пение хора, размеренный голос батюшки и уловила тонкий запах воска и ладана да и вообще согрелась, стало ей впервые спокойно и хорошо.

Вышла из храма и медленно пошла, не замечая мороза. Шла долго, не обращая внимания на озябшие руки, – даже варежки не надела. И думала. О чем? Трудно сказать. Шла как заторможенная, сама не своя. Доехала до дому и в ту же ночь в голове что-то перевернулось.

Нина стала ходить на службы.

Катя видела перемены в матери и пугалась – присматривалась к ней, но ничего не спрашивала. Кстати, о диагнозе своем Нина ей не сказала – зачем? Начнет уговаривать лечиться. Спустя два месяца Нина легла на операцию. Операция прошла успешно. Дальше было долгое лечение, реабилитация, ей объявили, что она почти здорова. И вот тогда на ошарашенную Нину нашло прозрение – как она жила все эти годы?

Как относилась к бывшему мужу? Как упустила его? Почему не смогла действительно полюбить и понять? Почему не понимала, за что, господи, презирала его? Как относилась к дочери, зачем так скандалила с ней? Зачем требовала развода, не давала им, молодым, жить? Как могла она требовать, чтобы Катя сделала аборт? Как смела злиться и проклинать все и всех и саму жизнь? Единственную и неповторимую, дарованную господом жизнь! Она страшная грешница, прожившая большую часть жизни в проклятиях и обидах!

А ведь господь ей снова даровал жизнь!

Окрепнув, Нина ездила в паломничество по монастырям и святым местам. И окончательно поняла, как хочет жить дальше. Это открытие ее ошеломило и потрясло, а еще и напугало. Неужели уйдет из мирской жизни? Оставить внучку и дочь? Думала долго. И наконец решилась на разговор.

Боялась, даже была почти уверена, что дочь над ней посмеется. Но вышло не так – дочь, как ни странно, ее поняла. Сказала, что это – ее решение и ее право. И впервые за тысячу лет они обнялись и расплакались.

Через несколько месяцев после того разговора Нина уже жила в монастыре. И надо же, несмотря на все трудности и сложности, на тяжелый физический труд, на суровую и аскетичную, незнакомую и пока не очень понятную жизнь, она была счастлива – пожалуй, впервые в жизни.

С дочкой они переписывались и перезванивались, и Катька с Ксенькой раз в год приезжали в Коробейниково, хотя путь был неблизкий. И недешевый, надо сказать.

Катя закончила свой рассказ, вытерла слезы и посмотрела Кире в глаза.

– Вот так у нас получилось. Но за маму я рада.

Кира глянула на часы – как пробежало время! А она-то была уверена, что встреча их продлится от силы полчаса.

И тут на пороге возникла сонная Ксеня, Катькина дочь и Мишкина внучка.

– Мам! – жалобно сказала она. – Ты совсем обо мне забыла?

Кира во все глаза смотрела на девочку. И сердце ее падало куда-то вниз – Ксеня, Мишкина внучка, была точной копией своего деда!

«Господи, так не бывает! – думала Кира. – Просто одно лицо – карие круглые глаза, смешные брови домиком, чуть вздернутый, с красивыми ноздрями нос и вьющиеся легкой волной светло-каштановые волосы.

Катя перехватила ее растерянный и удивленный взгляд.

– Похожа?

Кира в волнении сглотнула слюну и кивнула:

– Да, да! Катя! Ну невозможно просто! Такое бывает?

Катя впервые рассмеялась.

– Видимо, да.

А Ксеня, маленький Мишка, по-прежнему стояла на пороге и хлопала сонными карими Мишкиными глазами.

– Катя! Она босиком! – с испугом выкрикнула Кира.

Катя тут же отправила дочь в кровать, но Ксенька сопротивлялась:

– Пирожные! – Глаза у нее загорелись. – Мама, хочу! – И тут же добавила жалостливым голосом: – А колбаски у нас нет?

«Господи, какая я дура – сладкого натащила! А надо было еды. Деликатесов каких-нибудь – ветчины, хорошего сыра, колбасы, фруктов. Надо исправлять ситуацию».

Ксеньку усадили за стол, налили ей чаю, и она с важным видом принялась чаевничать, осторожно поглядывая на незнакомую гостью.

– Это Кира, – сказала Катя, – жена твоего деда.

И обе, и Кира и Катя, смутились.

Наконец Кира сказала, что ей пора. Как ей хотелось погладить эту кареглазую девочку по головке! Как хотелось прижать к себе! Но оробела, не посмела.

Катя пошла ее провожать. В прихожей, пока Кира одевалась и подкрашивала губы, повисла неловкая тишина – обе снова молчали, не понимая, не зная, как все закончить и распрощаться.

Это было тягостное и затянувшиеся молчание. Первой начала Кира.

– Катя, – смущаясь, сказала она, – я так рада, что мы поговорили. Это тяготило меня. Мы должны были с тобой перешагнуть и это сделать в память твоего отца, согласна? Это так, как я чувствую. Нет, я счастлива! Мне кажется, – она на секунду запнулась, – что Мишка, то есть твой папа, тоже был бы счастлив!

Катя молчала.

– Ну мне пора, – сказала Кира. Катя ей не возразила – было понятно, что и она устала, к тому же дочка.

Катя пошла отвести Ксеньку в кровать, а Кира, оглянувшись на дверь, аккуратно подложила четыреста евро на подоконник, под цветочный горшок с засохшей фиалкой.

Когда Кира вышла за порог, Катя, закрывая за ней дверь, тихо сказала:

– Простите меня!

Киру душили слезы, и она только кивнула.

И только на улице она позволила себе разреветься. Но слезы эти были не печальные и не тяжелые – это были слезы облегчения, освобождения. Радости. Бывает же, что люди плачут от радости?

* * *

Зяблик был дома, и по его встревоженному виду было понятно, что Киру он ждал и беспокоился.

Она была страшно голодна и опять укорила себя, что не купила ничего по дороге. Зато купил Зяблик – стол был накрыт, и на нем в пластиковых контейнерах и коробочках стояли готовые салаты, пирожки и даже горячее – жареное мясо с гарниром.

– Ну, Зяблик! Ты даешь! – рассмеялась Кира и тут же подумала, что прежде эстет Зяблик никогда бы не позволил себе есть из пластиковой посуды.

За поздним обедом или ранним ужином Зяблик торжественно сообщил, что вечером они идут в театр.

– Ого! – воскликнула Кира. – Вот это сюрприз!

Зяблик скромно ответил, что должен «гулять» гостью – если уж не по карману кабаки, то театр он как-нибудь потянет.

Спектакль оказался так себе, но Кира не пожалела – как она соскучилась по московскому театру! Запах театрального занавеса, деревянная, немного скрипучая сцена, буфет с вечным ситро и ароматом свежесваренного кофе, пирожные эклеры и бутерброды с копченой колбасой – все как из детства и далекой юности.

Зяблик, кажется, был не только доволен, но и страшно горд собой. Галантно ухаживал, подавал плащ и поддерживал Киру за локоть. Вечер был теплым, совсем весенним, и они с удовольствием шли пешком.

– А завтра уезжать, – вздохнула Кира, – а что-то не хочется.

– Вот как? – Зяблик удивился ее заявлению. – А мне казалось, что для тебя это вынужденная и не очень желанная поездка.

– Так и было, – согласилась Кира, – ехать сюда мне совсем не хотелось. Знаешь, так странно – у меня остались только воспоминания последних лет. Нет, правда, странно! Наша неприкаянность, бездомность, вечный поиск чужих случайных углов. Нищета, подсчет копеек. Скандалы с Ниной, хмурость Катьки и ее полное, тотальное неприятие меня. Ну а потом Мишкино увольнение и снова одни проблемы. Проблемы, проблемы – они накручивались как снежный ком и никогда не кончались. И мы захотели все изменить, поменять и уехать, понимая, что здесь ничего не изменится. Нам нечего было терять. И я согласилась, думая, что спасу его, себя и нашу семью. И в общем, спасла. Нет, я не жалею. В итоге у нас все сложилось. Конечно, там тоже было полно дерьма – не сомневайся. И все-таки мы выстояли. И Мишка снова работал по специальности. И снова был счастлив. Ты же знаешь, что для него была работа и как ему тяжко было без нее. Нет, не жалею! – твердо подтвердила она. – Мы много поездили – объездили всю Европу. Мы отдыхали. Да, позволяли себе коечто: кафе, магазины. Хотя и привыкли довольствоваться малым – ты знаешь.

— Ну что ты оправдываешься? Ты все сделала правильно. И, думаю, Мишка был счастлив.

— Да, я не хотела ехать сюда, — повторила Кира. — Боялась встречи с Катей, не хотела напрягать тебя. Мы же близкими с тобой не были, правда? Ты не замечал меня, я, уж извини, немного презирала тебя. Ну и Жуковский, кладбище, воспоминания. Вечная, непреходящая вина перед родителями за то, что оставила их. — Кира замолчала, а потом продолжила: — А вот сегодня как-то все поменялось, что ли? Вот чудеса! Не ожидала, если честно. Наверное, после встречи с Катей и Ксеней. Ну и ты... Постарался! — Она улыбнулась. — Спасибо, Лешка! Вот, праздник устроил!

— Да брось, ты о чем? — засмущался Зяблик.

Кира с благодарностью и нежностью погладила его по руке и повторила:

— Лешка, спасибо!

Они шли по вечернему городу, освещенному и нарядному, незнакомому и даже чужому. И все-таки своему. Пахло свежим липовым цветом и распустившейся сиренью.

Кира думала, почему этот город вызывал у нее такую тоску и отторжение. Разве было только плохое? И почему помнится только плохое — темное, тяжелое, беспросветное? Разве она не была в нем счастлива? Разве не здесь, в этом городе, она встретила Мишку, свою единственную любовь? Разве не было поцелуев в стылых подъездах, поездок за город в набитых электричках? Зеленой поляны и красных прозрачных сосен, сквозь высокие кроны которых просвечивало розовое солнце, нагретой солнцем травы, запаха сена, доносящегося с поля поблизости? И протяжный звук электричек... И остывший чай из помятого термоса, и чуть подтаявший сыр на бородинском хлебе. И потертое одеяльце, на котором они валялись, обнявшись и прижавшись друг к другу. И даже те чужие, случайные комнаты? И их сиротливые скитания... Разве им было плохо тогда? Разве они не были счастливы? Они были вместе.

И их утренний кофе, наспех сваренный в чужой кастрюльке. И вечера — долгие, зимние, протяжные, немного печальные и очень светлые. С бесконечными разговорами, не кончающимися никогда. И случайный билетик в театр – самый дешевый, конечно же, в бель-этаж. Но – праздник! И новая книжка, из-за которой они почти дрались: «Ну когда же ты, поросенок, наконец дочитаешь?» И даже поездки к Зяблику, которого она не очень любила. И его узкий диван в кабинете, и музыка за стеной – джаз или блюз, у Леши всегда был прекрасный музыкальный вкус. И его помощь – всегда, при любых обстоятельствах, о таком нельзя забывать. Почему же она все забыла? Наверное, потому, что так было легче. Как боялась она этой поездки в Москву! Как заставляла себя, как сомневалась! Как в последний день хотела порвать билет.

А как все окончилось? Как быстро все окончилось. И завтра она уезжает. Все, все. Теперь уже – все.

* * *

С утра Зяблик был дома и даже неловко возился на кухне – готовил отъезжающей гостье горячий завтрак. На стол торжественно были поданы глазунья, ветчина и отличный кофе – в час дня он должен был везти Киру в аэропорт.

– Надоела я тебе? – поинтересовалась она. – Любой гость – это хлопоты и перемены в привычной, устоявшейся жизни.

Зяблик горячо и, кажется, искренне стал возражать:

– Что ты, о чем? Господи, я хоть в театре побывал и в кабаке! Мы с тобой от души потрепались! Ты, Кирка, разбавила мою скучную жизнь. Вот, прогулялся по улицам – сто лет пешком не ходил, ей-богу!

Кира кивнула.

– И я. Сто лет не была в театре, сто лет не гуляла по улицам и сто лет не была в ресторане.

После второй чашки кофе решила спросить:

– Леш! А почему ты их... ну, Сережу с матерью, не перевезешь к себе? Так было бы проще. И легче, мне кажется... Извини, что лезу не в свое дело.

– Ты права. Я думал об этом и даже предложил это Сережиной матери. Но она отказалась. И ее тоже можно понять:

там она хозяйка, а здесь? На правах гостьи? Она гордая, одалживаться не станет. Да и там все привычно и все под рукой. Ну а Сережа... Без матери он не поедет.

– А ты? Не думал продать эту квартиру и переехать поближе, к ним? Да и деньги. Ты наверняка выручишь хорошие деньги с этого обмена.

– Ты права, я думал об этом. Скорее всего, так и сделаю. Правда, очень хотелось оставить эту квартиру Сережке. Но, скорее всего, не судьба. Да и деньги... Понимаешь, они нужны постоянно – врачи, массажисты, реабилитологи, лекарства. В санаторий хотим с ним поехать, на грязи, в Мацесту. А еще лучше – куда-нибудь на источники, ну или на Мертвое море. Говорят, помогает...

Знаешь, некоторые обнадеживают, говорят, что в таких случаях бывают чудеса и спинальных больных поднимают. На костыли, конечно, или на вокеры. И, разумеется, не здесь, не у нас, а за границей. Но снова деньги, деньги. Без них никуда. Но я, знаешь, надеюсь! И это решу.

– Так, – жестко сказала Кира и прихлопнула ладонью по столу. – Я все поняла! Давай документы. Все до одного, все ксерокопии. Обследования, анализы, снимки – все, что в наличии! Ну а я там разберусь! Во-первых, у меня есть знакомые. Во-вторых, язык у меня приличный, найду клинику, доктора. В общем, Зяблик, обещаю, что сделаю все, что смогу и что не смогу. Все, хватит трепаться, иди собирай документы. А я пойду собирать чемодан – нам через два часа ехать.

Зяблик кивнул, и Кира увидела, что глаза его полны слез.

– Спасибо тебе, – тихо сказал он и вышел из кухни.

Кира собирала чемодан. Да что там собирать – ерунда. Две пары брюк, одна юбка и пара кофточек. Подошла к окну.

– Прощай, Москва. И спасибо. Я так боялась тебя! Но ты меня обняла и успокоила. Спасибо.

Она смотрела на улицу, по которой шел поток бесконечных машин. На маленькие фигурки торопящихся, как всегда, людей. В Москве всегда все спешили. Смотрела на Садовое кольцо, на знакомое желтое здание Музея Чайковского – аккурат напротив Зябликовых окон. И вспоминала, вспоминала, как была счастлива здесь, в этой квартире. Оказывается, очень счастлива, очень. Несмотря ни на что.

Пора было ехать в аэропорт. И домой. Да, домой.

По дороге молчали. Не потому, что говорить было не о чем, нет. Просто хотелось помолчать. И это было не тягостно, а совсем наоборот.

Зяблик припарковал машину и достал из багажника Кирин чемодан.

– Ну, Кирка! Давай! Может быть, когда-нибудь... Ну всякое же бывает! И спасибо тебе. – Зяблик отвернулся.

Кира обняла его и чмокнула в щеку.

– Это тебе спасибо, Лешка. За что – знаешь сам.

В самолете Кира уснула, и слава богу. Слишком много печальных мыслей, слишком много воспоминаний. И слишком много открытий и откровений. Вот так.

Дорога из аэропорта была знакомой и привычной. И она радовалась, что вернулась домой. «Как он хорош, мой Франкфурт! – подумала она. – Какой чистый и зеленый! Мой...» – Она удивилась своим мыслям. Теперь у нее было два своих города – Москва и Франкфурт. Да, именно так! Открыла дверь в квартиру, почувствовала привычные и родные запахи, и сердце радостно забилось. Все, она дома.

Разобрала чемодан, поставила чайник и, не включая верхнего света, села пить чай. Она смотрела в окно и видела знакомый пейзаж – булочную на углу соседнего дома, где она покупает любимый хлеб – всегда теплый, присыпанный мукой и пахнущий тмином. Китайскую закусочную напротив, крошечную, на два столика, с едой навынос. И густые вязы под окном, и канадский клен с острыми листьями, недавно зазеленевший. И соседку фрау Мейер, крохотную старушку в голубых букольках, прогуливающую маленькую и визгливую собачонку. И высокого тощего парня – психолога, всегда любезного и улыбающегося, снимающего квартиру под офис на первом этаже. И светящуюся вывеску магазина натуральной косметики, мешающую спать по ночам.

Все было знакомым и родным.

Пора ложиться. Завтра предстоит непростой день. Во-первых, магазины. А их Кира ох как не любит! Но надо. Шмотки Кате и Ксенечке, обязательно. Девчонок надо приодеть непременно – скоро лето! А здесь все можно купить по грошовой цене, не сравнить со столицей – ей прекрасно известны недорогие магазины с очень приличными тряпками. А после этого начнется другое дело, куда более важное, – клиники, консультации по поводу Сережи, Лешкиного сына. Вот здесь надо разбираться основательно и серьезно, чтобы попасть в цель, чтобы помогли. Чтобы все получилось. А медицина здесь, что ни говори, замечательная – сколько врачи тянули ее Мишку...

Кира легла в кровать и почувствовала, что страшно устала.

Звякнула эсэмэска – Зяблик: «Кирюш, как долетела? Без тебя уныло и скучно – такие дела... И еще – спасибо тебе! Не пропадай, а? Я правда скучаю...» После многоточия – смайлик со слезкой.

Она ответила Зяблику и наконец уснула.

А утром пришла эсэмэска от Кати: «Кира Константиновна! Как вы долетели? Все ли нормально? Как самочувствие? У нас все хорошо. Ксенька уже не температурит и начала трепать нервы. Спасибо вам за то, что позвонили и доехали до нас! Я вам очень благодарна за все! Пишите, не пропадайте, а? Катя и Ксеня. Две бестолковые дуры».

Кира улыбнулась и быстро набрала ответ. А потом долго сидела на кухне и размышляла. Впервые за несколько лет со дня смерти Мишки она стала кому-то нужна. Впервые у нее появилось ощущение, что она не одна на всем белом свете и – может кому-то помочь. Может и очень хочет! И кажется, ее пустая и холодная жизнь снова наполнилась смыслом.

Кира заплакала, но быстро взяла себя в руки. А может, ей показалось, что у нее появилась семья? Да нет, какие глупости! Кто ей Зяблик, друг мужа из далекой юности, или дочь мужа? Так, знакомые – как говорится, волей судьбы. Да нет, не так! Совсем не так, знаете ли. Жизнь, вечно готовая на сюрпризы, непредсказуемая и странная, подкинула ей очень близких и, как оказалось, родных людей. Без которых она, кажется, уже не сможет.

Кира вышла на улицу и столкнулась с тощим психологом. О, фрау Немировски! Вы вернулись? Не надо ли вам чем-то помочь? Кира улыбнулась.

– Нет, спасибо! У меня все прекрасно! И еще куча дел.

На другой стороне улицы ее увидела фрау Мейер, прогуливающая свою брехливую собачонку, и радостно замахала ей рукой.

Кира махнула в ответ и тут же заспешила. Не дай бог сцепиться с фрау языками – живой не отпустит.

На улице было ясно и свежо. Под утро прошел короткий весенний дождь, прибивший дневную пыль. Пахло липой и сиренью, совсем как в Москве. «Откуда у нас сирень? – удивилась Кира. – Ее, кажется, раньше не было».

Она шла и мечтала, как к ней приедут Катя и Ксеня, и они обязательно поедут на озеро, и в Висбаден, и будут бродить по булыжной мостовой Старого города, и пить кофе в старинной кофейне. Да мало ли куда еще – Европа большая, а Кира, слава богу, водит машину! А впереди лето и вообще – целая жизнь!

И все мы будем счастливы! Когда-нибудь... Бог даст!

Я тебя отпускаю

Ника стояла у окна и смотрела на улицу. Впрочем, улицей это назвать было сложно – окно выходило на узкий канал с мутной водой ярко-болотного цвета. Кстати! А бывает ярко-болотный цвет? Кажется, родные болота были темно-зеленые. А здесь скорее цвет мутного изумруда. Напротив, почти на расстоянии руки, стоял дом. Обычный венецианский дом на сваях, обросших мягкими колышущимися водорослями. К крыльцу, похожему на маленькую пристань, была привязана небольшая лодчонка с мотором. В окна, закрытые плотными ставнями, подсмотреть, как бы ни хотелось, не получалось. А жаль – с детства Ника любила подглядывать в чужие окна. Лучше всего это удавалось в Дании или Норвегии, где вообще не вешали занавесок – смотри кто хочешь, нам скрывать нечего. Но почему-то заглядывать в окна скандинавов было совсем неинтересно: все одинаково, как под копирку, – простые и однотипные белые кухни «привет из «Икеи», скучные молочно-белые, похожие на больничные, светильники. Да здравствует скандинавский минимализм. Слишком просто, слишком удобно и некрасиво, увы.

Ей казалось, что здесь, в этом сказочном и загадочном городе, все должно быть не так. Какой минимализм? Он оскорбителен здесь, в этом месте. Здесь все должно быть совсем по-другому, не так: и мебель, и люстры, и потертые бархатные гардины, пыльные и тяжелые, поди постирай. И старые картины в потускневших тяжелых рамах. И тяжелые хрустальные флаконы с вином, и старые книги в золоченых переплетах. Здесь все — старина. И все — волшебство и загадка. Во-первых, Ника в этом была абсолютно уверена, ну и, во-вторых, фантазировала, конечно. Представляла себе это так: вот-вот, через минуту, с усилием и скрежетом хозяйка откроет проржавевшие от влаги ставни и...

Я был разбужен спозаранку
Щелчком оконного стекла.
Размокшей каменной баранкой
В воде Венеция плыла[1].

И Ника, любопытная Варвара, увидит все именно так, как себе представляла.

Итак, ее любопытному и жадному взору откроется комната. Нет, даже зал! Именно зал, с высокими, метров в пять, потолками, с тяжелой и длинной, разноцветной люстрой муранского стекла на бронзовых могучих цепях, от которой тысячи разноцветных солнечных зайчиков шаловливо разбегутся по мутной воде канала. Да так шустро, что невольно прищуришь глаза. Мощный дубовый потертый паркет с инкрустацией — ему тыща лет, а ничего с ним не делается. Увидит и темную, приземистую мебель: пузатые комоды с потускневшими от времени и влаги зазеленевшими бронзовыми кручеными ручками, книжные шкафы с толстыми гранеными стеклами, за которыми плотно стоят пахнущие вечной сыростью старинные фолианты в золотом тиснении. Откроются взору крепкие, на гнутых ножках, с затейливо вырезанными спинками и потертой атласной обивкой стулья. И обязательно бюро со

[1] *Б. Пастернак.* Венеция.

множеством изящных ящичков для секретных писем и прочих загадочных, не для чужого взора, затейливых мелочей. И, конечно же, стол – овальный, могучий, из тех, что навсегда, на века. А на нем будет лежать кокетливая, чуть пожелтевшая от времени, кружевная скатерка, любовно вытканная руками местных умелиц. И непременно ваза, высокая, конечно же, муранского стекла, с разноцветными, немного подвядшими, анемонами – фиолетовыми, желтыми, лиловыми, розовыми, ярко-красными и нарядными белыми.

Ставни откроет немолодая, растрепанная, зевающая хозяйка в длинном шелковом, с кистями халате. Она машинально поправит растрепавшиеся волосы, снова зевнет и выглянет на улицу. Поморщится при виде мелкого, густо сыплющего, так надоевшего дождя, поежится от привычной сырости, поведет круглым плечом, подтянет кисти халата и, разочарованная, уйдет в глубь квартиры – дела. Там, на темной от копоти кухне, завешанной старыми, тусклыми медными сковородками, она в задумчивости замрет на пару минут у огромной старой плиты с тяжеленными чугунными конфорками. На плите будет стоять древняя, плохо отмытая медная джезва. Да и зачем ее отмывать – на вкус кофе это уж точно не влияет. Вся в своих мыслях, медленно она будет помешивать тусклой серебряной ложечкой в джезве и думать о своем. И, конечно, не углядит, пропустит минуту, и кофе с шипением выплеснется наружу.

Она чертыхнется: «Ну вот, каждый раз так!» И, наплевав на подгоравшую гущу – потом, все потом, сейчас главное – кофе, – она перельет его в маленькую и очень изящную старую чашечку с витой ручкой и крошечной, почти незаметной трещинкой с правого боку и наконец усядется за стол.

Синьора будет медленно пить свой первый утренний кофе, терпкий, черный, без молока, и сладкий аромат его станет витать в темной, не слишком опрятной кухне. Но все это ей не помешает – она привыкла к заброшенности, весь этот город производит впечатление немного заброшенного. И ритуал нетороплив и приятен – и неспешное питье, и кусочек поджаренного в тостере хлеба, намазанного клубничным ва-

реньем, и небольшой кусок пармезана – все это примирит ее с сыростью, влажностью и мелким дождем за окном. Ну и с одиночеством – и к нему она тоже привыкла.

Ника улыбнулась, прокрутив эту картинку в своей голове, и поежилась: голые ступни здорово замерзли – каменный пол был холодным – зима, и в номере было холодно. Нет, отопление имелось – низкая и узкая полоска еле теплой батареи стыдливо пряталась за занавеской.

«В душ, – подумала Ника, – замерзла. Не дай бог разболеюсь. Вот это уж точно будет катастрофа!» И она пошла в ванную, на всю мощь врубила горячую воду и долго, с полчаса, не вылезала, точнее, не решалась вылезти. В большой ванной с окном тоже было прохладно.

Минут через десять все-таки собралась с духом и заставила себя вылезти из-под горячей струи, быстро обтерлась огромным тяжелым полотенцем и встала у длинного и узкого, висящего не над раковиной, как везде было принято, а сбоку, у окна, старого, мутного от пара зеркала. Протерев его ладонью, внимательно посмотрела на себя. Разглядывала себя долго, поворачивалась и так, и эдак. Вытягивала трубочкой губы, делала страшный оскал и смешные гримасы. Потом вздохнула: «Ну что я пытаюсь тут разглядеть, что увидеть? Что появились новые морщины? Но это нормально. В конце концов, тридцать семь, так что все логично».

Ника высушила роскошные и густые волосы, ее гордость и предмет зависти подруг. Правда, как всегда, не до конца, на это ей не хватало терпения. Там, в глубине, в «зарослях», они оставались чуть влажными. Намазала лицо кремом, брызнула совсем чуть-чуть духами, надела гостиничный белый махровый халат и вышла.

Илья спал на спине, широко раскинув руки – красивые, сильные, мускулистые, смуглые, с тонкими, но сильными пальцами. Его руки всегда Нику завораживали. Как, впрочем, и все остальное. «Любовь в глазах смотрящего, – вздыхала мама, – но слишком уж ты в восторге. Пора чуть-чуть приоткрыть глаза». Восторг на восьмой год знакомства маме казался слегка неуместным, и ее можно было понять – долголет-

няя и, скорее всего, безнадежная связь с глубоко женатым человеком. Чему уж тут радоваться?

Да, маму можно понять. Но и Нику тоже. Все это называлось любовью. Простое объяснение, куда уж проще. Но этим, как ей казалось, все и оправдано.

Ника смотрела на любимого и размышляла: лечь рядом? Или не тревожить? Илья всегда вставал тяжело, с долгим кряхтением, с недовольным лицом и в отвратительном настроении. Сова, что поделать. И только в отпуске позволял себе дрыхнуть как сурок.

Ника как раз была жаворонком, вставала легко, без сожаления выныривала из снов, приятных и не очень, и тут же приходила в себя. Даже в отпуске в постели не застревала – какое? Когда ждут море и солнце, незнакомая страна и неизвестный пока город? Как можно терять драгоценное время? Она сразу же выходила на балкон, вставала на цыпочки и сладко потягивалась – красота! И тут же начинала любить весь мир. Илья говорил, что она счастливая. Ника, кстати, не возражала.

В отпуск они всегда ездили вместе. Ну или почти всегда, бывало по-всякому.

После душа Ника согрелась, надела тапки и снова подошла к окну – дождь прекратился, но по-прежнему было серо и пасмурно. А в квартире напротив, в которую ей так хотелось подглядеть, уже открыли ставни. «Эх, пропустила, – вздохнула Ника, – опять пропустила! Два дня караулю – и на тебе, снова». Да и разглядеть что-либо в темной квартире было невозможно. Ника снова вздохнула и услышала голос Ильи:

– Ну что, бессонная моя? Давно бодрствуешь?

Она обернулась с улыбкой:

– Давно. С час определенно.

Илья широко, смачно, со вздохом зевнул и приподнялся на подушке. Пошарил рукой на тумбочке в поисках очков и, нацепив их, стал внимательно разглядывать ее, словно впервые видел.

– Иди сюда, малыш! – Он похлопал по кровати.

С минуту Ника раздумывала, потом вздохнула и жалостливо пропела:

– Ну-у... А завтрак? Мы его почти пропустили. Еще полчаса – и все!

Илья усмехнулся:

– Боишься остаться голодной? Ну ты обжора известная! – Он глянул на часы. – Да и смысла уже нет. Завтраки здесь паршивые, и все наверняка уже подмели. Иди сюда, а потом, – он снова широко зевнул, – пойдем завтракать в нормальное место. Ну или уже обедать, как получится, – рассмеялся Илья. – Иди, ну! Иди!

И Ника послушно легла рядом с ним.

Однажды Илья ей сказал:

– Знаешь, что в тебе замечательно? Ну, кроме всего остального? Твои кротость, уступчивость. Умная такая покорность. Ты не споришь по пустякам, не лезешь в бутылку. Ты... – Он задумался. – Ты человек неконфликтный. А это, знаешь ли, приятно любому мужчине.

«Понятно, – подумала Ника, – значит, его жена скандальная тетка. Спорит по любому поводу. Ну и прекрасно. Вот здесь у нас точно будет по-другому». Она и вправду была неконфликтным человеком. Но здесь решила оглядываться. Тогда еще были большие надежды на то, что он разведется и уйдет из семьи. Но не случилось. Со временем острое чувство обиды и несправедливости отступило, и Ника почти смирилась. Конечно, была долгая и трудная работа над собой. Убеждала себя, что официальный брак и совместное проживание, так же, как и общее хозяйство, вещи не главные, главное – любовь. В это она верила свято. Любовь, взаимопонимание и ощущение своего человека. А это у них точно было.

Ника осторожно прилегла рядом. Илья обнял ее. И в эти минуты все разумные доводы катились в тартарары. Да и какие доводы, господи! Разумных доводов давно не было – оставались одни неразумные.

После, когда Илья откинулся на подушке, положив руки за голову, а Ника пристроилась у него на плече, он спросил:

– Ну что? От голода еще не помираешь?

– Помираю. Вопрос риторический или ты готов к подвигам?

Он притворно вздохнул:

– Готов. А куда мне деваться?

Пока Ника приводила в порядок волосы, которыми Илья всегда любовался, пока красила глаза и губы – чуть-чуть, слегка, соизмеримо утренней обстановке, Илья все еще лежал в постели, и было понятно, что вставать ему по-прежнему не хочется.

Ника обернулась:

– Ну и что дальше? Будем лежать?

Илья нехотя потянулся и сел на кровати.

– Эх, с каким удовольствием я бы сейчас поспал!

И тут Ника разозлилась: господи, да сколько же можно! За окном Венеция, лучший город на свете. Город ее мечты и сладких снов. А Илья? Нет, Ника все понимала – он был здесь не раз. Кажется, два или три. Но какая разница? Тогда он был не с ней. С кем – уточнять не стоит, скорее всего, с женой. Но сейчас они вместе! Он и она! Как можно сравнивать?

Ника резко встала с пуфика, обтянутого когда-то синим, а теперь белесым бархатом, и пошла одеваться.

Илья громко вздохнул и стал неспешно натягивать джинсы. По природе своей он был довольно медлительным, неспешным – даже странно, как ему удавалось существовать в большом бизнесе, в вечной спешке, переговорах, командировках и бесконечных деловых ужинах. По природе Илья был сибаритом, любителем тишины. А вот Ника – ловкой, стремительной. Всегда торопилась и всегда боялась опоздать. Лежать на диване, когда можно куда-то мчаться: в театр, на выставку, в гости, в кафе? Ей все хотелось успеть. А вот успешной она не стала – так, середнячок, рядовой сотрудник, хороший исполнитель.

– Жду тебя, – коротко бросила Ника и, пытаясь скрыть раздражение, вышла в коридор.

Надо остыть, чтобы не испортить поездку. «В конце концов, – принялась уговаривать себя она, – у нас еще целых пять дней, все наладится. Все наладится, да. И эту поездку Илюша устроил ради меня. Ему сюда не хотелось. Зима, сырость, дождь». Илья действительно уговаривал Нику поехать в теплую страну, в Израиль или на Кипр, или вообще махнуть куда-нибудь в Азию или в Африку, в Марокко, например, или в Тай. Там если не море и не океан, то уж точно солнце и теплый бассейн. Но Ника стояла насмерть – только Венеция. «И вообще, ты обещал!» И он согласился.

Ника всегда умела себя успокаивать и уговаривать, и Илье, кстати, это тоже нравилось.

– Характер у тебя золотой, – говорил он, – нет, правда, не баба, а золото! Как же мне повезло!

– Тебе определенно, – усмехалась Ника. – А вот мне... Не уверена.

– Тебе точно нет! – смеясь, подхватывал он. – Поверь, я-то знаю!

Наконец Илья вышел за дверь – красивый, высокий, ладный. Ее мужчина. Ее любимый мужчина. И это самое главное.

Держась за руки, они стали спускаться по старой мраморной лестнице с кое-где отколовшимися ступеньками, устланной синей ковровой дорожкой. Отполированные тысячами рук мраморные перила, картины с видами города и канала с гондолами – все как положено, старина и ее имитация. За дубовой резной темной стойкой лобби стоял молодой чернокожий мужчина с золотой серьгой в ухе. Вид у него был высокомерный и неприступный. Перебирая какие-то документы, на них он и не взглянул.

– Вот так, – усмехнулся Илья. – Вот такой сервис! Ну где ты видела такое пренебрежение?

Ника промолчала – вот сервис уж точно ее волновал в последнюю очередь.

– Вот именно, нигде! – продолжал Илья. – Ни в Европе, ни уж тем более в Америке! Не говоря уже про Россию. А здесь, – он кивнул на чернокожего за стойкой, – запросто! И знаешь почему? Да потому что им всем давно осточертели туристы! Такой наплыв, такой нескончаемый ежедневный поток. Какой-то всемирный туристический потоп, круговорот – белые, черные, желтые, со всего света. Пятнадцать миллионов туристов за год, как тебе? Ну и зачем, скажи на милость, им запоминать лица временных постояльцев? Зачем быть внимательными и любезными? Зачем улыбаться? Они не боятся потерять работу – гостиницы тут на каждом шагу. Попросят из этой, пойдут в другую. Ты заметила, какое пренебрежение написано на его скорбном лице?

– Нет. А надо было?

Илья махнул рукой и не ответил. Вышли на улицу под моросящий дождь. Илья поежился, поднял воротник куртки, посмотрел на серое, без малейшего просвета и надежды небо.

– Ну, рванули?

Кое-как справившись с зонтиком, Ника поспешила за ним, догнала:

– Иди сюда, под зонт!

Он раздраженно отмахнулся, и Ника почувствовала себя виноватой.

На улице было пустынно. Редкие туристы, в основном японцы, в одинаковых желтых прорезиненных плащах и таких же смешных шляпках-панамках, нацепив на камеры и телефоны целлофановые пакеты или чехлы, с серьезными лицами продолжали снимать достопримечательности.

Каналы были пусты – по-видимому, у гондольеров из-за паршивой погоды был выходной.

Город чудный, чресполосный - Суша, море по клочкам, – Безлошадный, бесколесный, Город – рознь всем городам! Пешеходу для прогулки Сотню мостиков сочтешь; Переулки, закоулки, – В их мытарствах пропадешь![1] –

вспомнила Ника и улыбнулась.

Да и магазины тоже были закрыты – светились лишь некоторые, в витринах которых переливались под яркой электрической подсветкой изделия из муранского стекла, главного бренда Венеции.

Илья шел размашисто и быстро, втянув голову в плечи. Шел отстраненно, словно Ники и не было рядом.

Заглянули в небольшой ресторанчик. Обрадованный хозяин бросился им навстречу. Еще бы – в зале они были од-

[1] *П. А. Вяземский.* Венеция.

ни. Было тепло, свет не включали. На темных панелях висели картинки с видами города – бесконечные гондолы, гондольеры с шестами в нарядных костюмах, Гранд-канал, мост Вздохов, площадь Сан-Марко, Дворец дожей, мост Риальто, церковь Санта-Мария-делла-Салюте – все то, что Ника тысячу раз видела на фотографиях и картинках, в журналах и на репродукциях. В музеях и в снах.

Они сели за столик.

«Все хорошо, – подумала Ника. – Я здесь. Вернее, мы здесь! Вдвоем. И впереди целых пять дней. Просто куксимся из-за погоды. Приехали из слякотной противной московской зимы в зиму другую – сырую, дождливую, влажную. Но я тут, в этом волшебном, удивительном, необыкновенном городе. Сбылась мечта! Только почему так грустно и тоскливо? Наверное, я редкостная зануда и неблагодарная свинья».

Ника попыталась смахнуть тоску, но получилось плохо – печаль не отпускала, и она еле-еле, с большим трудом, сдерживала слезы.

Илья лениво, словно нехотя, изучал меню.

Хозяин стоял у стойки и нервно поглядывал на гостей.

Наконец Илья выбрал стейк по-флорентийски с печеным картофелем, сто пятьдесят коньяка и большую чашку эспрессо. А Нике почему-то есть расхотелось. Но, чтобы не раздражать Илью, заказала омлет, салат с помидорами и, конечно же, кофе. Хозяин обрадованно закивал и, приняв заказ, шустро побежал на кухню.

Они молчали. Опустив глаза, Илья нервно постукивал костяшками по столешнице. Это – Ника знала – означало крайнюю степень раздражения.

«Господи! Да я-то при чем? Нет, правда? Разве я виновата, что такая мерзкая погода? Что холодно и неуютно в номере? Что сотрудник за стойкой проявил к нам неуважение? Что Илье хочется только валяться в постели?» По щеке потекла слеза, и Ника, резко встав, отправилась в туалет. Увидит – будет еще хуже, непременно разразится скандал. Да и вообще она не права – да, виновата! А ведь он говорил, что зима в Венеции – полная гадость! Сыро и ветрено, дождливо и тоскливо. Одним словом – не сезон.

А Ника, кажется, впервые была так настойчива и спорила, не соглашалась: «Венеция – всегда Венеция, в любую погоду! Это моя мечта. Мечта всей, можно сказать, моей жизни. И мне наплевать на погоду! К тому же летом, – выдохнула она, – ты, как всегда, не сможешь. У тебя, как ты обычно говоришь, другие планы».

Крыть ему было нечем – все это была чистая правда. Лето Илья проводил с семьей. Ей доставались октябрь, ноябрь, март или апрель. Что ж, тоже неплохо.

Ника всхлипнула, посмотрела на себя в зеркало, умылась холодной водой и, надев на лицо улыбку, одернула свитер и пошла в зал.

Илья пил коньяк.

– Вкусно? – миролюбиво улыбнулась Ника.

Илья кивнул. Еду принесли быстро, и по зальчику поплыл вкусный аромат свежежареного мяса.

Положив в рот первый кусок, Илья застонал от удовольствия.

– Бо-же-ствен-но! – пропел он. – Это просто божественно! Тает во рту, легче мороженого!

– Ну и отлично! – с облегчением выдохнула Ника и подумала: «Да он был просто голодный! А голодный мужик, знаете ли, совсем не подарок».

Насытившись и выпив, Илья пришел в благостное настроение:

– Ну, малыш, теперь баиньки?

Ника покачала головой:

– Я – нет. А ты как хочешь.

И снова почувствовала его раздражение.

Илья развел руками: дескать, хозяин барин. Но на его лице была гримаса недовольства. Молча вышли на улицу. Ника раскрыла зонт и замерла в растерянности. Погода и вправду была отвратительной, хуже и не придумаешь. Илья с ехидцей поинтересовался:

– Ну что? Не передумала?

Честно говоря, ей тут же захотелось в номер, под одеяло, покрепче прижаться к нему, блаженно закрыть глаза и слушать, как мелко барабанит дождь по стеклу, и, постепенно согреваясь, провалиться наконец в сладкий глубокий сон.

– Нет, не передумала, – твердо ответила она. – Валяться в номере, когда за окном Венеция? – И с плохо скрываемой обидой уточнила: – Ну что? До встречи?

Он молча кивнул с равнодушным видом и огляделся.

– Господи, ну что тебе так нравится? Посмотри вокруг: эта твоя дорогая Венеция – просто старая и облезлая кокотка, изо всех сил прикрывающая морщины и дряхлость. Что тебя так восхищает, убей, не пойму! Здесь все пахнет затхлостью и плесенью. Нет, если еще все это подсветить, может, и ничего. А так – извини. Шляться по городу под дождем и умиляться и восторгаться? – Не прощаясь, он развернулся и быстро пошел к гостинице.

Глядя ему вслед, Ника было заплакала, но взяла себя в руки и, отогнав обиду и грустные мысли, стряхнула зонт, огляделась и бодро направилась вперед.

Она вышла с узкой, казалось бы, совсем незначительной улочки – хотя уже поняла: здесь они все узенькие и очень значительные – и вдруг, как по мановению волшебной палочки, оказалась на площади Святого Марка. Это было как в сказке, когда открывается потертая крышка старой шкатулки и ты, немножко робея, вместе с чудом все же ждешь подвоха. Робеешь и предвкушаешь. И еще – очень надеешься. И перед тобой открывается нечто такое, что на пару минут ты просто перестаешь дышать. Да что там – ты в оторопи, ты в недоумении: так бывает? Нет, ты сто раз все это видела на картинах, но сейчас... Сейчас ты стоишь здесь, на этих светлых камнях, выложенных аккуратной елочкой, и пытаешься осознать, что все это, между прочим, тринадцатый век. Ты стоишь под этими арками-сводами, а перед тобой – чудо. Обыкновенное чудо. Ника не чувствовала, как по щекам катятся слезы, смешанные с дождем. Сколько времени она так простояла? Какая разница? Вернул ее к действительности чей-то крик, и, вздрогнув от неожиданности, она немного пришла в себя.

Площадь была почти пустой – голубей, неотъемлемой части пейзажа, не было вовсе: не только люди, но и птицы попрятались от дождя. «Увидеть Венецию и умереть!» – перефразировала она слова классика. И правда, красивее этого города Ника ничего не видела. Высоко задирая голову, Ника шла по площади, разглядывая барельефы, фрески и мозаику, колонны святого Марка и Теодора, часовую башню, здания Старой и Новой прокурации, библиотеку, и вышла на пьяцетту – небольшую площадку у канала, предваряющую большую пьяццу. Ника постояла у воды, зеленой и мутноватой, вглядываясь в укрытую дымкой тумана базилику Санта-Мария-делла-Салюте.

Золотая голубятня у воды,
Ласковой и млеюще-зеленой
Заметает ветерок соленый
Черных лодок узкие следы.
<...>
Как на древнем, выцветшем холсте,
Стынет небо тускло-голубое,
Но не тесно в этой тесноте
И не душно с сырости и зное[1].

Пару минут раздумывала, не окликнуть ли ей гондольера, но было так сыро и ветрено, что она не решилась.

Холодный ветер от лагуны.
Гондол безмолвные гроба.
Я в эту ночь – больной и юный –
Простерт у львиного столба[2].

У воды она окончательно продрогла и вернулась на площадь. Дождь усилился. Ника спряталась в галерее, под сводами у кафе «Флориан», не решаясь туда войти. Нет, испугали ее не цены, хотя были они, конечно, заоблачными. Но это

---

[1] *А. Ахматова.* Венеция.

[2] *А. Блок.* «Холодный ветер от лагуны...»

нормально. Еще бы, посетители там бывали такие, что нечему удивляться: Гёте, Байрон, Казанова, Руссо, Хемингуэй, Модильяни, Стравинский и Бродский. Да и само кафе – место историческое. Его открыли в 1720 году, и оно стало первым местом, где могли собираться и женщины. Бальзак писал – она помнила почти дословно: «Флориан был и биржей, и театральным фойе, и читальным залом, и исповедальней, коммерсанты обсуждали в нем сделки, адвокаты вели дела своих клиентов, некоторые проводили в нем целый день, и театралы забегали в кафе в антрактах представлений, даваемых в расположенном неподалеку театре «Ла Фениче». Она стояла, вспоминая строки Бродского: «Площадь пустынна, набережная безлюдна...»

Все так. Сквозь пелену мелкой мороси Ника смотрела на площадь Сан-Марко, пока не почувствовала, что промокли ноги.

Конечно, промокли – а все желание пофорсить. Надо было надеть резиновые сапоги или боты, а она, дурочка, нацепила сапожки из тонкой кожи – стиляга. Ника быстро пошла к гостинице, но заплутала – бесконечные, узкие, похожие друг на друга улочки словно смеялись над ней и водили по кругу. Вымотавшись окончательно, она набрела на небольшое кафе, зашла, села у окна, заказала чай и каштановый торт – что это, интересно? Тут же под столом скинула мокрые сапожки, но все равно никак не могла согреться. «Не дай бог заболею, – повторяла она, – вот это будет номер! Вот тогда-то и получу от Ильи по полной программе – что-что, а ерничать и подкалывать он умеет».

Водки в кафе не оказалось, и Ника заказала сто граммов коньяка. Залпом, как водку, выпила его, перехватив удивленный взгляд бармена, который спешно принес ей чай с куском торта. Коричневый торт был влажным, пропитанным чем-то чуть горьковатым и немного похожим на шоколадную коврижку, которую в далеком детстве часто пекла мама.

Выпив чаю, она наконец согрелась. Коньяк немного ударил в голову, и стало легко и свободно.

Где-то запели колокола.

Ника смотрела в окно и вспоминала:

Колоколов средневековый
Певучий зов, печаль времен,
И счастье жизни, вечно новой
И о былом счастливый сон[1].

«Все это глупость, – подумалось ей. – Моя бабская глупость. Не послушалась и поперлась в такую погоду! А Илья – разумный человек. Ну кто сегодня пойдет шляться по городу? Только умалишенные, верно. И злюсь я на себя, потому что сама виновата. И я еще обижаюсь. Все, домой, в номер. Быстро в душ, и к нему под бочок. Под самый любимый на свете бочок – и больше мне ничего не надо. Только бы не заболеть, господи! – повторяла она. – И только бы не заблудиться!»

Заблудилась, конечно. Снова ходила кругами и проклинала себя.

Норов, видите ли, проявила! Столько лет сидела тише мыши и не спорила. И вдруг на тебе! И кстати, почему? Не понимала сама. Уф, наконец родная гостиница! Нашла, слава богу.

Чернокожий красавец у стойки поднял на нее удивленные глаза: сумасшедшая русская! Прогулка в такую погоду! Смущенно, словно оправдываясь, Ника жалко улыбнулась и бросилась к лифту. Невыносимо хотелось под горячий душ и в постель.

Илья лежал на кровати и смотрел телевизор. На экране довольно облезлый старый лев вяло терзал антилопу.

Ника вздрогнула и поежилась: «Господи, ну как на это можно смотреть?» Нет, все-таки мужики странный народ. Странный и кровожадный».

Илья повернул голову и, оглядев ее с головы до ног, ухмыльнулся:

– Ну что, нагулялась? И как оно там? – кивнул на окно, по которому струились струйки дождя.

– Хорошо, – слишком бодро ответила Ника. – Все равно хорошо! Венеция, знаешь ли, прекрасна при любой погоде!

---

[1] *И. Бунин.* «Колоколов средневековый...»

– Ну да, – усмехнулся Илья. – Даже в раю бывают дождливые дни, как же, помню!

Она скинула мокрые сапоги, куртку, влажный свитер и брюки.

– Ну а как ты? Чем занимался?

Блаженно улыбаясь, Илья сладко зевнул и потянулся:

– Я? Да у меня все отлично! Часик поспал, потом заказал кофе. Потом принял душ, и вот – лежу и балдею!

Ника бросила короткий взгляд на экран: теперь антилопу терзала уже целая семья, мама-львица и пара «младенцев».

– Ага, балдеешь. Понятно, есть отчего.

Побежала в душ, встала под горячую струю и замерла от счастья – господи, и чего выпендривалась? Здесь же так хорошо!

Заказала чаю с мятой, выпила и уснула. Сквозь сон слышала, что любимый по-прежнему смотрит телевизор. Правда, звук поубавил – ну и на этом спасибо.

Проснулась, когда за окном было темно.

Илья уже спал.

Ника потянулась к нему, осторожно прижалась лицом к его плечу, не решаясь прильнуть всем телом. Он чуть скривился, дернулся, как от щекотки, и перевернулся на другой бок. Ника тяжело вздохнула, легла на спину и стала смотреть в потолок.

Ну почему так грустно? Почему? Человеком Ника была ровным, без рефлексий. Переменами настроения не страдала. Ну и вообще считалось, что у нее прекрасный характер. Что это с ней? Да, погода сущее барахло. Да, она была не права. Но все равно за окном Венеция и они вместе, только вдвоем! Илюшка, родной и любимый, рядом – ну что еще надо?

Спать, спать. А что еще делать?

Проснулась она в следующий раз, оттого что услышала тихий, приглушенный разговор – его голос доносился из ванной. Осторожно, боясь, что заскрипит старый рассохшийся пол, подошла к двери – всего-то полтора шага. И замерла, превратившись в сплошное ухо.

Да, нехорошо. Да просто отвратительно, что уж тут! Ее воспитывали совсем иначе: Ника никогда не залезала к нему в телефон, не заглядывала в его ежедневник. Никогда, честное слово! Никогда не интересовалась подробностями его семейной жизни. Нет, кое-что, разумеется, знала: женат он пятнадцать лет, на одногруппнице, первая любовь. Через два года после свадьбы у них родился сын, через четыре родители построили им кооператив. Ну а дальше – гарнитур, автомобиль. Одним словом, семья. Жили по-разному, в том числе и материально, бывали и тяжелые времена.

Но он сумел сделать карьеру, создал на паях консалтинговую компанию, раскрутился и стал обеспеченным человеком. Все сам, все один, без чьей-либо помощи. Жить стало веселее – появились деньги.

Про его жену знала только, что ее зовут Татьяной. Про сына чуть больше – мальчик Ваня, лентяй и обалдуй. Нормально, сейчас они все такие. Да, есть еще теща, Виолетта Леопольдовна. Как имечко, а? Леопольдовна занимается отпрыском, кажется, больше, чем мама. Мама типа работает – впечатление именно такое, именно типа. Три раза в неделю эта Татьяна в юридической компании товарища своего мужа консультирует граждан по вопросам разводов. И, скорее всего, особо не утруждается. Но это не наше дело, как говорится. Хотелось бы Нике одним глазком взглянуть на эту Таню, законную, так сказать? На этот вопрос ответить сложно. И да, и нет. Да, потому что любопытно. Нет, потому что страшновато. А вдруг этот юрисконсульт окажется писаной красавицей, а значит, шансов на то, что он в один прекрасный день с ней разведется, совсем нет?

Говорил он тихо, и слышно было отвратительно. Но вдруг повысил голос:

– Поезжай с бабушкой! Поезжай с бабушкой, я тебе сказал! Свинья ты, Иван! Мать неделю в больнице, а ты...

Ника отпрянула от двери. Выходит, его жена неделю в больнице, а он уехал с любовницей развлекаться, шляться по ресторанам, любоваться красотами, валяться в постели.

Сердце часто забилось, и она, как учила мама, сделала три

глубоких вдоха и выдоха. И немедленно юркнула в постель – спит она, спит, не просыпалась.

Илья еще долго не выходил из ванной, и Ника почувствовала запах табака и очень удивилась: курить Илья бросил пару лет назад и теперь хватался за сигарету крайне редко, при очень сильном волнении.

Вышел, не глянув на нее, подошел к окну, стоял долго, минут десять, и наконец обернулся.

Ника потянулась, делая вид, что просыпается.

Открыла глаза и улыбнулась:

– Привет.

Дуться и обострять ситуацию не хотелось – ему и так сейчас невесело.

Илья молчал, внимательно разглядывая ее, напряженно о чем-то думая.

Или ей показалось?

Наконец спросил:

– Ну что, выспалась? Может, закажем ужин? Очень хочется есть.

Ника обрадованно закивала и стала внимательно изучать меню.

Салат капрезе, прошутто, чиабатта и бутылка красного вина.

Легко и изысканно.

Перекусили, и Илья, молчаливый и раздраженный, опять включил телевизор.

Ника уютно пристроилась у него на плече. Он чуть приобнял ее, но она видела, чувствовала, что он не здесь, далеко. Что же, все понятно, если дома такие дела. Но почему он уехал с ней в Венецию, а не остался в Москве?

Так и уснул, «безо всяких там домогательств», как грустно пошутила про себя Ника. Ей не спалось. Понятное дело – выспалась. И снова крутила все в голове – Илья не остался с больной женой. Уехал с любовницей. Сволочь? Ну, наверное, да. Впрочем, может, с женой не так все и страшно. Хотя вряд ли ложатся в больницу по пустякам.

Илья так любит ее? Так любит, что поехал с ней, а не остался, несмотря на проблемы, дома? Так любит и так дорожит, что боится ее огорчить, зная, как долго Ника мечтала об этой поездке? Нет, вряд ли – она хорошо его знает. Вряд ли он так боялся ее расстроить.

Ведь отменялись же несколько раз поездки и рушились планы, когда были сложности на работе? Выходит, эта законная просто его мало волнует и ему на нее наплевать? Но он же живет с ней, не уходит! И все-таки она его жена, мать его сына. И человек в беде, в больнице. А он – здесь. С ней. С любовницей.

«Да какое мне до всего этого дело? – Ника попыталась уговорить себя саму. – Какое мне дело до этой Татьяны-юрисконсульта, этого мальчика Вани и этой, по всей видимости, совсем непростой Виолетты Леопольдовны? Я и они – две параллельные жизни, параллельные и не пересекающиеся! Конечно, мне его жалко. Настроение у него хуже некуда. Из-за болезни жены или из-за черствости сына? Ладно, проехали, – продолжала себя уговаривать она. – Это не мое дело. Я здесь, в Венеции! И Илья рядом со мной. Со мной, а не с ней, между прочим. И нечего думать о чужих людях».

Но почему она не ликует по этому поводу? И почему же ей стало еще тоскливее, еще муторнее? Почему на сердце так скребутся противные кошки?

Дождь моросил всю ночь без остановки. В пять утра она все же уснула. Проснулась от шума воды – Илья был в ванной.

Подскочила к окну: да, снова дождь. Свинцовое небо затянуто плотно, без щелочки просвета. Впрочем, по прогнозу было именно так. А Ника так надеялась, что метеорологи, как всегда, ошибутся!

Илья вышел из душа и улыбнулся. Слава богу!

– Ну что, детка, как настроение? Планы такие – плотный завтрак, много черного сладкого кофе. Десерт, если желаете. Ну а дальше, милая, в номер. Увы! Кстати, ты, детка, не разболелась?

– Как видишь, цела. Я пойду гулять. Не могу сидеть здесь, в номере! Когда за окном...

– Ясно, – перебил ее он. – Бунт на корабле продолжает-

ся. У тебя, случаем, не ПМС? Ну что ж, твой выбор! – И усмехнулся: – Мы свободные люди!

– Я – точно! – не удержалась Ника.

Илья, кажется, разозлился. «Ну и черт с тобой, – подумала Ника. – Целый день в номере – ну уж нет, извините! Смотреть «Планету животных», эти кровавые страсти? Правильно сказала – я свободный человек. В отличие, кстати, от него самого!»

Ника быстро оделась, подкрасилась и у двери обернулась:

– Не волнуйся, я перекушу по дороге!

– А я и не волнуюсь, – не поворачивая головы, равнодушно ответил Илья и повторил: – Хозяин барин.

Ника зашла в обувной магазин – благо, совсем рядом, за углом, – и купила резиновые сапоги ярко-красного цвета, с золотистой шпорой на пятке. Там же – зеленый дождевик, других, увы, не было.

Глянула на себя в зеркало: ну чисто попугай! «Ну что ж, теперь вперед! – сказала она себе и бодро шагнула на улицу, повторяя: – Теперь не страшны нам ни буря, ни ветер!» Только бы не заплакать. Правда, слез ее никто бы и не заметил – дождь лил беспрестанно, и капли воды попадали на лицо. Прохожих почти не было, да и кому до нее дело – бредет какая-то сумасшедшая в красных сапогах с золотой шпорой и в ярко-зеленом плаще.

«Нет, все понятно, – снова размышляла Ника. – Настроение у него отвратное. Жена в больнице, сынок, как всегда, чудит. Ну и вдобавок погодка нашептывает. И тут я со своими обидками и выпендрежем. К чему он, надо сказать, не привык. Я ведь всегда была для него отдушиной, утешительницей, тихой радостью, как он говорил. И раньше казалось, что моя тактика – единственно правильная: там – скандалы, здесь – благостная тишина. Там – попреки и претензии, здесь – восхищение и благодарность. Там – бесконечные требования, в том числе – и материальные. А здесь... Здесь – ничего! Ни разу, за все долгие восемь лет, я не намекнула ему о своих проблемах! А они, разумеется, были. И разного, надо сказать, калибра. Но всегда справлялась сама».

Нет, жадным Илья не был – ни-ни! На духи, билеты в театр, совместные поездки, какую-то недорогую ювелирку денег никогда не жалел. Но ни разу не спросил, нужны ли ей деньги. Ни разу. Даже когда болела мама. А расходы там были ого-го. Ничего, взяла кредит. Справилась.

Наверное, хорошо, что не предлагал ей денег, – ее дурацкая щепетильность, их семейная щепетильность, возведенная в немыслимый ранг, все равно не позволила бы их принять. Да Ника бы сошла с ума, если бы пришлось взять у него деньги.

Подружки смеялись и считали ее полной дурой. Любовник? Да это его прямые функции и обязанности! Тем паче что Илья – человек, по нынешним временам, состоятельный.

Но было так, как было.

Обид на него у нее точно не было. На фоне «чудесного» настроения вспоминались и другие вещи, куда более важные.

После полутора лет их страстного романа Ника залетела. Терзалась, сказать ли Илье. Боялась его реакции. Подруги уговаривали ребенка оставить: «Тебе к тридцати, чего ждать? Увидишь, уйдет из семьи! Или не уйдет, но точно не бросит. Поможет ребенка поднять».

Мама... Мама все время плакала и увещевала дочь, что делать аборт в таком возрасте – преступление. В конце концов, их двое, уж как-нибудь вытянут! И ее мама растила одна – отец ушел, когда ей было полгода. Словом, не привыкать. Но после долгих раздумий аборт все же сделала. Почему? Да только себе Ника могла сказать правду – боялась. Боялась, что он уйдет, просто разозлится на ее самовольство и уйдет. Откажется от нее. Тогда у них был все еще затяжной конфетно-букетный период. Самый сладостный период познавания друг друга и чудесных открытий. И тут на тебе.

Да, боялась его потерять. Дура? Наверное.

Может, тогда бы все изменилось и поменялось. Илья очень был влюблен, очень. Срывался с работы среди бела дня, чтобы только ее повидать, – пусть на полчаса, на десять минут. Ждал ее после работы, чтобы просто отвезти домой.

Потом они долго стояли в подъезде и, как глупые подростки, никак не могли расстаться.

Переписывались по ночам: «Ты как? Спишь? А я уснуть не могу, скучаю».

Ника захлебывалась от счастья – дождалась! А уже ведь почти не верилось! Нет, романчики были, конечно. Но все полная чушь: сопливые, инфантильные мальчики-ровесники, маменькины сынки с потными и липкими ладонями и мокрыми губами. Все не то, не то, это было понятно. Почти смирилась. Ну не всем выпадает истинная любовь! А если это случается, то только раз в жизни. Вот мама, ее чудесная, замечательная мама. После ухода отца – ни одной попытки устроить свою судьбу. Почему? Да сама не хотела! Кавалеров, кстати, было хоть отбавляй в любом пансионате, в экскурсионных поездках – они с Никой изъездили всю Россию плюс Кавказ и Прибалтику, на впечатления денег не жалели. Мама говорила, что лучше сэкономить на тряпках и на еде, чем на впечатлениях и путешествиях. Умница мама. Так вот, мужики на маму слетались, как пчелы на мед. И неудивительно – она была красавицей. Зеленоглазая брюнетка, сохранившая фигуру и стройные ноги. Мама кокетничала, флиртовала, посмеивалась над ухажерами, но чтоб завести роман? Подросшая дочь искренне удивлялась: «Мам, почему? Ну чем плох, скажем, этот? А тот? Ведь вполне приличные дядьки!» А Олег Константинович, мамин начальник? Уж он увивался лет десять, не меньше! Высокий, седовласый красавец, к тому же умница, интеллигент. Правда, женатый.

Мама отрезала: «С семейным не свяжусь никогда, это табу. Как вспомню, что пережила после ухода отца! Нет, никогда. Кем бы он ни был». У мамы были моральные принципы. А у Ники, выходит, что нет. Однажды обмолвилась: «Твоего отца я любила так, как больше никогда не случится. А зачем мне другое? Нет, не хочу». Глупо, конечно. Ладно, замуж не надо – Ника и сама этого не хотела по причине подросткового эгоизма. Чужой мужик придет в их с мамой дом? Конечно бы, не возразила и не препятствовала, но, если честно, то не дай бог.

Но ведь необязательно жить вместе. Чем плохо просто иметь близкого человека – защитника, друга, поддержку. Но мамин максимализм, щепетильность и интеллигентность зашкаливали.

Осуждала ли мама ее? Наверное. Впрочем, не сказала ни слова. Такт и мудрость – в этом была вся мама. Как она плакала после Никиного возвращения из больницы! Но ничего не сказала, видела, как плохо дочке. И все, на этом тема закрылась.

Спустя лет пять, к чему – Ника уже и не вспомнит – у мамы вырвалось:

– Ах, как бы было хорошо нам втроем! Представляешь, если девочка, внучечка?

– Три девицы под окном, – усмехнулась дочь. – Ага, весело, аж жуть.

Но поняла: мама мечтает о внучке. Но больше шанса не представилось. Ни разу – как отрезало. Пару лет Ника предохранялась, а потом перестала, но ничего не получалось – скорее всего, причина была в неудачном аборте.

Ну и смирилась. О ребенке старалась не думать – не всем же дано. Значит, у нее такая судьба.

Илья так и не узнал о том аборте. «Не хочешь омрачать его существование и тревожить и так нечистую совесть? – усмехнулась подруга. – Боишься напрячь? Господи, какая же ты идиотка! Когда ты усвоишь: чем больше мужик за бабу переживает, чем больше в нее вкладывает всего – понимаешь? – нервов, денег, физических и душевных сил, тем дороже она ему становится. Почему не уходят от постылых и нелюбимых жен? А потому, что вложено много времени, сил, здоровья. Ну и бабок, конечно! Вот и выходит, что бросить жалко. Такие затраты! А ты? Идиотка».

Все так, подруга права. Но что тут поделаешь? У нее было так, а не иначе.

Но иногда думала: «А если бы? Если бы тогда решилась и оставила? Может, и вправду жизнь бы сложилась иначе и Илья все же ушел бы из семьи. Ведь он и вправду тогда был страстно влюблен и говорил, не мыслит без меня жизни».

Кто знает, что бы было – человеческая судьба, как и история, не терпит сослагательного наклонения. Жалела ли Ника об аборте? Жалела. Только сама не решалась себе в этом признаться. А если бы они расстались тогда? Вот этого она бы точно не пережила.

Ну, значит, все правильно.

«Что меня так понесло? – недоумевала она. – Ведь я все понимаю. И даже пытаюсь, как всегда, его оправдать.

Откуда столько слез, господи? Так и рыдаю вместе с дождем». Слезы лились сами собой, а ведь она не из плаксивых. А тут обиды накатывали, как снежный ком. Все ему припомнила, все! А ведь раньше почти не обижалась – сама выбрала такую судьбу, на кого обижаться? Все понимала. Ну или старалась понять. А сейчас? Сейчас вдруг совершенно неожиданно для нее самой он, ее дорогой, ненаглядный, неповторимый Илюша, предстал обычным, скучноватым и капризным, не очень честным, хитроватым – словом, обычным гулящим мужиком! Да что там – вруном. Как он мог уехать в такое время, как мог оставить жену? А может, Ника его разлюбила?

Ника шла по узеньким улицам, слизывая бесконечные соленые, перемешанные с дождем слезы, и жалела себя.

Дождь то усиливался, пугая отдаленными раскатами грома, то утихал, словно посмеивался: сколько ты еще выдержишь? Улицы были по-прежнему пустынными. Выходило, что дураков, кроме этой странной, заплаканной, бредущей наугад женщины в дурацких красных сапогах с золоченой шпорой и нет. Правда, иногда попадались японцы, неутомимые, жадные до впечатлений. Вот этих точно ничего не страшит. Они смешно жались друг к другу, как мокрые воробьи, и щебетали на своем птичьем языке. Наивные и немного смешные, упорные и любознательные, главные путешественники планеты Земля.

Зашла в кафе согреться. Кофе, круассан – здесь он назывался «бриошь».

Было вкусно, тепло и тихо. Разморило, и Ника старалась изо всех сил справиться с внезапно навалившейся усталостью и желанием закрыть глаза – хоть клади голову на стол и спи. Вернуться в отель? Ну вот еще. Показать ему, что он прав? Нет, без боя не сдастся! Ника быстро расплатилась и выскочила на улицу – прохлада и сырость ее непременно взбодрят!

Зашла в магазинчик стекла. Ну какая же красота невозможная, эти изделия из знаменитого стекла! Но и цены, правда, кусаются. Влюбилась в синюю муранскую черепаху в золотистых, розовых, голубых и зеленых разводах.

За ней внимательно и серьезно наблюдал продавец, синеглазый, жгучий брюнет, высокий и красивый, как бог, ну просто готовая модель для любого подиума! Нет, правда – не оторваться! И что, интересно, он делает в этой лавке? Увидев, что Ника любуется черепахой, улыбнулся:

– Я вижу, вам понравилась тартаруга? Красавица, верно? И знаете, синьора, – он ослепительно улыбнулся, – блу тартаруга приносит счастье. Кстати, она мастерица на неожиданные сюрпризы!

Ника усмехнулась: «Конечно! Сейчас ты, милый, мне такого наплетешь, что с собой не унесу. Я девочка взрослая, в сказки не верю, прости. Но смешно: тартаруга! Так мы тебя и назовем, дорогая!» Вертела так и сяк и не выдержала, разорилась и купила. Девяносто евро! Кошмар. Но знала – мама не осудит. «Какая красота! – воскликнет она. – И правильно сделала! Шмотки сносятся, а это останется на века. Будет стоять и радовать. И память к тому же».

И они действительно радовали, все эти немыслимой красоты египетские верблюды из пахучей кожи, деревянные таиландские слоны с крошечными бивнями из натуральной слоновой кости, милые голубоватые фигурки знаменитой фирмы Lladro из Испании, тоже купленные, кстати, за безумные деньги, серебряные статуэтки скрипачей из Иерусалима, сувенирный кальян из Стамбула и прочая чепуха, привезенная и купленная на сэкономленное на кафешках, рынках и магазинах тряпья?

Только кому будет нужна эта память после того, когда их с мамой не станет? Родственников у них, считай, нет: какие-то троюродные сестры в Череповце, да и виделись они пару раз в жизни.

«Завещаешь знакомым, – грустно шутила мама. – Ну или просто кому-то отдашь».

Но пока-то мы есть! И сине-золотая черепаха встанет на сувенирную полку рядом с верблюдом и скрипачом! И они с мамой еще долго будут любоваться всей этой ерундой. «И все-таки, – вздохнула она, – немыслимая расточительность, да. Лучше бы купила... – Ника задумалась. – Что, кстати? Нет, все правильно, прочь сомненья!» И, улыбнувшись, упрятала свою тартаругу на самое дно сумки – не дай бог что-то отколется. Настроение, надо сказать, немного улучшилось. Подойдя к кондитерской, потянула носом: ах, какие запахи! Одуреть! Корица с яблоками, горячее тесто и, кажется, ром! Прошла было мимо, но тут же вернулась. И черт с ними, с лишними килограммами! Удовольствия превыше всего! В конце концов, она в отпуске! У витрины стояла долго – раздумывала. Решиться было и вправду сложно – выбор огромный, да и красота немыслимая: свежая малина на подушке из нежных сливок, залитые прозрачным желе синие сливы, золотистые персики, полукругом уложенные на песочное тесто. И орешки в глазури с шоколадной крошкой, и просто круассаны с чем угодно. Выбирай!

Наконец выбрала: два с малиной, два с земляничным желе, ром-баба и круассан с шоколадом. И тут же заторопилась в отель. Сластеной Илья был известным, значит, обрадуется! Ну и окончательное перемирие и ее полная капитуляция, два в одном, так сказать.

В отеле равнодушного негра за стойкой сменила девушка с татуировкой на щеке: голова льва, символа Венеции. «Однако, – усмехнулась Ника, – вот это патриотизм налицо. Точнее, на лице!» Там же, на стойке, попросила два кофе в номер. Девушка кивнула, не переставая жевать жвачку.

Не дожидаясь лифта, Ника легко вбежала на третий этаж.

Илья по-прежнему лежал в кровати и листал журнал.

Увидев ее, нахмурился:

– Нагулялась?

Ника улыбнулась, радостно кивнула, сбросила куртку и сапоги и протянула коробку с пирожными:

– Смотри, какая прелесть! А сейчас будет кофе! Ну вставай, поднимайся, лентяй! Сейчас будет пир!

Помолчав с минуту, словно раздумывая, стоит ли продолжать обижаться, он усмехнулся:

– Ну пир, значит, пир.

Принесли кофе, и Ника ловко накрыла на стол.

Сидели молча. Илья не делился впечатлениями, не причмокивал, не закатывал в восторге глаза и не хвалил ее за сюрприз. «Сдержанность – хорошее качество для мужчины, – усмехнулась про себя Ника. – Ну и черт с тобой». А после кофе решила похвастаться – вытащила свою тартаругу и с улыбкой протянула ему:

– Ну? Как тебе? Хороша? Не смогла удержаться. Правильно сделала?

– Наверное. Ты же знаешь, в этих вопросах я не силен.

Нике почему-то стало обидно. Почувствовала, как снова закипают слезы. Ну разве сложно было порадоваться вместе с ней? Но волю слезам не дала – резко встала и стала убирать со стола. Выходит, что крепко его задела, когда ушла одна гулять по дождливому городу. «Ну и черт с тобой, – подумала Ника. – У тебя свои обиды, у меня свои. Грустно одно: опять у нас с тобой что-то не получается».

Когда вернулась из душа, Илья лежал в кровати и смотрел телевизор. Тихо вздохнув, сняла халат и легла рядом. Они лежали на расстоянии десяти сантиметров друг от друга, и между ними была трещина, проем, ущелье глубиной в двести метров – не перескочить, не переехать. Ника отвернулась и закрыла глаза. Спустя пару минут Илья выключил телевизор, погасил ночник и заворочался, укладываясь поудобнее.

Ника почувствовала, как напряглось ее тело – спина, плечи, руки и ноги. От напряжения она немного дрожала. Но вдруг Илья осторожно, всем телом, прижался к ней, и, вздрогнув от неожиданности, Ника чуть расслабилась и постепенно оттаяла, размякла, растеклась, словно подтаявшее мороженое, но повернуться и встретиться с ним взглядом боялась. Боялась обнаружить свою радость и счастье.

Он крепко прижал ее к себе, и все вернулось на круги своя.

Нику затопило нежностью, накрыло горячей волной счастья и абсолютной, необсуждаемой любви. Повернувшись к Илье, она обняла его за шею.

Прошептать: «Любимый мой. Самый лучший. Единственный. Только ты! Прости меня, а? Ну что-то меня понесло... Бывает, правда?» Ника почти собралась с духом, как в ту же минуту завибрировал и запищал телефон.

Он дернулся:

– Черт! Как всегда вовремя!

Но звонок не проигнорировал и, глянув на экран, где высветилось имя звонящего, вскочил с кровати и бросился в ванную.

Ника откинулась на подушку и закрыла глаза. В эту секунду почувствовала себя опустошенной и обессиленной, такой усталой, будто разгрузила пару вагонов, и еще чудовищно, безвозвратно разочарованной.

«И так будет всегда, – подумалось ей. – Всегда, пока мы будем с ним вместе».

В ванной Илья перешел на громкий крик – не услышать его было невозможно. Было понятно – кричит на сына.

– Да разве так можно? Мать вторую неделю в больнице, а ты ни разу не выбрался к ней! Дел у тебя много? Как же, дела у тебя важные, не сомневаюсь! Какие, не перечислишь? А, уроки! Ну ты эти сказки оставь для бабушки! Замолчи, слышишь! И оправдания твои мне не нужны! Сегодня же, понял! С бабушкой или без! Но чтобы сегодня!

Минуту было тихо, видимо, мальчик Ваня пытался оправдываться.

Ника положила на голову подушку – слушать это было невыносимо.

Спустя пару минут Илья вошел в комнату красный как рак, разъяренный.

– Спишь? – спросил он раздраженно.

– Тут, пожалуй, уснешь. – Ника отвернулась к стене.

– Извини, – скупо выдавил он, – семья, понимаешь ли...

Ника резко села на кровати.

– Понимаю, как не понять? Прости за то, что лезу не в свое дело, а что, собственно, с твоей женой? Серьезные проблемы?

Илья удивился ее вопросу, густо покраснел, плюхнулся в кресло.

– Да так, ерунда, обследование.

– Обследование, – кивнула Ника, – понимаю. А вот насчет ерунды... Знаешь, мне кажется, просто так, из-за ерунды, в больницу не ложатся, извини.

– За что? – удивился он.

– Что лезу не в свое дело, – повторила Ника. – Но ты мне выбора не оставил. Если только прикинуться глухонемой.

– Ты права. Это ты меня извини.

– Послушай, а разве нельзя было отложить эту поездку? Перенести? Чтобы ехать со спокойной душой, с уверенностью, что все хорошо? Когда не болит душа за близких?

– Хо-ро-шо? – по складам повторил он. – А ты вообще понимаешь, как у меня хорошо? На работе проблемы. Партнер, – он чертыхнулся, – партнер мой, милый Дима Орланский, которого я, если ты помнишь, вытащил из фантастического дерьма, кажется, что-то замыслил. И, как понимаешь, не подарок к моему дню рождения. Жена? Да, у нее проблемы, как ты изволила выразиться. Что-то нашли, что-то подозревают. Очень надеюсь, что все обойдется. Очень, – повторил он, встал и подошел к окну. – Сын... Да, сын... Тут тоже проблемы, увы. Учиться не хочет, школу прогуливает. Врет постоянно. – Он почти перешел на крик и повернулся к ней. – Врет, понимаешь? Все время врет, даже по пустякам! Там, где это вообще не имеет смысла! Зачем, не понимаю! Вот искренне не понимаю: зачем? И это бесит меня больше всего! Да, кстати! Еще и деньги таскает! Нет, ты прикинь, из бабкиного кошелька, из моего. Что остается? Метить купюры? А для чего? Чтобы сдать его ментам? Поставить на учет? И ведь сволочь такая, – Илья усмехнулся. – Никогда и ни в чем мы ему не отказывали, понимаешь? Никогда и ни в чем! Чего ему не хватало? Тряпья? Да навалом! Айфон? На, заинька! Седьмой надоел? Вот восьмой! А дальше будет девятый! Потерпи еще годик, малыш. Чего еще надо, не знаешь? Вот и для меня это большая загадка.

– Слушай, – сказала Ника дрогнувшим голосом, – ну ты же знаешь, так часто бывает. Перебесится, возраст такой! И все придет в норму, я тебя уверяю! Ну в кого ему быть... – Ника запнулась.

– Да ни в кого! – закричал Илья. – В самого себя, понимаешь? Сейчас они все такие – оторванные! Безбашенные, шибко смелые. И ни хрена не боятся – знают, гады, что их прикроют! Бабки дадут и прикроют – от армии откосят, в институт пропихнут. В конце концов, от ментов отмажут! Мажоры, блин! Сопляк! Четырнадцатый год, а наглости... Ты спросишь, кто виноват? А я тебе отвечу – мы, родители! Родаки, по их выражению! Пихали и в рот, и в жопу – нате вам, получите! Жалели, охали. Хотели дать всего и побольше – у нас же такого не было, правда? Так пусть будет у мальчика! А этот мальчик... – Он безнадежно махнул рукой и устало плюхнулся в кресло. – Бабке хамит, а она, между прочим, его больше всех балует и покрывает его делишки. В больницу к матери так и не съездил.

– А школа? – тихо спросила Ника. – Вы были в школе?

– Школа? – усмехнулся Илья. – Как же, были. Директриса знаешь что ответила? «Сейчас они все такие. Да не волнуйтесь вы так, кривая вывезет!» Кривая! Ты понимаешь, кривая! А для чего я пахал все эти годы, не скажете? Для чего все тогда: частные школы, педагоги эти, все удовольствия? А если не вывезет эта кривая? Туда, куда надо, не вывезет? Куда надо вывозит прямая, правда ведь? А кривая на то и кривая, чтобы вывезти криво, разве не так? По всем законам физики! К тому же жена, – от волнения он закашлял. – Депрессия у нее, понимаешь? От всех этих дел и подозрений... Ну, о нас с тобой. Ладно. – Он попытался выдавить из себя улыбку и хлопнул рукой по колену. – Что я тебя гружу, честное слово! Рассопливился, как полный мудак, извини. И так у нас с тобой в этот раз, – запнулся он, – как-то не очень, правда?

Ника подошла, обняла его за голову и крепко прижала к себе. Осторожно кивнула:

– Да, как-то не очень.

– Но я не мог отложить эту поездку. Ты так мечтала о ней, так долго ее ждала!

– Мало ли о чем я мечтала и чего долго ждала, – вздохнув, усмехнулась Ника. – Пережила бы и это.

И подумала: «Да не во мне дело, не надо рассказывать байки. А то я тебя не знаю. – Ты... Ты просто сбежал – от больной жены, от проблем! Не меня, себя пожалел. И все у тебя виноваты: партнер, сын, теща. Жена. Я, наконец». И возникшая было жалость тут же исчезла – как не было. Остались раздражение и злость. Да-да, именно злость. Кстати, совершенно несвойственное ей чувство.

– Извини, – повторил он, смущаясь своих неожиданных откровений. – Достал меня сын, вот я и сорвался. Не выдержал. Остапа понесло, извини.

Надо признать, что нытиком и жалобщиком Илья никогда не был. Стараясь сгладить неловкость, он притворно повеселел:

– А ужин? Глупо его игнорировать, правда?

Ужинать ей совсем не хотелось, аппетита как не было. Да и парочка пирожных сделали свое дело. «Зря я их съела, – подумалось ей. – Что-то подташнивает». И снова навалилась адская усталость, просто руки не поднять. И ко всему прочему разболелась голова. «Все-таки заболеваю, – печально констатировала она. – Нашлялась, Илья прав. Проявила самостоятельность. Взбрыкнула, покорная лошадка. Вечная терпеливица и жалельщица».

– Закажи еду в номер, – предложила Ника, – совсем не хочется выползать на улицу, Илюша. Извини.

– Нет, давай все-таки выберемся! – продолжал настаивать он. – Залежались мы с тобой, совсем раскисли. Ну под зонтом, малыш! К тому же, – он улыбнулся и кивнул на вешалку, – у тебя есть роскошный дождевик и сказочные резиновые сапоги! Ну что? Одеваемся, детка? И не страшны нам ни буря, ни ветер!

«Господи, – подумала Ника, – как же мы совпадаем! В голову приходит одно и то же. Единение душ, прости господи. Только зачем?» И все же настояла на своем:

– Нет, не пойду. Неохота, устала. И веселиться не хочется, и изображать елку в цирке. И делать вид, что все хорошо. Надоело. Да и на душе очень пакостно. И потом, я действительно себя отвратительно чувствую. – Легла, укуталась в одеяло и отвернулась.

Понимала, что он обиделся. Замолчал и больше не уговаривал. И ужин в номер заказывать не стал. Размолвка так размолвка, по полной. Чего мелочиться?

Лег с краю, отодвинувшись от нее на самую дальнюю, как только позволила двуспальная кровать, дистанцию. Включил телевизор – спасибо, что на тихий звук. Перед сном подумала: «Ноги крутит, руки ноют, как батогами избили, точно заболеваю. Кстати, а что такое батоги? Надо завтра спросить у Гугла».

За ночь ни разу не обнялись – небывалое дело. Такого, кажется, раньше не было. Даже когда ссорились, обижались друг на друга, дулись – никогда. Ночь их всегда мирила. Стоило только прикоснуться друг к другу. Это было не только непреодолимое желание и страсть – эта была потребность, необходимость ощутить близость самого родного и любимого человека.

«Ладно, – убеждала себя Ника, – я нездорова, он расстроен, все объяснимо, живые люди. Как-то все обойдется».

Проснулась рано, за окнами только-только расплывался сероватый и мрачный, смазанный, тусклый рассвет. Втянула носом, кашлянула – горло не саднит, нос не заложен. Кажется, все нормально, спасибо, господи, пронесло! И правда, тело не ломило, руки, ноги не ныли. Кажется, было хорошо – словом, ура! Настроение у нее улучшилось – теперь все будет нормально, с сегодняшнего дня. Упрямиться и обижаться она больше не станет. Ну и капризничать тоже. Ника подошла к окну, раздвинула тяжелые шторы, почти одновременно распахнулись гардины в окне напротив, и чья-то рука приоткрыла окно.

Следом показался нечеткий женский силуэт. Чуть наклонившись, женщина осторожно выглянула в окно.

Была она молода, скорее всего, ее ровесница – немногим за тридцать. На ней была слишком большая, свободная, белая, явно с чужого плеча, футболка. Голова острижена коротко, почти под ноль. И этот короткий стоячий ежик был ярко-синего цвета.

«Ничего себе, – усмехнулась Ника. – Вот тебе и немолодая, увешанная тусклым золотом дама с растрепавшейся за ночь прической, в тяжелом бархатном халате с кистями».

На минуту отвернувшись, женщина появилась вновь. Теперь уже с сигаретой. Облокотившись на подоконник, синеголовая увидела любопытную мадам в окне напротив и, улыбнувшись, приветливо ей махнула.

Нике стало страшно неловко, как будто ее застали за чем-то неприличным. Хотя это и было неприлично – подглядывать в чужое окно. И ведь не объяснишь свои фантазии! И не извинишься.

Ника выдавила из себя улыбку и неуверенно кивнула в ответ.

Но синеголовая уже на нее не смотрела – повернув голову, громко выговаривала что-то невидимому обитателю или обитательнице загадочной квартиры.

Она уже почти кричала, и было понятно, что она очень раздражена и недовольна. Бросив сигарету на улицу – ого, ну и нравы! – громко захлопнула окно и скрылась в квартире. Вращаясь, окурок медленно приземлился и, словно лодчонка, радостно подхватился, поспешил по мутно-зеленой воде канала.

Из квартиры напротив доносился громкий и явно немирный разговор.

«Все как у всех, – со вздохом подумала Ника. – Везде и на всех языках». Только собралась отойти от окна, как оно вновь распахнулось и появился молодой мужчина с обнаженным торсом. Надо сказать, что торс этот был ого-го! На крепких, мускулистых руках незнакомца синели и краснели густые витиеватые татуировки – дань нынешней моде.

Татуированный, поигрывая смуглыми, сильно накачанными бицепсами, почти вывалился из окна.

Ника стояла за занавеской, почему-то не в силах оторваться от обитателей квартиры. Свет зажегся, и она наконец увидела комнату, совсем небольшую, полукруглую. На гладко-белых стенах беспорядочно висели картины без рам – что-то современное, то, что Ника никогда не любила – холодное, бездушное, геометрическое. Кубы, квадраты, круги, кривые изломанные линии – безжизненная пустота. И не старайтесь выдать подобное за шедевр – Ника все равно не поверит.

С потолка свисала одинокая и безжалостно яркая лампочка-галлогенка. И никаких тебе венецианских люстр, никаких потертых тяжелых комодов. Никаких канделябров, бюро, оттоманок, потускневшего хрусталя и позеленевшей, покрытой патиной бронзы. Не было и немолодой, одинокой, разочаровавшейся в любви хозяйки.

Ничего этого не было – все это придумано ею. Никакой загадки – два молодых, явно хиппующих человека и унылая, неуютная, полупустая, холодная квартира.

Вот и получи, фантазерка.

Испытав нелегкое разочарование, Ника задернула шторы. Еще одно. Надо взрослеть, дорогая, возраст сказок прошел.

Закинув руки за голову, Илья смотрел на нее.

Ника смутилась, покраснела и рассеянно улыбнулась.

– Ну что, – спросил он, – подглядываешь? А ты вроде никогда не была любопытной.

– Да ну... – Ника смущенно махнула рукой. – Просто нафантазировала себе черт-те что. А все оказалось не так...

– Ну... – Илья широко и сладко зевнул. – Обычное дело, что тебя удивляет? Всё наши фантазии.

– Да, – согласилась она, – ты прав.

Кольнуло сердце, и вновь стало невыносимо грустно. И почему? А ведь они почти помирились...

А за окном монотонно лил докучливый дождь.

Сходили на завтрак, заглянули в парочку магазинов, купили какой-то копеечной ерунды вроде карнавальных масок и колокольчиков на подарки коллегам.

Снова зашли в кафе, выпили кофе с пирожными, о чем-то непринужденно болтали. Словом, изо всех сил делали вид, что у них все нормально, все по-прежнему. Но это было не так. Оба – а это было заметно – чувствовали: что-то изменилось в их отношениях.

Вечер был тихим, домашним, и они с удовольствием смотрели древний фильм с Гарри Купером под легкое белое винцо, закусывая его отменным прошутто и дивной полужидкой горгонзолой.

От вина и вкусной еды Нику сразу сморило, а Илья еще долго листал журнал и время от времени залезал в телефон. Ждал сообщений?

Среди ночи она проснулась и посмотрела на него: Илья спал неспокойно, постанывая, резко переворачиваясь с бока на бок, и на его лице была гримаса отчаяния, даже боли, словно эти перемещения доставляли ему страдания.

Она смотрела на него долго, внимательно, вглядываясь в такое знакомое и родное лицо, словно пытаясь что-то понять.

«Вот, – думала Ника, – рядом со мной лежит самый родной человек на свете. Самый любимый. Незаменимый, так мне всегда казалось. Я не могла и представить никого рядом, кроме него. За все эти восемь лет я не посмотрела ни на одного мужчину – мне они были просто неинтересны. Я скучала по нему ежедневно. Если мы не виделись несколько дней, мне казалось, что дни эти прожиты зря, потому что без него. Все эти восемь лет я замирала от восторга и счастья, когда он меня обнимал, когда я слышала его голос и улавливала его запах. Меня бросало в дрожь от его прикосновений. Мне нравилось в нем все. Я не замечала его недостатков. Точнее, не хотела их видеть, так мне было проще. Меня не мучила совесть, что мой любимый женат. Не мучила, правда! Потому, что я знала: главное – любовь. Важнее нет ничего. А у нас эта любовь точно была. А все остальное... Его семья, их с женой общий стол и общая постель, их ребенок – все это не главное. Ну есть и есть, так получилось. Там сплошное вранье, здесь все правда. Я никогда не старалась увести его от семьи, честное слово! Мне было достаточно того, что у меня есть. Я твердо была уверена: у меня есть то, чего нет у нее. Выходило, что я богаче. И счастливее. К тому же мне не врут и обнимают меня по желанию, а не по принуждению. Там сплошные обязанности и обязательства, здесь одни радости и абсолютное счастье. И никаких обязательств, вообще никаких! Так я думала все эти годы. Что же изменилось теперь, почему у меня появились сомнения? Или это только дурацкое настроение, неважное самочувствие и поломанная, не оправдавшая моих ожиданий поездка?»

Ника лежала без сна, уставившись в темный потолок, на котором бликовала вода, подсвеченная старым, ржавым фонарем.

Восемь лет назад она поставила крест на семье, детях, семейном уюте, общей квартире и общих делах. Да, дела у них были разные – у нее свои, у него свои. Общими у них были только их встречи. Восемь лет встреч, коротких и не очень. Нет, только коротких – ей всегда не хватало нежности, объятий, времени.

Подруги не оставляли ее в покое, подсовывая кавалеров и женихов. Парочка, надо сказать, была совсем неплоха. Например, Виктор из Саратова, двоюродный брат подружки Лерки. Вполне приличный мужик, сорокалетний, разведенный, бездетный. И внешне неплох, и совсем не дурак. Да и ухаживал красиво, не придерешься: цветочки, кафе, билеты в театр. Встретились раза три. Уговорила все та же Лерка, позвав для поддержки в таком важном деле Машку, другую верную подружку. И что? Да ничего. Томилась, как Пенелопа, при появлении очередного жениха – скорее бы сбежать! В конце концов стало окончательно понятно: нет. Он, слава богу, все понял и больше не беспокоил. Лерка, кстати, на нее обиделась: такие женихи на дороге не валяются, дура!

Следующим был Генрих, племянник маминой подруги. Тоже вполне ничего, симпатичный, нотариус, не бедняк. И снова мимо. Сидели в дорогущем ресторане, ели вкуснейшую дорадо, пили замечательное вино, и Ника думала о том же: скорее бы домой.

Он все понял с первого раза, видя ее равнодушные, пустые глаза, и, к счастью, больше не позвонил. Все правильно, такие мужики на дороге не валяются. И цену себе знают отлично. А ей того и надо.

А вот его, своего Илюшку, она готова была ждать всегда, каждый день. Пусть не свидание, а звонок и короткий, пустой разговор. Ей хватало. Пусть встреча в машине, всего-то на десять минут. Пусть чужая постель в случайной квартире. И пресловутые чужие простыни – пусть, какая разница? Кстати, по случайным квартирам мотались три года, а потом у них появилась «своя» – съемная, разумеется.

Но как же она была счастлива! Бросилась покупать постельное белье и подушки, полотенца и покрывала, посуду и кастрюли.

А еще вазочки, крокусы в горшках, коврик при входе, халаты в ванной, тапочки, зубные щетки, шампунь – имитация семейного дома. Жалкая, надо сказать, имитация.

Тогда поймала себя на мысли: «Получается, вью гнездо?» И тут же отмела ее: «Да нет же, нет! Как любая нормальная женщина, пытаюсь создать элементарный уют». Врала себе. Врала, что ничего ей не нужно, что всего достаточно. Ладно, что врала всем, – пустяки, все врут друг другу. Врала себе. А это самое страшное, потому что теряешь себя.

Какие глупости: «Мне ничего больше не надо, и меня все устраивает». Какую нормальную женщину это может устроить? Квартира на пару часов, чужая кушетка. И чужой муж.

Кстати, их первое настоящее свидание случилось зимой, в январе, на холодной и полупустой даче его приятеля. И почти до самого лета эта самая дача была их любимым прибежищем. Маленький финский домик в поселке Кратово: три елки у забора, несколько осиротевших обнаженных яблонь, остов парника, сарайчик с садовым инвентарем.

Зима была суровой, но домик, как ни странно, оказался теплым – печку топили раз в сутки. Кстати, откопали в сараюшке мангал и жарили на нем мясо. Выяснилось, что шашлык среди зимы ничуть не хуже, чем летом. А может, им тогда все нравилось... Потому что было одно сплошное счастье.

А в марте вдруг начались дожди – небывалое дело! И вся весна была страшно дождливой, словно природа перепутала, отвлеклась на что-то и вместо положенной весны вдруг наступила осень. А им было все равно: снег, мороз, дожди! Они вообще тогда выбирались из кровати на полчаса, перекусить или выпить чаю. И еще они мечтали, чтобы эти дожди продолжались все лето – им огородов не разводить! А вот чадолюбивое семейство приятеля тогда на дачу не переедет. Но в начале июня дожди прекратились, и пришлось покинуть гостеприимную дачку. И начались кочевки по разным углам и гостиницам. Иногда уезжали из Москвы.

И ничего ее не раздражало, ничего – ни случайные кемпинги и гостевые дома со стойким запахом чужого блуда, ни гостиницы «на час», где в номере с бордовым шелковым покрывалом уж точно должна была бы оскорбиться девушка из приличной семьи. Ну или хотя бы посмеяться. Ее все устраивало. Так почему же так раздражает сейчас?

В чем она может его упрекнуть? Он всегда был честен и никогда не обещал ей уйти из семьи. Сначала «маленький ребенок, неработающая жена» – тогда юрисконсульт Татьяна еще была домохозяйкой.

– А почему твоя жена не работает? – удивилась Ника. – Это же скучно! Тем более что ребенком занимается бабушка.

Увидела: вопрос ему не понравился.

– Это, детка, наше семейное дело, – жестко ответил Илья. Но тут же спохватился: – Тебе это надо? Зачем тебе чужая головная боль?

Обиделась, но виду не подала. Но на всю жизнь усвоила – эта территория обозначена флажками. И за эти флажки – ни-ни. Никогда.

Было еще и такое: пару лет назад в случайном разговоре осмелилась дать совет по воспитанию ребенка. Совсем невинный, пустяковый. Но снова вляпалась. Он ответил грубо, незаслуженно грубо. Несправедливо был резок. За что? Обиделась страшно, два дня не брала трубку – немыслимая история.

В чувство привела мама:

— Ты знала, на что шла. Или принимаешь, или нет. Вот от этого и пляши.

Но если честно, было совсем не до плясок. Совсем.

Зато окончательно и навсегда урок этот усвоила: никогда. Негласно подписываешь пакт на «необиды» и молчание и всегда готова к недоговоренности, уловкам, хитрости и обману. И ни к кому, кроме самой себя, претензий быть не может.

Утром чуть-чуть посветлело, и, хотя солнца по-прежнему не было, небо, слегка очистившееся от туч, давало слабую надежду.

После кофе в номер — идти вниз совсем не хотелось — Илья объявил, что сегодня уж точно никуда не пойдет.

— Во-первых, — он втянул носом воздух, — у меня, кажется, насморк. А во-вторых, мне надо работать, детка. Дела накопились, прости. Сама, а? Ну как-нибудь? — И язвительно хихикнул: — Тебе же не привыкать, верно? Да и осталось два дня слава богу.

Она поняла: хочет остаться один. Но это «осталось два дня слава богу» ее смертельно обидело. Но тут же начала его оправдывать. И вправду, что хорошего? Номер этот, с поблекшим венецианским шиком, с запахом затхлости и плесени, такой сырой, что влажными были и постель, и носильные вещи. Эта убивающая серость и мрак за окном, бесконечный дождь и промозглый ветер и ей надоели чертовски! Так на что обижаться — на правду? Вот, ей-богу, смешно! Ей самой очень хотелось домой! В Москву, в здоровый январский морозец и белый пушистый снежок, в родную квартиру с центральным отоплением, в свою в самую уютную на свете постель! В свой душ с местами отвалившейся плиткой — ремонт надо делать, ремонт! А они с мамой все собираются. К своим книгам, настольной лампе, зеркалу на стене. Ей даже захотелось на работу, честное слово! К своим девчонкам, к разговорам, к сплетням, к вечному «чайку и кофейку» со сдобными булочками. Впрочем, какие уж тут булочки. С булочками, кажется, пора завязывать. В зеркале в ванной она увидела, что поправилась. Еще бы, бесконечные пирожные, круассаны, пиццы и макароны! Она тяжело вздохнула. Вот, нажрала. Это-то быстро: пара дней – и несколько килограммов. А потом попробуй их сбросить! Два дня. И слава богу, что два!

Но и эти два она проведет как хочет.

Ника быстро оделась, примирительно чмокнула Илью в щеку и радостно выскочила на улицу.

Дождя не было, была легкая морось, мелкая и теплая, совсем ерунда. Она пошла на пристань, взяла билетик на вапоретто, который отплывал на остров Мурано. Полупустой пароходик проплывал мимо кладбища Сан-Микеле, острова Святого Михаила Архангела, на котором лежал Иосиф Бродский, ее любимый поэт.

По лицу текли слезы. Господи, да что с ней?

Через сорок минут, чуть покачиваясь на шатком мостике-причале, Ника сошла на берег.

На каждом шагу были лавки, лавчонки, магазинчики и магазины со знаменитым стеклом – статуэтки, бесчисленные вазы и вазоны, салатники, чашки и тарелки, бокалы и сахарницы, часы, наручные и настольные. Светильники, люстры, канделябры и ночники. Ожерелья и браслеты, кулоны и крестики.

От этого пестрого великолепия слегка рябило в глазах. Ника переходила из лавки в лавку, все они были пусты, и заскучавшие продавцы оживлялись при виде ее, но, прекрасные психологи, немедленно теряли интерес, моментально распознавая, что покупатель из Ники никакой, из разряда «так, поглядеть». Интерес теряли, но вежливо и приветливо улыбались, такая работа.

Снова не удержалась – поди справься с собой! – и купила два граненых винных бокала из темно-рубинового стекла, тяжелых, устойчивых, равновесных, каких-то основательных и солидных. Под вино, ей и маме. Под грузинское киндзмараули или ахашени, терпкое, сладковатое, пахнущее виноградом и солнцем. С пару минут подумала и купила еще два – ну мало ли, девчонки зайдут. Такая красота, не оторваться, жалко из рук выпускать.

С довольно тяжелым пакетом – ого, это вес, однако! – вышла на улицу и обомлела: вот чудеса. На просветлевшем нежно-голубом небе смущенно проглядывало беловатое, робкое солнце. Оно словно раздумывало, сомневалось: а стоит ли? Вы, кажется, уже смирились с зимой и дождями.

За час с небольшим Ника обошла островок, забредая во дворы и в соборы, удивилась тому, что устала, и присела в кафе. Выпив кофе и переведя дух, решила продолжить путешествие. Когда еще выпадет такая возможность? Да и погодка способствует! На разноцветный остров Бурано паром отходил каждый час.

Выйдя на пристани Бурано, застыла от восхищения: неужели такое бывает?

Игрушечный, словно нарисованный, городок вдоль узкого канала, разноцветные, чуть кривобокие домишки, будто склеенные между собой. Горбатые мостики, старинные вывески и кружева. Кружева в каждой витрине, в каждом окне. Нежнейшие буранские кружева, известные всем и всякому. Скатерти, скатерки, салфетки, занавески, перчатки, шали, воротнички. Белые, бежевые, цвета чайной розы, палевые, нежно-желтые и разноцветные.

«На что же способны людские руки!» – восхищенно думала Ника. Ах, как хотелось купить эту немыслимую прелесть! Еле себя остановила – зачем, куда? Салфетка на столик, скатерть? Вроде ни к чему. Занавески? Во-первых, занавески у них висят. А во-вторых, дорого. Что говорить про полупрозрачные перчатки или затейливые воротнички? Увы, это прекрасно, но по нынешним временам абсолютно неносибельно – новое модное слово.

Почувствовала, что проголодалась, села в кафе, взяла сэндвич и чай. Глянула на телефон – пусто. Странно, но Илья ни разу не позвонил, хотя уехала она четыре часа назад. Очень странно – обычно он нервничал, беспокоился и звонил по многу раз.

Скорее всего, работает или уснул, успокаивала себя Ника. И все-таки странно.

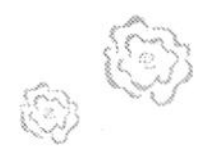

Успела вернуться на последнем вапоретто. Дождя не было, но густо-серые, плотные тучи не покидали Венецию.

К гостинице шла медленно, как на каторгу. Да что это, господи? Слезы эти. Капризы. Обиды. Что это с ней? Да она сама себя не узнает! Можно представить, что думает Илья! А ведь сегодня был такой замечательный день! И погодка способствовала, и положительных эмоций и впечатлений было достаточно. И друг от друга они отдохнули! И надо бы бежать, торопиться да просто нестись к нему! А опять такая тоска...

Ника поняла, что совсем не хочет видеть Илью. Совсем.

«Что со мной? – недоумевала она. – Да что вообще происходит? Пять дней назад я была счастлива. Счастлива, что мы выбрались сюда, вместе. Так долго собирались, а все не складывалось, и вот наконец получилось. Как я ждала этой поездки! Мы и Венеция! Еще в самолете ощущала себя самой счастливой – держала его за руку, клала голову на плечо, мурлыкала что-то, ластилась. А что случилось потом, здесь? Что такого произошло? Меня разочаровал этот волшебный город? Нет, ни разу – даже в такую погоду он был прекрасен. Получается, дело в Илье? А что, собственно, нового? Да, он устал и не хочет впечатлений. В конце концов, он был здесь три раза, к тому же он расстроен, у него неприятности. Я обиделась, что он не захотел разделить со мной этот праздник?

Да если по-честному, то бывало и так. И на пляж я ходила одна, и в одиночестве гуляла по приморским городкам, и ездила на экскурсии. Да, бывало. Но всегда торопилась вернуться, всегда невыносимо скучала и считала минуты до встречи. Всегда мечтала рассказать обо всем, что увидела, поделиться впечатлениями, все обсудить.

И главное, я на него не обижалась! Ну, устал, ну хочет поспать, поваляться – большое дело!

Илья действительно много работает, а я всегда жалела его и не злилась. Всегда спешила к нему. Так что же случилось сейчас?»

Ника нарочно замедлила шаг, чтобы оттянуть время.

Ах, как было бы здорово, если бы она пришла в номер, а там никого нет.

Как не хочется разговаривать, выяснять отношения, делиться впечатлениями. Ничего не хочется, ничего! Просто принять душ и рухнуть в кровать.

Выходит, и у Ильи то же самое. За весь долгий день он так и не позвонил. Значит, не волнуется и не скучает. А может, вредничает? Хочет проучить за самовольство, норовистость и своеволие? Странно, такого ведь раньше не было... Все странно, все. И все непонятно.

Ника вошла в отель и, не поднимая глаз, прошла мимо стойки рецепции. Какая разница, что о ней подумают! Медленно поднялась на свой этаж. У двери остановилась. Собралась с духом и... открыла дверь. Никого не было. Ника стояла посредине номера и не знала, что и подумать. Пошел перекусить? Да, скорее всего. Но почему не позвонил, не черканул эсэмэс? Не подождал, в конце концов? Наверное, обиделся, даже наверняка. По правде сказать, вела она себя... не очень, Илья к этому не привык. Она больше не женщина-радость, женщина-покой и женщина-«я-все-понимаю-и-не-имею-претензий».

Все эти четыре дня рядом с ним была просто женщина – с капризами, жалобами и недовольством. Которая не скрывала настроения и женских глупостей: слез, нытья, обид.

Она перестала держать лицо и стала обычной. Стала самой собой.

«Ну что ж, – облегченно выдохнула Ника. – Это даже к лучшему. Приму душ, лягу в постель и наверняка тут же усну. Господи, как я устала! А если не успею уснуть, то притворюсь спящей, чтобы обойтись без разговоров и выяснений. Их и так было более чем достаточно. Более. Кажется, за всю нашу общую восьмилетнюю жизнь мы так много не ссорились, не обижались и не дулись друг на друга. А ведь Илья прав – слава богу остался всего один день! Никогда я так не рвалась домой. И никогда мне так не хотелось остаться одной, без него. Никогда».

Она приняла душ, согрелась, надела теплую пижаму и рухнула в постель. Уснула тут же. Сквозь сон услышала звонок.

Нашарила трубку, открыла глаза – Илья.

Ну, слава богу – вспомнил, что она есть.

Услышала гул и шум.

– Что? – переспросила Ника. – Где-где?

Окончательно не проснувшись, она не могла понять, что происходит, переспрашивала:

– Повтори, слышишь? Слышно ужасно!

Дошло наконец. Илья в аэропорту – пришлось срочно выехать.

– Да, неприятности – плохо с женой. Почему не позвонил? Не хотел портить экскурсию, настроение. И вообще не хотел ломать тебе день. Глупости? Я так не считаю. Глупо обижаться, Никуш, когда я думал исключительно о тебе. Да и остался один день, правда? Ну как-нибудь, а? Как-нибудь проведешь его одна. Я ничего не мог поделать, прости. Обстоятельства. Я потом все объясню. Билет взял, да. Повезло, вылет через сорок минут. Ну, ты справишься? Я не волнуюсь?

Ника молчала, переваривая происходящее.

– Справлюсь, – наконец ответила она. – И ты не волнуйся. Я привыкла справляться одна. Да и здесь я была одна – ты не заметил? Да ладно, не обращай внимания. Это я так, от неожиданности и от растерянности, извини.

– Да, кстати, – оживился Илья. – Деньги в сейфе, надеюсь, тебе хватит. Там достаточно, слышишь? Бери, не стесняйся, покупай все, что захочется!

– Спасибо, – усмехнулась Ника, – большое спасибо. Конечно, я справлюсь, не сомневайся. Всего-то один день, ты прав! И он пролетит так же быстро, как все остальное. Ты, главное, не переживай. За меня не переживай, ладно? Езжай с легким сердцем и делай свои дела. Я взрослая девочка, я разберусь. Что забыл? Синий свитер? Конечно, прихвачу, о чем ты? Вот за свитер еще волноваться! Ну и за деньги спасибо. Правда, мог бы не беспокоиться, у меня есть.

Он говорил что-то еще, но шум аэропорта перекрывал его голос.

– Послушай, – оборвала его Ника. – Лети спокойно, я все поняла! Хорошего полета и быстрого разрешения всех проблем! Все будет хорошо, не беспокойся. Все наладится и встанет на свои места. Конечно, в Москве созвонимся, о чем ты? Да, да, прилечу и сразу, не сомневайся, позвоню тебе, да. Пришлешь водителя? Да не надо, не беспокойся, я возьму такси. И из дома позвоню, разумеется. И вообще позвоню! – засмеялась Ника. – И свитер, и я, все прибудет по расписанию. – И она нажала отбой.

Странно, но ей стало легче, как будто камень свалился с души, вот ей-богу. Легче, оттого что одна, что не увидит его, что завтра весь день ее и ничего не придется объяснять. И еще не надо будет прикидываться, что у них все хорошо. И не придется оправдываться.

Ника сладко потянулась, широко и громко зевнула, улыбнулась, повернулась к стене, поуютнее укуталась в одеяло. Ах, как хорошо! Как хорошо и спокойно! Но уснуть не получалось. Она поняла, что очень, просто зверски, проголодалась. Ничего удивительного, в последний раз перекусила на Бурано, кофе и сэндвич, всего-то.

Ужин заказала в номер. Не поскупилась – креветки в сливочном соусе, чесночные гренки, бутылка кьянти и малиновая панна котта на десерт.

Оглядев все это гастрономическое великолепие, ужаснулась: «Боже, и это на ночь? Да я обезумела!» Но съела все до крошки, ничего не оставила. Правда, вина выпила совсем мало: к алкоголю всегда была равнодушна. Вот тут сразу и потянуло в сон. Даже поднос с тарелками не вынесла за дверь, вырубилась мгновенно. Проснулась от тошноты. Господи, неужели травануласъ? Еле добежала до унитаза. Ну вот, устроила себе праздник живота, идиотка. Получай! Теперь будешь весь день валяться. Вот тебе и последний день. Невыносимо пахло вином и едой. Выставила поднос в коридор, распахнула окно. Стало чуть легче. Но комната моментально выстудилась, и Ника тряслась и дрожала под одеялом, как при высокой температуре.

Куталась и проклинала себя за легкомыслие. Только бы к завтрашнему дню оклематься. Слава богу, рейс поздний, вечерний. Даст бог, успеет прийти в себя.

Провалялась до обеда, про еду даже думать было противно – тошнило. Выпила чаю и кое-как собралась, последний день, грех проваляться в постели. Глянула на себя в зеркало. Как говорит мама, краше в гроб кладут.

Посмотрела в телефон: пусто, Илья не написал ни строчки. Впрочем, ему не до нее: больница, жена. Возможно, вообще что-нибудь плохое. Ох, не дай бог! Его жене Ника никогда не желала плохого, честное слово.

И вдруг пришло в голову: у Ильи две жизни, основная, семейная, и совместная с Никой, второстепенная, побочная. А у самой Ники жизнь одна. И она связана с Ильей. И эта их жизнь – тайная и, выходит, не очень приличная, раз ее надо скрывать.

Господи, ну какая же чушь, немедленно одернула себя Ника. Нет, определенно что-то с башкой. Может, ПМС, Илья прав? Глянула в календарь – да, так и есть! Точнее, опять неполадки. После того аборта эта сфера вообще прихрамывала. Конечно, Ника лечилась, и какое-то время все было нормально. Ну а потом все снова пошло наперекосяк, стало сбиваться, и она махнула рукой.

Какая разница?

Ника вздохнула, положила тон на лицо, чтобы хоть как-то прикрыть нездоровую бледность. Подкрасила губы, глаза, стало немножко получше, и пошла на улицу. Последний день, хватит кукситься.

Ярко светило солнце. Нет, ну надо же, а? Пять дней мерзкой погоды, а тут на тебе – солнце и голубое, без единого облачка, небо. Как назло, ей-богу! Мутноватая вода переливалась, серебрилась и бликовала на солнце. Все здорово, но уже без Ильи.

Ника снова стояла на площади Сан-Марко и замирала от восторга. Да, Илья был прав: освещение – это все, получается совсем другая история! И собор, и Дворец дожей, и здание библиотеки – все это сейчас было нежно-золотистым, в перламутровой дымке, в серебристом тумане от влаги, подсвеченном кобальтом неба.

И голуби – вот они, истинные хозяева площади! – дружно высыпали и, громко курлыкая, важно, с достоинством, дефилировали по брусчатке.

Ника дошла до маленькой пьяцетты, подошла к воде и махнула скучающему гондольеру. Тот, не веря своему счастью, тут же встрепенулся, приосанился, разулыбался:

– Синьора хочет прогулку? Ох, как я счастлив! Сейчас вы увидите рай! Чего хочет синьора? Полчаса или час? – Его подвижное лицо истинного плута стало похоже на маску печального Пьеро.

– А какие варианты? – засмеялась Ника – Ну, предлагайте!

Гондольер оживился и стал перечислять:

– О, синьора! Маршруты разные, все зависит от кошелька. По Гранд-каналу, мимо музея Пунта-делла-Догана и Салюте, боковые каналы и театр «Ла Фениче», палаццо Корнер делла Ка'Гранда, ко дворцу, где останавливался великий Моцарт во время карнавала 1771 года. Моцарт, синьора! Вы меня слышите? Церковь Сан-Моизе, дворцы Мочениго, Гарзоне, площадь Сан-Поло. Любой ваш каприз! – И тут же скорчил грустную гримасу. – Но если вам, моя госпожа, не подходит, то можно и покороче. Вся наша жизнь зависит от кошелька, дорогая синьора! – улыбнулся хитрец.

Ника улыбнулась и кивнула:

– Ну если не вся, то...

– То почти вся! – перебил он.

И они рассмеялись.

Уговорились: Гранд-канал и все остальное по разумению синьора гондольера.

– Надеюсь, вы меня не надуете, – вздохнула Ника. – Говорят, все здесь страшные... – Она запнулась, подбирая слова.

– Жулики! – радостно закивал гондольер. – И вы правы, синьора! Но это в сезон и для всех остальных! А сейчас мы скучаем. Да и для такой синьоры, как вы... – Он помог ей забраться в шаткую лодку, усадил на красное бархатное сиденьице, заботливо укрыл толстым пледом. – Синьора, зима, не дай бог заболеете!

Наконец они двинулись в путь. Лодку покачивало, и Нику слегка затошнило: с детства она не переносила качелей и аттракционов – слабый вестибулярный аппарат. Да и это дурацкое отравление. Слава богу, что еще так!

Но лодку гондольер вел умело и осторожно, ловко и плавно огибая углы зданий и причалы.

– Слава богу, синьора, что зима и нет туристов. А в сезон, – он покачал головой, – не протолкнуться, ей-богу! – Болтал он без умолку, как заправский гид, кивал на проплывающие дома. – Здесь, дорогая синьора, жил великий Марко Поло. Вы только представьте! А здесь, в этом доме – вы не поверите, – Тинторетто, синьора! Смотрите – направо, направо! – здесь – сам маэстро Вивальди!

Ника усмехалась, не очень-то веря: знаем мы ваши штучки, вы изрядные болтуны! Впрочем, все эти люди бывали в Венеции, так что можно не удивляться!

Гондольер корчил смешные рожи, делано обижался, когда Ника с недоверием качала головой, но тут же принимался смеяться. И вдруг запел:

– Калинка-малинка, малинка моя! Правильно меня научили, синьора? Ох, русские туристы такие отчаянные! Как никто другой, поверьте, синьора! Всегда при бутылочке и всегда веселятся! И громко, – он поморщился, – не обижайтесь, но очень громко поют. На них оборачиваются, а им все равно! Нет, правда, синьора. Им абсолютно все равно, что о них думают, верно? А русский язык такой резкий, синьора! Ну просто воронье карканье. Вы не обиделись?

Ника рассмеялась:

– Да нет, я это слышала, так многие говорят. Да и по сравнению с итальянским: вы же не говорите – поете. И насчет веселья вы правы.

Становилось все прохладнее, солнце медленно опускалось за горизонт, освещая прощальным, гаснущим бледно-розовым светом дома, колокольни, соборы, мостки и причалы.

От мерного всплеска воды ее укачало и захотелось спать. Ника закрыла глаза и, кажется, на пару минут задремала. Но

тут же встрепенулась, стряхнула с себя сон и открыла глаза. И вдруг из них брызнули слезы:

– Господи, какая же красота! Застывшая вечность, покой. И, несмотря ни на что, спасибо, господи, что я это увидела!

Гондольер сделал серьезное лицо.

– Понимаю, синьора. Вы не стесняйтесь, такая красота, сердце не выдерживает! Мне самому часто хочется плакать! Живу тут всю жизнь, а привыкнуть сложно! – И деликатно протянул бумажный платок.

«Счастье», – подумала Ника и улыбнулась сквозь слезы.

– И как вы живете здесь? Среди всего этого? Среди этой красоты, истории, древностей? – обратилась она к гондольеру

– Человек ко всему привыкает, синьора. И к красоте, и к уродству. И к сырости, и к дождям, и к палящему солнцу. И к хорошему, и к плохому. Ко всему, что его окружает. Иначе не выживешь, верно?

Ника кивнула, и вдруг ей стало нехорошо, так нехорошо, что уже не сдержаться, тошнота подкатила к горлу, закружилась голова, и она наклонилась над мутно-зеленой водой. Гондольер притормозил, с испугом посмотрел на нее, протянул бутылку воды и вдруг, подняв палец вверх, улыбнулся:

– О, синьора! Бамбина? Рогаццо, синьора? Феминуция? А, синьора?

– Что? – не поняла Ника. – О чем вы, господи? – И, густо покраснев, тут же забормотала неловкие извинения, стала оправдываться: – Это болезнь, отравилась, ну и еще укачало. Ради бога простите, так стыдно, кошмар!

Лодочник засмеялся:

– Нет, синьора! Я все вижу. Это не болезнь, а даже наоборот. Поверьте, я знаю! Я отец четырех детей! И все – мальчики, вы представляете? С ума можно сойти, верно? А вы не больны, дорогая синьора, не прикидывайтесь. Меня-то вы точно не проведете!

Ника замахала руками, но тут же решила, что спорить с ним бесполезно, да и ни к чему. И так неловко. И она прервала разговор.

Наступили сумерки, и стало совсем зябко, не спасал даже плед, и Ника попросила гондольера закончить экскурсию.

Он явно обрадовался, и Ника увидела, что ее гиду явно под пятьдесят и наверняка ему хочется поскорее домой, к своей пышной черноволосой синьоре и к шумным мальчишкам, к горячему ужину и рюмочке граппы, чтобы согреться.

От воды тянуло зябкой сыростью, остро пахло тиной и вечерней прохладой. Они причалили, и лодочник, сама галантность, подав ей руку, пожелал всего лучшего. В его глазах прыгали черти.

Ника протянула ему деньги, и он шутливо поклонился:

– Ого, а синьора щедра!

– Что вы, – улыбнулась Ника, – разве есть цена счастью?

Они пожали друг другу руки, и Ника поспешила домой. У отеля, в доме напротив, она увидела узенькую дверь аптеки. Остановилась, задумалась, никак не решаясь зайти.

Решилась.

Держа в руке коробочку с тестом, почти влетела в номер.

Быстро разделась, рванула в туалет.

Он был прав, этот многоопытный папаша, жуликоватый и лукавый лодочник! Еще бы – четверо детей, это вам не шутка, знаете ли! Как сомнамбула, села на кровать, не выпуская полоску с тестом. Вдруг вздрогнула, подскочила и как подорванная снова бросилась в туалет.

Повторный тест оказался таким же.

Ника вернулась в комнату, легла на кровать, погасила ночник, и горячие соленые слезы рекой полились по щекам.

Зазвонил телефон, после небольшого раздумья, она сняла трубку.

– Как я? – переспросила Ника. – Хорошо! Я очень хорошо, да, честное слово. Странный голос? Да нет, просто устала. Ага, гуляла, да. Долго. Каталась на гондоле почти два часа. Говорю тебе, просто устала! Как себя чувствую? – Ника на секунду задумалась. – Да замечательно я себя чувствую. Все хорошо, честное слово! Да нет, не так, все просто отлично! Домой? Конечно, хочу, а ты сомневался? Да, последний день, слава богу. Нет, честно, я не скучала, совсем не скучала, поверь! День провела с пользой и удовольствием. И ни капли не злюсь, честное слово! И не обижаюсь ни капли. А что у тебя? Все как-то... образовалось? Нормально? Я счастлива, честно! Ну я тебя поздравляю! Прости, устала, все, надо спать, завтра в путь.

Такой бурной тирадой, Илья, кажется, был удивлен и даже растерян.

Ника выключила телефон, спрятала его в тумбочку, закрыла глаза, блаженно вытянула гудевшие ноги. И снова улыбнулась.

Потому, что у нее сейчас намечалась новая жизнь. В смысле – своя.

И, если по правде, она от Ильи ничего и не ждет.

Честное слово – не ждет. И так слишком много счастья, не правда ли? Или слишком много счастья не бывает, просто бывает счастье – и все?

И еще – это ее секрет. Ее, и только ее. Нет, ну, конечно, и мамин, их секрет на двоих, они с мамой семья.

На тумбочке стояла синяя черепаха.

Ника ей кивнула:

– Ну что? Начинается новая жизнь? Это и есть твой сюрприз, дорогая? Но как же хочется домой, господи! Как хочется к маме!

Вся ее прошлая жизнь, с обидами и унижением, страхами и огорчениями, с тоской и печалями, с их с Ильей взаимными претензиями и недовольством друг другом, с ее комплексами и ревностью, с его невниманием и непониманием, его слабостями, показалась Нике такой чепухой, чем-то таким незначительным, неважным и неглавным, что она удивилась самой себе: как она могла так жить и считать, что все это нормально?

«Я тебя не держу. Я тебя отпускаю. Потому что все, что нужно для счастья, у меня уже, кажется, есть».

Горький шоколад

Жизнь, будь она неладна, снова подбрасывала сюрпризы.

Леля заметила точную закономерность – черная полоса в ее жизни неизбежно наступала после белой. В этом смысле жизнь ее была похожа на зебру, только белая полоса была значительно уже черной. Пропорции не соблюдались.

«Это и есть, Лелька, жизнь», – говорил, вздыхая, дед. Со временем, после того как сошла первая молодая спесь и упорная вера в справедливость, она, конечно, с этим смирилась – се ля ви, ничего не поделаешь!

После сорока про справедливость не заикалась – смешно. Поняла: главная мудрость – уметь принимать то, что есть. Пусть даже это «то» совершенно не нравилось.

Ну и работа ее, точнее бизнес, справедливости не предполагала совсем.

Она часто думала, что ей еще повезло. Если оглянуться – сколько одиноких, больных, бедных, несчастных. А у нее? Любимый муж. Это раз. Дочь – это два. Здоровье – три. И еще достаток. А то, что почти постоянно приходилось сражаться и преодолевать – так это ж нормально! Как же без этого?

Ну и детство у нее было не самое плохое. Да, росла без отца, зато был дед! Любимый, обожаемый дед! Лучший на свете.

Мама... Нет, маму она любила, но близости никогда не получалось. Мама была слишком зациклена на себе и своих страстях. Всю жизнь она рьяно, хотя и неуспешно, устраивала свою женскую судьбу. Меняла мужей и любовников, каждый раз по внезапной и страстной любви. И ни с кем у нее не складывалось. Не везло? Мужчин выбирала не тех? Дед говорил, что второе – сама виновата. На самом деле он говорил куда резче: «Дочь моя – эх и дура... Ты, Лелька, прости».

Все возлюбленные матери были нищими, несчастными и пьющими. Правда, с налетом таланта – художник, фотограф, краснодеревщик.

Она страстно хотела уюта и семьи, а получалось наоборот. На уют вечно не было денег и не хватало таланта – она не была хозяйкой, ее несчастная мать. Да и претенденты на сердце были какими-то неприкаянными, несемейными, аскетичными в быту.

Заведя очередного «мужа», она принималась хлопотать: вешать новые шторы, разводить на подоконнике цветы, штудировать кулинарные книги.

Но из этой затеи ничего не получалось: шторы оказывались короткими или узкими и совершенно не попадали в цвет всему остальному. Цветы мать заливала – они тут же тонули и гнили. А элементарные блюда, простейшие для каждой хозяйки, оказывались либо пересоленными, либо подгоревшими.

Леле было жалко мать. Но себя она тоже жалела. И уже тогда, в детстве, лет в десять, она твердо решила: «Так у меня никогда не будет! Никогда-никогда! У меня будет один муж на всю жизнь. Самая уютная и красивая квартира. Я научусь печь пироги, чтобы по дому плыли запахи счастья и дома. И у меня – вот это сто процентов! – будет самый счастливый ребенок!

А что нужно для всего этого? Многое. Во-первых, я должна быть привлекательной, чтобы обаять лучшего и самого красивого мужчину, от которого родится красивый и здоровый ребенок. Во-вторых, чтобы не считать копейки и ни от кого не зависеть, я должна получить хорошее образование и уверенность в завтрашнем дне. Ну и по мелочи – например, научиться готовить». Учиться ей было не у кого, но для этого есть кулинарные курсы.

Лет в четырнадцать Леля изложила все любимому деду, и он долго смеялся. Она даже обиделась. Спросила: «Не веришь?»

Он отсмеялся, вытер слезы и помотал головой: «Что ты, Лелька! Конечно же, верю! Ты у меня о-го-го! Единственная моя надежда».

Это была правда – дед любил ее больше всех. Больше, чем своих детей, нелепую дочь и совсем непутевого сына. И кажется, больше, чем свою обожаемую Дусю.

Дед Семен был из дельцов. Раньше говорили: спекулянт, деловарь, деляга. Позже появилось модное слово «бизнесмен».

Перед самой смертью, когда уже наступили новые времена, дед часто вздыхал: «Ох, мне бы сейчас лет тридцать и здоровья! Вот бы я развернулся! Вот бы дел наворочал! А в мое время, Лель? Всю жизнь ждал звонка в дверь... спасло только то, что я знал меру, не зарывался. И *они* все знали, Лель!»

Дед Семен всю жизнь тихохонько просидел в скромной будочке под названием «Граверная» на Преображенском рынке. Сам рынок был грязноватый, бедный, словно временно и наспех сколоченный. И торговцы там стояли убогие – бабки и дедки, тащившие на продажу всякую мелочь. Будочка деда тоже была завалящей – маленький деревянный домик в одно окошко. Дед назывался просто и скромно – гравер. Надписи на вазочках, на подарочных часах, на тарелках и чашках. Золотом и серебром. Что оставалось? Да пыль! Вот именно – пыль. Серебряная и золотая. Как он говорил, «прилипло немного, внученька! Пойдем посидим в «Метрополе»?» Из этой пыли и «вырастали» и «Жигули», и скромная квартиренка в Орехове, подаренная внучке на свадьбу. И сама свадьба, пышная, купеческая, в дорогом ресторане – так захотел дед, и Леля не посмела ему перечить. Муж возражал, но она настояла: светлая мечта деда, куда деваться?

Из этой же пыли материализовались и путевка в Болгарию, в свадебное путешествие, и золотые сережки с бриллиантами на тридцатилетие.

Скорее всего, дед занимался еще кое-чем. Приезжая к нему (как правило, за деньгами), Леля видела странных людей, заходивших в будочку, – они воровато и тревожно оглядывались и плотно прикрывали за собой шаткую дверь. В руках незнакомцы держали свертки или раздутые портфели. Что там лежало – бог весть.

Часто в дедовом доме появлялись старинные вещи – украшения, которые он дарил ненаглядной жене, старинное серебро, фарфоровые вазы, потертые и тонкие ковры или лоснящиеся, словно масляные, шкурки соболя или норки.

Честно признаться, деда своего она немножко стеснялась: некрасивый, маленький, кривоногий и пучеглазый старик, который смешно картавил и цыкал золотой фиксой.

Остряк – это да. Сам над собой посмеивался: «Я из биндюжников, Лелька! Из самых простых – папаша мой был грузчиком, а мамаша прачкой. Жили мы в страшной нищете: многодетные, шумливые и вечно голодные. Все братья здоровые, я один хилый. Зато самый умный! Все в мозг! Вот тогда я и решил: буду богатым! Ну, богатым не стал, а вот зажиточным – да. И в жены взял королеву, – гордо добавлял дед. – Ну кто красивее нашей Дуси?»

Он долго кружил вокруг будущей Лелиной бабки. Дуся тоже была из простых, деревенских, – кулацкая дочь. Красоты при этом необычайной. Высокая, стройная, сероглазая, с толстой косой. Деда в упор не видела, а вот когда посадили Дусиного отца, внимание свое царское на него обратила – очень заботлив был ухажер. К тому же не из пугливых, от семьи врага народа не отвернулся. Все испугались – и по углам, а маленький и неказистый Сенька – вот он, пожалуйста! И поесть приносил: то пяток яиц, то круг колбасы, то шмат сала. Время было голодное, страшное. И платок преподнес на день рождения: красивый, шелковый, с райскими птицами.

Дуся боялась, что их с матерью вышлют. Мать была женщиной умной и дочку уговорила из села побыстрее уехать

и тем самым спасти свою жизнь. Уехать с ней вместе никто не предлагал – кроме болтливого кавалера.

«Ну и уговорили меня, – смеялась бабка, – мамаша и он! Мать умолила, а он – уболтал. Языкатый был – смерть! Я все смеялась с ним, хотя на душе было горько...»

В первую брачную ночь торжественно поклялся: голодной со мной никогда не будешь, это я тебе обещаю!

И после скромной свадьбы – не до гулянок! – он Дусю свою увез. Конечно, в столицу – она об этом мечтала.

Обещание свое дед сдержал – бабка ни одного дня нигде не работала, о куске хлеба не думала, занималась домом, семьей. И всю жизнь демонстрировала, что сделала своему мужу огромное, просто колоссальное одолжение.

Дед грустно смеялся: «Дуся всю жизнь просидела на троне».

В столице все было непросто: сначала появилась комната в бараке – там и родилась первая дочь, Лелина мать. А вскоре дед выбил комнату в самой настоящей квартире – в центре, на Никольской, у ГУМа. Только спустя добрый десяток лет появилась и отдельная квартира – первый кооператив. Ловкий был дед, что говорить, но скромный, для себя ничего. Лет двадцать проходил в темном и тяжелом драповом пальто с серым каракулевым, давно пожелтевшим воротником и в таком же каракулевом вытертом «пирожке».

Бабка Дуся плыла королевой: шуба одна, шуба другая. Кольца и серьги, браслеты, цепочки. Обшивалась в лучших ателье, у самых известных портних. Педикюр, маникюр, косметичка. Требовала румынскую мебель, шерстяные ковры, хрустальные люстры. Отдыхала два раза в год в санаториях. От чего, спрашивается, отдыхала? В доме всегда жила домработница.

Но желание Дуси было законом, чего бы она ни захотела. «Я для нее золотая рыбка», – смеялся дед.

Леля помнила, как шла с бабкой по улицам. Та, высокая, все еще статная, с прямой спиной и стройными, как в молодости, ногами, несла себя, гордо закинув голову. Длинная шуба, шапка-кубанка, серьги, переливающиеся на солнце. Серые глаза в густых ресницах, соболиные брови, ярко накрашенный рот – и высокомерный и прохладный взгляд. На нее все оборачивались – шла барыня, королева.

В детстве Леля мечтала быть похожей на бабку – так оно и случилось. Все говорили: «Вылитая Дуся, просто одно лицо!»

А дед улыбался: «Ну и слава богу, что лицом ты пошла в Дусю! Только вот сердце и мозги подбери, детка, мои! Дуся-то наша... Ну, ты сама понимаешь...»

Бабка была человеком прохладным – к дочери и внучке особенно. Единственным, кого она обожала без меры, был их с дедом сын, Николай. Но бабкина безумная любовь и дедовы старания оказались напрасными и не уберегли его – погиб Лелин дядька совсем молодым, лет тридцати. Загульный был, выпить любил, покуролесить. Бабник, картежник, игрок. Выпал пьяным из окна в какой-то хмельной компании.

Бабка вскоре отправилась за ним – пережить смерть любимого сына не смогла. Дед Семен остался один. Нет, не один – всегда повторял: «У меня осталась одна страсть – моя Лелька! – И грустно добавлял: – Вылитая Дусенька, девочка моя...»

Дед больше не женился, хотя «подружки» у него случались – то соседка по даче, то клиентка. Он тогда еще «сидел» на Преображенке. Женщин своих дед семье не представлял, скрывал. Но Леля следы их пребывания обнаруживала: то халат в ванной, то бигуди. То кастрюльки с борщом и котлетами.

К деду она приезжала раз в неделю, тогда он уже не работал – глаза подводили. Вместе ходили гулять и обедать – непременно в ресторан, это был закон, непреложное правило и традиция.

В близлежащих ресторанах его знали метрдотели и официанты, уважали за щедрые чаевые и видели в нем «своего». Приветствовали бурно и радостно, чем дед очень гордился и многозначительно приподнимал пышные брови: видишь, Лелька, как меня уважают?

Внучка вздыхала, ей было смешно, но кивала.

Заказывали пышно: закуски, икра. Непременно пара бокалов шампанского. Это называлось «за встречу». После обеда

шли пешком, и дед покупал ей букет цветов. «Маленькой женщине», как он говорил. Ну и, конечно, подкидывал деньжат. Это всегда было студентке не лишним.

Дед Семен уговорил ее идти в пищевой – не в торговлю, такой участи он для нее не хотел, но «при продуктах». «Лелька, всегда будешь сытой! И люди всегда будут есть, что бы в стране ни случилось».

Она долго сопротивлялась, слишком неромантичной казалась ей эта профессия. Выпросила всего лишь факультет – технология хлеба, кондитерских и макаронных изделий.

Грело слово «кондитерских». Сладкое она обожала. Дед Семен тоже был сластеной – его карманы и ящики всегда были полны конфет. Могли за один присест, один «чай», съесть полкило.

Но дед любил шоколад горький, а Леля молочный, сладкий, как и положено юной девице. Дед говорил: «Жизнь, Лелька, – горький шоколад. Вроде бы и горько, а все равно – шоколад!» И заливисто смеялся. А внучка не понимала – тогда еще не понимала.

Дед, как всегда, оказался прав: много раз она потом сказала ему «спасибо». Спасибо за профессию, которую она, как ни странно, полюбила. Дед успел выдать ее замуж, хотя жениха не принял. Совсем. «Слабоват он для тебя, Лелька! Да и вообще – слабоват!»

Она, конечно, обижалась. Еще бы! В мужа своего была влюблена страстно и сильно. На деда махала рукой: «Ой, кто б говорил! А Дуся твоя? Тоже мне, подарок!»

Дед рассердился: «Ее уже нет, моей Дуси! И обсуждать ее я с тобой не намерен. Точка».

Позже, после его смерти, Леля поняла: дед Семен был самым близким и дорогим человеком. И любил ее больше, чем все остальные. Слава богу, ее дочку он тоже дождался. Но одна история ее мучила всю жизнь – она отказала ему в самой малости: назвать дочку в честь бабки. Дед упрашивал, чтобы назвали Дусей.

А она возмущалась.

Господи, какая Дуся? Как можно в наше время дать такое вот имя? Дед, ты спятил? Как моя дочка будет жить с этим именем? Дуся, господи... Дед, ну ты пойми!

Он понял... Или сделал вид, что понял. Но обиделся крепко. До конца жизни обиделся, хотя и виду не подавал. Точнее, старался не подавать. Только растерянно спрашивал: «А что, Катя лучше, чем Дуся?»

Вправду не понимал? Она раздражалась и объясняла. Потом подумала: дурой была! Действительно: какая разница? И вскоре мода пошла на всех этих Дусь и Глаш.

Рассказала дочке, и та рассмеялась: «Мам, а ты зря! Вот было б прикольно! Дуся! Нет, ты прикинь!»

А прикидывать было поздно – деда Семена давно уже не было на этом суетливом и беспокойном свете. Но успехи внучки он заметить успел. И с радостью повторял: «Да! Мозгами в меня! И душой! Умеешь любить! Но... как-то... не тех... Совсем в меня, ох... И как так сложилось?»

Кстати! Когда начиналось ее первое печенье и «маминлад» – так называла мармелад ее Катька, – дед ей помог: деньжат подкинул прилично. А вот когда она «раскрутилась» и пошла дальше и вверх, в помощи отказал. Сказал: «А нет, Лелька! Я ж теперь пенсионер! Ку-ку денежки. Все отдал, пустой я, Леля! Давай сама, раз такая смелая!» «Все тебе мало», – ворчал он. Не осуждал, но боялся за нее. Все понимал про те времена. Бизнес свой «мармеладный» она начала, конечно же, в перестроечные годы, отработав несколько лет «на дядю», – после института попала на кондитерскую фабрику, лучшую, как считалось, не только в Москве, но и во всем СССР. Так считалось. Хотя Леля часто с этим спорила: прекрасные кондитеры были и во Львове, и в Куйбышеве, и в Риге, и в Гомеле.

Опыта набралась достаточно, ну и решилась...

И еще – в маленьком цеху, где она начинала, ей было тесно, хотелось большего. Не только из-за денег, но и для души. Хотелось рискнуть, попробовать: а вдруг смогу? Неохота до конца жизни оставаться с печеньем и вафлями. И свою лавочку скоро прикрыла – с облегчением и благодарностью «ма-

минладу». Тогда уже у них появилась и хорошая квартира – взамен дедовой однушки в Орехове. И машина. Тогда казалось, шикарная – перламутровая и навороченная «бээмвэха», разваливающаяся, правда, но на ходу. Тогда все выпендривались и пересаживались в иномарки. Ну, и она, соответственно.

А муж гордо продолжал рассекать на старой «пятерке»: мне эти твои выпендрежи по барабану! Кривил губу, морщился. Брезговал. Слушать про ее разборки с бандитами не хотел: «Мне это противно, Леля».

А она и не обижалась: да, он такой! Честный и неподкупный.

Но кто без грехов и недостатков? Вот именно! И кстати, честность его – достоинство! А все эти размышления деда по поводу того, что мужчина должен кормить семью, и точка, иначе он не мужчина, устарели.

И почему ее муж должен соответствовать представлениям деда Семена о мужском долге и мужском характере?

Леля мечтала о шоколадной фабрике – своей, личной. Черный шоколад, белый. Горький и сладкий. И название придумала – «Зебра». Черная полоса – горький, белая – сладкий. Потом зебра стала символом фабрики, ее фирменным знаком. Красовалась, полосатая, на этикетках. И даже стояла в холле офиса – огромная, глянцевая, гладкая, метра три в высоту.

Ну и рискнула тогда, взяла огромный, неподъемный кредит. Дед был еще жив, наблюдал. Ничего не комментировал, как это делал обычно. Но когда у нее получилось, счастливо выдохнул: «Молодец, девка! Не растерялась! Не ошибся в тебе!»

Гордился очень. Почти перед самой смертью Леля привезла его в свой новый офис. Дед уже плохо ходил, опирался на палку. Вошел и оглядел все, казалось, равнодушным взглядом. А потом уселся в кресло в ее кабинете и, тяжело вздохнув, произнес: «Хорошо. – И добавил: – Умочка». Всё.

Коротко и емко. Ей было приятно. И еще она подумала: «А? Как я тебя? Думал, не справлюсь? Не потяну? Вот! Я и тебе все доказала!» Потом задумалась: кому она доказывала всю жизнь? Себе, ему, деду, мужу? Да черт его знает. Или дело в амбициях, тщеславии, честолюбии? В желании лучше жить? Все вместе, наверное, так...

А после смерти деда нашла завещание...

Врал дед. Врал, что ничего не осталось! Просто хотел проверить ее, как сам грубовато говорил, «на вшивость».

А в завещании было... Не деньги, нет. Деньги тогда почти ничего не стоили: курс скакал, деньги менялись – словом, ненадежно совсем. Дед оставил ей камни. Хорошие камни. Десять штук. Всего десять, а размер и чистота...

В очередную «черную» полосу, когда уже не было никаких выходов, долбануло по башке так, что ужас, спасли ее эти «стекляшки». Спасибо деду!

А ее дни рождения! Во-первых, всегда ресторан. Букет цветов – тоже всегда, даже когда она была совсем соплюшкой. Конечно, подарок! Сначала – платья и обувь, что-нибудь замысловатое, необыкновенное, очень красивое, купленное не в магазине – в те годы там было пусто и скучно. Когда подросла – сережки, колечки, цепочки. Джинсы и туфли на платформе. Или дубленка или чулки-сапоги. Круче уж некуда! И обязательно – огромный, сделанный на заказ торт, шоколадный, с шоколадным же зайцем.

Больше никто и никогда ее так не баловал и, наверное, так не любил.

Про Виктора, своего мужа, Леля потом все поняла. Но всегда старалась его оправдать. Да, такое воспитание, такой характер. Да, немного ленив, брезглив и трусоват, если честно. Но любила, а потому и оправдывала. Не всем же быть бизнесменами, правда? И не все умеют делать деньги. Зато он скромен, порядочен, честен. Да, немножко чистоплюй, что говорить, не хочет видеть реалий. Ему гораздо проще отвернуться, не заметить, чем понять и признать. Это так.

К тому же семья его была скромной, интеллигентной. Родители – преподаватели, скромные люди, к материальным благам никогда не стремились. И на размашистой и купеческой свадьбе сына чувствовали себя скованно и неловко.

Еще, мягко говоря, расстраивало его нежелание участвовать в ее бизнесе, тотальное желание отстраниться, брезгливость – знать ничего не хочу, потому что знаю, как все там у вас делается. И спокойное принятие всего того, что это *грязное дело* им приносило...

Но Леля опять оправдывала мужа – не все хотят быть богатыми. Не все умеют заработать. Участвовать в *этом* хотят далеко не все. К тому же муж работал, не лежал на диване – да, как мог, по мере сил. Сидел, просиживал в своем научном институте, пока там все не накрылось.

Здесь совсем становилось смешно – работал «по мере сил»! А кто мерил ее силы? И кто интересовался, откуда она эти силы брала?

И как ей часто хотелось... Все, стоп! Ты же себе обещала! Не будем вдаваться в «подробности».

А подробности были... И снова уговаривала себя: ей с ним хорошо? Да, хорошо. Правда, тут требовались уточнения. Во-первых, хорошо было к тому времени далеко не всегда. И во-вторых, и злилась, и раздражалась. Но ни разу – ни разу! – его не попрекнула ни своим «крутым» положением, ни деньгами. Ни его работой «по мере сил».

В конце концов, это ее выбор, а он имеет право на свой.

К тому же он был ее первым мужчиной, первой большой любовью. Она и представить себе не могла кого-то, кроме него, рядом!

Познакомились в студенческой компании, как часто бывает. Ее поразили его рост и фигура – роскошный красавец. Она всегда была неравнодушна к мужской красоте. Глупость, конечно...

В тот день ушли вместе. Она жутко робела и заглядывала ему в глаза, а он рассуждал про науку и ее перспективы. Говорил сдержанно, размеренно, рассудительно. А она думала: «Ах, какой парень! Не чета всем этим острякам и болтунам!» В первый же вечер влюбилась намертво и навсегда.

Одно омрачало и было страшно обидно и больно – ее любимого деда муж откровенно презирал: деляга!

Насмешничал: «И что твой дед видел в этой жизни? Ради чего рисковал?»

Она тут же бросалась на защиту, и начиналась унизительная перепалка. Но деда в обиду она не давала: «Зато его семья жила хорошо! Безбедно жила! И мы, между прочим! Жизнь свою начали с отдельной квартиры и новой машины! А твои... всю жизнь считали копейки!»

Муж обижался и не думал сдаваться. «Мои жили *честно*! – железным голосом отвечал он и добавлял: – Ну хорошо, что еще обошлось, что не сел. А если бы сел? Как бы *безбедно* жила его семья? Ты можешь это представить? А его сын? Что, спасли его отцовские деньги?»

Что тут ответить? Все правда, увы... И про то, что мог сесть, и про то, что деньги и связи не спасли его сына, ее дядьку Николая.

«А твоя мать? – продолжал муж. – Что, удачно сложилась ее жизнь?»

Нет, у матери жизнь не очень удалась. Два брака, два развода. Леля никогда не видела своего отца – он ушел, когда ей было три месяца. Ушел и пропал, навсегда. Потом дед сознался, что искал его, даже нашел и призывал к совести. Бесполезно – папаша был нищим. Какие алименты, вы о чем? Да и дочь его не волновала.

И образование мать не получила – институт бросила, выскочив замуж. Тянул ее, разумеется, дед. Они часто и много цапалась – в жизнь дочери он лез довольно бесцеремонно: ругал ее бестолковых мужей, корил за отсутствие хватки, за глупую наивность и непонимание жизни. Так и говорил: «Мозгами ты в мать! Только такого вот мужа, как у Дуси, у тебя не случилось. Не встретился тебе такой же дурак! И красота ее тебе не досталась, что тут поделать...»

Все было так – внешне мать получилась совсем обыкновенной, суетливой и бестолковой. Зато и чванливой, высокомерной, как бабка Дуся, мать не была – вечно кого-то жалела, вечно спасала, правда, ничего из этого не получалось: сама была жалкой и неумелой.

И мужчины ей попадались жалкие и бестолковые, такие же, как она. Не везло или закономерность?

Леля мать любила и очень жалела. И еще понимала: если б не дед...

В период жестких конфликтов и очередных ее взбрыков дед прекращал финансирование: учил дочь уму-разуму. Находила коса на камень, и бесхарактерная, слабая мать становилась тверже скалы: «Нет? Да не надо! И так проживем!»

На что, господи? На жалкую зарплату лаборантки в поликлинике? Да бросьте!

Дед сдавался первым. В дверь раздавался звонок, и на пороге появлялся водитель Димка с многочисленными авоськами, набитыми продуктами. Димка смотрел на Лелю не мигая, и она понимала – парень влюблен. А ей до него не было никакого дела: простой, деревенский парень. Шофер.

Она бросала короткое «привет», хватала сумки и быстро выставляла Димку за дверь. Еще чего? Время терять на глупую болтовню. На кухне потрошила гостинцы и тут же принималась кусочничать – отрезала здоровенный кусок копченой колбасы, наливала растворимый кофе, закусывала грильяжем и трюфелями – кайф!

Потом звонила деду:

– Спасибо, побаловал!

Дед усмехался:

– Деньги нашла? Там же, в пакете, где сыр! – И напутствовал: – Матери не показывай, храни у себя. Пусть поумерит свою гордыню, дура такая!

Начинал осторожно выведывать у внучки про семейные дела: что там да как.

Тогда еще были живы и ее непутевый дядька, и надменная бабка...

Мать продолжала вариться в своих дурацких увлечениях и пустопорожних романах... И дед был почти здоров и полон сил, господи...

И все были живы, все...

Дед однажды поинтересовался:

– А как тебе Димка? Хороший парень, да?

Она удивилась:

– Ты о чем? Какая мне разница, хороший он или плохой? Мне до твоего Димки...

Дед покачал головой:

– Ну и зря! Хороший он парень, надежный! Не то что этот твой... Ханжа и зануда.

– Дед, отстань! – засмеялась она. – Ты что, меня сватаешь за своего курносого Димку?

Дед крякнул и махнул рукой:

– А что тебя сватать? Когда у тебя нет мозгов?

Так что ж получалось? Прав был ее муж! Никого не сделали дедовские деньги счастливыми, никого...

И все же критику пресекала тут же, на корню: сюда вот не лезь – вход воспрещен!

Всю жизнь помнила дедовы слова: «Сильным достаются слабые. И наоборот. Такой вот закон природы, равновесие».

Ну, и получалось, что все справедливо – ей достался не предприимчивый, но приличный и хороший муж.

И хватит рассуждений на эту дурацкую тему – в конце концов, зарабатывает тот, кто умеет! Все.

* * *

И снова про зебру. Дед Семен умер именно в черную полосу. Именно тогда, когда ее здорово шарахнуло с бизнесом. Катька пошла в первый класс, и тяжело заболела мама. Всё в кучу, всё как всегда: пришла беда – открывай ворота. Можно и не открывать – все равно все просочится, прорвется, прошмыгнет и пролезет. Неприятности никогда не идут в обход – всегда ломятся напрямую и деликатностью не отличаются.

Деньги что? Ерунда. Важно другое: вот именно в тот, бесконечно сложный момент она и поняла окончательно: рассчитывать ей больше не на кого. И посоветоваться не с кем: деда уже не было, а все остальные...

Тогда она и стала окончательной главой семьи: внегласной, конечно. Вслух это не произносилось – ни-ни!

Но даже безвольная мать в период просветлений ей пеняла:

– Да что ты с ним, со своим Витей, как с писаной торбой? Обидеть боишься?

Чья бы корова! Хотя...

Леля боялась. Боялась за его, видите ли, гордыню. Ущемить боялась. Унизить. Показать, кто в доме хозяин.

Дура, конечно... Но раз уж так повелось...

Ладно, что вспоминать и ворошить. Виктор – близкий человек, муж и отец ее единственного ребенка. Любимый мужчина.

Кстати, когда умер дед Семен, он ее совсем не поддержал. Да и в болезни матери тоже. Простила. Снова простила. Убедила себя: муж ее деда никогда не любил, слишком разные люди. С похоронами тогда помог Димка, дедов водитель. Водителем личным он в то время быть перестал – дед в водителе почти не нуждался. Если было нужно, возила тогда его она, внучка. Когда умер дед, она растерялась. И тут возник Димка – как Хоттабыч из лампы:

– Лариса Александровна! Вы не волнуйтесь – я все сделаю сам, дядя Семен будет доволен!

Последние слова были нелепыми и даже смешными: «Будет доволен!» Но так и вышло – все было организовано четко и грамотно. Дед бы точно был ими доволен. На Димку, уже повзрослевшего и заматеревшего, Леля, конечно же, внимания не обратила. Во-первых, не та ситуация, а во-вторых, тогда еще сильно и горячо любила мужа. Но – отметила мимоходом – Димка облагородился, научился выбирать одежду и стрижку, и его простоватое лицо было добрым и милым. Участливым. Вообще, он был настоящим. Надежным.

Спросила у него тогда, в основном из вежливости, не из интереса:

– Ну как вообще? Женился?

Он скупо кивнул:

– Все в порядке.

Углубляться не стал. Леле это понравилось: такая душевная чуткость. Понимал ведь, что спросила она для проформы, даже не из любопытства.

Когда прощались на выходе из ресторана, где проходили поминки – на которые, кстати, пришло много народу, – Леля его чмокнула в щеку.

– Спасибо, Дим! Что бы я без тебя... – И хлюпнула носом.

Заметила – Димка, уже зрелый и взрослый мужик, прошедший Афган, залился краской и отвел глаза. Приобнял ее и губами дотронулся до ее волос.

Машинально отметила, что у него дрожали руки.

Она человек благодарный, это уж точно. Добро помнит всегда. Ту Димкину неоценимую помощь запомнила. После этого она не видела дедова шофера много лет. Встретились случайно, мимоходом, лет через семь или восемь. Столкнулись на выходе из Даниловского рынка.

Леля, как всегда, торопилась – заскочила купить копченой рыбы на день рождения мужа, тот ее очень любил. В дверях ткнулась в грудь высокому мужику и подняла глаза – извиниться.

На нее смотрел улыбающийся Димка.

– Ну, Лариса Александровна, вы уж поосторожнее, а?

Она смутилась – была в полном беспорядке, без косметики, в дурацкой Катькиной шапочке-чулке на голове.

– Ой, Дим! Вот так встреча!

Была рада и поболтать, но углядела его спутницу – высоченную девицу с ярко-рыжими волосами и зеленющими, какими-то ненастоящими глазами – наверняка в линзах.

Девица посмотрела на нее с презрением: какая-то ошалелая и зачуханная тетка. С удивлением взглянув на кавалера, она протянула:

– Дим, ну пойдем!

На том и расстались. Леля торопливо пролепетала «пока!» и выскочила на улицу.

Через год она заказала деду шикарный памятник, высоченный, из дорогого черного габро, с красивым портретом. Дед получился почти красавец, возвышался над всеми «соседями». Снова глупость и детскость, да. Но Леля знала, как он всегда комплексовал по поводу роста – мелким был, неказистым, ниже бабки на полголовы. Муж, конечно же, усмехнулся и осу-

дил: к чему такая роскошь, кому это надо? Но вмешиваться не стал. Спасибо на том.

Из той черной полосы она выбиралась тяжело. Но выбралась, выскреблась, выкарабкалась, воскресла, вознеслась – как птица феникс. И запомнила на всю жизнь – когда мужу похвасталась, что все обошлось, тот ухмыльнулся: ты всегда вылезешь, наследственная способность! И в этих словах были и насмешка, и сарказм, и брезгливость.

Обиделась? Да. Простила? Конечно. Запомнила? Тоже – да. На всю жизнь.

С каждым годом выкарабкиваться становилось все тяжелее и тяжелее. Возраст, усталость? Все вместе.

А тут снова навалилось. Да как, господи!

И это были не просто неприятности. Увы... В дом пришла большая беда. Теперь Леля молилась об одном: господи, дай мне сил! Мне и Виктору!

И еще она извинялась за то, что не получилось у нее по-настоящему уверовать в Бога. А случилось вот что: заболел муж. Заболел серьезно, даже диагноз произнести вслух было страшно.

Он давно чувствовал дискомфорт: болело то там, то здесь. Но обследоваться не желал, как она его ни уговаривала. Наконец уговорила. Узнала Леля обо всем первой – после исследований врач позвонил ей. Правда, обнадежил: ситуация не критическая, сейчас *это* лечат, но нужно поторопиться. Словом, не вы одни – таких сейчас море, увы...

Два дня она была в абсолютном ступоре: все на автомате, механически. А потом взяла себя в руки. Да что ж такое? Да чтобы я да не справилась? Чтобы отказалась от борьбы? Не поверила в благополучный исход? Это же буду не я!

Поехала к деду на кладбище. Села на скамеечке и все ему рассказала. Говорила так, словно он сидел напротив, как прежде – за кухонным столом, за чашкой чая, за горкой конфет.

Выговорилась, и стало легче. Казалось, дед, как всегда, поддержал и успокоил. Привиделось, что даже услышала его слова: «Лелька, борись! Ты же у нас из борцов!»

«Из борцов и бойцов», – грустно усмехнулась она.

Но с того дня полегчало и даже прибавилось сил. Тут же связалась с врачами, стала разбираться с ситуацией. Через неделю вполне сориентировалась. Ясно было одно – нужно ехать. Куда? Вариантов несколько. Но самой близкой, доступной и понятной оказалась Германия.

Уже были написаны письма в клинику, начались переговоры по срокам и даже заказаны билеты. Вот именно тогда она вспомнила про Галочку.

Галочка была школьной подругой, самой близкой, наверное. Тихая, скромная Галочка искренне восхищалась красивой и яркой Лелей. Просто глаза загорались от восторга и восхищения: «Лелька! Какая же ты! Нет, ты, Лелька, самая лучшая!»

Восторги тихой Галочки были искренни.

Жила она с матерью, тетей Леной, тихо и скромно, в коммуналке, в крошечной полутемной комнатке не с окном – форточкой. Мать и дочь спали на одном диване. На зарплату медсестры в районной поликлинике не разбежишься – полная нищета. Тетя Лена помогала девчонкам со справками – и для физкультуры, и если хотелось просто сачкануть. Про отца Галочка однажды сказала коротко: «А его и не было».

Переспрашивать Леля не решилась, хотя удивилась: как это не было? Отсутствие отца девчонок роднило. Но у Лели был дед. У Галочки же только мама.

Леля на всю жизнь запомнила однажды увиденный Галочкин и тети-Ленин обед. Ее это поразило. Пустой, без мяса, суп, где плавали картошка, капуста, немного пшенной крупы и моркови. Зато много хлеба.

– Голод заедаем, – пошутила тетя Лена и, пытаясь извиниться, добавила: – Ты уж не обессудь, Леля.

Понимала, что дочкина подруга привыкла к другому.

А на следующий день потрясенная Леля притащила к ним полную сумку. Там были и колбаса, и сыр, и кусок мяса, и даже жестяная баночка с красной икрой.

Галочкина мать рассеянно повертела ее в руках и покачала головой:

– Нет, Леля! Все это ты отнесешь домой! А мы... мы будем жить как жили! Ты уж прости, я понимаю, ты от всего сердца! Но у всех своя жизнь и своя судьба.

Леля видела, какими глазами ее подруга провожает и ту самую зеленую баночку икры, и палку сыровяленой колбасы, и коробку шоколадных конфет. Но Галочка не сказала ни слова. Просто громко сглотнула слюну.

С тех пор Леля часто приглашала Галочку «перекусить». Не пообедать, обедов у них никогда не было, именно перекусить чем-то вкусненьким: бутербродами с копченой колбасой, ветчиной или соленой рыбой.

Так и держалась их дружба – на Галочкиной верности и восхищении и на Лелиной жалости. А еще на общих школьных проблемах. Галочка училась неважно, но Леля подруге всегда давала списать. Продружили они до окончания школы. Леля помнила, как Галочка отказывалась пойти на выпускной – стеснялась своего скромного платьишка, но матери сказать об этом постеснялась. Приодела ее Леля, откинув с барского плеча новый роскошный костюм из серого шелка – естественно, подарок щедрого деда.

После школы их пути разошлись. Галочка пошла в медучилище, по стопам матери. А Леля в свой пищевой. У нее появились институтские приятели, новая компания – вполне понятно. Виделись они с Галочкой редко – пару раз в год. А вскоре Леля собралась замуж и позвонила подруге, чтобы пригласить ее на свадьбу. И вот тогда Галочка ее огорошила.

– А мы уезжаем! – заявила она. – Эмигрируем с мамой в Германию! Знаешь, что стало последней каплей? – спросила Галочка. – Мама ходила делать уколы частным образом. Пришла тетенька и слезно умоляла сделать курс уколов ее мужу. Мама, конечно, согласилась – подработка всегда не лишняя, всегда копеечка. Ну и ходила десять дней к этому дядьке. Как понимаешь, в любую погоду. А в последний день эта баба ей протянула коробку зефира. Мама растерялась: а наша договоренность? А эта хамка ей в лицо рассмеялась: какая договоренность? Вы о чем? Вы же за зарплату работаете, а не за просто так?

Понимала ведь, что жаловаться мама не пойдет – себе дороже. А самое главное, что семейка эта мерзкая не из бедных. Бедные, кстати, всегда отблагодарят, кто чем сможет.

Муж у этой бабы – директор магазина. А она сама – завстоловой. Мама говорит, в квартире у них богатства неимоверные! Такие вот сволочи... Она так плакала от обиды и унижения! А потом сказала: «Точка! Больше я здесь не могу с этими торгашами жить».

Леля вздрогнула. Ее обожаемый дед Семен тоже был из торгашей.

– Может, хоть там заживем по-человечески, – закончила свою грустную историю Галочка и пригласила Лелю на проводы.

«Странно, – подумала Леля. – И кто их там ждет? Две курицы, если честно. Ни украсть, ни посторожить, как говорил дед Семен. И вот на тебе, собрались! Там им будет лучше! И откуда такая уверенность? Впрочем, да и хуже им будет вряд ли. Хуже и вправду некуда: комнатушка их жалкая, нищета. А вдруг и впрямь? Хотя нет, сомневаюсь, сомневаюсь, что дело в стране и в политическом строе. Всегда дело в самом человеке – тоже слова любимого деда. Кто умеет заработать, тот везде заработает». Ну и немного расстроилась – все-таки старинная подруга.

С такими мыслями она пришла на проводы к Галочке.

Увидела то, что и ожидала. Все снова было печально и жалко: и кучка престарелой родни – конечно же, нищей, убогой, печальной и очень плаксивой: какая-то тетя, племянник, ее сын, вечный холостяк и зануда, громко сморкавшийся в несвежий платок. Сестра Галочкиной матери – старая дева, некрасивая до неприличия, громко и жалобно причитающая: «Как же так, девочки? Как мы без вас?» Две ее же подруги из поликлиники – явно брошенки или старые девы, какая разница? Картина примерно одинаковая. Печаль, беднота, душные объятия, бесконечные слезы, неловкие и бестолковые слова. Грустно, как же все это грустно... И стол прощальный был похож на поминальный – почему-то стояла бутылка кагора, цер-

ковного, старушечьего вина. И салатики бедные: свекла, капуста, морковка с плавленым сыром.

Галочка и ее мать были растеряны, встревожены и, кажется, подавлены происходящим – Галочка, правда, пыталась храбриться. А тетя Лена, Галочкина мать, нет, не пыталась. Всхлипывала вместе с тоскливой родней: «И правда! Как же мы будем без вас?»

Леля ворвалась, как поток свежего ветра, как яркое солнце – юная, красивая, модная, пахнущая сногсшибательными духами. Гости и провожающие смотрели на нее во все глаза: и откуда эта радостная заморская фея? Подруга Галочки? Какая красотка! Странно, что у нашей Галочки *такая* подруга!

Леля оглядела честную компанию, громко вздохнула и достала из пластикового пакета с кудрявой Пугачевой бутылку армянского коньяка и коробку шоколадных конфет:

– Ну и что все такие грустные? Не за упокой ведь пьем, а за обновление жизни!

«Бойкая какая!» – радостно удивилась родня и вправду слегка оживилась, с удовольствием перейдя на армянский.

Галочка раскраснелась и не отпускала Лелину руку:

– Как там все будет, Лелечка? Вот, собрались, а теперь... Страшно мне очень! Я ведь трусиха, ты знаешь! Не то что ты! Да и мама... такая вся ненадежная, а? – Галочка нервно смеялась, глотала коньяк и уже еле держалась на тонких, изящных, кукольных ножках.

Леля уложила ее на диван и села рядом.

– Все будет хорошо, Галочка! Вот хуже точно не будет! – И она обвела глазами всю жуть, что их окружала.

Родня потихоньку рассасывалась – время позднее, плошки с салатами опустели, и куриные косточки были изгрызены в пыль. Тетушки и подруженции напяливали свои сиротские пальтишки и ботики, жались к двери, испуганно оглядываясь на проходящих мимо соседей, и тихо прощались. Навсегда.

– И в аэропорт не приедете? – удивилась тетя Лена.

Все дружно замотали головами и стали тихо, но горячо оправдываться:

– Опасно, Леночка! Ты нас пойми!

Тетя Лена покрылась нервным румянцем:

– А вам-то чего бояться, господи? Вы что, на военных заводах или, может, в почтовых ящиках трудитесь?

Гости просочились за дверь, неловко бормоча извинения.

Вот там, в коридоре своей коммуналки, опьяневшая тетя Лена и разрыдалась в голос – так что Леле пришлось увести ее в комнату и уложить на диван, где уже безмятежно спала и смешно похрапывала впервые в жизни пьяная Галочка.

Но с женихом своим Леля познакомить подругу успела за пару дней до отъезда. Встретились у метро и пошли в кафе.

В кафе, полутемном, прокуренном и шумном, заказали бутылку сухого и какой-то закуски. Леля видела, какими глазами Галочка смотрит на Виктора, при этом неловко взмахивает руками, смахивает на пол то вилку, то огурец. Галочка залпом глотала вино, неумело прикуривала, заходилась в кашле, краснела и испуганно смотрела на Лелю. Выбегала в туалет и возвращалась оттуда с припудренным белым носом и неумело накрашенными губами. Она неестественно громко смеялась, рассказывала несмешные анекдоты «с бородой» и снова с испугом смотрела на Лелю. А той было смешно.

На улице пьяненькая и смешная Галочка успела шепнуть:

– Господи! Какой же он у тебя!

– Какой? – улыбнулась Леля.

– Необыкновенный! – восторженно пропела Галочка. – А красивый какой! Таких больше нет!

– Да ладно тебе, – смутилась Леля. – Прямо-таки и необыкновенный! Скажешь тоже!

Галочка загрустила:

– А мне, Лель, таких не видать! Такие для лучших! Умных, красивых, богатых! Не для меня.

– Да брось ты, – ответила Леля и крепко обняла подругу. – И у тебя будет свой принц! Ты что, не веришь? Или завидуешь?

Галочка недоверчиво на нее посмотрела.

– Принцы не для таких, как я, Леля! Буду ждать своего пастуха! Я же не Золушка! Совсем не Золушка, Леля! А у посудомойки может быть только пастух! А насчет зависти... – Галоч-

ка задумалась. – Нет, не завидую! Потому что даже на это я не имею права. Вот так.

А через два дня Леля отвезла Галочку и ее маму в аэропорт на дедовой машине, за рулем был Димка. В аэропорту было совсем тяжело: Галочка и тетя Лена были окончательно растеряны и смотрели на Лелю глазами, полными страха. Казалось, они обе ждали, что она, такая сильная и решительная, их наконец остановит. Остановит и привезет обратно домой.

На обратном пути Димка пытался Лелю развеселить и рассказывал дурацкие армейские байки. Она недолго терпела и грубо его оборвала:

– Слушай, Дим! Ну может, хватит? Совсем ведь не смешно, или тебе так не кажется? Да и настроение у меня... Что, не понятно?

До самого Лелиного дома Димка молчал и хмуро смотрел на дорогу.

Вскоре Леля перестала грустить: институт, свидания с Виктором, подготовка к свадьбе – словом, ее увлекла и закрутила собственная жизнь.

Первое письмо от Галочки пришло через пару недель: все хорошо, мы уже в Бремене, живем в лагере для переселенцев. Кормят отлично: дают много разной колбасы и сосисок. Вкусно, проглотишь язык! Города мы не видели – нас и не выпускают. Но скоро все решится – и вот тогда заживем!

«Грустно, – подумала Леля. – "Много колбас и сосисок..." Дурочка Галочка! Колбасы и сосисок и здесь навалом. Правда, не в магазинах, а под прилавком, если честно. Но все можно достать!»

Переписывались они еще пару лет, а потом перестали, потерялись. Леля была дамой замужней и уже матерью, дед подарил пресловутую однушку в Орехове, сменился адрес, телефона сначала не было, а потом... Ну в общем, как оно часто бывает – разная жизнь, совсем разная жизнь...

Нашлись они спустя много лет, в соцсетях. Галочка написала, что слышала про Лелины успехи и все про нее знает из прессы и интернета. По ее словам, она ни капельки не удивилась: «Ты, Лелечка, всегда была *необыкновенной*! Всегда! Самой лучшей, самой красивой, самой душистой! Ах, как ты восхитительно пахла всегда! Просто неземной аромат! И джинсы твои я, кстати, еще о-о-очень долго носила, лет пять или шесть! Чудесные были штаны, сейчас таких и не делают!»

«Джинсы? Какие джинсы?» — пыталась вспомнить Леля. А потом поняла: джинсы, настоящие американские «Вранглер», густо-синего цвета, новогодний подарок деда. Привезла она их тогда в Шереметьево и благородно отдала подруге: носи и вспоминай!

Галочка писала, что замужем не была и детей не случилось. Маму она похоронила, умерла тетя Лена совсем нестарой и уходила тяжело, да... Работала Галочка в больнице операционной медсестрой — зарплаты хватало. Да! Самое главное — у нее своя квартира! Своя, собственная! Нет, конечно, в кредит — а как по-другому? Долго копили с мамочкой на первый взнос, долго откладывали. Во всем себе, если честно, отказывали. Но это же такое огромное счастье — квартира! Совсем небольшая: две комнатки, небольшая кухня. Но хороший и спокойный район. Очень зеленый! «У нас от этого и цена, понимаешь? Не шикарный, конечно. Ну и пусть! И пусть выплачивать еще много лет».

Леля, прочитав, усмехнулась: «У нас тоже от *этого зависит* цена! От района, Галочка! Как во всем, собственно, мире».

Леля рассматривала Галочкины фотографии. Маленькая собачка до старости щенок. Галочка по-прежнему была мелкой, худенькой, изящной. Женщина-девочка. Одета она была скромно. Впрочем, Европа всегда одевается скромно: курточка мышиного цвета, беретка. Сумочка-почтальон через плечо. Главный критерий — удобство, не форс. Подробности лица было не рассмотреть, как ни увеличивай фотографии, но было видно, что лицо у подруги не так чтобы гладкое и ухоженное. «А кто из нас молодеет?» — грустно подумала Леля, разглядывая собственные морщины.

Галочка писала, что ходит на музыкальные и поэтические вечера. Сама пописывает стишата, этим она грешила и в юности. Обожает вязать, вот только некому. Да! У нее замечательная коллекция пластинок классической музыки,

и это огромное счастье! Питается она правильно, только полезное. Слава богу, она все это любит – мамочка так приучила.

«Простая еда – это всегда полезно», – вспомнила Леля и тут же представила свой холодильник.

Есть у нее и любимый кот – Рыжий. Красавец такой! «Умница – веришь? Умнее собаки! Живем мы с ним дружно».

«А как еще можно жить с котом? – удивилась Леля. – А что он умнее собаки, не верю! Да, Галочка всегда была фантазеркой».

Получалась типичная картина из жизни старой девы – небогатая и уютная квартирка, корзинка с вязаньем, старые пластинки с классической музыкой, счета на оплату в жестяной коробке из-под печенья. И та же самая еда: плошечки с полезной свеклой, тушеной морковкой...

Что изменилось? Что? Чем стало радостнее? Чем веселее?

Те же печаль и тоска, только в другом интерьере. И пейзаж за окном немного другой. Получается так.

А потом, когда все друг про друга узнали и утолили первое любопытство, переписка их постепенно заглохла: Леле, как всегда, было некогда. Писала в основном Галочка – все то же, все так же грустно и однообразно. Спрашивала, не собирается ли Леля в Германию.

Леля не собиралась. Просто в Германии не было дел. А позволить себе поездку «просто так» она не могла. «Просто так» она ездила только на море, в Италию. Любимую Италию, где ей всегда было спокойно, хорошо, комфортно и вкусно. А все остальное – поездки короткие, деловые. Галочку она к себе пригласила – не то чтобы сильно скучала, а так, из вежливости.

Галочка тут же откликнулась: «А что, было бы здорово! Правда, Лелечка? Вместе побродим по Москве, походим по музеям, съездим в нашу школу, повспоминаем, а?»

Леля хмыкнула: «“Погуляем, побродим! Повспоминаем!” Да откуда у меня на это время? “Съездим в нашу школу!” Вот уж совсем смешно!» По школе Леля не тосковала совсем – век бы ее не вспоминать, эту школу. Галочка, Галочка... Как была, так и осталась глупенькой, наивной, восторженной. «А я тоже осталась самой собой – жесткой, несентиментальной и практичной Лелей. Точнее – Ларисой Александровной. Которая стала еще жестче и еще решительнее. И еще менее сентиментальной. Так распорядилась хозяюшка-жизнь. И так распорядилась я сама, Леля».

Скоро или не очень, разговоры о поездке «замылились» – так часто бывает. То Леля не смогла, то Галочке не дали отпуск.

Но теперь возникли Франкфурт и франкфуртская больница.

Муж, хоть и не знал точный и страшный диагноз, тут же впал в хандру и почти ничем не интересовался. Даже своей болезнью. И снова воительницей была объявлена она, Леля. Воительницей, ответчицей и решающей.

Тут и вспомнила про Галочку – не без корысти. Старая подруга ей пригодится. Нет, не потому, что нужен гид или переводчик – эти услуги входили в пакет. Просто хорошо знакомый человек, ориентирующийся в чужом пространстве, ей вовсе не повредит! К тому же Галочка была медиком, работала – вот чудеса! – в той же больнице, правда, в другом отделении, но это уже не так важно. Жила она во Франкфурте долго, все там знала, к тому же была человеком ответственным, близким и очень надежным.

Леля с списалась Галочкой, потом позвонила – вернее, первой позвонила отзывчивая Галочка. Охала и ахала чрезмерно, что слегка раздражало, но Леля моментальный отклик оценила – она умела замечать добро.

Галочка усиленно приглашала остановиться у нее. Все повторяла: «У меня же своя квартира, Леля! Двухкомнатная!» Она продолжала удивляться своему огромному счастью – Лелиному приезду.

Леля эту идею тут же твердо отвергла:

– Жить я буду в отеле, что при больнице. Точка. И мне так удобнее, и тебя напрягать не хочу.

Галочка слегка поспорила и, как всегда, уступила – помнила твердость характера старой подруги.

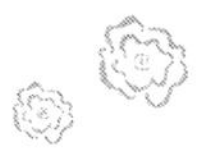

Закончив все оформительские дела, в начале октябре выехали. Виктор был слаб, почти ни на что не реагировал и казалось, что окончательно перепоручил свою жизнь жене. Взялась? Ну тогда и отвечай!

В аэропорту их встречали представитель больницы и переводчица. Первый – этнический немец из Прибалтики, молодой мужчина с мучнистым лицом и равнодушными глазами, в которых читалось: «Вы для нас материал, а не люди. Мы на вас зарабатываем». Переводчицей оказалась совсем молодая девочка. Питерская, вышедшая замуж за немца. Была она сильно простужена и не отнимала платок от красного носа.

Леля удивилась: раз представитель больницы оказался русскоговорящим, зачем им еще и переводчик? Срубить лишние деньги?

Переводчица растерянно переводила взгляд с коллеги на Лелю и громко сморкалась.

– Вы свободны! – жестко сказала Леля. – Идите домой и лечитесь! А то еще заразите нас, а нам это, простите, совсем ни к чему! Своих проблем, знаете ли! К тому же вам, милая, не объяснили, что у *таких* больных снижен иммунитет?

Переводчица мелко закивала, страшно смутилась и поспешила к выходу. Ее коллега скорчил недовольную физиономию: все ясно, дамочка та еще цаца! Все эти, из России, да еще и с деньгами, чувствуют себя королями. А мы для них – обслуга.

Леле было на их недовольство глубоко наплевать. Предстоял очередной и, скорее всего, самый долгий и сложный виток новой борьбы – за саму жизнь. А тут нужна твердость.

Она грустно подумала: «И здесь тоже деньги вытрясают. А проколы – пожалуйста, вот они! Да, везде люди, что говорить».

По счастью, в больнице их быстро оформили, проводили до палаты – большой и светлой, конечно, со всеми удобствами. Была она еще и уютной – никаких белых штор, никакой казенщины: теплые цвета, ковер на полу, картинки на стенах. Крошечная кухонька с микроволновкой, чайником и даже с нарядным сервизом. На тумбочке стояла минералка, в холодильнике – две пачки сока, и на журнальном столике – букет из розовых крокусов. Мило.

Приветливая медсестра кивнула:

– Отдыхайте! А завтра начнется работа.

Покормив мужа и уложив его отдыхать, Леля спустилась в кафе на первом этаже. Взяла апфельштрудель и большую чашку кофе. Села за столик у окна с видом на огромный, бесконечный парк. Деревья уже начинали краснеть и желтеть, но яркий зеленый преобладал и еще пытался отстаивать положение лидера. Возле парка притулилось и озерцо – совсем небольшое, правильной овальной формы. По нему медленно, с достоинством плыла пара прекрасных лебедей, белый и черный.

«Пара», – грустно подумала Леля, вспомнив о пресловутой лебединой верности.

Впрочем, грустить было не время. Она посмотрела на часы и заторопилась в палату. Муж еще спал, и лицо его было спокойно. Она села на стул у кровати и стала на него смотреть.

Родной. Именно это слово первым образовалось в голове: родной. Родной до боли. Сколько лет вместе, господи! Бедный! Что ему предстоит? Пока не знает никто.

Родной, бедный, любимый, самый близкий. Любимый и самый близкий? Так ли? Да какая разница! Вот же она дура! Да разве в эти минуты можно вспоминать старые обиды?

Прожита жизнь – ну или почти прожита. Ей, Леле, в следующем году, между прочим... Да, пятьдесят! Но хватит о грустном! С Виктором они вместе уже почти тридцать лет!

Да, всякое было: и взаимные обиды, и недовольство друг другом. И куча претензий. И эта их отдаленность в последние годы...

Но была и общая молодость, и кипящая страсть, и общий ребенок! Была же любовь! Да, конечно, была!

При чем тут обиды? Когда-то Леле очень хотелось, чтобы муж... Ну, соответствовал, в общем. Ей. Ее статусу, положению. Поддерживал ее и во всем с ней соглашался. Чтобы восторгался ею, гордился. Чтобы они были на равных – равным легче

друг друга понять. Чтобы и у него было дело, ради которого он стал успешным – модное слово. Успешные люди становятся терпеливее и добрее друг к другу. И ценят чужие успехи. Именно так: не завидуют, ценят.

А Виктор... Он к этому совсем не стремился. Говорил, что ему хватает. Правда – ему всего и хватало, потому что Леля всю жизнь делала так, чтоб им *хватало*!

Он слегка разочаровывал ее, да. А иногда и совсем не слегка. И она, наверное, тоже разочаровывала его – не без этого.

Иногда Леля думала: «А ведь ему, наверное, тоже была нужна не такая женщина. Может, чуть мягче, чуть менее амбициозная».

Но она такая, как есть. И он таков, как получился. У них семья, дочь. Общий дом. Тридцать лет за спиной. Ничего себе, а? И прожили они эти тридцать лет совсем неплохо, ведь правда?

И секс у них был горячий и страстный. Так часто бывает? Вот именно – редко! А то, что с возрастом все поутихло – так это нормально, она понимает. Виктор никогда не давал повода усомниться в его верности. Чистоплотный человек, не гуляка. Никогда она его не ревновала. Не ходил налево от душевной и прочей лености?

Отцом, кстати, он был хорошим, к тому же не зануда и не нытик. Образованный, любил книги, классическую музыку. В начале их семейной жизни водил ее в Зал Чайковского. Она, конечно, ходила. Но ей было невообразимо скучно: под эту музыку она засыпала, прикрывалась ладонью, чтобы сдержать зевок. Он это понял и стал ходить на концерты один. Подтрунивая над ней:

– Ну что? Сегодня будешь спать дома?

Виктор никогда ей не был защитой – это чистая правда. Но ведь и не предавал? А его отстранение от всех ее дел... Нет, не предательство – это его отношение.

И еще – он ее никогда не пожалел, не прижал, не обнял, не погладил по голове: «Бедная ты моя девочка! Очень устала?»

Однажды, когда она его попрекнула, он обронил: «Жалеть тебя? Ну ты рассмешила! Ты же у нас танкер «Дербент»! Ледокол «Ленин»! Как можно тебя жалеть, Лель! Просто смешно!»

А вот ей смешно не было. Совсем не было смешно тогда, в очередную черную полосу.

Ладно, и это проехали.

Близкий, родной, любимый, несчастный.

Сердце рвалось от жалости. И что – разбираться и пытаться понять, где любовь, где привычка? Какая разница, когда все вот так получилось? Жизнь почти прожита, изменений она не ждет и не хочет. А то, что человек этот ей дорог, – об этом нечего говорить! Он ей и муж, и сын, и брат. Вот так. А своих не сдают и не бросают, вспомнила дедово: «С Дона выдачи нет!» Вот именно, нет!

И она будет биться – до последнего, победного конца, до долгожданной белой полосы! Она так привыкла. И к тому, что жизнь полосатая, привыкла. И знает точно: за черной придет белая. И это не наивность. Она большая девочка, все понимает. Трудно быть бойцом и борцом? Трудно, да. Но свою непростую жизнь она бы не променяла ни на какую другую – не по ее характеру другая жизнь.

А кто кого, мы еще посмотрим. Полосатая, мать твою... Все про тебя знаю, ага.

– Прорвемся, Витенька! – прошептала она. – Я тебе обещаю!

К вечеру безумно захотелось спать, но в гостиницу она не пошла – не хотела оставлять мужа. Простились почти к девяти, когда вежливая и сухая медсестра попросила Лелю покинуть палату.

Она поцеловала мужа и подержала его руку в своей. Он кашлянул, чтобы скрыть срывающийся голос, и отвернулся. А она почувствовала, как мелко дрожат его руки.

Номер в отельчике при больнице, где обычно останавливались родственники и сопровождающие, был небольшой и очень казенный. Конечно, со всеми удобствами. И даже с российским телевизионным каналом.

Леля сделала себе крепкого чаю, положила в него три куска сахару, вспомнив, что за весь день только выпила кофе и съела кусок пирога. В сумке оказалась помятая шоколадная конфета «А ну-ка, отними!». Откуда, она не вспомнила, но съела с удовольствием, как и слегка подсохший мандарин, брошенный в сумку примерно неделю назад. Дел в Москве собралось так много, что поесть было некогда – так и перебивалась мандаринами и бананами, в спешке прихваченными из дома.

Леля включила телевизор, но довольно быстро уснула под какие-то пустые разговоры, под чьи-то споры, под чужие вскрики – обычную телевизионную чепуху. Проснувшись среди ночи, она почувствовала боль в груди. Скорее даже не боль, а тревогу и беспокойство. Сердце билось пугающе сильно.

Она встала и подошла к окну. Двор освещал слабый свет фонаря, и стояла абсолютная, больничная тишина. Покой был во всем.

Она долго стояла у окна и думала о том, что совсем близко, всего минут пять ходьбы, в соседнем корпусе, в больничной палате, спит ее муж. Наверняка тоже тревожно и беспокойно – назавтра ему предстоял тяжелый и длинный день. И, как они надеялись, окончательный приговор. Дай только бог, чтобы он оказался обнадеживающим. Дай бог, чтобы немецкие врачи оставили им надежду! Дай бог им все это пережить. Дай бог им сил и веры в хорошее. И она стала молиться своими словами, шептать горячо и сбивчиво, путаясь в словах и не замечая текущих по щекам слез:

– Господи, помоги! Ну пожалуйста, что тебе стоит? Ты же такой... Всемогущий, Господи! Ну чем он провинился перед тобой? Я, может быть, да. Я многое делала не так чтобы правильно. Бизнес, знаешь ли... там все непросто. А он... он абсолютно чист перед тобой! Он приличный человек, ты же знаешь! Разве ты не видишь этого? За что же его? Он-то совсем ни при чем.

Она не замечала, что замерзла и что от слез промокла ее ночнушка. Она просто говорила с *ним*, упрашивала его, даже умоляла. Клялась и обещала, что впредь...

А потом словно очнулась, пришла в себя, оттерла слезы, умылась холодной водой и приказала себе держаться. Кто, если не я, а? Вот именно! А значит – никакой душевной слабости, всё! И физической, кстати: надо нормально есть, нормально спать и быть в форме. Иначе нам всем труба. «Кто, если не я», – все повторяла она, пока не уснула.

Встала Леля легко, словно и не было этой кошмарной ночи, быстро собралась, глотнула отвратительного растворимого кофе, любезно предоставленного отелем, и – рванула в очередной бой. Кажется, теперь самый главный. Бой за человеческую жизнь. За дорогую ей жизнь.

Она успела – через пару минут возникли и лечащий врач, и палатная медсестра. И все завертелось мгновенно: анализы, обследования, суета.

Она оставалась в палате – здесь вам не тут, здесь можно постоянно находиться при близких, не совать деньги врачу в карман халата, не упрашивать, не шептать на ушко, обещая «не обидеть».

В какой-то момент она задремала прямо в кресле, в тревожном ожидании. И тут дверь осторожно приоткрылась, и она увидела Галочку! Та бросилась к Леле, они горячо обнялись, даже всплакнули: ох, сколько же лет, сколько зим! Да, повод... ужасный. Что говорить!

– Слава богу, есть деньги, Леля! – обнимая ее, причитала Галочка. – И есть надежда! Здесь чудесные врачи, да и вообще медицина! И слава богу, что вовремя, да? Ведь обещают, Леличка! А это ведь самое главное!

Она говорила торопливо, словно боялась не успеть высказать все, что хотела. Шептала, обнимала ее, гладила по голове, и Лелю вправду отпустило, стало чуть легче. Она утерла слезы, улыбнулась:

– Да что мы все о нас? Что у тебя, Галочка? Как ты? Ну давай рассказывай! Выглядишь, кстати, прекрасно! Совсем не изменилась, совсем! Такая же девочка, господи!

Галочка махала крошечной ладошкой, тоже утирала слезы, в волнении отчаянно терла щеки, отмахивалась от комплиментов, даже возмущалась ими:

– Что ты, господи! Что говоришь? Посмотри, как скукожилась! Сморщилась, как чернослив. Вон сколько морщин! Просто маленькая собачка... Ты же знаешь! А так... Все хорошо, правда, ей-богу! Своя квартира, приличная зарплата. Пенсию заработала, а это, знаешь ли, ужасно важно! Страховка отличная – здесь же, в больнице, как для сотрудника. Ну, и мы с тобой встретились, божечки! Радость какая! Ой, ты прости, что я несу! Но я вправду очень рада тебе! Рада, что у тебя все сложилось, Лелечка! Хотя кто сомневался? Ты ведь всегда была, а? Лучшая, Лелечка! Самая-самая! Красавица, умница! Как я гордилась тобой! Тобой и нашей прекрасной дружбой! А с Виктором – вот я уверена! – все будет нормально. И даже отлично, Лелечка! Ты меня слышишь?

Леля растерянно кивала:

– Да, да, конечно! Разумеется, я тебя слышу. Конечно, я верю, все будет отлично. А как без надежды? – Но уже поглядывала на дверь: как долго их нет, что там, что?

Галочка тоже глянула на часы.

– Лелечка, мне пора, извини! Работа! Здесь с этим ужасно строго. Я отпросилась на полчаса, объяснила, что приехала подруга из России, как вы теперь называетесь! – Она засмеялась.

Леля кивнула:

– Да о чем ты? Разумеется, все понимаю! Спасибо, что нашла возможность заскочить. Мне уже легче. Свой человек и совсем рядом. О чем говорить?

Галочка порывисто обняла ее, улыбнулась и скороговоркой проговорила, что непременно зайдет после работы – непре-мен-но, Лелечка! И еще – поговорит с коллегами, да! Все узнает, все уточнит. «Хотя здесь ничего не скрывают и все говорят. Ну, ты это знаешь! У вас, кажется – я где-то слышала, – тоже сейчас все говорят, правда, да?»

Леля кивнула.

Галочка выпорхнула из палаты, и Леля подумала: «Легкая, как птичка-синичка. Так и осталась – на легких ногах, так и осталась птичкой. Щебечет, щебечет... Курлычит».

А вскоре привезли мужа – на каталке, в казенной пижаме, или даже в костюме, небесно-голубого цвета, как бы нарядном и вполне жизнеутверждающем.

Он был растерян, но, кажется, спокоен. И даже с удовольствием пообедал: протертый овощной суп из зеленого горошка, паровая индейка с морковным пюре и даже десерт – пирожное со свежими фруктами и чашка отличного кофе.

Он быстро уснул – устал, такой напряженный день, а Леля осталась ждать доктора и переводчика. Села в кресле с абсолютно прямой спиной и скрещенными ногами – поза, показывающая ее сильное волнение, напряженность и ожидание. В общем, ее частая поза, привычная... Примерно через полчаса появились и врач, и переводчица – та же, сопливая, которую Леля прогнала в аэропорту. Она смотрела на нее со страхом, но Леля сделала вид, что ее не узнала.

Врач, мужчина средних лет и весьма приятной наружности, господин Штольц, как было написано на бейджике, говорил негромко и спокойно:

– Да, мы беремся. Шансы хорошие. Будем готовить к операции. Анализы неплохие – можно было ждать и чего похуже. В общем, фрау Незнамова, не волнуйтесь и побольше отдыхайте – операция назначена на послезавтра, набирайтесь сил! По любым вопросам я готов дать ответ, обращайтесь! И думаю, что все будет отлично.

Леля изо всех сил держала себя в руках, но слезы все равно полились, покатились...

– Доктор, – прошептала она.

Он мягко улыбнулся, дотронулся до ее руки и попрощался. Вслед за ним просочилась и переводчица, кажется по-прежнему остерегавшаяся строгой жены пациента.

Муж спал, а она решила пойти в кафе. Доктор прав: нужно спать, есть, необходим режим. Нужны силы.

В кафе она пообедала – все вкусно и относительно недорого – и вспомнила про Галочку. Та наверняка заходила, вот ведь. Ну что поделать – сейчас она должна думать только о деле, только о муже и о себе. Все остальное не важно. Плевать на все остальное. Силы и переживания нужны на главное, на основное.

До вечера она была в палате – вместе с Виктором пили чай, разговаривали, смотрели какой-то старый английский фильм. А потом она пошла к себе – поняла, что он хочет остаться один. Нет, совсем не обидно! И все очень и очень понятно.

На следующий день все завертелось. Леля успевала только отмечать, как все четко и грамотно. На послезавтра была назначена операция.

Вечером накануне появилась Галочка, тихонько поскреблась в дверь, не решаясь зайти. Муж дремал, и Леля предложила ей пойти в кафе. Выпили кофе и вышли на улицу. Погода стояла прекрасная, солнечная и теплая. Сели на лавочке в парке у озера, и Галочка прикрыла глаза.

– Хорошо как, а, Лелечка? Я люблю погулять в этом парке. И просто посидеть после работы у озера на скамейке.

Поговорили немного о прошлом, вспомнили школу, двор и подруг. Леля удивилась: Галочка знала про многих, искала и находила всех в соцсетях. Странно. Леле это даже не приходило и в голову – вытаскивать на свет божий старые связи.

– Ну, ты даешь! – удивилась она. – И где ты их всех откопала?

А Галочка смеялась и продолжала перечислять:

– Кущенко вышла замуж аж в тридцать пять! И родила! Представляешь? Смирнов погиб, увы, в катастрофе. Божина многодетная мать, правда, без мужа. А Филоненкова во Франции! Уродка и дура, ты ее помнишь?

Леля плохо помнила и представляла и дуру Филоненкову, и многодетную мать Божину. А Смирнова и не помнила вовсе.

Галочка снова смеялась и приговаривала:

– Лелечка! Мне же совсем нечего делать, ну, после работы! Вот и сижу там, копаюсь. Отыскиваю всех наших. А тебе, понимаю, не до этого. Ты же такой занятой человек. Да и к тому же семейный.

Леля кивала и соглашалась – все так. Но не сказала, что если бы даже и было время, если бы его было навалом, то все равно – вряд ли. Вряд ли бы стала искать и интересоваться судьбой бывших одноклассников, ей-богу. Подумала: «Вот оно, одиночество!»

Живо представила Галочкину жизнь: и крошечную квартирку, и постный овощной супчик в кастрюльке. Тихо шуршит пластинка с классической музыкой. Галочка, как и Виктор, в ней понимает, не то что Леля. Корзинка с вязаньем, старый компьютер, к которому Галочка спешит по вечерам.

Слегка подмерзли и распрощались. Леля торопилась в палату, к мужу. Галочка спешила домой, к коту.

Назавтра был трудный день. Наверное, самый трудный.

Хотя кто знает, что ждет впереди?

Галочка проводила ее до корпуса, обняла и назавтра обещалась зайти.

На том и расстались.

Операцию муж перенес хорошо. Леля, конечно, все эти три часа была сама не своя – бродила по парку, наматывая круги. Время, казалось, вытекало по каплям.

День в реанимации – Леля целый день маялась и валялась на кровати в гостинице, к мужу ее не пускали.

А на следующий день все потекло спокойной и размеренной рекой. Все опять было четко, разумно и очень понятно, что главное.

Она вообще терпеть не могла неясности. В такие минуты ей казалось, что она может не справиться. А вот когда все понятно – нет растерянности и рассеянности, – тогда она снова сильная, упрямая и жесткая Леля. Леля-боец.

Муж приходил в себя, начал понемногу есть и даже пару раз пошутил. Она радовалась, как дитя, и его спокойным глазам, и мимолетной улыбке, и приличному аппетиту.

У нее тоже прибавилось сил – она легко носилась по коридорам больницы, улыбаясь уже знакомым и незнакомым, удивляясь спокойным и доброжелательным лицам и человеческому отношению – к больным и родственникам больных.

В свой номер она приходила к вечеру. Тут же ложилась и мгновенно засыпала. А в кафе при больнице посидеть любила. Пара красавцев лебедей по-прежнему, с тем же упорством и нежностью исполняли свой ежедневный танец любви. И она, не отрывая глаз, любовалась на их плавное, почти незаметное и завораживающее скольжение.

Парк постепенно терял осеннюю прелесть – листья осыпались, опадали, ветер усиливал их прощальный и печальный танец. Иногда моросил мелкий дождь, и выходить на улицу совсем не хотелось.

Каждый день заходила Галочка. Точнее, аккуратно стучала в палату, и Леля выходила к ней навстречу. Иногда шли в кафе и пили кофе, иногда – если на улице было сухо – сидели у озера.

Леля думала, глядя на старинную подругу: «А что бы я без нее тут делала? Да спятила бы!»

Галочка ближе к вечеру начинала нервничать и смотреть на часы.

– Извини! – краснела она. – Рыжий заждался!

Леля усмехалась:

– Галочка! Кот не собака! С ним же не нужно гулять!

А Галочка смущалась еще больше и объясняла, что Рыжий скучает и ждет ее возле двери. Биологические часы у котов работают исправно, и он четко знает, когда хозяйка придет.

– Ну а если задержишься? – не унималась Леля. – Что с ним случится?

Галочка удивлялась непониманию подруги:

– Да ничего не случится! Вода есть, еда есть! Но он будет скучать! Тосковать и нервничать. Разве этого мало?

Леля вздыхала:

– Да нет, конечно. Конечно, иди! – И с раздражением добавляла: – Я ведь тебя не держу.

И глядя ей вслед, качала головой: «Бедная Галочка! Совсем чокнулась. Кот будет нервничать, господи! Скучать – вот ведь проклятое одиночество. Страшная штука для баб».

И тут же чувствовала себя счастливой, необходимой, нужной – для всех. Что там говорить – и вправду счастливица! Все у нее есть – дочь, муж, деньги, работа. А потом будут внуки! Конечно же, будут! А в подробности мы вдаваться не станем – под каждой крышей свои мыши, знаете ли...

Через восемь дней муж, держа Лелю под руку с одной стороны и медсестру Клаудию – с другой, уже медленно шагал по коридору. Это была их первая победа.

Галочка звала ее в гости – много раз. Уговаривала посмотреть город и пройтись по магазинам: «Тебе же интересно, правда? И это тебя наверняка отвлечет».

Леля смеялась: «Галочка, милая! Тебе, наверное, трудно представить, но у нас нынче есть все! Все, понимаешь? И тряпки, и обувь. И те же самые магазины, что и у вас! И шляться по ним я, честно говоря, ненавижу. Для меня это тяжкий труд, а не удовольствие – вот как бывает».

Галочка смотрела на нее во все глаза и никак не могла поверить: «Да, Лелечка! Ты права – трудно представить! Чтобы все было? Нет, невозможно!»

Но погулять все же решили. И посмотреть Галочкину квартиру. «Господи! – с досадой думала Леля. – Ну что, я не видела квартир? А деваться-то некуда. Галочка мечтает похвастаться. В конце концов, это я переживу. А Галочке будет приятно».

Все это время старая подруга поддерживала Лелю как могла, это чистая правда. И она чувствовала себя не одинокой – что тоже было не лишнее, – как не уважить?

Словом, собрались. Муж отпустил легко, Леля даже удивилась.

– Конечно, пойди погуляй! Ты тут, поди, совсем закисла.

Какое благородство, с иронией подумала Леля и тут же устыдилась: с него сейчас взятки гладки, а вот она... Стерва она, везде ищет подвох.

День, выделенный под это дело, оказался на редкость погожим – светлым, солнечным и очень теплым.

У Галочки был выходной, и она подъехала к зданию гостиницы встретить подругу.

Сели в автобус, доехали до центра города и пошли гулять.

Город Лелю ничем не удивил: обычный европейский, чистый и удобный. Никаких особых достопримечательностей. Во время войны его почти разрушили, а потом с немецкой тщательностью восстановили, и он стал даже вполне уютен и мил.

Погода прогулке способствовала. Прошлись, зашли в кафе выпить кофе, заглянули мимоходом в обувной магазинчик, где Леля без примерки быстро купила легкие и теплые угги – на следующей неделе обещали похолодание.

А потом поехали к Галочке. Добрались быстро – Леля устала и настояла на такси, хотя Галочка активно сопротивлялась. «Транспортная сеть у нас замечательная, метро, автобусы ходят исправно. Глупость какая – брать такси!» – долго не унималась она.

Но Леля сослалась на разболевшиеся ноги, Галочке пришлось согласиться.

Ехали и вправду минут пятнадцать. Наконец остановились у обычного многоэтажного дома, стоявшего на краю густого парка.

– Видишь, как зелено, – гордо сказала Галочка.

Было зелено, но совсем близко прогрохотала электричка – да так громко, что непугливая Леля вздрогнула.

Галочка слегка смутилась и быстро зашла в подъезд. Подъезд был, разумеется, чистым. И чистым был лифт, привезший их на двенадцатый этаж. Германия, да.

– У нас есть кладовка, – радостно сообщила Галочка, указав на дверь напротив квартиры. – Метров десять, не меньше! Храню там всякие воспоминания, – грустно вздохнула она. – В основном мамины вещи.

Наконец Галочка отперла входную дверь, и Леля шагнула внутрь.

Все выглядело ровно так, как она себе и представляла, даже подивилась своему дару предвидения. Узкая прихожая с вешалкой, коврик у порога. Слева маленькая кухонька, метров пять или шесть – совсем как в наших хрущевках.

Гостиная, как называла эту комнату Галочка, тоже была совсем небольшой, метров двенадцать.

— Бывшая мамина, — грустно вздохнула она. — Ну а эта моя! — И распахнула дверь во вторую комнатушку — метров девять или около того.

Узенькая девичья кровать под однотонным пледом, торшер на тонкой ноге. Тумбочка с книгами. На стене знакомый коврик — олени, лес и озерцо.

Неужели из того времени, из Москвы?

— Нет, — рассмеялась Галочка. — Купила здесь, на флимаркете, у какой-то польки. Как в нашем детстве, правда? Ностальгия!

В детстве Лели такого коврика не было — маме было все равно, интерьер ее не волновал, а у деда Семена был отменный вкус. Даже странно — в кого?

Ковры дед покупал настоящие, если не персидские, то узбекские или туркменские. А вот подобную «пошлость» — его слова — презирал.

Конечно, книжный шкаф. Простые шторы на окнах.

Ну и в гостиной слегка потертый диван, небольшой и довольно древний телевизор: «Покупали еще при маме, мне он и почти не нужен, я лучше почитаю, правда ведь? Или послушаю музыку».

Леля кивнула и чуть пожала плечом: наверное, да.

Телевизор и она не смотрела по простой причине — некогда было.

На журнальном столике стояла корзинка с мотками шерсти, из которых торчали блестящие спицы. «Вот ведь, ни в чем я не ошиблась, — подумала Леля, — провидица просто».

В мягком и глубоком кресле лениво потягивался кот, судя по всему только что пробудившийся от сладкого сна.

— И не нервничает совсем! — усмехнулась Леля. — Дрых себе и дрых! А ты волновалась!

Галочка взяла его на руки и что-то шепнула — кот широко зевнул и мягко прыгнул на пол.

Уселись на диване, и Леля почувствовала, как слипаются глаза — сказались многодневная усталость и нервозная обста-

новка. Галочка предложила прилечь и заботливо прикрыла ее одеялом.

Спалось хорошо. И довольно долго – проспала она часа два, не меньше. И когда открыла глаза, почувствовала, что здорово отдохнула. Наверное, сказалась домашняя обстановка: гостиница, как ни крути, была казенной, «прибольничной».

Потом пили чай с кексом, и на душе у Лели было тепло и спокойно, наверное, впервые за последние месяцы.

Тот вечер располагал к откровенности, и Леля спросила у Галочки про личную жизнь. Та смутилась, замахала руками:

– Что ты! Что ты, Лелечка! Я так привыкла! Да не приведи господи, что ты! Мне этого не надо ка-те-го-ри-чес-ки, слышишь? Ну, ни по-какому, уж ты прости! Да и представить страшно: здесь, в моем доме? И кто-то чужой? Какой-то мужик? Бр-р-р! Кошмар! Поверь, дорогая, мне прекрасно одной! Так тихо, спокойно. Да я и не одна. Со мной же мой Рыжий! И не смейся, он мне родной! Впрочем, тебе не понять, и слава богу! Но вот, честное слово, клянусь, мне хорошо! И жизнь так сложилась, что сделать? Да, одинока. Ни мужа, ни детей.

Но здесь не так страшно, не так, как у вас в России! Я про стакан воды, который некому подать. Здесь есть социальные службы и всякое прочее. Все принесут, все доставят. В конце концов, есть пансионаты. Можно отдать свою квартиру и жить королевой! Будут и еда, и медицина, и даже развлечения.

Здесь нет голодных и нищих, нет забытых и брошенных, ты понимаешь? Поэтому я не боюсь ни старости, ни дряхлости, ни болезней.

Леля молчала. Потом кивнула:

– Да, да! Ты права! А с мужчинами? Ну в молодости? Не сложилось?

Галочка досадливо махнула рукой:

– Да не о чем говорить! Когда это было? Был... один. Немец, да. Мой коллега. Почему не сложилось? Разные мы! Все видим по-разному, как ни крути. Да и мама болела. А зачем ему чужие проблемы? Они этого не любят. Его устраивало так: я приезжала в пятницу и оставалась у него до воскресенья. Готовила, прибиралась, гладила ему рубашки и брюки. А он за это меня водил в кино или в кафе. Такие вот отношения. Ни разу цветочка не подарил или коробки конфет! Расчетливые они страшно, ты мне поверь! Зовут в гости, а на столе орешки и кофе. И всё, понимаешь? Как вспомню про наши столы в России... И про женитьбу так и не заговорил. Ну и что? Мне это надо?

Леля кивнула:

– Да, ты права.

– А мне и вправду одной хорошо, – продолжала Галочка. – Точнее, не одной, а с моим Рыжим. И я ни о чем не жалею. Потому что глупо о чем-то жалеть, раз так сложилось. Значит, такая судьба. Полно же одиноких и счастливых женщин. Нет, правда, Леля! Это мой мир. Да и поверь, вот если бы сейчас в моей жизни – хотя и представить-то невозможно, – если бы сейчас появился мужчина, я бы отказалась от этого наверняка. Зачем мне все это? Чужие привычки, чей-то нелегкий характер? В наши-то годы! А, Лель? Это смолоду хорошо привыкать.

Леля снова кивнула:

– Да нет, это как раз я понимаю. Но все-таки как-то... против правил, нет? Против всех жизненных правил. Нам же нужно заботиться о ком-то, что-то отдавать? – Она замолчала, а потом вдруг добавила: – Может, ты, Галка, права! Все хорошо вовремя, всему свое время!

– А у тебя? Все сложилось? Ну с мужем? – поинтересовалась подруга.

– По большому счету, наверное, да. Вернее, точно – да. А если с подробностями и уточнениями... Знаешь, семейная жизнь – нелегкая штука. Мы не всегда понимаем друг друга, если по правде. Я все время чего-то ждала от него. Знаешь, когда прошли первая страсть и ослепление, я многое поняла. Не совсем он мой человек! Не совсем тот, кто мне бы был нужен, – по многим статьям. И я не совсем та, понимаешь? Не совсем та, кто нужен ему. Отношения у нас хорошие, но... братские, что ли? Добрые соседи, старые друзья. А все остальное куда-то ушло. Вот часто думаю: а было ли, а? Брак мой не

то чтобы несчастливый... Просто неудачный, вот так. Не совпали мы, понимаешь? Слишком мы разные. Да что сейчас говорить, когда такая беда.

Леля замолчала, Галочка погладила ее по руке.

По дороге в гостиницу, уткнувшись лбом в холодное и влажное стекло машины, подумала о Галочкиных словах. Точнее – о степени искренности. Неужели ей и вправду так хорошо одной? Конечно, кота мы в расчет не берем, все это глупости – по поводу понимания и взаимопонимания зверей и людей. Ладно бы еще собака! Но кот... Леля к животным была равнодушна.

То, что Галочка не хотела или боялась гипотетических отношений с гипотетическим мужчиной, это понятно. Годы. Хотя и в пятьдесят тетки страстно желают замуж. Сколько таких! А вот то, что она не боялась старости и одиночества, – здесь, в этом пункте, не верю! И на душе у Лели было как-то не очень. Как все тоскливо, печально и грустно: Галочкина квартира, Галочкина жизнь, Галочкины рассуждения. «Слава богу, – подумала она, – что у меня есть Катька. Пусть далеко, за тридевять земель, но есть! И есть Виктор. И пусть сложилось все не так, как мечталось: долгий брак и сложная семейная жизнь. И все-таки спасибо, что все именно *так*, а не как иначе. Не так, как у Галочки, старой подруги. Пусть все остается как есть, – повторяла она про себя. – Только не хуже! Пожалуйста!

Странно, – мысленно усмехнулась она. – Когда нам совсем плохо, мы понимаем, как прежде, еще совсем недавно, все было прекрасно. Что же мы не ценили? Что скулили и ожидали чего-то еще? А когда подходит беда, мы просим одного – все вернуть».

Такси остановилось у здания гостиницы, и Леля пошла в номер, сожалея, что не может подняться в отделение и посмотреть на мужа. Да, да, прямо сейчас. Просто чуть приоткрыть дверь и заглянуть на минуту. Только глянуть – и все!

Но нельзя – отделение закрыто, распорядок строжайший. Все правильно – режим. Сон – это покой и здоровье. А ты, милая, обожди. Соскучилась? Хорошо! Завтра утром и обнимешь, и скажешь ему все, что нужно сказать. Необходимо просто – чтобы его поддержать.

Эмоции в кулак – и отдыхать! Тебе это тоже необходимо.

Леля улеглась в постель, укуталась в одеяло и прошептала, уже проваливаясь в сон, еще раз:

– Спасибо тебе, господи!

* * *

Близилось время выписки. Уже мысленно собирались домой, обсуждали отъезд, и она искала билеты – нужен был удобный рейс, бизнес-класс, чтобы муж смог прилечь в широком кресле. Нервничала по поводу обратной дороги – он еще был очень слаб. Пройтись по больничному коридору – одна история, а вот долететь до Москвы... От мыслей о предстоящей выписке и дороге он тоже впал в уныние:

– Не долечу, Лелька! Я же чувствую – не долечу. Хотя как же хочется домой! Как я устал от больницы! – Ну и заплакал. Все понятно, нервы сдают. Сколько ему досталось – господи не приведи!

Решили так: остаемся. Вернее, решила, как обычно, Леля. Останемся на какое-то время, скорее всего, на пару недель. Дай-то бог! Лечащий врач ее поддержал:

– Конечно, фрау Незнамова, так будет лучше! Да и повторное обследование через месяц, а вам это сложно: снова лететь к нам. И погода установилась. У нас бывает прекрасный ноябрь: тихий, сухой. Будете прогуливаться по парку, кормить лебедей, дышать свежим воздухом. В парке, кстати, полно белок, зайцев. Есть прелестные косули и даже олени!

Олени, зайцы... Господи, доктор! А кроме изящных оленей и резвых зайцев есть еще такая примитивная, скучная и донельзя банальная субстанция, как деньги. В данном случае европейская валюта под названием «евро». А это снова гостиница, такси, питание и все прочее. Но мужа так тревожила дорога домой, у него настолько расстроились нервы, что он

перестал спать по ночам. Конечно, она его утешала. И еще – ломала голову, что же придумать.

Возникла мысль – вызвать Катьку.

Зачем? Да затем, что все, как всегда, происходит «вовремя» – именно тогда ей позвонил ее заместитель, и тут же обнаружилось, что в Москве она просто необходима: очередные проблемы, хорошо знакомые неприятности, ничего сверхъестественного, как тараторил заместитель Вова (потом выяснится, что все наврал, боялся сказать всю горькую правду). В общем, без вариантов: она должна быть дома. Конечно, можно было бы махнуть рукой, пропустить мимо ушей, устроить скандал: «А зачем я держу тебя, Вова? Зачем плачу тебе, милый, зарплату? Да еще такую зарплату? Припомнить тебе, озвучить неслабые циферки, если ты вдруг позабыл? Зачем содержу вас, бездельников и, получается, полных ничтожеств? Нет, ты мне ответь! Зачем я держу этот штат? Юротдел, бухгалтерию? Менеджеров, заместителей? Вот сейчас, когда мне совсем не до вас? Вернее, ни до чего – ни до вас, ни до неприятностей и проблем. Хватает своих, личных, внутрисемейных! Когда у меня абсолютно нет сил? И сейчас, в этот самый момент, ты мне говоришь, что вы без меня не справляетесь? Зная, где я и по какому поводу? А ты продолжаешь так тихо и почти нежно настаивать, как умеешь только ты, Вова! За что я тебя держу? Да за то, что ты, Вова, умеешь все кишки вытянуть. Из души три души, как говорила моя бабка Дуся. И все это мягко и почти ненавязчиво – по крайней мере, тебе так кажется.

А ты снова повторяешь как заведенный: «Лариса Александровна! Дорогая! Мы не справляемся! Мы все понимаем, где вы и что... Но вы уж простите нас, неразумных. Мы ж так привыкли – за вашей спиной. Вы ж нам как мамка родная».

В общем, Леля оценила масштаб катастрофы и поняла: не приедет – эти ослы все завалят. Нет, мир, конечно, не рухнет, но неприятности будут, и с последствиями. И она понимает это отлично. Бизнес, конечно, не потеряет, а вот потери, увы, неизбежны. А при ее нынешнем положении это смерти подобно! Чеки за лечение, оплата Катькиной учебы, кризис, кредиты, конкуренция, курс рубля...

Все понятно – нужно лететь. Срочно вызывать дочь и поторопиться оплатить отель при больнице.

Но Катька испугалась и принялась что-то бормотать про страшную занятость, срочные экзамены и вообще «дикий грипп».

– Все понятно! – резко перебила дочь Леля и бросила трубку.

Вот они, детки. Впервые в жизни и в таких обстоятельствах она обратилась к единственной дочери! Была уверена – Катька перезвонит. Сразу, через минуту, через пять. Через полчаса. Нет. Не перезвонила, ни через пять, ни вообще.

Дочь была из обидчивых. И у Лели разболелось сердце. Ну а потом она вдруг подумала: а вдруг и вправду у девочки грипп? Валяется там одна, ни попить, ни поесть, ни принести лекарство?

Первая мысль – рвануть в Париж! Что тут лететь? Ерунда, около часа, какие-то жалкие четыреста километров. Можно взять машину. И она обнимет дочь, прижмет к сердцу, сварит клюквенный морс. Интересно, а есть там у них клюква? Да наверняка! Теплый морс, картофельное пюре, куриные котлетки.

Что обижаться? Она мать, мы всегда должны своим детям!

Тут же забылась обида. Бедная моя девочка, бедная! Одна-одинешенька! И некому тебе подать стакан воды, и некому... В общем, понятно – материнские сопли. Тут же набрала Катькин номер и услышала музыку. Очень громкую. И очень громкие крики. Громкие и радостные.

– Мам! Чего? – кричала Катька. – Чего ты молчишь? Что-нибудь с папой?

– С тобой, – ответила Леля и бросила трубку.

Катька перезвонила, правда, всего один раз. Но Леля не ответила.

Билет в Москву она заказала. А что делать дальше, не понимала. Нанять сиделку! Правильно, нанять специалиста. За неделю она со всем справится и вернется обратно.

Позвонила Галочке. А кому еще? При этом подумала: «Вот и Галочка пригодилась».

И услышала то, что ее совсем успокоило:

– Лелечка, милая! А зачем искать? Зачем тратить деньги? Здесь все это стоит совершенно бешеных денег! Я же тоже медсестра, столько лет ухаживала за мамой, все навыки сохранены. Буду за твоим Виктором ухаживать, как за малым ребенком! Ты не волнуйся! Я со всем справлюсь. Ты же знаешь меня, – Галочка засмеялась, – мою ответственность и обязательность! Сдам его тебе как новенького!

Обескураженная и почти счастливая Леля что-то пыталась возражать:

– Галочка, что ты! Нет, мне, ей-богу, неловко так тебя утруждать! Нет, он, конечно, прилично окреп и все делает сам, но... Нет, дорогая, спасибо тебе! Так злоупотреблять твоим благородством... Я не могу!

Обе еще долго рассыпались в реверансах, извинениях, уговорах и благодарностях. Наконец Леля согласилась оставить Виктора на подругу. И тут Галочка неожиданно предложила поселить Виктора у нее дома.

– Жить в отеле при больнице? А есть ли смысл? – И она принялась перечислять: – Во-первых, деньги. И деньги немалые, за два-то номера. Во-вторых, снова казенная еда. А в-третьих – близость больницы. Вот это самое главное! Пока человек живет при больнице, у него вряд ли возникнет ощущение, что он выздоравливает.

– В твоей квартире? – закричала Леля. – Да ты что! Никогда! Это, знаешь ли, уже запредельная наглость! Воспользоваться твоим великодушием? Нет, об этом забудь!

Тут же вступила негромкая Галочка:

– Мне там удобнее. Рыжий при мне, я в своем пространстве.

Разговор шел по кругу: Леля отказывалась, Галочка настаивала. Обе устали, как после генеральной уборки. Первой сдалась, как ни странно, сильная и громкая Леля.

Решили, Виктора к Галочке перевозят назавтра, а послезавтра Леля вылетает в Москву.

Ворочаясь в постели, Леля продумывала разговор с мужем. Как он среагирует на эти новости? Как? Не дай бог, расстроится! «Уговорю, – подумала она. – Ведь, в конце концов, он же разумный человек! Да и с Галочкой они знакомы с далекой юности, и он должен помнить ее восторженные глаза, когда она смотрела на него. Она человек ненавязчивый и тактичный, к тому же медицинский работник. Плюс отсутствие языкового барьера, домашняя еда (а уж денег я оставлю, не сомневайтесь!), куча старых и добрых книг плюс приличный балкон с удобным креслом – вот вам и воздух! Разумные аргументы? Конечно же, да!

И еще можно же и меня понять, наконец! – пыталась она себя оправдать. – Почти месяц я была тут же, при нем. А сейчас позвали дела. Срочные, неотложные. Что поделаешь? Приходится с чем-то мириться и приноравливаться – такая вот жизнь».

Проговорив своей монолог тысячу раз, она наконец уснула. Сон в ту ночь был тревожным, некрепким и рваным.

Виктор, как ни странно, новость эту воспринял не то чтобы спокойно, но скандал устраивать не стал: так, поворчал. Ну и кто бы на его месте не поворчал, интересно? Поселиться у почти незнакомого человека, к тому же у женщины? И отдаться ей, так сказать, на полную милость?

Леля, разумеется, убеждала его, что все будет нормально, квартирка уютная и удобная, можно «гулять» на балконе. Диетическое и домашнее питание обеспечено, и вообще – она едет в Москву на пару дней, так что придется перетерпеть, куда деваться.

Муж вяло кивнул, но добавил:

– А может, все же сиделку? И номер в отеле? Мне так будет комфортнее.

Леля, конечно, внутренне вскипела: ну все как всегда! Думает только о своем комфорте! Ни минуты о деньгах, о ее проблемах, о том, как она устала за эти безумные дни. О том, что эти самые деньги, к которым он всегда относился с лег-

ким презрением и большим пренебрежением, еще и зарабатываются, а не валятся с небес.

И где бы он был сейчас, если бы не ее бизнес? Ага, тот самый, «мутный», «а другого у нас и не бывает».

Обидно. Она посмотрела на себя в зеркало. За время его болезни она постарела на недобрый десяток лет: лицо серое, волосы тусклые, а под глазами... Лучше не рассматривать себя и не думать об этом вообще.

Черт с ними, с морщинами! В конце концов, приедет домой, вызовет на дом косметолога, массажиста, сделает маски – словом, придет немного в себя. А как хочется домой, господи! Как хочется в свою ванную, в свою кровать, на свою кухню!

Виктор – эгоист. Всегда таким был и таким остался. Но тут же устыдилась своих мыслей, устыдилась себя: «Что я такое несу? За что его осуждаю? Конечно, у него совсем еще мало сил и столько еще всего впереди, что он в состоянии думать только о себе и о своих удобствах – это понятно.

И вообще – человек в состоянии болезни обязан думать только о себе! И не тратить остаток сил на другое, иначе не выздороветь».

Упрекнув себя в черствости, она принялась его успокаивать и утешать, без конца повторяя, что речь идет о каких-нибудь трех или четырех днях. «Витя! Ну уж как-нибудь, а?»

Врала. Конечно, врала, ложь во спасение. Прекрасно понимала: какие там три или четыре? Недели две, и это в лучшем случае! А то и... Уже понимала: дела в Москве складывались очень серьезные.

В общем, начали собираться. Такси должно было приехать после обеда.

Леля поговорила с врачом, распрощалась с медсестрами и санитарками, сверили чеки по оплатам.

Из беседы с лечащим врачом поняла: консультации раз в неделю, а там, скорее всего, еще один курс... Еще раз придется ложиться, и не менее чем на две недели.

Вышла расстроенная – снова деньги, проклятые деньги!

И утвердилась в правильности решения: в Москву надо ехать незамедлительно. Точка.

На пороге палаты неожиданно возникла Галочка, хотя договаривались, что ждать их она будет дома.

«Приехала помочь», – объяснила она и действительно принялась помогать. Леля смотрела, как быстро мелькают Галочкины ловкие и умелые руки: поправила повязку, помогла надеть свитер и брюки, уточнила, все ли лекарства есть с собой, Леля вообще про это забыла.

В квартире – Леля снова удивилась – было все подготовлено. Спальня хозяйки отдана в распоряжение гостя, кровать застелена свежим бельем, на тумбочке минералка и чашка, торшер подвинут ровно настолько, чтобы было удобно читать. Воздух свежий, форточка была приоткрыта.

– Ну? И как тебе? – с улыбкой спросила Леля у мужа. – Галочка наша – просто находка! Везение и неоценимая помощь! Ну правда ведь, а?

Виктор скупо кивнул и попросил перекусить.

Тут же были разогреты и поданы куриный суп и мясное суфле.

Съел он все это с большим удовольствием, удивившись, что «такое откровенно диетическое» может быть вкусным.

Леля и Галочка переглянулись и выдохнули.

Виктор лег, блаженно прикрыл глаза, проговорив:

– Нет запаха больницы! Как это здорово!

Леля тихо вышла из комнаты, прикрыла дверь и подумала: «Все я сделала правильно. Галочка умница! Ох как же нам повезло!»

Теперь с совершенно спокойным сердцем можно ехать в Москву, чтобы решать все дела. Разруливать. Приводить в порядок. Зарабатывать деньги для дочери и для мужа, своих самых любимых и самых родных. Может быть, это и есть пресловутое женское счастье?

Самой стало смешно.

Улетала Леля тем же вечером, совсем поздно, почти в ночь.

В самолете почувствовала такую усталость, что тут же закрыла глаза, предварительно объяснив стюардессе, что будить ее не надо – ни на перекус, ни на что прочее. Только по прилете, строго за десять минут.

Так все и вышло, правда, проснулась сама, как только услышала призыв пристегнуть ремни.

В Москве уже вовсю лежал снег – огромные сугробы вдоль шоссе были похожи на уснувших белых медведей. Помощник Вова, встретивший ее, без остановки, с каким-то садистским упоением вещал про «дикие, страшные, Лариса Александровна, проблемы» и наконец выдал всю горькую правду.

Нервы сдали, и она потребовала, чтобы он замолчал.

Вова обиженно хмыкнул и еще крепче вцепился в руль.

Так и доехали молча. У дома она сухо кивнула и отказалась от предложения донести чемодан.

Вова пробовал возражать:

– Как это вы, Лариса Александровна, сами?

– Я всегда сама! – ответила она. – А ты не заметил? – И быстро зашла в подъезд, не дожидаясь ответа.

Дома было хорошо. Нет, дома было замечательно! Леля включила все люстры, все торшеры и бра и долго ходила по комнатам, любуясь любимой квартирой.

Ах, как же было уютно, красиво, тепло и душевно! Свой дом!

Потом она пила чай на кухне, найдя в шкафчике немолодое, почти каменное овсяное печенье, намазав его сверху земляничным вареньем – спасибо домработнице Соне, как пригодилось! После чая отправилась в душ и долго стояла под сильной струей горячей воды – тоже счастье, да какое! В собственной ванной!

Легла, когда на часах уже было почти семь утра и за окном чуть-чуть, почти неслышно, стал пробиваться пока еще мутный и слабый рассвет. До настоящего было еще далеко – что делать, ноябрь!

Проснулась в десять, бодрая, полная сил. Выпив кофе с остатками печенья, накрасилась, быстро оделась в рабочий костюм: юбка, пиджак, светлая блузка. От «цивильного» она отвыкла – брюки, джинсы, свитера и кроссовки были одеждой последних тяжелых месяцев. Главный девиз – удобство, не до красоты.

Соне решила не звонить: как-нибудь сама разберется, обед ей не нужен, продукты купит по дороге с работы.

Спустилась в гараж, завела машину – и рванула. Вперед! Через полтора часа была на работе: строгая, собранная, подтянутая. «Невозможно деловая», – усмехнулась Леля, поймав свое отражение в стеклянной двери. Невозможно деловая и готовая ко всему – к любым трудностям, проблемам, поворотам судьбы.

«Сильная женщина плачет у окна», – вспомнила слова песни.

А ни фига! Ни фига не плачет! Сильная женщина встает и идет! Потому что, кроме нее, это никто не сделает.

Проблемы, конечно, оказались огромными, как она и предполагала. Сначала навалились страх, ужас: «А вдруг не разрулю?» Но никаких «вдруг». Уже к вечеру, выпив чашки три крепкого кофе – спасибо заботливой помощнице Юлечке, – стала потихоньку соображать, что да как. И все постепенно вставало на свои места. Вернее, не то чтобы, конечно, вставало, до этого было ох как далеко! Просто появилась стратегия. А это означало, что потихоньку Леля стала понимать, как и куда ей нужно двигаться. Вот это главное, это определяющее: сначала стратегия, а уж потом – тактика! С тактикой всегда проще – инструментов устранения проблем не так уж много, и все они знакомы.

Вызвала Вову, томящегося в своей конурке. Тот был похож на красноглазого и испуганного кролика. В который раз пришла мысль Вову заменить. Но у этого самого красноглазого Вовы имелось одно ценнейшее качество – он был честным. А когда первый испуг у него прошел, он стал предлагать коечто вполне разумное и даже мудрое, и это значительно упрощало ее многоступенчатые ходы. Вова умел еще и нестандартно мыслить.

Потом позвали бухгалтера Раису Семеновну. Та тоже маялась у себя в бухгалтерии – тетка немолодая, старше Лели лет на восемь, но опытная и ответственная. К тому же тоже чело-

век кристальной честности. Где такую найдешь в наше-то подлое время? Вот и терпела Раису со всеми ее капризами, подскоками давления, тремя внуками. (Олька, Колька и Полька, надо же так назвать, а?) Про эту троицу Раиса могла говорить без устали и все собиралась на пенсию. Пугала? Да нет, просто устала, и это было понятно. Сидеть бы толстой и уютной Раисе с внуками и варить густые борщи. Ан нет, приходилось работать: муж – пенсионер, зять зарабатывает мало, дочка торчит дома – трое детей. Раиса была предана Леле, как Савельич Петруше Гриневу или как библейский Елеазар, слуга праотца Авраама.

Приходилось терпеть. Многое приходилось терпеть, что поделать. Ради чего? Ради Катьки, своей ненадежной и неласковой дочки. Ради мужа Виктора. Да и сама Леля, Лариса Александровна, сидеть без дела не умела. И без денег уже не умела – привычки, знаете ли.

Глянула на часы и обомлела – одиннадцать! Звонить Галочке поздно! Кошмар. Но набралась наглости и позвонила, приготовившись к оправданиям и извинениям.

Галочка трубку взяла тут же, на первом звонке. Говорила шепотом:

– Виктор спит, все нормально, ты не волнуйся. Ел прилично, попросил картошки на ужин. Жарить отказалась – вредно, по-моему, убедила его. Съел отварной. Перевязку сделали, шов отличный, сухой. Полчаса гулял на балконе. Погода прекрасная, сухо и солнечно. Уснул он довольно поздно – смотрел российский канал. Что? Да что-то там политическое, я не прислушивалась – была у себя. Как у тебя? – наконец, отчитавшись, выдохнула Галочка. – Что-то проясняется или пока не очень?

Леля горячо поблагодарила подругу, попыталась еще раз извиниться.

– Проблемы приличные, но, кажется, вполне решаемы. Словом, спасибо тебе невозможное, ты мой спаситель и друг! И дай тебе бог, и прости, если что... – И по новому кругу, с новыми причитаниями и благодарностью.

– Звони в любое время, – резюмировала Галочка. – Я все понимаю! Завтра попробую вытащить его на улицу. Он пока боится, но, думаю, начинать надо. И перестань волноваться, у нас все хорошо!

Распрощались, и Леля выдохнула: «Все, кажется, слава богу! Правильное решение я приняла». Потом отпустила Раису – та смотрела на хозяйку и на часы тоскливыми глазами.

– А вас, Штирлиц, – это уже к Вове, – я попрошу остаться!

«Штирлиц», жалкий и красноглазый, удрученно кивнул. Борьба с трудностями была в самом разгаре.

Ночью рухнула как подкошенная, успев только подумать: «Ну и денек! А что будет завтра... Лучше не представлять». На завтра была намечена встреча в банке.

Уснула. А перед этим подумала: «Первое, что сделаю утром, позвоню Виктору. А то совсем ты сбрендила, матушка, с бизнесом своим! Расставляй приоритеты!»

Совесть скребла.

Утром Галочка долго не подходила к телефону. Леля запсиховала. Наконец та ответила – торопливо объяснила, что варила овсянку и не слышала телефонный звонок.

– Как прошла ночь?

– Да нормально. Сейчас будет завтракать – каша, яйцо и – как думаешь? – может, парочку бутербродов, а? С сыром, конечно! Колбасу в доме не держу.

«Надо же, какое рвение! – усмехнулась про себя Леля. – И какая ей разница – сыр, колбаса? Ну вредно, понятно. Но иногда нужно съесть то, что хочется, позабыв про пользу и вред. Захотелось человеку колбасы – да пожалуйста! Что ему будет с пары кусочков? Главное здесь – удовольствие. Он давно не ел с удовольствием. А тут захотелось. Ладно, что я цепляюсь? – разозлилась она на себя. – Подруга честно выполняет свой долг. А я придираюсь. Она такая, моя Галочка, куда деваться? Честная, исполнительная и правильная. И надежная. Лучшие человеческие качества, надо сказать. В конце концов, что мне важнее? Кусок колбасы или спокойствие и уверенность, что все хорошо и как надо?»

Потом трубку взял муж, и голос его был вполне нормальным, но слегка отстраненным – он был в себе. Говорил коротко и сухо: тоже понятно. Сказать то, что он, возможно, хочет, не совсем ловко. Вдруг хозяйка услышит? Да и бог с ним – меньше претензий, недовольств и обид. «Мне они сейчас ни к чему, – решила Леля. – Главное – дело! Вернее, два дела: спокойствие за него, а главное – проблемы здесь, в Москве. А капризы его – пустяки, наплевать. Так даже легче – не слушать».

– Витя, все замечательно! – Она говорила с Виктором бодрым и даже спокойным голосом. А вот на душе было тревожно: «Ох, если не сложится в банке, вот где будет большая авария, просто катастрофа...» – Какое счастье, что есть *наша* Галочка, правда? Какое же счастье, что ты в надежных руках! Какая удача, что я могу быть спокойна за тебя, мой родной! И ты за меня не волнуйся! Все самое страшное позади, ты сам это знаешь! Все самое ужасное, самое тяжелое, самое кошмарное. Сейчас только терпение, выдержка и снова терпение! А за меня не волнуйся, я со всем справлюсь, во всем разберусь, чай, не впервой! Сам говоришь – бизнес в России! Ха-ха! Катька? Да, конечно, звонит! Почти каждый день: как там папа? Да, молодец – а ты сомневался? Обещала вырваться к тебе на пару деньков. Вот разберется с какими-то очередными экзаменами – и прилетит. Или на поезде, это же близко. Обнимаю тебя, дорогой! Целую и обнимаю! Ты только слушайся Галочку!

Трубку положила, выдохнула и подумала про дочь: «Стерва. Стерва, конечно. Даже не позвонила узнать, как долетела родная мать. Как там отец? Что ж, сама виновата. Во всем виновата сама! Всю жизнь им подстилала – мягкий коврик, теплый пледик, пушистое полотенце. Так что же ты хочешь, Лариса? Чтобы вот сейчас, не в самые легкие дни, они изменились? Подумали, как тебе сложно? Да нет, дорогая, так не будет уже никогда. Потому что сама виновата. Нечего было всегда вперед забегать!» Впрочем, это она не про мужа – ему сейчас ох как непросто! Это скорее про дочь. В такие минуты – и только о себе!

Но тут же стала успокаивать и одергивать себя: «Не трави, Леля, душу. В конце концов, девочка в чужой стране и в чужом городе. Ей тоже непросто. Да еще этот грипп. Ну, если он и вправду имеется».

Она набрала дочкин номер, но Катька на звонок не ответила, ограничилась эсэмэской: «Все в порядке, на лекции, чувствую себя хорошо».

Ну и что еще матери надо? Вот именно. И с почти легким сердцем Леля отправилась на работу.

Кое-что удалось. Большой заказчик обещал предоплату. Ну не совсем так, как хотелось бы, но нечего бога гневить!

Подумала, что все-таки человек она благодарный. И это, надо сказать, очень упрощает ее нелегкую жизнь. Умела, умела, за совсем небольшое, даже совсем малое, сказать спасибо и про себя, и вслух. Не стеснялась. Так учил премудрый дед: «Скажи спасибо. От тебя не отвалится, а людям приятно. И там, наверху, услышат!»

«Странно, – подумала Леля. – Дед Семен казался мне богохульником. А надо же, думал, оказывается, про «там» и «услышат»!» Почему богохульником? «Да все просто, Лелька, – часто говорил он. – Все они нечистые на руку! Все эти попы, раввины и ксендзы. Ты мне поверь, я на них насмотрелся!» «Нет, есть, конечно, и приличные люди», – добавлял он в ответ на ее жаркие возражения.

Анекдоты любил про господа бога. Да и потом, «грешки» его, как он сам называл свои заработки, ну никак не вязались с верой добропорядочного и благочестивого человека.

А мама... Мама вообще верила в светлое будущее, наивной была. Ждала коммунизма. Дед смеялся над ней. «Ох, Ирка! Какая ж ты все-таки дура! Нет, и вправду – веришь в победу социализма? Да ты понимаешь, что так не бывает? Чтоб все равны и все поровну? Да, мозгами ты в Дусю пошла, – разочарованно кряхтел дед. – Не повезло... Ты еще в партию вступи! Я в твою сторону тогда вообще не посмотрю!»

Мать всерьез обижалась, краснела от обиды и злости и махала на деда рукой: «Да хватит уже! – И тихо добавляла: – Сам ты... старый дурак!»

Ладно, хватит воспоминаний. Леля умела себя остановить. А то станешь себя жалеть, лучше точно не будет.

Так. С первым пунктом почти разобрались. Нет, не так: начали разбираться. И появилась надежда.

На работе она провела весь оставшийся день, до позднего вечера. Садясь в машину, подумала, как голодна, и о том, что дома нет ни крошки, совсем! Даже деревянное овсяное печенье догрызла с утра. Значит, в магазин. А может, зайти поужинать? Глянула на часы: нет, поздновато. Доехать, сесть за столик, сделать заказ и ожидать. Нет, не пойдет! Устала. Значит, в магазин и домой.

Но у метро увидела веселую, кривоватую желтую букву М и припарковалась. «Макдоналдс». Вредно – аж жуть. И вообще, смешно: взрослая тетенька, такая деловая, хорошо одетая и явно небедная – и в эту шарашку! Да и черт с ним! В конце концов, быстро, вкусно и горячо – вот это главное. И, с упоением жуя многоступенчатый бутерброд с котлетой и сыром, вспомнила Галочку: вот кто бы ее осудил!

Усмехнулась и запихнула в рот пучок жареной картошки. Боже, как вкусно! Нет, определенно, добавляют туда какой-то наркотик, точно! Подсадили весь мир на эту иглу!

Дома, сбросив пальто и сапоги, плюхнулась в кресло – набрать *своих*?

Слово это выскочило само собой, сама удивилась! Конечно, свои! Галочка тоже попала в это число. Потому что на ней... Ну, все понятно – сейчас держится мир! Их с мужем мир и спокойствие. Галочка – это стабильность. Порядочность и доверие. Спасибо.

Позвонила. Галочка отчитывалась ровным и бесстрастным голосом, хвалилась успехами:

– Гуляли! Целый час были в парке. Ты ж помнишь, парк прямо под окнами! Представляешь, все листья ковром под ногами! Желтые, красные, красота! Немного ходили, сидели на лавочке. Да, конечно, устал, не без того. Но сам, своими нога-

ми! А как у тебя? Что-то проясняется? Ой, слава богу! Ты ведь такая умница, Лелька!

На сердце было почти спокойно. Легла, приговаривая: «Главное – выспаться! Главное – силы! Вот их-то мне и не хватает».

Ждала звонка от Катьки – не дождалась. «Ха! Чему удивляться? Что выросло, то выросло. Сама виновата. Была бы только здорова и счастлива... дурочка эта... моя. Все бы были здоровы. А счастье – это вам я обеспечу».

«Много на себя берешь», – мелькнуло в голове.

Много. Да. Так получается, уж извините.

«Много брала» всегда. А однажды, когда попыталась пожаловаться деду, услышала:

– Ну, во-первы́х, – дед говорил именно так, – сама виновата! Выбрала себе такого...

– Какого? – тут же взорвалась она.

– Какого? – переспросил дед и на секунду задумался. – Да кислого, вот! Точнее – подкисшего. А во-вторых, – дед снова замолчал и тяжело вздохнул, – Лелька, таким бабам, таким вот, как ты, красивым и сильным, всегда не везет с мужиками! И как так выходит? Сам не пойму!

Леля не на шутку вскипела:

– Ну так! Почему «кислый» – это во-первых? То, что не шебутной и не «деловой» – не такой шустрый, как ты? Во-вторых, почему это «таким не везет»? Лично мне повезло! И ты не старайся! – Она повысила голос: – Не старайся меня убедить в обратном! – И продолжала ворчать: – Кислый? А какой должен быть? Сладенький, что ли?

– Не-е! – улыбнулся дед. – Должен быть... ну, чуть с горчинкой! С перчиком, с чесночком! Чтоб сила чувствовалась и дух пробивался! И имя твоему благоверному неправильно подобрали – какой он Виктор? Какой победитель? Так, кролик! Всю жизнь просидит за твоей неширокой спиной! Если ты, Лелька, его, конечно, не бросишь! – И дед засмеялся.

Она разозлилась:

– Весь огород и скотный двор перебрал? Перец, чеснок, кролик?

Дед крякнул с досады и махнул рукой:

– Жизнь твоя, Лелька! Твоя – не моя.

И спор тот, обычный и очень привычный, она тогда прервала – дед в ту пору был уже слаб и плоховат.

Нет, в глубине души – в самой-самой глубине – все понимала и с дедом была почти согласна. Но признаться себе в этом боялась! «Еще чего! У меня все хорошо», – повторяла она.

И кажется, так усиленно себя убеждала всю жизнь, что почти убедила. Спала как убитая. Утром, почти в девять (боже, какой кошмар!), еле разлепила глаза – вот ведь уснула! Подивилась почти несмятой простыне и подушке – обычно обе эти «дамы» были скручены почти что в узлы. Выходит, спала крепко и почти не вертелась.

Тут же вскочила, всполошенно забегала по квартире, на ходу выпила кофе, сделала несколько звонков. Потом ругалась с вялым Вовой, одной рукой красила глаз, второй листала новости в интернете. Глянула на часы и набрала Германию.

Галочка говорила четко, по делу, не утомительно, ровно так, как и следовало отчитываться перед... работодателем или шефом. Леля даже смутилась:

– Галь, я же не проверяю тебя! Я же просто... должна быть в курсе всего. Мне и так страшно неловко, бросила все на тебя и вот звоню, беспокою!

Галочка фыркнула, возмутилась такой постановке вопроса и передала трубку Виктору.

Голос мужа Леле не понравился. Она занервничала, попыталась его успокоить и пообещала приехать быстрее.

– Как только смогу, Витя! Как только смогу! Ты только не обижайся и не сердись – ехать в Москву мне было необходимо, поверь!

Но, судя по кислому голосу, поняла: «поверить» он не старается, нет. И понять ее тоже.

Трубку положила с тяжелым сердцем. А потом принялась себя успокаивать: «Ну нездоров человек! И как нездоров! И психика, и все остальное. Чему удивляться и что расстраи-

ваться? Все объяснимо вполне. А уж обижаться... Совсем глупо и даже смешно».

И еще сейчас главное – дело! Эмоции в сторону! Нужно сосредоточится на главном, на основном. А там все в порядке – Галочка медик, специалист. Если что – не дай бог! – клиника рядом, в получасе езды. Нет, все правильно – везти его сюда было бы полной глупостью! Искать здесь сиделку, связываться с врачами. Там, в Германии, все уже схвачено. «У меня всегда все схвачено и за все уплачено», – горько усмехнулась она. Все и всегда.

Только... Конечно, правильнее сейчас быть рядом с ним. Обнять его и успокоить.

И на сердце такая тоска – тоска, перемешанная с беспокойством, тревогой и немного – с обидой. И Катька эта... Какая же стерва, ей-богу! Подъезжая к офису, она подобралась, выпрямила спину, глянула на себя в зеркало – и снова была готова к борьбе.

Такая натура. Да и киснуть некогда. Вперед! Нас ждут великие дела!

В офис зашла подтянутая, серьезная и хмурая, со сдвинутыми бровями. Ага, пусть знают! Не цирк приехал – хозяйка пришла, не фунт изюма!

И день был снова безумным, сумасшедшим, шумным и суетливым. Казалось, что довольно бестолковым. Но часам к шести, когда она рухнула в свое директорское кресло стоимостью полторы тысячи долларов и сделала пару глотков горячего кофе, поняла – сегодня чуть-чуть получилось. Так, совсем немного, но все же...

Шажки по «устранению» проблем и проблемок были мизерные, крохотные и робкие. Но – это все же были шажки, а не топтание на месте, на пороге, который боишься переступить.

С работы уехала в девять. По дороге – магазин, никаких забегаловок, только полезная еда.

Но в магазине так захотелось сладкого и печеного, что аж пошла слюна при виде пышных булочек и пирожных, ох...

Ну и взяла – организм требовал углеводов. Черт с ней,

с фигурой! Объявлено военное положение, а значит, сейчас можно все.

И дома, едва войдя в квартиру, сразу принялась стягивать сапоги и деловой костюм. Как же я их ненавижу, эти костюмы с бортами! Эти узкие юбки, строгие блузки и модельную обувь! Как я люблю спортивные брюки из мягкой фланели, безразмерные свитера и старые, застиранные футболки. Разношенные кроссовки, а не шпильки и прочие каблуки. Байковые пижамки и ночнушки без кружев и прочих украшательств! Как я люблю уютную постель, свою дорогую постельку! Книжечку на прикроватной тумбочке, яблоко, мандарин и конфету. Даже две или три. И остывший чай в любимой чашке. И сладость, оттого что завтра не надо вставать. Вставать и бежать. Снова на поле брани. Ах, встать бы назавтра позже! Неспешно выпить кофе, неспешно жевать бутерброд. Почитывать журнальчик про всякую ерунду, а потом... потом постоять у окна. Просто так постоять и поглазеть, что там да как. А дальше — порезать морковку и лук, натереть свеклу и помидоры, нашинковать капусту и сварить борщ. Просто сварить борщ — как обычная русская баба. Попробовать его на вкус, покачать головой, прислушиваясь к ощущениям. Добавить в него сахарку и лимона, приговаривая: «Вот сейчас хорошо! Ах, как сейчас хорошо!» Громко причмокнуть и аккуратно положить на кастрюлечку крышечку — с чувством выполненного долга. А что, это и есть наш главный долг — варить борщ и предвкушать, как нальешь полные, до самых краев, тарелки, бухнешь туда сметанки и мелко нарезанный чесночок — красиво, да? Вот-вот. И сядешь напротив — напротив родных и любимых, подперев рукой щеку! И будешь смотреть, как они сладко едят! И это будет самый счастливый момент в твоей жизни. В твоей нормальной, обычной, счастливой бабской жизни, ведь так?

«Может, я слабая женщина? — подумала она. — А борщ-то варить некому. Ни мужа, ни дочки. Эх, жизнь...»

Да и времени, кстати, нет! Вот схомячишь сейчас свою булку с корицей — и на боковую, Лариса! Спать, спать и спать. Потому что завтра... А когда все соберутся... Ну, или не все, тогда борщ сварит домработница Соня. Это ее обязанность. «Все будет так же, поверь! Как вчера и сегодня. И тысячи женщин – нет, многие тысячи! – тебе позавидуют, да! Именно так – тебе позавидуют, Леля!»

Она доела булку, стряхнула с пальцев крошки и пошла в ванную. А после душа облачилась в любимую пижаму и легла в кровать. Полежав минут двадцать с закрытыми глазами, включила ночник и, секунду подумав, набрала телефон дочери.

Настроена была довольно решительно – сейчас эта засранка точно получит! Совсем обнаглела – если вот честно. Но заспанный голос дочки ее отрезвил – наезжать расхотелось.

Катька что-то бормотала про «остаточные явления»:

– Жуткий кашель, особенно по ночам. Сопли не проходят. И вообще, мам! Я так устала! Просто сил никаких!

– Так возвращайся, доченька! – дрогнувшим голосом сказала она. – Вместе нам не так будет страшно! Мне ведь тоже сейчас... не сладко совсем!

На слове «возвращайся» Катька раскашлялась – скорее всего, от волнения. И тут же заверещала:

– Куда, мам? Опять в эту серую *вашу* Москву? Где без конца то дождь, то слякоть? В ваши пробки и хамство? Извини – отвыкла! У вас там небось уже снег! А у нас на улицах фиалки продают!

– Можно подумать – ты в Африке! Снег у нас, слякоть! А у вас? И пробки тоже в порядке – ваши, парижские! Я же не про слякоть и снег, Катя! Я про то, как мне сейчас тяжело, – выдохнула она.

– А кому легко, мам? – выкрикнула дочь. – Вот именно – никому! Нет, давай уж как было! Зря я, что ли, привыкала так долго? Обживалась, въезжала во всю эту новую жизнь? Я ведь многого тогда тебе не рассказывала, чтобы не огорчать! А ты меня сейчас обратно зовешь? Туда, откуда сама и выпихивала? Ты же говорила – здесь нестабильно, здесь ненадежно! А сейчас, мам? Когда я почти привыкла! Здесь у меня друзья, универ! Язык, наконец! Я даже думаю уже на французском!

– Ладно, забыли, – коротко ответила Леля. – Лучше лечись и поправляйся! Слышишь?

И на дурацкий вопрос дочери: «Мам, а когда ты приедешь?» – ответила жестко:

– Не знаю. Катя, ты что, совсем не понимаешь, что происходит?

Та вздохнула и тут же спросила:

– Мам, а деньги? Ты сможешь выслать?

«Смогу. Я все смогу, – подумала Леля. – Деньги, деньги, будь они прокляты! В Германию – деньги. Во Францию – тоже. Здесь, дома, тоже вон лежат счета по квартплате. Зарплата Соне, домработнице, – через два дня. Барахлит машина – Вова сказал, что нужно ехать на станцию. Нет, поедет, конечно, он, Вова. Или Илья – еще один зам. Или Сережа, охранник. Не откажут, куда денутся. Но платить-то мне. А все остальное? Взятки? Очередной откат? Благодарности в виде денег? Кстати! Галочке тоже надо будет заплатить – обязательно! Не дурацкие подарки везти в виде кофточки, сумочки или украшений – это ей ни к чему. А именно деньги! Просто завести на нее счет и положить. Без разговоров. На черный день, на путешествия, на удовольствия. Впрочем, какие там у нее удовольствия... Но – это уже не мое дело. Положить небольшую, но приличную сумму – и все! И совесть будет спокойна. Потому что если просто предложить, вынуть из сумки и положить на стол, будут скандал и кошмар. Это понятно. Галочка не возьмет никогда! Галочка вообще никогда не возьмет чужого, а эти деньги для нее чужие. Да и неловко ей предлагать – обидится наверняка. Предложить *за это* деньги и вправду неловко. А вот сделать подарок, сюрприз... Дескать, это тебе на поездку, Галочка! Ты же так хотела увидеть море и горы! Вот и езжай на Канары или Мальдивы – наберись впечатлений и сил. Ты, как никто, этого заслужила!»

После разговора с дочкой не полегчало. А подумать – если так, без обид, на трезвую голову, – Катя права! В молодости человек эгоистичен, думает о себе и не понимает, что такое болезни. О здоровье задумываются гораздо позже, и слава богу! И пусть у Катьки это будет как можно позднее!

Тьфу-тьфу! И обижаться на нее нечего – все правильно, она ее сама уговорила, сама купила билет. Хотелось дочке жизни полегче и повеселей. Пусть живет и радуется. А мать поможет, чем сможет. Куда деваться? Вот только про отца она так и не спросила... Дрянь. Конечно, дрянь! Но – это Леля выскажет ей позже, когда та оклемается. Ей сейчас и так не сладко – болеет.

И тут она снова вспомнила деда Семена:

– Лелька! Знаешь, в чем наша главная проблема? Ну, наша с тобой?

Леля мотнула головой.

– А в том, что мы всех жалеем! Всех, кроме себя!

«Ах, дед! Ты был прав – как всегда. Только что это изменило? То, что ты, мой мудрец, все понимал? Про Дусю, свою любимую Дусю. Про своего бестолкового сына, про мою бедную мать?

А ничего не изменило – ты по-прежнему холил, лелеял и пестовал свою прекрасную Дусю. Исполнял все ее желания, потакал ее прихотям, баловал и задаривал. Чем окончилась твоя борьба с неудачным сыночком? А ведь ты бился, шел против Дуси. Вытаскивал его из дерьма. А кончилось все бедой, катастрофой. Ничего у тебя, выходит, не получилось. А твоя дочь, моя мать? Разве ты сумел вложить в ее голову основы и истины? Разве сумел уберечь ее от страшных ошибок? Только кричал, что они профукали жизнь. Неудачные дети – что на свете ужасней?

Так же и я, так же и у меня, дед! Как и ты, я забочусь о них и решаю все их проблемы. Стараюсь облегчить их жизнь. И при всем этом я понимаю – отлично, поверь, понимаю! – что я не права. И Катьку свою я упустила, потому что выросла из нее страшная эгоистка. И что зря я ей потакаю, не настаивая на ее поездке к больному отцу. К очень больному отцу. И что мой муж, мой Витя...

Ну все. Хорош. Хватит. А про себя, любимую, я подумаю после. Когда все разрешится. И всем станет немного легче.

В смысле, про себя, нелюбимую... Странно – в чем-то

я сильная, а в чем-то – слабая. Да, прогибаюсь! Под них, под своих, – прогнулась давно».

А дальше – да просто настроение сделалось такое, плаксивое, Леля стала припоминать: а кто, кроме деда, вообще думал о ней? Мама? Да ладно! У бедной мамы на уме всегда были романы с ее вечно несчастными мужиками. Бабка Дуся? Да та вообще, кроме своего бестолкового сына, никого не любила. Муж Витя? Ну да, любил. Как мог, так и любил. А дочь Катя...

А много ли вы видели детей, заботящихся о родителях? Я имею в виду детей молодых, даже юных. Когда родители еще не стары и вполне себе в силах? Когда еще родители кажутся сильными? Вот именно – и я о том.

Леля легла в кровать, открыла ноутбук и стала прикидывать план последующих действий.

И что получилось? Ну если все по плану и четко, то дней за пять – максимум! – она разберется. Так что можно брать билет во Франкфурт на следующую неделю. И кстати, заказать гостиницу – ну не прыгать же на шею Галочке еще и ей! Наверняка Галочка замучилась и сильно устала. И гостиницу заказать на пару дней – и желательно не ту, что при клинике: там, в неуютном казенном номере, слишком много страшных воспоминаний.

Виктор уже будет покрепче, в больницу нужно будет прийти всего раз или два – на консультацию и получить рекомендации. А там и – домой! «Господи, – подумала она. – Как же он хочет домой – можно представить! Сначала больница, потом крошечная чужая квартира. Бедный мой Витя!»

Нет, скорее домой! И представила его лицо, когда он зайдет в их квартиру.

И еще – надо позвонить Соне, чтобы была готова к их приезду. Все как Витя любит: стерильная чистота. Аккуратист он ужасный!

Не забыть сказать, чтобы Соня приготовила его любимое – селедку под шубой, кислые щи и сладкий пирог. Она мастерица, их чудная Соня! Да, что еще? Обязательно позво-

нить Сан Санычу, коменданту дачного поселка, чтобы он почистил от снега дорожки, проверил отопление, заготовил дрова для камина – березовые, сухие. И спустя пару дней после приезда, когда муж придет немного в себя, уехать с ним в загородный дом – на природу, в тепло и уют.

Леля закрыла глаза и представила – они отпирают дверь в дом, скидывают сапоги и куртки, затапливают камин, и в нем начинают потрескивать сухие полешки, отбрасывая мелкие, яркие и колючие искры – синие, красные, белые. А они рядом сидят в любимых креслах напротив камина и не спеша – не спеша! – потягивают любимое белое винцо.

Ключевое, главное слово – не спеша! Потому что тогда уже некуда будет спешить. Дела свои она непременно поправит, муж выздоровеет и будет в полном порядке. И спать они улягутся поздно, часа в два ночи или в три. И назавтра – вот где счастье! – они будут спать сколько влезет. Нет! Не спать – они будут дрыхнуть, счастливо и спокойно, как говорится, без задних ног.

Проснувшись – не раньше двенадцати, ни-ни! – примутся долго и тщательно завтракать – подробно так завтракать, с обильным горячим, например картошкой с селедкой. А после – пару чашек кофе, пренепременно! Густого, ароматного, с кружевной пенкой.

А уж потом, надев валенки, старые дубленки и теплые варежки, – под ручку, вдвоем, по узкой, недавно протоптанной тропке в лес. И острый, желтый солнечный луч пронзит красные стволы высоченных сосен и осветит полянку, на которой они присядут – всего-то на пару минут! – на поваленную елку, просто чтоб отдохнуть.

А она зажмурит глаза и положит голову в смешной вязаной шапке с помпоном ему на плечо. И они будут просто молчать... Потому что и говорить ничего не нужно: они понимают друг друга без слов – столько лет за спиной, целая жизнь.

Именно – целая жизнь! И сколько было там, за спиной, испытаний! И все вместе прошли. Вместе. И последняя беда их не развела, а снова соединила.

Скрипнет снег под ногами, и упадет рыхлая белая горсть с ветки – проскачет белка. И громко, сварливо каркнет ворона.

А они медленно побредут к дому, где ждут их тепло и уют, а еще тяжеленная кастрюля борща, малинового, густого и вкусного – спасибо Сонечке, верному другу!

А под борщец она мелко порежет чеснок и тонко-тонко сальце! Ах какое сальце привезла Сонечка им в гостинец из-под Полтавы – розоватое на просвет, мраморное просто! И сальце это на бородинский хлебушек, а? И по сто граммов водочки! Не возбраняется, правда, после прогулки и морозца! А после – снова спать, спать... Отсыпаться. Приходить в себя. От всего, что на них навалилось.

Имеют право? Имеют! А вечером снова камин и вино.

Все, хватит, хорош! Так все и будет! Правда, пока – пока до этого далековато и ее ждут дела. И она к ним готова.

А что, у нее есть выбор? Смешно...

* * *

Утром опять позвонила Галочке. Трубку взял Виктор. Голос звучал вполне прилично и даже оптимистично:

– Завтракали, собираемся на прогулку. Погода? Прекрасная! А у вас? Как всегда? Да, климат у нас... Что говорить? А здесь – европейская зима! Но – говорят, что очень удачная – тепло и сухо. Хотим даже в магазинчик зайти – мне кое-что нужно. Так, ерунда – пара сменных трусов, пустяки. Дойду, не волнуйся! А куда я денусь? Дойду! Нет, думаю, что вполне осилю – ну, надо же когда-нибудь начинать! Тебе нравится мое настроение? Да, все нормально! Домой? Конечно, хочу! А ты сомневалась? Нет, шов не болит, со швом все в порядке, чисто и сухо, как говорит твоя подруга. И с аппетитом все нормально, я же тебе говорю! Есть хочется, да. Вот захотел вчера блинчиков, так Галочка твоя мне их напекла! Съел штук пять или шесть, ты представляешь? Вот именно – прогресс, ты права! Смотрю телевизор, пытаюсь копаться в айпаде. А ты? Когда собираешься? Конечно, скучаю, что за дурацкий вопрос! А что там у Кати? Поправилась, да? Ну и слава богу, что все хорошо. Когда позвонишь? Вечером? О'кей. Дать трубку Галине? Ну раз все узнала... Целую! Привет! И до вечера, да!

Леля медленно положила трубку и почему-то задумалась. И даже – что уж таить греха? – как-то раскисла. Расстроилась? Да нет, слово не то! Именно так – раскисла. Почему? Вот ведь дура! Голос мужа был бодр и даже весел, дела шли, кажется, вполне неплохо – прогулки, аппетит, блинчики на ужин. Сухой шов. Что еще надо? Да только твердить «спасибо» небесам и Галочке. Конечно, Галочке! А кому же еще? Это надо признать. Но почему так кольнуло ее глупое сердце? Почему стало не по себе? Ревность? Да глупость какая! К кому ревновать? К Галочке? Ну просто смешно! И кого? Тяжелобольного человека? Только-только отползшего от края могилы? Нет, она точно дура! И еще – плохая жена. Не оставила лишнюю пару трусов! И кольнуло ее оттого, что стало стыдно, неловко и неудобно. И ревность тут ни при чем! Только получается, что Виктор без жены обходился! Совершенно запросто обходился – вот в чем, собственно, дело.

Да! И еще кое-что. Муж снова не задал ни одного вопроса. Ни слова, как у нее да что. Нет, конечно, обижаться грех – она давно к этому привыкла. От ее дел он всегда подчеркнуто отстранялся, всегда. Но почему же именно сейчас так стало обидно? Почему она все не может привыкнуть? Ведь все понимает, а клинит опять.

Ну а потом Леля начала собираться – дела, увы, не ждали.

Перед уходом глянула билеты – туда и обратно. Туда – один, обратно – два. Ей и мужу. Вечером надо будет хоть эту тему закрыть. И еще – позвонить Галочке. Свинья она, Леля, неблагодарная. Крутит чего-то в больной голове, а там практически чужой человек вытаскивает ее мужа. Кладет на него здоровье и жизнь, войдя в ее «тяжелое положение».

Дед Семен учил: главный и самый отвратительный недостаток у человека – черная неблагодарность. И вот сейчас она попала в число презираемых дедом людей.

Первые полдня все было неплохо – по крайней мере, так казалось. А вот часам к пяти поняла – тот, кто обещал помощь, крутит. В смысле – врет. Ничего у него не получается, судя по всему, а озвучить это не может. Не хватает силенок. Или ей так стало со страху казаться?

Закрылась в кабинете и стала думать. Сопоставлять. И все поняла окончательно – нет, не помогут! Скорее всего, не смогли. Подвели. Да нет, ничего особенного – так часто бывало. Ко всему, надо сказать, она давно привыкла, как ей казалось. Сколько раз подводили, не сдерживали данных слов и обещаний, сколько раз просто банально обманывали, ничтожно врали, подставляли. И даже кидали. А сейчас что на выходе? Да кошмар, вот что! Ничего не связывалось, не складывалось, не выходило. Вот что на выходе! И это означало только одно – у нее, Лели, Ларисы Александровны, очень большие потери и огромные неприятности! И вся ее «сладкая жизнь» и сладкая фабрика по-прежнему под угрозой.

А ведь Виктор прав: бизнес в России – это, знаете ли, не для слабонервных! Слабонервной она не была – это точно. И приняла правила игры – раз и навсегда. Приняла скрепя сердце, отвергая душой – но понимая умом: Расея-матушка! Здесь все именно так, и никак не иначе. И что остается? Или – вали, или мучайся дальше в родных пенатах. Валить не хотелось. Россию она любила. Можно было и по-другому, например, работать на «дядю». Она бы и здесь – наверняка! – быстро сделала приличную карьеру и зарабатывала хорошие деньги. На жизнь бы точно хватало. Но! Она-то всегда стремилась к другому – если и не к большим деньгам, то к самостоятельности, росту, своему делу, где она полноправная хозяйка. Ну а к этому прилагались и все прочие хлопоты, проблемы и проблемки и, разумеется, потери. Леля четко понимала: это ее путь. И другого не будет.

Правда, каждый раз, когда прикладывали мордой об асфальт, было непросто. Пару раз приходили в голову мысли – а не послать бы все это, а? Далеко и надолго. Сил-то уже поубавилось!

А потом вспоминала, как пробивалась в этом жестоком и беспощадном мире наравне с сильными и могучими мужиками. И никто ей скидок не делал, пощады не давал как женщине. Все – на равных. А самое главное – ее имя. Ее честное имя, которое она сама заработала. И добилась, чтобы ее уважали, чтобы ее, Ларису Александровну Незнамову, считали приличным человеком.

Сейчас тоже подступило именно это: а не послать бы все? Денег, конечно, почти совсем нет – все вложено, много кредитов и даже долгов. Но у нее есть помещения – свои площади, между прочим! И как они выросли в цене – всем понятно. И пусть даже кризис, чтоб его – второй за последнее десятилетие, – все равно цена этой кубатуре есть, и приличная. Этого хватит, чтобы покрыть все долги. И чуть-чуть останется, чтобы спокойно дожить. Спокойно! Правда, к этому слову надо еще добавить слово «скромно». Хватит на кусок хлеба, на колготки, на скромный турецкий курорт.

А как же все остальное? То, ради чего она, собственно, все эти годы жила? Производство, цеха, доброе имя, фирменный знак? Вспомнила, с чего начинала: на импортное оборудование денег не было, на фабрике стояли российские узлы, а с ними были проблемы. Только спустя лет пять или семь закупили немецкие и итальянские. А пока вышла на нормальных поставщиков! Сколько ее обманывали, боже! Сырье закупалось в России и Бельгии. Для тех, кто не знает, цена какао-массы, самого дорогого компонента шоколада, колеблется, как цена на нефть, в зависимости от количества выращенных деревьев и мировых потребностей.

В ее продукции не было заменителей, и покупателя своего она не обманывала: только какао-масса из перетертых бобов – вот из чего состоит настоящий шоколад.

Поставщики молока, сухофруктов, орехов собирались годами кропотливой и сложной работы.

А как разогнать тех, кто столько лет служил верой и правдой? Кто поддерживал ее в самые-самые тяжелые дни? Она не про офисных, нет. Она про технологов, про мастеров, про начальников цехов. И потом, вывезти оборудование, распотро-

шить офис? Ну ладно. Допустим. А дальше? Чем вообще заниматься? Ну, о'кей, день, два, неделю – это понятно. И даже месяц – тоже понятно. И даже два или три. А что потом? Потом, когда наконец она отдохнет и когда к ней придет осознание, что никуда не надо идти. Никуда и никогда – ни сегодня, ни завтра, ни послезавтра. Она – домашняя хозяйка! Варить обеды, тыкать в углы пылесосом, смотреть сериалы, и все?

Да! И еще кое-что! Вот про это-то мы и забыли! А Катькин Париж? «Парижик», как она его называет. Ее учеба и дальнейшие планы? А планы были купить там дочери квартирку. Конечно, самую скромную и самую крошечную. Но в приличном районе! На квартирку в Парижике было кое-что и отложено. Правда, с болезнью мужа в заначку пришлось нырнуть – и не раз. Но Леля от своих планов отказываться не привыкла – и квартирку в Парижике надлежало приобрести.

А дальше всплывало одно за другим – одна картинка сменяла другую. Квартира и ее содержание. Загородный дом и его содержание. Услуги садовника и домработницы. Машины – две. Содержание Катькиной квартиры в Парижике. Плата за ее учебу. Лечение мужа. Ну, и все остальное, к чему она давно успела привыкнуть и с чем расставаться было как-то не с руки, если честно. Так что было за что побороться.

Остаток дня она еще пыталась вести какие-то разговоры, взывать, что называется, к совести обещавших, но уже прекрасно понимала, что все это бесполезно – ей отказали. Правда, все еще звучали фразы типа «Лариса Александровна, дорогая! Конечно, мы постараемся!». И все-таки это был отказ – вежливый и корректный. Красивая мина при плохой игре – вот как это все называлось.

Получилось все как всегда – в кредитовании было отказано, те, кому она была должна, ждать отказывались, сорвались старые, надежные и крупные клиенты – кризис, а другие, обещавшие предоплату, тоже сиганули в кусты. «Времена такие, Лариса Александровна! Ну, вы же сами знаете! У всех все хреново».

Ее пребывание в Москве явно затягивалось. Так, в суматохе и невеселых раздумьях, незаметно пролетели недели.

Однажды вечером она сидела в своем кабинете, не зажигая света, и смотрела в окно. Город накрывали густые и плотные сумерки. Такая же чернота заползала и в сердце – надежды почти не было. А если по правде, не было вовсе. Ничего не получалось. Совсем ничего.

В дверь постучали, и Леля вздрогнула, словно очнулась. На пороге стояла помощница Юлечка и жалобно хлопала длинными ресницами.

– Может, кофе? – робко спросила она. – Ну, или что-нибудь съесть?

Юлечка была заботливой и слегка бестолковой. Но Леля, становясь старше и опытней, понимала, что честность и преданность важнее, чем сообразительность или хитрость. Юлечка заботилась о ней как о сестре или матери, и это было куда ценнее, чем быстрый и сметливый ум второй секретарши – Оли. Вот той было совершенно по барабану – поела ли хозяйка, попила и в каком она настроении. Оля знала себе цену: «Не нравится? Да ерунда! Тут же найду другое место – два языка и высшее образование. А сижу тут у вас в приемной...» Оля работала так, что Леля считала себя ей обязанной.

Леля чуть улыбнулась:

– А правда, Юль! Я ведь с утра не ела. Давай что-нибудь пожуем! Ты права! В конце концов, что нам теперь? Помирать? От расстройства или от голода? Впрочем, Юлечка, разница небольшая.

Ну и перекусили – как извинительно сказала Юлечка, чем бог послал, – Юлечка поделилась домашними бутербродами, нарезанными заботливой маминой рукой. Бутерброды и вправду были «мамины» – тонкие куски хлеба, аккуратный слой сливочного масла и домашняя буженина с чесночком. Вкусно – ох! К этому роскошеству прилагалась и чашка хорошего, крепкого и сладкого кофе – совсем красота! Кофе они пили вдвоем с Юлечкой. Та робела и опускала глаза. Леля знала – за работу девочка очень держится, живет вдвоем с мамой, и та женщина нездоровая. Отец ее был человеком прекрасным, самым заботливым мужем и отцом, при нем жили как в раю – просто вообще бед не знали. А после его скоропостижной и неожиданной

смерти все развалилось – Юлечка не успела закончить институт, и ей пришлось выходить на работу. Мама, увы, работать уже не могла. Но жили они так дружно, в такой огромной любви и взаимной поддержке, что ни на что не сетовали – только в их доме навечно поселилась печаль по любимому и дорогому человеку. Девочка говорила о матери так трогательно и тепло, что у Лели выступили слезы. Ну и, конечно, подумала о себе и Катьке. Нет, Катька была неплохой, но... Да никаких «но»! Сама виновата – посадила всех в инкубатор под лампу, вот и отвечай!

Наконец кофе был выпит, бутерброды съедены, и Юлечка осторожно привстала со стула.

– Ну, я пойду, Лариса Александровна?

– Конечно, иди! И мамочке передавай огромный привет! Пожелай ей здоровья!

Юлечка кивнула и тихо спросила:

– Вы уж меня извините! А что, у нас все так плохо, Лариса Александровна?

Леля вздохнула.

– Пока да, девочка. Если честно. Но будет все хорошо. Ты же мне веришь? И сплетни по углам не собирай – выкарабкаемся, Юль! Нам не впервой, ты же знаешь! И вообще – ни о чем не беспокойся. Все будет о'кей, ты меня поняла?

Юлечка закивала и выдавила слабую улыбку:

– Да волнуются все! И за вас, и за себя! У кого ребенок, у кого ипотека или кредит за машину. А времена – сами знаете, с работой-то плохо! – Она осторожно прикрыла за собой дверь.

«Вот так, Лариса Александровна! – сказала себе Леля. – И какое ты, милая, имеешь право на сопли и нюни? У всех же ипотеки, кредиты, малые дети и больные родители! И кстати, у тебя, дорогая, тоже сплошные долги! Так что в бой, моя прелесть! Вперед и с песней! Подумаешь – еще одна черная полоса. Делов-то – с копейку! Думала, испугаешь, зебра хвостатая? Ан нет! Мы ж с тобой знаем, за черной придет белая, как, впрочем, всегда!» Она громко выдохнула, резко встала, одернула узкую юбку, вынула из сумочки помаду и пудру. Ничего, господа! Мы еще – о-го-го! Из зеркала на нее смотрела очень усталая и очень растерянная, прибитая женщина – с нездоровым, почти лихорадочным блеском в глазах. В больных и несчастных глазах.

С работы она тут же уехала. Было необходимо сменить обстановку, переключиться и набраться – вот знать бы откуда! – душевных и прочих необходимых сил, чтобы снова включить голову и все перебрать. Все-все, по мелочам. Может быть, что-то придет в голову?

Так говорил дед Семен: «Думай, детка, голова-то на месте! Она и подскажет тебе, что нужно делать!»

* * *

Леля не села в машину, а спустилась в метро. Доехала до «Охотного Ряда», вышла на Тверской и просто пошла вверх – не спеша, глазея по сторонам. Она и забыла, когда *так* гуляла – одна-одинешенька, без всяких целей и забот, спокойно, не спеша, размеренно и праздно, словно не деловая, вечно спешащая женщина, бизнес-леди, а обычная тетка, которых тут целые толпы. Тетки никуда не торопились – разглядывали яркие витрины, охали от красоты и безумных цен, попутно разглядывали прохожих, отмечая крутые наряды. Леля отметила, что было много приезжих – новая Москва и вправду была приукрашена. Но она помнила совсем другой город – не такой нарядный, но близкий, родной, уютный, любимый.

Она дошла до книжного, долго бродила между стеллажей и наконец купила две книжки – детектив и женский роман. Оба обещали «неповторимую прелесть и нежность зрелой любви» и «острую, непредсказуемую интригу» – как раз то, что ей было необходимо.

Когда вышла на улицу, повалил густой и обильный снег – он смачно, со звуком, плюхался на плечи и платок и тут же стекал крупными каплями – по пальто и лицу.

Леля забежала в кафе и поймала испуганный взгляд гардеробщицы и охранника – снег, сбитый с одежды и обуви, тут же превратился в маленький и плотный сугроб – во дела!

Извинившись, она быстро прошла в полутемный и уютный зал – надо было непременно согреться и обязательно что-нибудь выпить и съесть. И только когда она с удовольствием ела густой и вкуснейший крем-суп из грибов, стало понятно, что только сейчас начало отпускать. Совсем чуть-чуть, слегка, совсем немного. Свинцовая плита, не дававшая вздохнуть глубоко, полной грудью, словно начала подтаивать – как сброшенный снег со снятого пальто.

Леля отогрелась, отдышалась, чуть пришла в себя. Она давно съела суп и просто сидела, уставившись в окно. Тихо играла музыка, и сладко пахло фруктовым кальяном. Выбираться на улицу, где по-прежнему, даже с удвоенной силой, валил снег, было совсем неохота. Но глянула на часы и вздохнула: пора вызывать такси и двигаться к дому. Что ж, и на этом спасибо! Короткая передышка – уже хорошо.

Она достала телефон и увидела пропущенные звонки – целых три, и, конечно, от мужа! Но решила позвонить из дома. Сейчас не хотелось – уж простите. Сейчас просто необходимо, обязательно нужно было побыть одной.

Снежная улица была желтоватой и розовой от света фонарей и реклам. Было светло, печально и очень красиво. Леля подумала, что совсем скоро приедет домой и откроет дверь в свою квартиру, где будет совсем тихо и грустно. Так грустно и одиноко, что ей снова захочется плакать. Пустой дом... Как это страшно – пустой дом и одиночество. Она тряхнула головой, сбрасывая наваждение. Глупость какая! Глупость и бабья истерика! Разве она одинока? Да чушь! У нее есть дочь и муж! Да, пока все далеко. Но это пока! Временные обстоятельства. У нее есть семья – это главное! Семья!

У нее есть семья? Почему она в этом сомневается? Все. Закрыли тему. Настанет день – непременно настанет! – когда все вернется на круги своя. Будет здоров Виктор, приедет домой Катька! И все сядут за круглый обеденный стол.

Убеждала себя, а вот верилось ли? Нет, с мужем – понятно – все будет именно так, она и не и сомневалась. А вот дочка... Сама виновата! Хотела ей жизни полегче и поспокойнее – вот, получи! Родитель всегда виноват. Хочешь благо для дитяти – отпусти и плати одиночеством. Или – пришпиль к своей юбке и казнись пожизненно, что судьбу его, родного дитятки, сломал своим эгоизмом.

Нет, она все сделала правильно. Катька с раннего детства бредила Францией – учила язык, интересовалась культурой, рисовала Эйфелеву башню. В Париж она привезла ее лет в восемь. И там маленькая Катька спустя пару дней заявила:

– Мамочка! Как бы я хотела здесь жить!

В конце концов, что может быть важнее для родителя, чем счастье ребенка? Исполнилась Катькина заветная мечта – она жила и училась в Париже. Есть возможность видеться – уже спасибо! Есть возможность обеспечить ребенку приличное существование – дочь не думает о куске хлеба, ей не пришлось там мыть чужие квартиры. А дело родителя – заботиться о своем ребенке. «Впрягаться» и «рубиться», как говорит молодежь. Вот она и рубится за свою дочь – подумаешь, героиня!

И у мужа все будет отлично – теперь она в этом уверена! Слава богу, все обнаружилось на раннем сроке и они все успели. И как замечательно, что была возможность попасть в Германию, к прекрасным врачам! Ну и что же она разнылась?

Она всхлипнула и испуганно оглянулась – никто не заметил? Но по-прежнему тихо играла музыка, свет был приглушен, и публика была занята своими делами – до нее никому не было дела.

Эх, дед! Если бы он был сейчас рядом! Если бы Леля могла поехать к нему! Он бы выслушал, не перебивая ни разу, только покрякивая и слегка постукивая ладонью по столу. А потом громко вздохнул бы, погладил ее по голове и улыбнулся. «Лелька! Да справимся мы! Ты что сопли развесила, а? Конечно, прорвемся! И не такое бывало! Сколько мы проходили, а, Лель? Ну вспомни! Что там было написано на кольце у одного, ну очень неглупого человека? К тому же царя? «И это пройдет»! А, Лель? Конечно, пройдет! Все проходит, моя хорошая!» – И дед снова вздохнул бы, теперь, правда, немного печальней. А потом налил бы ей тарелку фасолевого супа – он отлично варил супы.

И она бы ела густой и горячий суп, всхлипывая и глотая слезы, и чувствовала, как ей становится легче, как отпускает.

«Прости, дед! Прости, что раздражалась на тебя. Прости, что часто стеснялась. Прости, что не всегда слушала тебя – далеко не всегда. Что часто посмеивалась над тобой – да, бывало! Отмахивалась от твоих советов – дескать, что ты понимаешь!

А вот теперь поняла – так сильно меня никто не любил. И так, как тебе, никому я была не нужна».

И еще вспомнила, как дед напевал: «Ты одна мне помощь и отрада, ты одна мой несказанный свет».

Это ей, Леле. Слуха у деда совсем не было, и она смущалась и раздражалась:

– Дед! Прекрати!

Какая же дура.

Звякнула эсэмэска – пришла машина. Леля расплатилась, сделала последний глоток кофе и встала из-за стола.

«Давно не была у деда, – подумала она, – на все время есть, а вот съездить на кладбище... А еще наезжаю на Катьку».

Снежная, освещенная Москва была торжественна и прекрасна.

«Ничего у вас не получится! – подумала она. – Творите черт-те что, изобретаете велосипед, портите изо всех сил мой город, а фиг! Он по-прежнему прекрасен и величав!»

Дома, переведя дух, набрала Галочкин номер.

Та отчиталась – по пунктам. Леля снова смутилась.

– Галь! Ну я ж не с проверкой, ей-богу, мне даже неловко!

А вот муж был явно расстроен. С сарказмом переспросил:

– Настроение? А какое может быть настроение, Леля? Сижу тут, – он заговорил приглушенно, – в чужом городе, в чужой квартире! Ем какую-то фигню – готовить она совсем не умеет! Какие-то старушечьи супчики и запеканки, совсем как в больнице! И без конца пристает – меряй давление, принимай таблетки, ложись отдыхать! Достала, ей-богу! И вообще – хочу домой, в свою кровать! Надоело все, Леля. Вся эта жизнь. – Муж был раздражен и последнюю фразу произнес громко, с напором, совершенно не стесняясь, что его услышит хозяйка квартиры.

– Тише, Витенька, тише! Ну, успокойся! Галочка может услышать! Нет, я все понимаю, конечно. Но разве есть выход? Правильно – нет! Придется потерпеть, мой хороший! Я понимаю, как тебе тяжело! Но, Вить, мне тоже непросто! Ты уж поверь! И Галочке тоже. Она нас просто спасает! И ты это отлично знаешь и понимаешь! Низкий ей поклон и благодарность, да, Вить? И наплюй ты на ее супчики, милый! Разве это главное – супчики? Конечно, старая дева – где ей было учиться готовить? Но главное, что человек она свой, ответственный и порядочный! А кому я бы смогла доверить тебя? В нашем-то положении? К тому же – язык! Подумай, как бы ты смог общаться с местной сиделкой? Про деньги я вообще не говорю! Витя, это единственный выход! И скажем Богу спасибо за то, что этот выход нашелся. И перестань капризничать, очень тебя прошу! Все самое страшное уже позади!

Чувствовала, как муж разозлился. Ждала фразы «Тебе-то хорошо, ты дома и ты в порядке».

Фраза и прозвучала – почти точь-в-точь. Все-таки почти тридцать лет совместной жизни – это не шутка. Постаралась не обидеться. Попыталась снова уговорить, увещевать.

Это ведь чистая правда – ему там значительно хуже, чем ей! Она здорова и дома – все так.

Только муж снова не спросил про ее дела – ни звука, ни слова. Вот так.

Спать легла расстроенная. Хотя чему удивляться? Его всегда интересовал только он сам, все понятно.

Заснуть не могла долго, ворочалась, вставала и бродила по квартире, и оказалось – не зря! Часам к трем осенило. Поняла, где выход и к кому нужно обратиться за помощью. После этого стало чуть легче – была почти уверена, что этот человек, М., ей поможет. Обращалась она к нему всего один раз и очень давно – крутой был человек, просто так не обратишься. Всегда был большим, а уж сейчас и вовсе стал исполином! Лишь бы только взял трубку!

Номер у Лели был – тот ей его дал на какой-то встрече сто лет назад. Тогда на этой встрече, презентации оборудования для кондитерских фабрик – кажется, презентовали шведы или норвежцы, – М. был мил и даже пытался за ней ухаживать. Но она, кокетка по природе, махнувшая пару бокалов «Дом Периньон» и построив глазки, шепнула:

– А ничего у нас не получится. Я верная жена, уж простите! Самой противно! – И глупо хихикнула.

Он мягко улыбнулся:

– Почему же противно? Мне, например, приятно, что остались на этом свете верные жены!

И именно тогда дал свой телефон.

И пришло время, когда она позвонила. Тогда снова случились большие неприятности. Они встретились в ресторане – пафосном и страшно дорогом, было время обеда. Он ел красиво и спокойно, а она совсем ничего не могла проглотить, кусок в горло не лез, и, постепенно пьянея от голода, стыда и страха, торопливо рассказывала о своих проблемах.

М. выслушал молча, вытер салфеткой рот и кивнул:

– Хорошо! Я тебе помогу.

Они вышли из ресторана, он предложил прогуляться. Был март, и на улице было довольно холодно. Они быстро замерзли, и он предложил ей поехать к нему выпить кофе. Леля растерялась, но согласилась – отказываться было неловко и глупо.

Там все и произошло – быстро, буднично, прозаично и как-то слишком по-деловому. После этих коротких минут Леле было неловко смотреть на своего случайного любовника, и она, быстро встав с кровати, начала одеваться. Руки дрожали, ее била мелкая дрожь, молния на юбке не застегивалась, колготки брызнули стрелкой, и отлетела пуговица на блузке.

Тут зазвонил телефон, и М. долго говорил по телефону, неспешно застегивая перед зеркалом рубашку.

Они вышли из дома, и она краем глаза увидела, что его машина с шофером стоит возле подъезда. Значит, ситуация обычная, рядовая – босс ненадолго уединяется, водитель ждет. Глядя в сторону, она сказала, что поймает такси.

Он кивнул, торопливо поцеловал ей руку и коротко бросил:

– Ну, до звонка!

А она медленно пошла по бульвару, растирая мокрое от слез лицо. Было противно, стыдно и мерзко. Ее первое и единственное грехопадение. Для чего? Для того, чтобы спокойно принять его помощь? Не чувствовать себя обязанной? Постеснялась ему отказать? Господи, глупость какая! Просто не надо было столько пить на голодный желудок!

Она шла и ревела от унижения, стыда, от вины. От огромной, как ей казалось тогда, непростительной лжи и огромного горя.

Тогда ей казалось, что она потеряла что-то очень важное, значимое для нее самой. Как укоротила себя.

Он помог ей тогда. Помог. Но она долго, очень долго приходила в себя... Верная жена!

А потом все забылось. Сколько воспоминаний припорошено снегом прошедших лет? Вот именно! Ну и это в далеком прошлом.

Она, Леля, умела себе *запретить*. Запретить вспоминать. Иначе не выжить.

А он, между прочим, был хорош: высок, строен, голубоглаз. Да и слухи ходили о нем весьма лестные. Репутация была безупречной – Финансовая академия, профессорская семья. Один брак – еще со студенческих времен, – трое детей. Словом, человек западного стиля – спортивен, ухожен, успешен и верен семье. Правда, с последним, скорее всего, были проблемы. Но слухов и сплетен про него не ходило. Сон все равно не шел – боялась. Вдруг телефон давно изменился? Или он сделает вид, что не узнал. Ну или совсем просто – сразу откажет. Кто она ему? Да и зачем? Ну и снова про мужа – перебирала в голове свои обиды, злилась на него. Потом на себя. Потом приплела дочку – та так и не позвонила. Ну и про работу... Опять про работу! Как, что, куда... Ничего не понятно. Да! И что делать с Германией? Надо лететь. Надо лететь, а лететь она сейчас не может. Нужно слегка

сдвинуть камень, чтобы появилась хотя бы призрачная надежда!

А как объяснить это мужу? Он ведь слышит только себя. С тем и уснула в полшестого утра – тревожно, конечно.

* * *

Утром, после двух чашек крепчайшего кофе – голова была как пивной котел, – навернула пару кругов по квартире, была у нее такая нервная привычка в момент сильного душевного волнения, наконец решилась набрать номер М. Трубку он взял не сразу, и Леля чувствовала, как с каждым гудком из нее вытекают надежда и бодрость. А услышав его голос – по-прежнему приятный бархатный баритон, – совсем растерялась. Затряслась, как девочка-третьеклассница. Голос стал тонким, противным, дрожащим.

– Лариса! – фальцетом повторила она. – Лариса Незнамова. Ты меня помнишь? Георгий, ты тогда сказал: будет трудно – звони! Вот я и звоню. Потому что *так* трудно мне еще не было.

Он рассмеялся тихо и мягко.

– Ну и правильно сделала, раз край! – И тут же посуровел. – Та-а-ак. Ну смотри, что *у нас* получается. Завтра утром лечу в Лондон. На полтора дня. А через три в Женеву. И выходит, – он замолчал, прикидывая, – что увидиться нам надо именно в этот промежуток, то есть вечером во вторник. Ну как тебе? Подходит? – Услышав ее жалкое лепетание, тут же прервал: – Вот и хорошо. Жду тебя в восемь у меня в офисе. Да, на Покровке. Нет, без контрольного созвона, раз обещал! А если что, я тебе дам знать. Ну, до встречи, пока. И не грусти! Что-то ты, мать, кажется, в полном миноре!

Она нажала отбой и села на стул. Господи! Как все непросто, господи! И почему? Леля почувствовала, что силы совсем покинули ее – ну просто со стула не встать.

Все. Сегодня она дома! Тем более что в офисе делать нечего – до вторника ей вообще нечего делать! А если милейший господин М. ей откажет, то в офисе и дальше будет нечего делать – такие дела. А почему он, собственно, ей должен помочь? Отношения и даже романы сейчас забывают легко. А что было у них? Необременительный и короткий секс? Скорее случка. Это для нее было падением. А для него делом привычным. Что она знает о нем, об этом М.? Да ничего! Случайное знакомство – да и то сто лет назад. «Онегин! Я тогда моложе, я лучше, кажется, была».

Она подошла к зеркалу. На нее смотрела женщина с грустными и печальными глазами побитой собаки, как говорил дед Семен. «Глаз должен гореть, – тоже его слова. – Тогда все тебе поверят и все поверят в тебя! А если у тебя на физии скисшая простокваша... Знаешь, Лелька! Хватит нам кисломолочных продуктов! Дусенька и мама твоя, моя незабвенная дочь. Муженек твой... веселый! Мы с тобой, Лелька, должны быть в порядке! Бодряком и весельчаком, как говорится! На оптимистах земля держится».

Ох, откуда тут оптимизм? Когда все и сразу. Одним скопом и кучей – накрыло так уж накрыло!

Походила по комнате, чуть успокоилась. Так, разберем все варианты! Первое: если М. поможет, то все ясно – есть шанс выкарабкаться на поверхность. А там еще подышать, побултыхаться. Продержаться какое-то время. А если нет? А если нет, то все, кранты. Производство закрывать, цеха конопатить. Оборудование продавать за копейки, и то если повезет и кто-то возьмет. Офис, естественно, тоже. Мебель, оргтехнику – все за гроши. Может, кто и возьмет. Ну а дальше? А дальше – продавать дом. Это первое. Ну и какое-то время еще попускать пузыри. А дальше – ждать пенсию, Леля! Хорошую, крепкую пенсию в размере четырнадцати тыщ российских рублей. До этого, правда, еще далеко – шесть лет, дорогая. Можно, конечно, пойти поработать. Кем? Да няней к ребенку – как вариант. В магазин продавцом – если возьмут. Что вы умеете, дорогая Лариса Александровна? Да ничего! Ни стричь, ни печь, ни убирать. Языков не знаете – так, объясниться в магазине, не более того. Ремесла у вас нет, да и поздно учиться. Рисовать не умеете и шить тоже. Только руководить. Да и то, видно, не очень...

Талантов у вас нет – так получается? Просто ни одного таланта.

Можно, конечно, обзвонить знакомых и попросить работу. Но так неловко и так противно! Пойдут слухи и разговоры – Незнамова осталась нищей! Сплетни пойдут. Нет, конечно, в активе есть и квартира – хорошая, большая, в приличном месте. Можно продать свои хоромы и перебраться, например, подальше от центра, куда-нибудь в глушь. На выселки, в спальный район. А что тут такого? Живут люди и там. А можно продать квартиру и переехать жить в дом – тоже вариант! Только как содержать этот дом? Да и вообще, уехать за город – значит похоронить себя там навсегда. А если нужно работать, ежедневно ездить в Москву? А все остальное? Лучше не начинать. Лечение мужа – наверняка это еще не конец. Нет, разумеется, лечатся и здесь, в Москве. Конечно же, лечатся. И Катька вернется домой. И может, так будет даже лучше – все вместе, все рядом? Ну в конце концов, не деньги же главное! Ко всему человек привыкает. Да и положение у нее – у них – ничуть не хуже, а даже лучше, чем у многих других! Все так. Но пока у нее еще есть последний шанс – пусть самый малюсенький, хлипкий и ненадежный, – она все же еще постоит за себя. Не сложит лапки – такая натура, что тут поделать. Такое вот воспитание. «Дед, я все поняла! И ты бы меня поддержал! Правда, дед?»

Заревела. Заревела, как первоклассница, получившая первую двойку. Как младшая сестра, получившая от старшего брата обидную и несправедливую затрещину. Как маленькая девочка, сломавшая любимую куклу. Как взрослая дура, короче!

Ревела в голос, смачно, со вкусом, не отказывая себе.

«Сильная женщина плачет у окна», – пела певица.

А через полчаса вытерла слезы, пошла в ванную, умылась и посмотрела на себя в зеркало. «Что, Леля? Совсем раскисла? Ну все, хорош! Приходи в себя, дорогая! Тебе не положено, знаешь ли! Каждый должен соответствовать положенному имиджу. Значится, так! Парикмахер и косметолог – первым долгом. Вторым – крепкий сон. Здесь – выбирай: или пару рюмок хорошего коньяка, или снотворное. Первое, разумеется, лучше. Дальше – хватит, милая, жрать! Все эти бургеры, кексы, пирожные и макароны. Нахваталась углеводов, а не помогло! Настроение не улучшилось – только морда раздулась. Переходим на овощи и морепродукты – креветки, например, или кальмары.

Ну и берем себя в руки – крепко берем и крепко держим.

И еще – надеемся на хорошее!»

После этого она снова выпила кофе – последняя чашка сегодня, честное слово! – и позвонила парикмахеру и косметологу. Записалась на завтра. А чуть подумав, набрала номер приятельницы Ксюши, у той свое риелторское агентство. Так, на всякий случай – просто поговорить. Ксюша не из болтливых – сплетни не пойдут. Та, как всегда, была деловита и, кажется, озабочена:

– Дом? В смысле – твой? Ох, Леля! Забудь! Стоит все! Все, что стоять не должно. – Ксюша усмехнулась. – Город – еще кое-как. Хотя тоже жесть. А уж про загородку я вообще молчу! Ни-че-го! Понимаешь, совсем ничего! За полцены не отдашь! А что, все так хреново, да, Лель? – участливо спросила она и добавила: – Как я тебя понимаю...

Дом. Как Леля любила свой дом! Как долго выбирала участок! Как тщательно продумывала проект и ремонт, меняла архитекторов и рабочих. Как по ночам часами просиживала в интернете и листала журналы – мечтала, что этот дом будет настоящим семейным гнездом: муж, дочь, а потом зять и внуки. Продумала комнаты для внуков – детские комнаты. Мальчику – в бежевых тонах, девочке – в светло-сиреневых. Никакого розового и голубого! Мебель, правда, не покупала – всему свое время. Не советские дефицитные времена – все есть, еще успеется. Но муж дом не полюбил – почему? Непонятно. Может, опять потому, что снова ОНА? Снова сама? Ездил туда неохотно – после долгих уговоров: «Я, Леля, человек городской. Урбанист. Все эти твои лютики-цветочки, камины и комары меня не прельщают, уж не обессудь!»

Обидно было все это слышать. Обидно было каждый раз его уговаривать. Обидно было строить из себя дурочку: «Ах, какая бабочка, Вить! А какая розочка распустилась!»

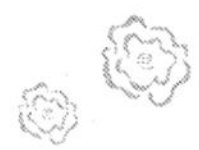

Он всегда делал ей одолжение. Всегда и во всем, и это было самое обидное и противное.

И дочери этот дом уже тоже не нужен. Где Катька и где он, их дом? Вот как сложилось.

А она сама? Как она этим домом гордилась – сама подняла! Обожала выйти из машины, глубоко вздохнуть и задержать дыхание: «Какой же здесь воздух!»

Обожала обвести взглядом участок – зелень изумрудной травы успокаивала глаза и душу почти моментально. От запахов свежести и цветов кружилась голова. Она трогала цветки жасмина и сирени, подносила их к лицу и закрывала глаза от блаженства и счастья. А босыми ногами по влажной траве? Только постриженной, еще колкой. А ночью, когда в открытом настежь окне все эти немыслимые запахи жизни, перемешанные со звуками леса? Гулкое оханье и кряхтенье совы, однотонный, размеренный и глухой зов кукушки? И яркие, переливчатые, звонкие песни рассветных пичуг. А еще звук дождя по крыше и подоконнику – вот сейчас отложу книжку и закрою глаза, и будет мне счастье! Точно будет! Здесь, в моем собственном доме, построенном моими руками!

И утренняя, ранняя, самая первая чашка кофе на веранде, где снова перед глазами вся эта свежесть и красота. И чувствуешь, совершенно явственно ощущаешь, как спадают оковы – нет, честно, спадают! Осыпается колючая, шершавая штукатурка внутри, и расправляются легкие, раскрывается, как тугой цветок, сердце, и начинаешь дышать полной грудью, без задержки, неторопливо, размеренно, равномерно – словом, приходишь в себя.

Два дня – всего два дня там, в доме, и она явственно чувствовала приток свежих сил и бодрящей радости.

Вот поэтому и было обидно. А ведь старалась! И все «мимо сада» – выражение деда.

А потом решила – ну, это же я сама захотела! Это же была идея моя! И рванула я туда, в это дело, со всей своей страстностью и усердием! А они меня и вправду не просили! Так почему они должны со мной разделять радость и умиление? Вот именно – не должны!

Вот наша главная ошибка – ждать от других то, на что они не способны, не рассчитывали и просто не обязаны тебе отвечать.

Это *ты* так хотела. Это *ты* так решила! Ты нафантазировала себе эту историю. А когда не совпало, тогда ты и расстроилась.

И еще тебе показалось, что тебя обманули! Тебе показалось!

Ах, как жалко было бы дом. Так, все, хватит. А об этом я подумаю завтра, как говорила Скарлетт О'Хара, мудрая и сильная!

Леля спала целый день. Когда не спала, то просто валялась, листала журналы. Позвонила в офис и что-то там велела сделать – поддержала боевой дух.

Вечером скрепя сердце (ох как не хотелось, кто бы знал) набрала Галочкин номер. Никто не ответил – может, гуляют? Ну и ладно – перезванивать больше не стала. В конце концов, могут и сами позвонить! Я тут тоже, знаете ли, не цветы собираю! Но не выдержала и отправила короткую эсэмэску – все ли в порядке?

Ответили – да. Все хорошо. Настроение и состояние стабильное. Шов в порядке. Аппетит вполне. Гуляли недолго – погодка шалит.

Ну и славно! Пожелала спокойной ночи.

Ничего, все нормально. Все так, как и должно быть.

А назавтра жизнь закипела – стрижка, краска, маникюр и все прочее: маски, массаж – словом, делали из нее «человека». Столько усилий и столько труда! Но выхлоп был. Глянула на себя в зеркало и осталась довольна. Потом, правда, усмехнулась: не соблазнять же она собралась этого Георгия.

Да и он-то, красавец, может выбрать себе помоложе, чем она, лет эдак на тридцать. И ему все будут рады. Так что рассчитывать приходится на его память, гуманизм и человеколюбие. И еще – на жалость, увы. Правда, такие, как он, вряд ли из жалостливых! Тут она мысленно поставила смайлик – с хитрой мордочкой, высунутым языком и со слезинкой из глаз.

До визита на Покровку оставалось два дня. Как их провести? Снова валяться дома совсем не хотелось. Шляться по улицам – нет, погодка «шептала» – ветер, снег вперемежку с дождем. Бррр! А какое лекарство от хандры и поздней осени? Правильно – шопинг!

«Черт с ними, с деньгами, – решила Леля. – Пройдусь по торговому центру, пошляюсь по магазинчикам. Посижу в кафе, поглазею по сторонам. Нервы должны быть в порядке. А то, не приведи бог, разревусь во вторник при нем. Вот будет ужас!

Лицо надо держать – я женщина умная, сильная и успешная, вот. Просто временные трудности, больше ничего! Вот, к вам и пришла... Обратилась в надежде. Вы же всесильный! Ведь так?»

Знала, комплименты любят все – даже такие, как он.

А дед, как всегда, был прав – сильные притягивают слабых и наоборот. А если бы рядом с ней был другой человек? С амбициями, рвущийся к карьере и деньгам? Увлеченный, наконец, – и не важно чем, пусть наукой! Наверное, они бы лучше понимали друг друга. Сочувствовали бы друг другу и друг друга поддерживали. И меньше бы было обид и претензий.

Вспомнила и еще, как дед говорил:

– Лелька! Ты вот пойми! Ни сын у меня не получился, ни дочь! Никто в меня не пошел. Только ты! Я еще с твоего малолетства понял – *моя* девка! Моя! Ловкая получилась, умная, четкая. Эта будет стремиться! Просто... – Тут дед загрустил. – Просто я не хотел, чтобы, ну... в личном плане ты повторила меня! Чтобы не «приседала» всю жизнь перед мужем, как я перед Дусей. Я ведь всю жизнь отплясывал то гопака, то мазурку, то вальс. А все равно! – Дед горестно махнул рукой. – Да ты и сама все знаешь!

Эти его слова тогда ее поразили.

– Дед, получается, ты всю жизнь был несчастен?

Он рассмеялся.

– Бог с тобой! Совсем не так, совсем! Да, не ценила меня моя Дуся! Не благодарила. Принимала все скупо, словно одалживала. – Дед помолчал. – Только не это главное! Главное –

то, что я ее очень любил. Сильно любил, Лелька! В этом и было... Ну, мое, так сказать, личное счастье... Всегда удивить ее хотелось, обрадовать. Сделать ее жизнь еще нарядней! Чтобы ни в чем не нуждалась, вот так. Только знаешь, в чем разница между тобой и мной?

Леля мотнула головой.

– Я, Леля, мужик! Мне по рождению положено заботиться, оберегать, вперед забегать. А ты женчина! – Дед рассмеялся. – Поняла? И предназначение у тебя немного другое!

– Хочешь из меня бабку Дусю сделать? – улыбнулась она. – Нет, дед! Не выйдет!

– Бабку Дусю не хочу, – вздохнул он. – Этого точно не хочу!

– Дед! А что деньги – это так важно? – спросила однажды она. – Важнее всего другого?

И дед ответил:

– Лель! Ведь она такая красавица была, наша Дуся! Да подойти было страшно! Лучшие хлопцы возле ворот ошивались. А тут я – мелкий, кривоногий. Нос и зубы торчком! Тогда уже лысоватый. В общем – красавец еще тот! – Дед улыбнулся. – Да, неглупый! Веселый, байки рассказывал – все девки валялись. Руки ловкие, ум сметливый. Но для молодой женщины это, увы, не главное. В молодости ценят другое. И что я ей мог обещать? Смешливой Дуся не была – на байки мои губки поджимала и взгляд отводила. Называла шутом. Сметливость моя тоже, знаешь ли, была ей до фени! Ну и стал я ее обхаживать разговорами – в Москву тебя увезу, устрою красивую жизнь. В мехах будешь ходить – как царица. Вот она и поддалась. Не хотела в селе оставаться и жить жизнью крестьянской. Очень хотела в столицу.

Все, что обещал, я исполнил, ты это знаешь. Дуся жила как царица. Ни в чем ее не обманул! Только любви от этого у нее ко мне не прибавилось. И это ты знаешь. Хотя думаю, что она вообще была человеком прохладным – из всех своих близких яростно любила только сына. Да и того погубила – любовью своей сумасшедшей. – Дед замолчал.

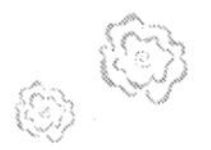

Дед, дед... Ох, дед! На полчаса бы тебя, хотя бы на полчаса! Прижаться к тебе, вдохнуть запах твоего «Беломора» и тут же успокоиться, прийти в себя. Перестать бояться, раз ты рядом. Услышать твой дребезжащий, скрипучий смех, увидеть слезинку, катящуюся из старческих, слезящихся глаз, и выслушать то, что ты скажешь. Внимательно выслушать, ни разу не перебив. Потому что скажешь ты именно то, чего я так жду. Что я так хочу услышать. Что мне просто необходимо услышать! Чтобы просто... продолжить жить.

И еще – рассмеяться: «А я ведь тоже мужик, дед! Случилось именно то, чего ты боялся! Не смотри на мою внешнюю хрупкость. Так получилось – мужик!»

День Леля провела замечательно: шлялась по торговому центру, как праздная жена богатого человека, а не замороченная проблемами хозяйка большого бизнеса.

Даже позволила себе кое-что – так, пустяки, но пустяки довольно приятные: пару чудесных вязаных тапочек, новую теплую пижамку с Санта-Клаусом (совсем одурела, если по правде). Кое-что из косметики и какое-то глупое и дешевое украшение на Новый год – серебряный конек-салазка с камешками Сваровски. «Ладно, – решила, – конька отдам Юлечке, пусть порадуется».

Ну и кофе выпила, разумеется, и слово не сдержала. Съела большой кусок сладкого пирога – вишни, орехи и взбитые сливки. Стыдно, но вкусно!

Зато из магазина вышла не просто довольная и отдохнувшая, а очень довольная и отдохнувшая! Хотя ноги, конечно, горели – прямо в машине хотелось скинуть модные узкие итальянские ботиночки и влезть в новые теплые тапки.

Вечером дома поняла – ждать звонка бесполезно. Вздохнула и позвонила сама.

Галочка, как всегда, отчиталась и передала трубку Виктору. Голос у него был вялым и недовольным.

– Да, все нормально, если все это можно вообще считать нормальным! – раздраженно ответил он. – Погода испортилась, и мы не гуляли. Воздух и балкон? Да черт с ним, с воздухом и балконом! Ага, «необходим», – передразнил он ее. – Ем? Да нормально! Какая разница что? – Снова укор и раздражение. – И вообще, когда ты приедешь? Тебе не кажется, что все слегка затянулось?

И снова не помогали уговоры:

– Витенька, подожди! Все понимаю – тебе надоело. И мне надоело. И все-таки наберись терпения! Самое главное – покой и распорядок! А это, думаю, у тебя есть! Думай о хорошем – скоро Новый год, и мы будем вместе и дома!

Вот это разозлило его больше всего:

– Новый год? А где буду я? В этот *твой* Новый год? Здесь, у... – Он осекся. – Да и плевать мне на праздники и на Новый год в том числе! Я домой хочу, понимаешь? Ты-то дома, в Москве! В своей квартире! И похоже, сюда не торопишься!

Обидно? Конечно, обидно! Так обидно, что подступили слезы. Но Леля взяла себя в руки и снова принялась утешать, увещевать, уговаривать, как малого обиженного ребенка. Снова «потерпи», снова «все самое страшное уже позади, скоро мы будем дома, все вместе, семья!».

Говорила и... Нет, верила, конечно! Только запнулась при слове «семья». Не было уже семьи, не было. А вообще она была? Да, наверное, да!

Хотелось бы верить. Иначе грустно совсем.

– Господи! Да, конечно, я бы приехала, прибежала, прилетела в ту же минуту, как только смогла! Неужели ты сомневаешься? Витя, милый! Ты поверь – мне тоже непросто. И надо закончить дела. Важные очень. Иначе... Грузить тебя не буду, но ты уж поверь!

* * *

Во вторник ровно в восемь ее машина подъехала к офису на Покровке.

Это было здание старого купеческого особняка – двухэтажное, с флигелем, нарядным портиком, солидным входом. Перед входом – милый садик с голубыми елками, наверняка посаженными не так давно. Раньше – скорее всего, при преж-

нем хозяине – здесь стояли не елки, дерево бесполезное, хоть и красивое, а пышные яблони или вишни.

Будка охранника у кованого забора – документы проверил, сухо и молча кивнул.

Да, дом впечатлял! Нет, не роскошью – обычный, крепкий купеческий дом. Подумала про аренду. Точнее – про ее стоимость. А если в собственности? Ну тогда вообще! Хотя положение М. это вполне позволяло.

Вторая охрана в здании, в холле. Все солидно, без дураков – мебель, ковры, деревянные панели на стенах. Мраморная лестница, чугунные перила. Запах уверенности, мощи и денег – очень приличных денег.

Проводили на второй этаж: Георгий Валерьевич вас ожидает!

Перед личным кабинетом еще одна секретарская. Напротив друг друга стоят два стола, за ними сидят красны девицы – одна лучше другой. Все как положено: блондинка и брюнетка. Похожие, словно сестры разной окраски. Мягко улыбнулись, глянули на часы – моментально и автоматически, одновременно.

«Интересно, – подумала Леля, – а спит он с ними по очереди? Светлая, темная... Зебра! Белый шоколад, темный шоколад. Под настроение. Конечно же, спит! Жалко ведь пропускать такую вот красоту! Жалко и несправедливо».

Поднялась блондинка. Очаровательно улыбаясь, плавным жестом изящной руки (кстати, без длинных и хищных ногтей, что говорило о хорошем вкусе) пригласила войти в кабинет, услужливо, но с достоинством распахнув перед ней тяжелую деревянную старинную дверь.

– Георгий Валерьевич! К вам госпожа Незнамова!

Сам сидел за столом.

Первое, что пришло в голову: хорош! Да как – просто картинка из западного журнала. Такой американский сенатор из клана, допустим, Кеннеди – высок, строен, поджар. Легкий загар на красивом лице. Яркие голубые глаза смотрят внимательно и вполне доброжелательно. Небольшая седина на висках – не седина, так, благородное серебро. Руки. Конечно,

руки! Женщина всегда смотрит на руки. Здесь тоже все было как надо – длинные пальцы, аккуратный маникюр, бесцветный лак. Узкое – почти незаметное – обручальное кольцо, белый металл, скорее всего, платина. Ну, и костюм – темно-синий, под глаза. И голубая, в мелкую, совсем мелкую полоску, сорочка. Все про себя знает – голубое к лицу.

Впрочем, при такой природе можно и не «украшаться» – хорош и так!

Его легко представить и в теннисном костюме, и в светлых шортах, и в джинсах – такую природу трудно испортить.

На столе – фотографии. Две. На одной – трое детей. Две девочки, мальчик. Хорошенькие, совершенно «картинные» и счастливые дети. На другой – женщина. Молодая, ухоженная, но – видно – за сорок. Гладкое, красивое лицо. Хорошая, добрая улыбка.

Толком не рассмотрела – неудобно. Понятно одно – красавица. И красавица милая. Не высокомерная, судя по взгляду. И еще – довольная жизнью! Это тоже читалось. А как по-другому? Наверняка сидит дома, командует обслугой, занимается детьми. И ни о чем думать не надо. Совсем ни о чем. В смысле – о хлебе насущном. Ну или какой-нибудь приятный бизнес – типа цветочного бутика или салона красоты – они это любят. Не производство, нет! Какое там производство? Одни напряги и головная боль.

«Завидую? – поймала Леля себя на мысли. – Ох, и не знаю... Ей-богу, не знаю! Наверное, да».

Хозяин кабинета тем временем встал.

– Лариса! Рад встрече! Прекрасно выглядишь! Все молодеешь? И как тебе удается? – Приглушенный смешок.

Она – дура! – тут же стала отмахиваться:

– Какое там, молодею! Скажешь тоже!

Дура. Какая же дура! Надо ведь было совсем не так! Истинные женщины не опровергают: «Конечно, молодею! Нашла молодильные яблоки! Где? Ха-ха! Да расскажу! Точнее – покажу! Ага, в густом лесу, за синими морями, за серыми горами! Ой, ну ладно! Хватит, ей-богу! Совсем в краску вогнали!»

И похихикать, похихикать. И глазки построить. И наплевать на блондинку и брюнетку там, за дверью! Что они? Девчонки-дурочки! А ты – ты *женщина*!

Ладно, хорош! Не научилась – учиться поздно.

Села напротив, глаза в глаза. Кликнул секретаршу – по кнопке кликнул. Попросил зеленый чай. Следит за здоровьем. Правильно, есть что терять.

Зашла брюнетка с подносом. Чай, в вазочке орехи, изюм, курага. Это вам не тортики и пирожные.

На брюнетку не глянул – подождал, пока та тихо прикроет дверь, и кивнул:

– Ну, что за проблемы? И вообще – как дела?

Чуть растерялась:

– Как? Да по-разному! – И принялась излагать свои проблемы. Старалась покороче, поконкретней, чтобы М. не устал и не увяз. Закончила, выдохнула и добавила: – Я не разжалобить тебя хочу, объясняю как есть. Просто все разом, ну, как обычно бывает. Скопом все навалилось. В общем – зебра. Белое – черное. Сейчас вот... совсем черное, просто бездна и мрак, – хрипло сказала она и с испугом посмотрела на него.

Все это время он молчал, опустив глаза. Крутил в руках золотой, дорогущий «монблан», изредка хмурил брови и кивал. Потом поднял на нее глаза.

– Да, Лариса! Сложно. Сейчас вообще все очень сложно – не кредитуют, долги не прощают, по выплатам ждать не хотят. Времена такие, Лариса! Сложные!

Он снова покрутил ручку:

– Ну и чем я могу помочь? По твоему разумению?

От волнения и растерянности она задохнулась:

– Ну... Я знаю твои возможности. Вернее – догадываюсь!

Сказала и испугалась – как он воспримет? Как наглость?

Он вскинул брови и рассмеялся – да? Вот интересно! Нет, правда! Просто сгораю от любопытства! Своего банка у меня, Лара, нет! И тебе это известно. Рычаги воздействия? Это ты называешь возможностями?

Она молчала, опустив голову и чувствуя, как дрожат руки.

– Возможности есть – спорить не буду. Только... и обещать ничего не могу. Ты ж понимаешь.

Не поднимая на него глаз, она кивнула.

– Ну и что получается? – вдруг сказал М. веселым и бодрым голосом. – Попытка не пытка, а, Лар?

Она вздрогнула и наконец подняла на него глаза.

– Ты... правда... поможешь?

Он встал, пожал плечом и улыбнулся:

– Я постараюсь. Точнее – попробую, Лара!

Она вскочила со стула и что-то быстро начала бормотать:

– Спасибо, Георгий! Нет, правда! Спасибо! Спасибо, что принял, что время нашел! Что выслушал и... ну, попытался!

Он досадливо махнул рукой.

– Хватит, Лариса! Я же сказал – постараюсь! – И снова глянул на часы. – Прости! У меня через сорок минут там, на Старой площади, встреча.

Она мелко закивала и схватила сумочку.

– Да, да! Извини! Знаешь, просить всегда... очень сложно! И как мой дед говорил, лучше мы, чем нам! А дед был мудрец... – грустно добавила она и попробовала улыбнуться.

Улыбка получилась жалкой, кривой.

М. уже был не здесь – надел пальто, взял портфель и хлопнул себя по карману – скорее всего, проверяя наличие мобильного.

Потом подошел к ней, неловко стоящей у двери, чуть приобнял и шепнул, наклонившись:

– Я попробую, Лариса! Обещаю!

Ощутила его запах неизвестного парфюма, наверняка не масс-маркет.

Она вздрогнула, смутилась, поникла, почувствовала, как густо краснеет, и первой вышла в приемную. Его задержал звонок. Леля обернулась, он коротко махнул ей рукой, и она, сняв с вешалки свою короткую шубку, стала спускаться по лестнице.

Девицы, блондинка и брюнетка, смотрели на нее не отрываясь. Поймав ее взгляд, вежливо улыбнулись и в ту же секунду уткнулись в компьютер.

Охранник молча кивнул и услужливо открыл дверь на улицу.

А на улице была красота! Короткий первый снег нежно лег на деревья с остатками последних листьев, тронутых осенью, – желтых, бордовых, зеленых. Снег лежал на козырьках подъездов, на крышах и тротуарах – только на проезжей части, под шинами машин, уже успел растаять и превратиться в лужи. Было влажно и очень тепло. Леля остановилась, чтобы глубоко и с удовольствием вдохнуть влажный воздух, и на сердце у нее сделалось спокойно и радостно – он обещал! А это означало, что еще не все потеряно, что появилась надежда и вообще – наверное, все совсем не так трагично, как казалось ей еще вчера и даже сегодня утром!

Ах как же на улице хорошо! Она дошла до машины, села за руль и улыбнулась – впервые за последние полгода, наверное. Ну, может быть, судьба наконец смилостивилась? Сменила гнев на милость? И черная, как мазут, как сажа, как уголь, полоса наконец отступила? И вот забрезжила белая? Такая... зыбкая, ненадежная, прекрасная и долгожданная? Да пора уже, да! Сколько ж можно?

Леля ехала по белому городу, ставшему в одно мгновение самым прекрасным, загадочным и светлым. Ехала и мурлыкала знакомую песенку.

В офис? Да! Пора, мой друг, пора! Хватит! Давай-ка работай, родная! А то, ишь, все небось распустились. Хозяйки нет – нет и порядка! И вообще – она там нужна для поддержания боевого духа. «Помирать нам рановато, – пелось в хорошей песне, – есть у нас еще дома дела!»

Так и доехала – с песнями и прибаутками. В офис вошла строгая, собранная, сосредоточенная – и очень уверенная в себе. Успешная женщина, хозяйка приличного бизнеса. Мать и жена. И все у нее хо-ро-шо!

И все встрепенулись, зашушукались, засуетились – началось движение, все всколыхнулись. И в глазах их читалась надежда – ну, раз она, наша Лариса, подобралась, значит, не пропадем!

К вечеру зашла Юлечка, принесла кофе и поделилась маминым бутербродом – на этот раз с домашним сыром. Долго и робко жалась у двери.

– Что, Юлечка? Что-то еще? – спросила Леля.

Юлечка совсем растерялась, покраснела и тихо спросила:

– Новый год, Лариса Александровна! Что будем делать? В смысле – елку там наряжать... Подарки... Собираться, конечно, не будем? – то ли спросила, то ли констатировала она и грустно добавила: – Не до сборов, конечно.

Леля пару минут молчала. Раздумывала, а потом улыбнулась и сказала:

– Так, Юль! А почему, собственно, нет? Что, закончилась жизнь? Премий и бонусов, конечно, не будет – это понятно. А вот легкий фуршет и подарки... Совсем просто, как ты сама понимаешь. Стол без излишеств, без всякой там рыбы, икры, французских пирожных. Скромно и вкусно – домашние пироги, салатики всякие. Может, сами, а? Как думаешь – справимся? Делали же когда-то! И было вкуснее, чем готовые деликатесы!

Юлечка обрадовалась, порозовела и закивала:

– Да, да! Конечно, Лариса Александровна! Вы правы! Так даже лучше – все домашнее, все свое! Я маму попрошу – вы же знаете, она с большой радостью! И пирогов напечет, и гуся с яблоками сделает! А салаты пусть девчонки нарежут. Подумаешь, сложность!

Леля кивала.

– А вот с подарками – что? Можно, я подумаю?

Леля милостиво разрешила.

Уходя, довольная Юлечка обернулась.

– И елку, да? Надо достать и нарядить?

– Ну, разумеется! Как же без елки? Все-таки главный праздник! Главный и самый любимый.

Жизнь продолжалась.

«Все-таки я неисправимая оптимистка, – с грустью подумала Леля, – или неисправимая дура».

А вечером позвонила Галочка и сказала, что Виктору стало хуже.

Леля забилась, словно пойманная птица:

– Хуже? Что, господи? Болит? Шов? Температура? Ослаб и отказывается от еды? Может, просто хандрит?

Галочка перебила ее:

– Не паникуй! Нет, не хандра – определенно! Хотя он, конечно, склонен к хандре. Да, температура небольшая, но ты же знаешь, что это опасно – субфебрильная, да. Аппетит пропал, глаза на мокром месте, боится – конечно, боится! А кто б на его месте, а? Думаю, ничего страшного – по крайней мере надеюсь! Но я не врач, только лишь медсестра. А здесь нужен врач. Да, позвонила, конечно! Да, господину Штольцу. Сказал, что завтра нужно приехать. В чем дело? Ну конечно же, точно сказать не может! Ты о чем, Леля? Да, так бывает, он успокоил меня. Хотя выводы делать рано. Но и панику разводить – тем более! Слава богу, что он, Виктор, здесь, что не уехал. Мы с тобой все решили правильно! Такси заказала, завтра повезу его прямо с утра. Тебе? В смысле – ехать? Ну, я не знаю! Это решать тебе, Леля. Ты же жена! Вот прямо сейчас – думаю, нет. День или два – и все будет ясно. Что тебя дергать сейчас? Думаю, что неразумно. В общем, так – завтра жди моего звонка! После обеда, не раньше. Пока анализы, исследования, пока не станет что-нибудь ясно. И не дергайся, слышишь? Я изо всех сил его убеждаю, что так бывает, что это нормально. Но ты же его знаешь! Конечно, впал в транс! Господи, да не благодари ты меня, ради бога! Это же был мой выбор и мое решение. Мы же подруги, Леля. О чем говорить? И успокойся, пожалуйста! И жди звонка.

Леля медленно нажала отбой и замерла. Вот тебе и белая полоса, долгожданная! Только, казалось, вздохнула, точнее, чуть выдохнула. Галочка, умница Галочка! Четкая, ровная и очень разумная Галочка. Как с ней спокойно! Правда, это ведь не с ее мужем плохо. Так. Надо взять себя в руки и слегка, чуть-чуть, обождать. Надо быть разумной, спокойной и хладнокровной.

Потому что если сорвется она, то совсем будет худо, совсем.

Все, договорились! Сама с собой договорилась. Да и Галочке обещала – никакой паники. Ждем результатов.

Может, все еще ничего? Все обойдется? Берем себя в руки и ждем! В конце концов, им там еще хуже. Бедная Галочка, моя дорогая подруга! Терпит капризы – делает то, что должна делать я! Бедный мой муж. Как же ему тяжело...

А сейчас таблетку снотворного – и спать. Спать, спать, спать.

Чтобы выдержать завтрашний день. Чтобы быть на ногах. Чтобы вообще – *быть*!

Быть и решать все проблемы.

И снова ждать ее, белую... Где же ты так задержалась?

Проснулась рано, но выспалась. Встала бодрой, готовой на новые «подвиги», эх. Посмотрела в интернете билет – билет был, но в декабре цены скакнули – да как! Понятно, народ собирается на зимние каникулы в Европу – гулять, веселиться, шататься по магазинам – пришло время новогодних скидок и прочих радостей. Снова вспомнила, как они любили уехать куда-нибудь перед любимым праздником – Франция, Италия, Германия. Как сказочно были украшены улицы и дома перед рождественскими каникулами – разноцветные елки, цветные фонарики, инсталляции с Санта-Клаусом, рождественские картинки с вертепом и новорожденным Христом. Европа сверкала, переливалась, звенела колокольчиками, одуряюще пахла корицей, ванилью и счастьем. В Риме с тринадцатилетней Катькой шатались по улицам днями напролет – Виктор терпеливо ждал их в отеле и выбирался в город нечасто. Магазины он ненавидел, сырая погода ему не нравилась, но он был терпелив и любезен – лежал в номере, смотрел телевизор или читал.

Леля, конечно, нервничала: «Как там папа?» А Катька злилась и тащила ее в очередной магазин или кафе. А потом они возвращались в отель, хвастались покупками, раскладывая их на кроватях, призывали его радоваться вместе с ними и шли ужинать.

Полюбился небольшой ресторанчик возле отеля – просто соседняя дверь. Там по вечерам зажигали камин, они усаживались возле него, слушая, как трещат и вспыхивают полешки.

Брали бутылку кьянти и заказывали кучу еды. Катька требовала и пиццу, и спагетти, и, конечно, десерт – боялась, что не наестся.

И Леля тогда сделала себе послабление – наплевать на фигуру, однова живем! – и тоже уплетала спагетти, особенно любимые, с вонголе, маленькими ракушками. Тихо играла музыка, камин горел теплым светом, а рядом были самые родные, самые близкие, любимые, самые-самые.

Она была счастлива тогда, очень счастлива! И думала: «Какая же я молодец! Ах какая же я умница, что сумела вот так украсить, расцветить их жизнь. Эх, прав был мой многомудрый дед: "Деньги, Лелька, страшная гадость! Сколько изза них происходит дерьма! Но как они украшают нашу серую жизнь! Какое несут удовольствие!"»

Виктор по магазинам не ходил, а вот подарки принимал с радостью – конечно, они с Катей его не обижали – покупали ему и свитера, и брюки, и прочее. Хорошие тряпки он, между прочим, любил. Хотя угодить ему было непросто. И все эти подарки он принимал так, «между прочим». Что тоже было чуть-чуть обидно. И все же они были счастливы в том декабре... Счастливы, да.

Домой возвращались тридцатого под вечер – Новый год было решено отпраздновать дома, уже тогда стоял их дом, новый дом... И все это было радостно и символично – Новый год в новом доме. Они так и говорили: «Мы едем в дом, что у нас в доме?»

Из аэропорта поехали прямо туда. В доме было прохладно, но протопились быстро, и началась жизнь.

Первую ночь Леля не спала – прислушивалась. Прислушивалась к новым звукам – скрипу полов и дверей, шуму ветра за окном, тихому подвыванию метели. Новое место, новая кровать...

Заснула под утро, а когда открыла глаза, замерла от восторга – за окном чуть покачивалась высоченная ель – точнее, покачивались от ветра ее могучие, мохнатые ветки, щедро присыпанные сверкающим снегом.

Небо было отчаянно-синим, и бледно светило прохладное зимнее солнце. Прямо из детства – яркий морозный денек. Она вскочила и босиком подбежала к окну – снег, серебристый, блестящий и яркий, переливался на утреннем солнце.

Припорошенные деревья стояли торжественно-нарядные, словно приодетые к Новому году. Ах, какая же красота! И какая чудесная, тихая радость! Сердце сладко и громко отсчитывало учащенные от восторга удары. Это и вправду был восторг – искренний, настоящий, глубокий и радостный. И снова: «Ах, какая же я молодец! А как они сопротивлялись! Как уговаривали меня этого не делать! Как убеждали, что дом им не нужен! И вот оно, счастье! Тут, за окном! Тут, в доме! И вообще – везде и вокруг!»

Леля быстро оделась и спустилась на первый этаж. Было еще чуть нежило, не обжито. Она стала разбирать чемоданы и вытаскивать разные штучки, привезенные из поездки, – шары, гирлянды, прозрачного и светящегося Санту в красном кафтане. И через час дом был принаряжен и готов к празднику. Потом она села пить кофе – и любоваться.

«Счастье, счастье, – твердила она, – вот оно, счастье! Свой дом, свои елки за окном. Свой Санта-Клаус с лукавой улыбкой. – А потом вспомнила о своих обязанностях матери и жены. – Так, хватит! Хватит рассиживаться и вообще умиляться. Впереди трудный день – готовка, праздничный стол. Ох, да – завтрак! Скоро проснутся любимые и дорогие. Поторапливайся-ка, матушка! Хватит балдеть и нахваливать себя – прекрасную и замечательную. За работу, моя дорогая. А то, что ты – умница, это ты знаешь и так».

Вскоре выползла и сонная дочь, удивленно озираясь и широко позевывая:

– Мам! А ты что, уже? – удивилась она, обводя глазами гостиную – Ну, ты даешь!

Потом спустился и муж.

Они вышли на улицу. И замерли от восторга и удивления – это был настоящий морозный подмосковный предновогодний денек – как по заказу! И даже обнаружились два пуза-

тых красногрудых снегиря на ветке – вот уж и вправду чудо! Из Москвы снегири давно улетели.

Они гуляли по лесу, пробовали кидаться снежками и лепить снежную бабу, но снег был рассыпчатым, сухим – бабы и снежки не лепились, однако настроения это не испортило и радости не убавило.

А потом Леля побежала в дом – дела ждать не собирались – и принялась за готовку. Ну, что успела – конечно же, любимое оливье – куда ж мы без него! И привезенные римские деликатесы – колбасы, ветчина, сыры. А на горячее – гусь! Своего часа он ждал в морозилке. И прекрасен был тот день и тот праздник. Прекрасно было то время – все были здоровы, все были вместе... все были счастливы. Время белой полосы – справедливой, щедрой и доброй.

Да, отвлеклась... Так что там с билетами? И что с Новым годом? Что, кстати, с билетами обратными? На какое число их заказывать? Вот уж дилемма. И сколько билетов? Два? Ей и мужу? А число? Ничего не было понятно. Совсем ничего – сумеют ли вернуться оба? Успеют ли к празднику? Или ей снова возвращаться одной? Эх, полосатая жизнь!

А деньги-то считаны – другие времена, другие обстоятельства... Так что же делать с билетами? Ломала голову долго – а потом решила: по поводу обратных будет ясно сегодня, когда она узнает, что там да как. А вот туда надо брать – и брать на завтра. Естественно. Хотя и с этим разумнее было бы подождать – Галочка, в общем, права! И еще – не психуем и ждем результата. А там уж принимаем решение.

Стало чуть легче, и она решала поехать в дом – воскресенье, на работу ехать не надо. А сидеть и ждать Галочкиного звонка невыносимо.

Да и нужно глянуть – как там и украсить его к Новому году, достать игрушки, гирлянды, фонарики. Украсить, да. Хотя есть сомнения, что праздник они встретят там, и большие сомнения, надо сказать. Но верить надо в хорошее. Потому что плохое подъедет – без нас, без нашего ведома.

Участок был расчищен – спасибо Ивану, охраннику и смотрителю. Кстати, не забыть отнести ему денег – за верную службу. Господи, снова деньги... Только теперь откуда их брать?

Леля вздохнула и открыла дверь в дом. Было немного прохладно: зимой дом подтапливали, а не топили – приезжали они туда редко. Прибавила отопления и вышла на улицу срезать у елки несколько веток – их и украсить. Пусть не целая елка, но все равно празднично и нарядно. И будет пахнуть хвоей и праздником. Потом принялась за работу – вытащила коробку с елочными игрушками, села на пол и стала их разбирать.

Вытащила того самого смешливого Санту, лукавца из Рима, и заревела белугой. Сидела на полу и ревела – вспоминала *тот* год, ту поездку, тот праздник... И те ощущения – покоя и полного, безграничного счастья.

Вот тогда-то, именно в ту минуту, раздался звонок. Схватила трубку, в уверенности, что это Галочка. Но это была не Галочка, дочь. Катька ревела и кричала – ревела и кричала так, что невозможно было разобрать слов.

– Что-что? Не поняла, Кать! – пыталась вклиниться в эту истерику Леля. – Повтори, ради бога! Да что случилось-то? Что? Ты что говоришь? Господи, при чем тут «не хочу жить и все надоело»?

Наконец услышала – дурочку ее любимую бросил Гвендаль, ее французский бойфренд. Сказал, что разлюбил, – как все просто! У них, молодых, все просто пока! Тот «просто разлюбил», а этой «просто не нужна эта жизнь»! «А зачем, мам?»

Еле остановила, еле перебила и принялась утешать, уговаривать и успокаивать:

– Дурочка моя маленькая! Девочка моя дорогая! Любимая моя самая! Самая лучшая, самая красивая, самая умная! Да наплевать на этого идиота! Он *разлюбил*! Ха-ха! Да пошел бы он к черту! Тоже мне – герой! Тоже мне – красавец! Хилый и дохлый твой Гвендаль! Гвендаль – Пендаль, ты поняла?

И вообще – на бабу похож! Жидкий какой-то и женственный! Тощий, вертлявый, волосики редкие! Не редкие? Да и хрен с ним! Пусть и густые – все равно хрен! Значит, просто немытые! Мытые? Хорошо, пусть будут мытые! И носатый, кстати! Очень носатый твой Пендаль! Все французы носатые? Тем хуже для них! И морда вечно недовольная! Что, тоже у всех французов? Ага, не у всех! Значит, тебе достался такой непромытый и такой недовольный! Хорошо, хорошо! Тогда – недовольный! Пусть будет промытый, о'кей! И все равно какой-то женоподобный! Бабообразный твой Пендаль, вот! Ничего мужского, честное слово! Как – что такое я говорю? Я тоже женщина, Кать! Нет, ты не ори! Ты мне просто поверь!

А дочь продолжала кричать, перебивала ее и снова захлебывалась в слезах.

– Мир не кончается на твоем Пендале, слышишь? – пыталась вразумить дочь Леля. – И жизнь не кончается тоже! Ах, какая беда – со своим парнем рассталась! Прямо рухнули небеса! Катя! Возьми себя в руки! Я не прошу – я просто требую! Да, первый мужчина – я понимаю! Если все это можно вообще назвать мужчиной! Что я «опять»? Да правду я говорю! А кто тебе ее скажет, кроме меня, матери? Не по чему там убиваться, слышишь? Не по чему и не по кому! И сколько их у тебя еще будет! – тут она демонически захохотала. – Папа? А что – папа? Тоже не айс? Да, папа – не айс! Но он хотя бы красавец! У папы фактура! И есть на что посмотреть! Хоть выйти было не стыдно! А с этим твоим... уж ты извини! Ты же у нас красавица, Кать!

И так по второму кругу, по третьему, по четвертому.

Пока Катька не заорала:

– Ты меня просто достала, мам! Ты так ничего и не поняла! Ничего! И все, что я тебе сказала, – чистая правда! Я жить *не хочу*! Мне это неинтересно!

Нажала отбой – все.

Леля еще минут десять сидела на полу, в той же позе. Рядом валялся Санта, со своей дурацкой, счастливой улыбкой. Дурак.

Зато теперь все стало ясно – в смысле, что надо делать. Поднялась с колен, отряхнулась, одернула свитер и пошла в прихожую надевать сапоги и пальто. Билеты в Париж решила заказать позже.

Была сосредоточенна и решительна. Так происходило всегда в самые ответственные моменты.

Ах черная полоса! Сволочь! Никак не сдаешь позиций, никак...

Билет обошелся во столько, что лучше просто забыть. Ничего не соображая, побросала в сумку какие-то вещи, выгребла оставшиеся деньги – ну, хоть что-нибудь! Хоть чем-то порадовать Катьку, если, конечно, удастся.

Эх, жизнь... Крутишь, вертишь, выжимаешь и отжимаешь – как мокрую тряпку. А все равно – будем карабкаться, стремиться и жить – как бы нас ни ломало!

В такси в аэропорт набрала номер Галочки. Подумала, что не бывает же, чтобы сразу в одну воронку? «Пожалуйста! Ну не железная я! Совсем не железная!»

С каждым гудком сердце билось сильнее. Конечно, уговаривала себя, что Галочка занята, отошла или вышла, уснула, наконец! Или присела поесть. А сердце билось так, что перехватило дыхание – вспомнила, как совсем маленькой просила у Бога: «Миленький дяденька Бог! Пожалуйста, помоги!»

Наконец на десятый гудок – Леля отсчитала – Галочка взяла трубку. Говорила коротко и тихо – наверное, Виктор был рядом. Хотя – какой «рядом»? Десятый час вечера, больница давно закрыта для посещений. Галочка давно должна быть дома.

– Ты спала? – перебила ее Леля, хоть как-то пытаясь разъяснить ситуацию.

– Спала? – удивилась Галочка. – Нет, что ты! Я только что его покормила. Да, так поздно совсем ни к чему, но весь день ничего не ел – волновался.

– Галочка! – закричала Леля. – Да что там у вас? Что с Виктором, господи!

Галочка пару секунд помолчала. Обиделась на Лелин крик? А потом ответила ровным и бесстрастным голосом:

– Леля! Все не так плохо и не так страшно! Да, есть кое-какие проблемы, вполне разрешаемые. Придется, конечно, полежать пару дней. Ты знаешь, здесь попусту держать не будут! Не беспокойся, он чуть пришел в себя, вот, видишь, поел. Настроение, конечно, не ах, но это ж понятно!

– Галочка! Спасибо тебе! – торопливо лепетала Леля. – Спасибо тебе! Да если б не ты! Если бы тебя не было там... Да я бы не справилась вовсе! Я бы совсем загнулась, поверь! Ты для меня, для нас с Витей просто ангел, посланный Богом! Я никогда не смогу ответить тебе и отблагодарить! За все, слышишь, Галочка! Просто потому, что нет всему этому цены!

Ну и все в таком духе, давясь слезами и хлюпая носом.

Шофер с удивлением смотрел на нее в зеркало. Да наплевать! Наплевать на полосатую! У мужа – дай бог – все образуется. Катьку она утешит и успокоит – она же мать, в конце концов! А М. ... Он же обещал! И он же правда – всемогущий! «Справлюсь!» – твердила она про себя. А выйдя из машины, извинилась перед водителем:

– Простите, ради бога, мою... истерику!

Тот кивнул:

– Всякое в жизни бывает! Удачи вам! И все обойдется!

Странно и смешно, но почему-то эти простые, шаблонные слова придали ей сил. И она поверила в них – в подтверждение своих же мыслей.

* * *

В Париже, как и ожидалось, было холодно, промозгло и очень сыро. Из Де Голля она обычно добиралась на экспрессе – очень удобно, – но сегодня взяла такси. Не терпелось скорее добраться до Катькиной квартиры и схватить дочь в охапку. А если ее нет дома, просто подождать, приготовить что-нибудь вкусненькое, ее любимое – например, жареную картошку. Господи, а есть ли у дочери дома картошка?

Большой вопрос! Да черт с ней, с картошкой! Просто будет ждать ее, и это главное!

На Курсель, у Катькиного дома, вышла из такси и глянула на окна. Свет был приглушенный, почти незаметный, но был! Значит, дочка дома – уже хорошо!

Выдохнула и вошла в подъезд.

Перед Катькиной дверью снова выдохнула: «Господи, дай мне сил! И еще – слов. Слов утешения». И наконец постучала. Дочь возникла на пороге не скоро – минуты через три. Эти минуты показались Леле вечностью, она уже искала в сумочке ключ.

Катька стояла как в ступоре и во все глаза изумленно смотрела на мать. Наконец произнесла:

– Это ты? – словно все еще не веря в происходящее.

Леля вздрогнула и попыталась улыбнуться:

– Ну и что стоим? Может, в дом пригласишь?

Сказала это легко, непринужденно и даже весело – словно не видела Катькину смертельную бледность, искаженный рот и совершенно больные, несчастные, «мертвые» глаза.

Дочь отступила и прижалась к стене.

В коридоре было темно. Леля нажала на выключатель, вспыхнул свет, Катя вздрогнула, и ее лицо исказилось словно от боли.

Леля неторопливо сняла ботинки, потом куртку, потерла как будто бы замерзшие руки и улыбнулась.

– Ну, дочь! Ты мне не рада?

Катька дернулась всем телом и тихим, свистящим, страшным шепотом медленно произнесла:

– Что, сопли мне вытирать приехала? По головке гладить? Сказать, что это фигня? Что таких, как он, у меня будет сто? И что он не стоит моего пальца? И что он вообще говно и подонок?

Сопли мне вытирать не надо – есть носовые платки! Уговаривать тоже – это наивно! И вообще, кто тебя звал? Ты. Меня. Раздражаешь! – медленно произнесла дочь. – Слышишь? Еще там, в Москве! Дурацкие твои уговоры и утешения – типа, у тебя еще будет таких миллион! Мама, – закрича-

ла она, – а мне нужен *он*! Ты понимаешь? И на весь миллион мне наплевать!

Леля в изнеможении опустилась на корточки.

– Катя! Столько вокруг горя, господи! Столько горя и слез! Столько болезней – ужасных, смертельных! Твой папа... Он снова в госпитале. Ему стало хуже. А ты... Ты рыдаешь из-за какого-то... – Леля запнулась.

– Он – не какой-то! – выкрикнула дочь и быстро пошла в комнату.

«Что делать? Что делать-то? – подумала Леля. – Что мне делать со *всем этим*?»

Она поднялась и подошла к двери Катькиной комнаты.

– Катя! – закричала она. – Ты меня что, выгоняешь? – И заплакала: – Доченька, миленькая моя! Девочка моя дорогая! Что же ты сердишься на меня? Я же... Я волновалась! Мне так хотелось тебя обнять! Пожалеть, да! А что тут плохого? И чтобы ты пожалела меня! Мне это тоже необходимо! Я так устала, доченька! Мне так тяжело. Ну кто у нас есть, кроме друг друга?

Она плакала, что-то бормотала, и ей казалось, что говорила она сейчас не с Катькой – вернее, не с ней одной. Она говорила с собой и с кем-то еще – словно ее могли услышать и пожалеть.

Вот только – кто?

– Мам, уезжай! – услышала она тихий, но твердый голос дочери. – Пожалуйста, уезжай! Мне так будет легче, поверь! Я хочу быть одна!

Леля осела на пол и заревела. Катька дверь не открыла. Все слышала, а не открыла. «Такие дела», – подумала Леля и медленно, тяжело поднялась с пола, словно столетняя старуха. Пошла в коридор, надела ботинки и куртку, еще раз оглянулась на Катькину комнату и открыла входную дверь.

– Катя! – жалобно выкрикнула она хриплым голосом.

Дверь не открылась, и дочка не вышла.

Еле волоча ноги, Леля стала медленно спускаться по крутой чугунной лестнице. На улице завывал ветер, становилось холодно, промозгло.

Куда? – вяло подумала она. В отель? В какой? Где сейчас она найдет этот отель, в одиннадцать вечера? Где найдет машину? И даже если ей сказочно повезет и такси остановится, как, со своим несчастным и хилым французским, она объяснит, что ей нужно?

Она шла по улице, забыв накинуть капюшон и застегнуть куртку. Увидела неяркий свет – какое-то кафе? И вправду кафе – крошечная забегаловка восточного типа. Шаурма, что ли?

Толкнула дверь, и на нее пахнуло прогорклым маслом, острыми пряностями и теплом. За стойкой стоял смуглый молодой парень с красивым и жестким лицом. Она подошла к прилавку и попросила чай – горячий, обязательно горячий. И если можно – с лимоном и сахаром. Он молча кивнул, а она села за одинокий пластиковый стол.

Чай он принес моментально и ушел в подсобку. Леля глотала чай и смотрела в окно. Там, за окном, было совсем пусто – ни одного пешехода, ни одной машины – ничего и никого. Только по-прежнему ветер скручивал верхушки деревьев, трепал голые сиротские ветки и завывал, завывал...

Продавец занимался своими делами – протирал прилавок, что-то убирал, чистил, изредка поглядывая на странную позднюю посетительницу. Леля поняла – он хочет закрыть свое заведение. Она мешает ему. Она встала, подошла к стойке и достала кошелек.

– Сколько с меня?

Он задумался, махнул рукой и осторожно спросил:

– Мадам! Я могу вам... помочь?

– Можете! – вдруг оживилась она. – Мне нужен отель. Абсолютно любой отель – хорошо бы где-то поблизости! Отель на одну ночь, вы понимаете? Наверное, надо вызвать такси? Оно быстро приедет, как вы думаете? Так получилось – мне негде сегодня ночевать, понимаете?

Он кивнул:

– Да, я все понял. Я все понял, мадам! Такси... – он задумался. – Да я вас сам отвезу! На соседней улице есть отель – вполне нормальный отель – на одну ночь! – И он

впервые улыбнулся. – Вот туда мы и поедем! Сейчас я все закончу, о'кей? Минут десять, не больше, и мы поедем в отель! – повторил он, вопросительно глядя на странную женщину с очень сильным акцентом.

А «странная женщина» слабо улыбнулась.

– Спасибо, спасибо! Вы так меня выручили! Просто... спасли.

Минут через десять они вышли на улицу, и парень подогнал машину – старенькое «Рено».

Леля села на сиденье и закрыла глаза – страха не было. Хотя на секунду подумала: «А вдруг? Вдруг он... Здесь сейчас совсем неспокойно! Хотя глупости, вряд ли. Что я придумала? Совсем рехнулась, ей-богу! На черта я нужна ему?»

Через минут десять машина остановилась.

– Приехали, мадам!

И вправду над подъездом слабо горела вывеска – Отель «Шоколад».

Она усмехнулась: «Господи! И здесь шоколад!»

Парень, ее благодетель и спаситель, зашел вместе в ней в маленький холл, где пахло обычными сладкими отдушками, которые так любят владельцы подобных мест. За стойкой ресепшена – метр на метр – стояла сонная девушка с глуповатым и красивым лицом. Парень кивнул ей, и она, казалось, ему обрадовалась.

Леля протянула свой паспорт, и оба, парень и девушка, с удивлением глянули на его красную обложку.

– О, Россия! – воскликнула девушка.

Леля устало подтвердила:

– Россия.

Тут же ей выдали ключ – массивный, металлический ключ из прошлого века.

Парень улыбнулся:

– Прощайте, мадам Незваноф! – смешно исковеркал он ее фамилию.

Леля протянула ему руку.

– Я. Никогда. Вас. Не забуду, – сказала она срывающимся голосом, очень боясь в очередной раз разреветься.

Он смутился.

— Все в порядке, мадам! Все мы — люди, о'кей? — Открыл входную дверь. И обернулся. — Все будет хорошо.

Красивая заспанная девушка-портье проводила ее на второй этаж — по очень узенькой лестнице, устланной потертым темно-синим ковром. Номер был крошечным, игрушечным — сразу, прямо с порога, можно было бросится на кровать. Собственно, так Леля и сделала, успев, правда, скинуть ботинки. Проснулась только к двенадцати, не понимая, где она. Села на кровати и отодвинула занавеску — за окном была сказка! Тихий, спокойный, светлый заснеженный город. «Когда выпал снег? — подумала она. — Наверное, ночью». Нашарила на полу свой мобильник — зарядки оставалось совсем чуть-чуть, на один звонок, не больше — и набрала номер дочки.

— Катя! — крикнула она. — Я еще здесь! Совсем недалеко, ты меня слышишь?

— Мама, — ответила дочь, — я тебя слышу. Ты меня извини. И еще — пожалуйста, уезжай! Мне так будет легче!

Леля откинулась на подушку и закрыла глаза.

Все будет о'кей, говорите?

И еще вспомнила: в детстве, когда Катька обижалась или у нее случались переживания, она всегда запиралась в комнате и объявляла, что хочет остаться одна.

Вот так получалось. Вот так. Пыталась припомнить себя молодую: а как было у нее? Ну, когда было особенно грустно, плохо, тоскливо. Страшно. Когда казалось, что это край, это — все. Конец жизни, конец мечтам, конец всему? Вспомнила — пока был жив дед, летела к нему: «Дед, как же так? Как это вообще может быть?»

Дед слушал молча. Ну а потом говорил, чуть покашливая от волнения: «Лелька! Да это жизнь! Как она есть — глупая, смешная, веселая. Кошмарная, беспощадная, жесткая и жестокая — а другой она не бывает, поверь! Зебра, вот! Полосатое такое животное — черная полоса, белая. Кончится одна, начнется другая! А сейчас поплачь, милая! Поплачь, если хочется! Со слезами выходят тоска и печаль. Вот вам, бабам, легко!

Нарыдаетесь – и пожалуйста! Даже глаза светлеют. А нам, мужикам? Хочу зареветь – а не получается, нет. – И дед засмеялся – скрипуче, шершаво, родно. – А сейчас, милая, пойдем выпьем чайку! С мятой и смородиной, а?»

Шли на кухню, пили чай. И вправду – чуть отпускало. Совсем чуть-чуть, но уже было легче.

Всегда бежала к деду, всегда – за утешением, советом. За мудростью его простецкой и верной.

А когда его не стало, тогда разговаривала с ним с неживым. Просто про себя. И ей казалось, что дед все слышит и все понимает. И еще она слышала – явственно слышала – его кряхтение и тихий смех. Скажешь кому – засмеют.

Получалось, что дочери она не нужна. Но Леля уговорила себя, что чужое мнение надо уважить. Все же мы разные, правда? Хотя было так обидно, так горько. Хоть плачь. Ну и отревела свое, как положено, лежа в крошечной комнатке в странной маленькой гостиничке под названием «Шоколад». В прекрасном, но совершенно чужом городе Париже. Самый странный ночлег в ее жизни. Самый странный приют.

Отревела и «пошла в жизнь» – тоже выражение деда: «Пора в жизнь, Лелька! Она ждать не будет».

Умылась, оделась, заправила кровать и вышла из номера.

Девушка-портье разговаривала по телефону. Увидев Лелю, тут же разъединилась и улыбнулась. Была она гладко причесана, чуть подкрашена и свежа. На Лелин вопрос, где можно выпить поблизости кофе, тут же засуетилась и предложила кофе сварить – завтрака, мадам, у нас, к сожалению, нет. А вот кофе – пожалуйста! Присядьте, прошу! И через минут пять запахло кофе, и это был запах надежды и жизни.

Вынесла на маленьком подносике ароматно дымящуюся чашку, сливки в молочнике, сахар и крошечные печенья, пахнувшие шоколадом, – понятно, отель «Шоколад».

Снег за окном уже быстро таял, и торжественность момента таяла вместе с ним. Девушка заказала такси:

– До аэропорта? О'кей! Удачи вам, мадам! И поверьте, все будет отлично!

Леля выдавила из себя улыбку, в носу защипало.

Подъехало такси, и она вышла на улицу, еще светлую от оставшегося снега.

Напротив, у магазина, стояла голубая елочка, которую украшала худенькая девушка в одном свитере и в красной высокой вязаной шапке с помпоном. Она вставала на цыпочки, пытаясь достать верхние ветки, и громко смеялась.

Леля вздохнула, улыбнулась и села в машину.

Новый год. У всех праздник. У всех, кроме Лели. Все думают о подарках близким, украшении дома, о праздничном столе – обычные хлопоты, обычная предновогодняя суета. Такая обычная и простая. И очень необходимая – все это она поняла только сейчас. По дороге набрала телефон всемогущего М. Тот не ответил – все понятно, занят. Мощный и серьезный человек, что удивляться или расстраиваться?

Билет до Франкфурта обнаружился только на через два дня! Господи, вот повезло! Умоляла посмотреть бронь – служащий, молодой и симпатичный, но с такой недовольной и неприветливой физиономией, ответил, что на бронь рассчитывать смешно – вряд ли, мадам. На сегодня – точно нет. И на завтра – думаю, тоже. Рождество – вы ж понимаете! Такое почти не бывает. Словом, звоните завтра и узнавайте – вдруг вам повезет!

Но на везение она не рассчитывала – черная полоса везения не предполагала, увы... Не предполагала и не предлагала – такая зараза. Что делать? Да ничего! Взять машину, поехать в центр, снять нормальный отель, если повезет, и – ждать. «Ну ничего, – уговаривала она себя. – Все даже неплохо! Пошляюсь по городу – сейчас, под Рождество, он особенно красив. Посижу в кафе. Пройдусь по магазинам. Покупать, конечно, ничего не буду – просто поглазею, и все, разве что порадую себя какой-нибудь мелочью – тоже лекарство! Когда не в твоих силах изменить обстоятельства, просто прими их, и все – старая мудрость.

На секунду подумала – взять в аренду машину? Рвануть туда на колесах? И тут же отмела – дороги под праздник очень

загружены. И еще обещали дождь со снегом и плохую видимость. Нет, рисковать она не имеет права!

Главное, чтобы повезло с отелем – а перед праздниками и это довольно сложно... А возвращаться к милой девушке в отель «Шоколад» совсем не хотелось – там остались ее слезы и та страшная ночь.

И снова такси, и снова дорога в город. И снова деньги, чтоб их... А здесь повезло!

Номер нашелся, светлый, небольшой, как обычно бывает в Европе. Но с видом на Вандомскую площадь. Уже хорошо!

И Леля исполнила все, что задумала, – много гуляла, заходила в кафе и все время думала о Катьке. Дочь совсем рядом – вдруг позвонит? И вот тогда она примчится! Или позвонит Леля, а Катька скажет: «Мам! Я скучаю! Ты меня... прости!» И Леля примчится. Тут же примчится! «Всего полчаса – и я ее обниму, забыв все обиды и боль, – думала Леля. – Это же мой ребенок, и ему сейчас плохо. Наверное, хуже, чем мне. Дикость какая – я праздно шатаюсь, как медведь-шатун, по этому нарядному рождественскому городу, где повсюду спешат озабоченные и счастливые люди, занимаю себя всякой ерундой, пытаюсь убить время, а совсем рядом, в получасе езды, страдает моя дочь. Невыносимо страдает моя глупая, маленькая девочка. Ни обнять тебя, ни утешить. Ни поплакать вместе с тобой».

В Галери Лафайет она выбрала Катьке подарок. Все-таки Новый год, как ни крути. Пусть ребенок хоть чуть-чуть, да порадуется! Упаковала все – новый свитер, перчатки, серебряные сережки с голубой бирюзой – в красивую коробку. А еще пушистого маленького мишку в клетчатом костюмчике и коробку марципанов – дочь их любила. Ну и открытку: «Катька! Я очень тебя люблю!» И заказала доставку – с уточнением: если мадемуазель Незнамовой не будет дома, оставьте посылку консьержке.

Ну и конечно, купила подарки мужу и Галочке. Глянула на остаток на карточке и ужаснулась. А что делать? Ведь Новый год. Весь день набирала телефон М. – он по-прежнему не отзывался. И уже все это казалось странным.

А вот Галочка трубку тут же взяла.

– Как дела? Да все нормально. Все по-прежнему, да. Послезавтра выписывают. Совсем? Думаю, нет. Сказали, что через неделю снова уколы.

Про то, что приезжает, Леля не сказала – пусть будет сюрприз. На следующий день выходить было совсем неохота – провалялась целый день в кровати. Спала, смотрела телевизор и снова спала – набиралась сил. И все время, конечно же, набирала номер телефона М. Трубку снова не брали. К вечеру позвонила ему в приемную. Секретарша сразу ответила. Леля подумала – блондинка или брюнетка? Даже голоса у них были одинаковые.

Попросила представиться и ответила:

– Георгий Валерьевич уехал. Надолго? Надолго. Будет отсутствовать почти полтора месяца – командировки, а потом зимние каникулы, как понимаете.

На вопрос Лели, не передавал ли он для нее информацию, ответила жестко, с вызовом:

– Ничего для вас нет!

Леле показалось, что она ухмыльнулась.

Вот так – и она все, разумеется, поняла. Укрылась с головой одеялом – вот так. Выходит, у нее нет больше бизнеса. Нет как не было. Все зря. Все эти годы. Весь этот труд. Вся эта каторга – с кредитами, займами, потугами и усилиями. Все зря. Все для кого-то – для дочери, мужа, когда-то – для мамы... Жаль, что не успела додать ей многого – мама ушла еще до ее грандиозных успехов и приличных денег.

Как жить, а? Как жить дальше?

Зачем он обещал, зачем обнадежил? Допустим – не получилось. Хотя верилось в это с трудом – он всемогущ, этот М.! Звонок в банк, и ему не откажут – слишком крупная фигура, большой авторитет.

Не получилось? Или не захотел, чтобы получилось? Не захотел просить, обращаться? Ведь там как – сегодня ему, а зав-

тра он, все понятно. Ради чего ему обязываться? Ради нее? Да кто она ему такая? Правильно – никто.

И все-таки можно было взять трубку и просто ответить: «Да, извини, не получилось». Или просто – «не получилось». Даже и не надо извиняться!

Пролежала до вечера, до темноты, укрывшись с головой одеялом. Как будто отгородилась от этого мира, не хотела видеть эту жизнь, «идти» в нее, нырять, чтобы...

От дочки пришла эсэмэска: «Спасибо, мам». Всего-то два слова.

Ну, хорошо хоть так.

Леля оделась и вышла на улицу. Снег окончательно растаял, словно и не было, – Европа. Долго бродила по улицам, наматывая круги – чтобы хоть чуть отпустило. Промерзла до костей – зябко, сыро, промозгло. Вернулась в отель. А на ночь приняла таблетку – поняла, что так не заснет.

Перед сном – вот вопрос, будет ли он? – позвонила мужу.

– Витя! Я завтра к тебе прилечу!

Муж молчал.

– Слышишь, Вить?

– Да? – с сарказмом ответил он. – А зачем?

Она растерялась:

– Как – зачем? Прости – не поняла!

В трубке молчали.

– Я не слышу тебя, Вить! И ничего не понимаю!

Муж хмыкнул.

– Вот это точно – не слышишь! А насчет не понимаешь – все верно, Леля! И я не понимаю тебя! И скорее всего, не понимал никогда!

В трубке раздались гудки.

Леля сидела на кровати и смотрела в одну точку. Поймала себя на мысли, что не может вздохнуть – словно в грудь вбили железный кол. Сколько так просидела – сама не заметила. Потом медленно встала и прошлась по мягкому ковру. Почувствовала, как дрожат колени и подгибаются ноги – ох, не упасть бы. Рухнула в кресло и наконец продышалась.

Да ерунда, уговаривала она себя. Человек расстроен, болен. Он вообще был обидчив, ее муж. Обижался легко, а вот выходил из обиды долго. Конечно, его можно понять – жены нет рядом. Рядом с ним чужая женщина, выполняющая ее, Лелины, функции. Обидно? Конечно! Она его понимает. Но ничего! Завтра она прилетит и обнимет его! И все встанет на свои места – муж ведь, а? И сколько совместных лет у них за спиной, как бы там ни было! И она опять постарается ему все объяснить – про бизнес, про дочь. И он – ну разумеется! – все наконец поймет, и обиды уйдут.

Она не замечала, что повторяет все это снова и снова вслух.

«А работа... Да ничего! Проживем! В конце концов, продадим дом. Поменяем машину «на попроще», как говорят. Квартиру – черт с ним, с центром, уедем в спальный район – например, в Крылатское. Или в Строгино – тоже неплохо. Воздух, между прочим, – не то что в центре. Живут же люди в Строгине и в Конькове! Живут и радуются. И с мужем все будет нормально. Я верю Галочке – к чему ей меня обманывать? И Катька придет в себя – кто не страдал от несчастной любви? И будет у нее новый Пендаль – наверняка лучше прежнего! А это совсем несложно. Заморыш чертов, чтоб его... И вообще – будет все хорошо. Все-таки я неисправимая оптимистка, – снова со вздохом подумала она. – Или неисправимая дура. Вот это – скорее всего».

* * *

Из аэропорта Франкфурта взяла такси – так будет быстрее. Торопилась обнять его поскорее. И тут же спросила себя: «Я соскучилась?» И честно ответила: «Нет, не так! Просто я хочу, чтоб и меня кто-нибудь обнял. Крепко прижал к себе и сказал простые слова: «Лелька, милая! Все будет хорошо! Мы же все проходили – вспомни, сколько было всего за нашу длинную жизнь! И теперь все наладится – непременно наладится! Ну не бывает же все время плохо! Вот проскочим эту черную полосу – и что вслед за ней? Вот именно – белая! Обязательно – белая! Куда она денется, а? Как твой шоколад – черный и белый, горький и сладкий!»

И она поплачет немного – совсем чуть-чуть, совсем слегка. Она все-таки женщина. Интересно, а слезы еще остались? Она ведь не из плаксивых. А сколько ревела в последнее время... Наверное, больше, чем за всю свою жизнь. Заплачет, потому что устала. Потому что так хочется тепла и поддержки – что ж тут непонятного? Баба ведь... Пусть сильная, а баба. И тут же ее отпустит – свалится тяжелый камень с груди, выдохнет она все свои горести, словно выплюнет – и станет ей легко и спокойно. И снова появятся силы жить дальше. Так было не раз – чистая правда.

Всхлипнула – стало жалко себя... «Что же вы все так со мной? А?»

Такси затормозило у ворот.

Она вошла в здание больницы. Наконец добралась! Быстро поднялась по ступенькам – второй этаж, лифт ждать не стала. Подошла к палате и затормозила – достала пудреницу, мазнула спонжем по лицу, механически поправила волосы, выдохнула – и открыла дверь.

Муж увидел ее, и выражение его лица стало скорбным – поджатые губы, сведенные брови.

– А, – усмехнулся он, – приехала все-таки! А мы уж... не ждали!

Леля вздрогнула – в его словах было столько сарказма, что она растерялась.

– Витя! Да что с тобой? – дрогнувшим голосом спросила она и повторила: – Что с тобой, Витя? Ты же все знаешь! Что же ты... так?

Муж покачал головой, недовольно хмыкнул и отвернулся:

– Ну, знаешь ли... Если тебе еще надо и объяснять!

«Стоп, Леля! – сказала она себе. – Это, наверное, депрессия. Вполне законная депрессия – после всего, что он пережил. Господин Штольц предупреждал – возможна депрессия! У таких больных это часто бывает. Обижаться на него я не должна – просто не имею права я на него обижаться! В конце концов, у меня – неприятности, только и всего! Но – я здорова! Я на ногах и здорова. А он – он болен, да. У него ужасный диагноз. В конце концов, сломался бы всякий. Еще неизвестно, как бы на его месте повела себя я! Так, взять себя в руки и сделать вид, что я не обиделась. И еще – странно – мне кажется, что я... опять виновата! Может, он прав? Надо было наплевать на этот дурацкий бизнес и остаться возле него? Ну, прав не прав, а доля истины в его словах есть. Он всегда был обидчив, а с болезнью... Все, беру себя в руки».

Короткий выдох – взяла. Леля выдавила из себя улыбку и сказала:

– А я привезла тебе сыр! Твои любимые канталь и ливаро! И еще ветчины! Тебе нравилась французская ветчина, помнишь?

Виктор повернул голову, внимательно посмотрел на нее и вздохнул. Ничего не ответил.

Она засуетилась:

– Вот сейчас, только вымою руки! Я же с дороги!

Зашла в ванную и долго мыла руки, смотря на себя в зеркало – замученная, усталая и несчастная. Ей всегда говорили, что она выглядит гораздо моложе своих лет. А тут... все ее сорок девять крупными буквами! Просто кричат: «Эй! Что-то ты, матушка, совсем распустилась!»

Тут же закипели слезы и подступила обида – я же с дороги! Он видит, как я устала. Ничего не спросил про Катьку – ни одного слова. Не предложил мне присесть, выпить чаю. Какой эгоизм, господи... Только свои проблемы и только свои обиды.

«А что ты так удивилась? Так было, кстати, всегда, не только сейчас – забыла?»

Леля вытерла руки и открыла дверь ванной.

В эту минуту палатная дверь распахнулась и на пороге появилась Галочка.

– Витя, родной! Ну вот, говорила с фрау Мюллер! Завтра мы едем домой! Домой, слава богу! Ты рад, мой родной?

Леля замерла на пороге ванной комнаты, переваривая услышанное. В голове гулко стучало, сердце билось как бешеное.

Теперь все стало на свои места. Ах как все просто! Как оказалось все просто, банально и пошло!

Она вышла из ванной и посмотрела на Галочку.

– Ну, здравствуй, подруга! И давно? Давно он – «родной» и «домой»? – Она рассматривала Галочку, словно видела ее впервые, и чувствовала, как стынет ее собственное сердце. – А ты, оказывается, воровка, моя тихая, милая, услужливая Галочка! Черна в тихом озере водица, как думаешь?

Галочка, бледная как полотно, не поднимая на Лелю глаз, тихо сказала:

– Ты... сама же сказала... что любви давно нет, а есть привычка. Чувство долга, и все. Ты сама говорила – вы давно стали соседями и живете параллельной жизнью. Что твой брак неудачный и это стало просто привычкой. Я ничего не придумала? Это твои слова, да?

Галочка подняла глаза и в упор посмотрела на Лелю. Леля молчала. Зато заговорил муж:

– Ты меня бросила в самую тяжелую минуту. Поехала по каким-то пустячным делам, оставила меня одного. Дальше у тебя нашлось еще важное дело – срочно лететь в Париж. Важное дело, важнее, чем я! А она, – он кивнул на Галочку, – а она ухаживала за мной, как за малым ребенком. Выводила меня на прогулку – ты бы никогда не делала всего этого. Варила мне кашу, стирала мое белье. И все остальное! – Он махнул рукой. – Да что говорить! И потом, Леля! Не в каше дело! И не в прогулках. Я, представь, впервые узнал, что значит забота! И какой может быть женщина – настоящая женщина, понимаешь? Тихая, добрая, с нежной душой. А ты, Леля, прости, просто танк! Тяжелая артиллерия. Я устал от твоего напора! От твоей энергии и вечных безумных планов. Ты не жена. Для меня не жена. И я давно понял, что мы не подходим друг другу. Разные у нас с тобой темпераменты, разные интересы. Мне никогда не было понятно то, что было так ясно тебе. – Он скорбно замолчал и глянул на Галочку, словно ища у нее поддержки. Та смотрела в окно.

Наконец Леля нарушила молчание:

– Я все поняла! Что я сейчас должна сделать? Просто уйти? А, нет! Конечно же, нет! Я должна – нет, просто обязана – пожелать молодым счастья и долгой семейной жизни – кажется, так? – Она рассмеялась. – Ну и желаю! От всего сердца. – Она посмотрела на Галочку. – Ловкая ты оказалась, подруга! Омут-то тихий, а... Ну, удачи вам, молодые! Быстро вы тут сговорились! Вот и к тебе пришло женское счастье, да, Галочка? Верно? А говорила – не нужно! Ты ведь его не ждала! Ну, что же мне делать? Скорее всего, побыстрее убраться! Чтобы не портить вам интерьер и не омрачать ваше счастье! – Она попыталась улыбнуться – получилось неважно.

Возле двери Леля остановилась.

– А ты, Галочка, молодец! Просто Железный Феликс! Я-то, дура, ни сном ни духом! Ничего не почувствовала, совсем ничего! А как отчитывалась – как первоклассная сиделка!

Галочка дернула плечиком.

– А при чем тут это? Я просто ответственный человек!

– Ага! И еще очень надежный – кажется, так? И ты, милый! Несчастный такой! А видишь, тоже не растерялся – нашел свое счастье, да, мой хороший?

Они молчали.

Леля резко схватила куртку и сумку и бросилась прочь.

Прочь, прочь, прочь! Прочь из этого госпиталя, из этого города! От предательства прочь!

А ведь он прав, ее муж, они давно стали соседями. Ни понимания, ни любви – ничего этого уже давно не было и в помине. И радости не было – совсем не было радости, чистая правда.

Будь честна перед собой, Лариса Александровна! Скажи себе правду – и, может, тебе станет легче? По сути, ты всегда и во всем была одна, Леля! Как говорил твой мудрый дед? Он тебе не опора и не поддержка. А может быть, хорошо, что это закончилось? Хватит врать себе, Леля!

Но почему же так больно? Все так правильно и так больно. И снова: «Зачем вы все так со мной? Разве я заслужила?»

Леля не заметила, как села на ступеньку у входа. Мимо проходили люди, смущенно бросая на нее удивленные взгляды. Впрочем, чему удивляться? Здесь – больница, здесь – горе. И почему плачет эта усталая и растрепанная женщина – да кто же его знает? Наверное, не без причин.

Возле нее остановилась женщина в монашеском одеянии.

– Фрау! – обратилась она, наклонившись к Леле. – Может быть, вам нужна помощь? Может быть, я могу быть полезна? И не сидите, пожалуйста, на ступеньках! Здесь очень холодно и очень опасно!

Леля подняла на сестру глаза – у той было мелкое, сухое и доброе лицо.

– Вызовите мне такси! – срывающимся голосом попросила она. – И побыстрее, если возможно!

Та кивнула и вынула из кармана мобильный телефон.

– Куда вам, фрау? Они спрашивают маршрут!

– В аэропорт, – одними губами ответила Леля. – Пожалуйста, в аэропорт!

Такси подошло быстро – ей так показалось, хотя времени она не понимала. Сестра взяла ее под руку, подняла со ступеньки, довела до машины. Усадила на заднее сиденье и мягко улыбнулась.

– Все будет хорошо, милая фрау! Уж вы мне поверьте!

– Когда? – спросила Леля и почувствовала, как слезы градом катятся по лицу.

Ну хоть в аэропорту повезло. Билет отыскался – из брони, конечно. Только в самолете чуть выдохнула: «Господи! Как же я устала! Как я устала от всех и всего! Как вы меня замучили, господи! Как мне надоели эти бесконечные перелеты. Эти аэропорты, эти такси... Столько я, кажется, никогда не моталась. Как я хочу домой, господи! А вы... Да подите вы к черту! И еще – будьте счастливы... плохого я никому не желаю».

Уже в самолете Леля поняла – заболела. Непрерывно текло из распухшего носа, першило в горле, и, кажется, поднялась температура. Все понятно – прогулки без шапки и в расстегнутой куртке зимой не проходят даром.

Молила об одном – поскорее добраться домой! Снять с себя эту походную одежду, встать под душ – если, конечно, найдутся силы. А нет – так просто рухнуть в постель, забыться. И хорошо бы – на несколько дней. А температура все поднималась – Леле стало совсем худо, и она начала засыпать. «Вот такие дела, – успела подумать она, – муж тебя бросил. Дочери ты не нужна. М. всемогущий кинул – именно так. Банально кинул, и все. Ты – везде лишняя, детка! И ты всем мешаешь».

Как странно получается в жизни – отчаяние наступает именно тогда, когда тебе совершенно искренне кажется, что все сложилось – муж, дочь, семья, работа и дом. Все то, что она строила по кирпичику, собирала по капелькам, по песчинкам. Дело всей ее жизни. Все, во что вкладывала сердце и за что рвала душу. То, что еще вчера казалось незыблемым, вечным, устойчивым, как скала. Все это оказалось пшиком, картонным домиком, песочным замком... Все рухнуло, рассыпалось, развалилось, как конструктор лего.

Вот, была успешная женщина. Мать и жена. А сейчас одинокая, всеми покинутая тетка.

Глупая Катька! У нее-то все впереди! Даже у Виктора и у этой... бывшей подруги – все впереди! Новая жизнь.

Только у нее, у Лели, все позади... Впереди – только одиночество.

– Дед! – всхлипнула она. – Как же мне жить дальше, дед?

Ответа, понятно, не было...

Ждала возле ленты чемодан и почти валилась с ног – только бы добраться до дома! Только бы не рухнуть здесь, посредине зала.

Еле стащила его с ленты и медленно пошла к выходу.

Вдруг ее окликнули:

– Лариса! Лариса Александровна!

Она обернулась – напротив нее стоял высокий и крепкий мужик с простоватым и улыбчивым лицом.

Она вгляделась в него.

– Дима, ты?

– А что, совсем не узнать?

Диму и вправду узнать было сложно – она помнила его курносым мальчишкой с длинными волосами, в вареных самопальных джинсах. Дед ругался – когда подстрижешься, балбес?

От того влюбленного, наивного пацана не осталось следа. Дима был прекрасно пострижен, хорошо одет и выглядел вполне цивильно и респектабельно.

«Господи, – подумала Леля. – Как неприятно в таком виде встретить старого поклонника! Хуже придумать сложно. Хотя какое мне дело? Какое мне дело до того, что он подумает? И вообще – какое мне дело до этого Димы? На общем фоне моих чудесных и радостных дел? Так, человек из прошлого».

– Таксуешь? – спросила она, шмыгнув носом.

Дима ответил не сразу:

– Ну да... таксую.

– Может, и меня подвезешь? Неохота с этими барыгами связываться. Противно! Сейчас начнут цены ломить.

Дима усмехнулся:

– А чего ж не подвезти хорошего клиента? Довезу, Лариса Александровна! В лучшем виде доставлю!

Они пошли к выходу.

На улице удивилась – машина у Димы была прекрасная, новенькая «Вольво» коричневого цвета. Ничего себе! На таких не очень таксуют!

А! Наверное, он личный водила какого-то босса. Отвез шефа и ищет халтуру.

В машине Леля молчала – говорить было совсем неохота: нос заложен, горло болит. К тому же начался сухой, резкий кашель. Да и температура давала о себе знать – лицо горело, тело ломило. Но молчать было неловко – все-таки старый знакомый. Да еще дедов водитель.

Разговор начал Дима:

– Заболели, Лариса Александровна?

– Да что ты со мной на «вы»? – удивилась она. – Мы с тобой, кажется, ровесники. И я давно не родственница твоего шефа. Оставь эти церемонии и реверансы! И если можно, не с таким пиететом! А то прямо чувствую себя старушонкой, ей-богу!

Дима улыбнулся.

– Договорились! Значит, будем на «ты»!

– Я с тобой давно на «ты», – напомнила Леля. – А для тебя я теперь... – Она задумалась: Леля – имя домашнее, так ее называли дед, мама. – Для тебя я теперь просто Лариса.

Спросила, скорее из вежливости, а не из интереса:

– Ну, как вообще? В смысле – жизнь? Семья, дети?

– Дети есть. Сыну шестнадцать. А вот с семьей не сложилось – была, и не стало, так вышло.

– Ну, не грусти! – улыбнулась Леля. – Какие наши годы? Для мужика это вообще тьфу! Еще возьмешь молодую, родишь нового ребеночка. Вам, мужикам, все это можно! Вам никогда не поздно начать новую жизнь.

Он задумчиво посмотрел на нее и протянул:

– Ну, в принципе, да. С нами такое случается. – И усмехнулся. – Ну а как вы? – спросил он и тут же поправился: – В смысле, как ты, Лариса?

Теперь пришло время усмехаться ей.

– Я? – переспросила она. – Да хреново я, Дим! Так хреново, что... жить неохота. Если по-честному. Ничего у меня, Дима, не получилось! Ничего в этой жизни. Все обернулось в тлен, прах и пыль – семья, работа. Вот так. И мать я фиговая – как жизнь показала.

Он вскинул брови.

– У тебя не получилось? Ни за что не поверю! Ты же внучка Семена Яковлевича! У таких, как ты, все получается!

– Жизнь показала, что нет, – грустно возразила Леля.

– А может, временные трудности, а? Бывает? Когда кажется, что все рушится и обваливается? А потом все приходит в нормальное положение. Ну не бывает же плохо всегда! Жизнь, она же как...

– Как зебра, хочешь сказать? Черное – белое, да? – перебила его Леля.

– Можно и так.

– Знаешь, как-то зебра эта... Слишком сильно и больно ко-

пытом бьет по сердцу и под дых. Так, что неохота ждать белой полосы, понимаешь?

– Понимаю. И все же не узнаю вас. То есть тебя!

Леля махнула рукой.

– Да какая разница – узнаешь, не узнаешь... – Отвернулась к окну. Слезы потекли по щекам и подбородку. Хлюпала носом, всхлипывала, жалела себя.

Дима дотронулся до ее ладони. Она остановила его:

– Не надо, Дим! Вряд ли сейчас меня можно утешить.

Оставшийся путь ехали молча, и Леля была ему благодарна за это. Он проводил ее до подъезда, и она вспомнила про деньги. Замешкалась и смутилась, доставая из сумки кошелек.

Дима внимательно посмотрел на нее.

– Что ты, Лариса? Зачем – и вот так?

Покраснев, она пожала плечом:

– Извини, если обидела.

Дима ничего не ответил и приоткрыл дверь подъезда.

– Может, помощь какая-то? А, Лариса? Ты не смущайся! Скажи.

– Нет, Дим! Спасибо! Я как-нибудь сама. Так будет привычней. Спасибо, что довез и поддержал. – Махнула рукой и зашла в свой подъезд.

Коньсержка окинула ее внимательным взглядом.

– Уже вернулись, Лариса Александровна? А почему же одна? Без Виктора Сергеевича?

Лариса не ответила и зашла в лифт. Подумала: «Совсем я... того! Бабке не ответила – откровенное хамство. А с другой стороны – да пойдите вы все!»

Открыла дверь в квартиру, и на нее дохнуло знакомым теплом. Она прислонилась к косяку и прикрыла глаза: «Господи! Неужели я дома?»

Сбросила куртку, скинула ботинки – все на пол, черт с ним со всем. Поставила чайник – нестерпимо хотелось пить. Глянула в холодильник – ни лимона, ни молока. Мышь повесилась, ну и ладно. «Есть я вообще не хочу, а захочу – закажу доставку». Выпила пустого чаю и рухнула в постель. Блаженно закрыла глаза – и все, все... «Как же хорошо дома, – подумала она. – И как я устала от всех этих самолетов, гостиниц и чужих городов! Спать, спать. Спать. Отлежаться, отболеться в полную силу. Позволить себе наконец расслабиться. Не думать ни о ком и ни о чем!»

Ну и конечно, сразу уснула. Проснулась поздно, к полудню. Почувствовала, что хочется есть.

В дверь раздался звонок. Леля чертыхнулась. «Кого это черт принес? Я никого не жду. И меня никто не ждет», – горько усмехнулась она.

Накинула халат и подошла к двери.

– Кто?

– Это я, Лариса! – ответил мужской голос.

Дима – узнала она. Спрашивается, какого черта?

Но дверь открыла. Неудобно все-таки... На пороге стоял Дима, увешанный пакетами из супермаркета.

– Зачем это ты? – смутилась и нахмурилась Леля. – Я не просила!

Он пожал плечами.

– А это не надо просить. Ты больна. Я всего лишь принес лекарства. Ну и поесть – что тут такого? Обычная человеческая помощь. – Было видно, что он тоже смущен и растерян.

– Ну проходи, – вздохнула она и подумала: «Опять он меня видит в черт-те каком виде. Просто Баба-яга, не иначе. – И тут же решила: – А наплевать».

На кухне Дима выкладывал на стол продукты и лекарства. Давал указания:

– Эти, желтые, выпьешь сейчас. А вот эти – через два часа! Поняла?

Леля смотрела на него молча, с большим, надо сказать, удивлением. Так, пожалуй, о ней заботился только дед. Но когда это было? В другой жизни, вот когда. А в этой... В этой никому до нее не было дела. Чистая правда – совсем никому.

– А сейчас я сварю тебе бульон, – объявил он, доставая из пакета цыпленка. – Помнишь, так говорил дед Семен: бульон – первое дело!

— Помню, — тихо сказала она. — Я вообще помню все, что он говорил.

— Вот и правильно. Мудрейший был человек! Учиться меня заставил. Говорил: что, будешь всю жизнь баранку крутить?

Леля вскинула брови.

— Так ты учился? И на кого, позволь спросить, выучился?

— Да так, ерунда, — покраснел он, понимая, что миф о таксисте разваливается. — На повара, — коротко бросил он и повторил: — Так, ерунда. Ничего особенного.

— Ну молодец! — ответила Леля и подумала: «Конечно, простой повар! Вот и таксует — подрабатывает, наверное! Только откуда такая машина? Странно все как-то. И одет! Слава богу, в тряпках и ценах я понимаю. Ладно, какая мне разница, где он и что».

Достала кастрюлю.

— Плиз! Для бульона.

Дима принялся стругать морковь, а ее отправил в постель.

Леля лежала в спальне и чувствовала, как по квартире пошел запах куриного супа. Она сглотнула слюну и снова уснула.

А когда проснулась и вышла на кухню, там был накрыт стол. Все разложено, порезано — красиво и аккуратно. Сразу видно — человек имеет отношение к еде и продуктам.

Сели обедать, все было вкусно, просто невыносимо вкусно — и прозрачный, янтарный бульон, и аккуратные, крошечные сухарики с сыром, и сочная отбивная с картошкой. И даже салат — казалось бы, банальные помидоры и лук!

— А это кисель! — кивнул он на высокий графин. — Кисель, знаешь ли, тоже лекарство! Ты уж прости, похозяйничал тут! Не хотелось тебя будить! Ты... так сладко спала.

Леля смутилась.

— Да? Вот интересно! А как ты об этом узнал?

— Да ты храпела! — рассмеялся он. — Просто на всю квартиру храпела!

— Правда? — покраснела она.

Он мотнул головой.

– Нет, конечно. Так, похрапывала слегка! Понятное дело – насморк! И очень даже симпатично похрапывала – уж ты мне поверь!

Она засмеялась. И в эту минуту им стало как-то... легко.

– Ну вот! – улыбнулась она. – Теперь ты знаешь интимные подробности моей жизни. Например, что я храплю!

Он посмотрел на нее очень внимательно.

– Не все, Леля! Далеко не все! Это и плохо, и хорошо. Почему плохо – ты понимаешь. А почему хорошо... Будут темы для разговоров.

Она съела почти все, что было предложено, и вдруг стала рассказывать ему про свою жизнь.

Он внимательно слушал, вопросов не задавал. Оказалось, что он знал про ее фабрику.

– Откуда? – удивилась она.

– Да прочитал твое интервью в каком-то журнале – не помню! В разделе «Успешные женщины».

Знал про дочь и про мужа. Ну, совсем коротко, пунктиром: брак – один, муж все тот же, есть дочь.

Она удивилась, но продолжала говорить – рассказала про Виктора и про бывшую подругу. Рассказала, как ее обидела Катька. Рассказала, как обманул М.

А он все внимательно слушал. Наконец она закончила и вздохнула:

– Ты извини! Пойду полежу, очень устала.

Он кивнул.

– Конечно! Ты не возражаешь, если я здесь приберусь, а потом уйду? Просто захлопну за собой дверь. А ты отдыхай! Ты уснешь – столько съела! – И он улыбнулся.

А она снова смутилась.

– Ну вот! Сначала ты узнал, что я храплю, а теперь – что я еще и обжора!

Леля лежала у себя в комнате и слышала, как на кухне тихо позвякивает посуда, журчит вода и хлопает дверца холодильника. Ей стало спокойно, и она скоро уснула, успев перед этим подумать: «Завтра Новый год. Еда у меня есть. Шампанское тоже. Буду валяться в постели и смотреть телевизор».

* * *

Тридцать первого утром Леля проснулась и поняла, что температура, кажется, упала. Слабость, конечно, осталась, но стало явно легче. Лежала в кровати и ни о чем не думала – просто запретила себе о чем бы то ни было думать. Потом смотрела телевизор – конечно, «С легким паром!». Любимое кино показывали под каждый Новый год. Смотрела и думала – какое же счастье! Какое счастье, что не надо никуда бежать. Не надо стоять у плиты, накрывать на стол. Переодеваться и краситься.

Часов в семь раздался звонок. Она вздрогнула от неожиданности и подошла к двери.

– Кто? – спросила она и услышала Катькин голос. Даже не голос – писк:

– Мам, это я...

Леля распахнула дверь – на пороге стояла дочка и смотрела на нее во все глаза – там читались испуг, радость и тревога.

– Мам! Это я... – тихо сказала она. – Вот, приехала! На Новый год! К тебе... Ничего, а?

– Катька! – воскликнула Леля. – Господи! Какое же счастье! «Ничего»? Да какое там «ничего»! Это же огромное счастье!

Они бросились друг к другу, обнялись и дружно заревели.

Катька оторвалась от нее и спросила:

– Мам! А это что?

За дверью, в коридоре, у лифта, стояла пушистая голубая елка с мохнатыми и тугими лапами. А под ней коробка – определенно с огромным тортом.

Катька осторожно открыла крышку коробки. В коробке был, разумеется, торт. На торте сидел улыбающийся заяц с марципановой оранжевой морковью в лапах.

– И кто у нас Дед Мороз? – подозрительно спросила дочь, в упор глядя на мать.

– А я почем знаю? – покраснев, ответила Леля.

– Ясно, – вздохнула Катька. – Ну тогда я – Снегурочка! Если ты, конечно, не возражаешь!

– А может быть, я... – растерянно и задумчиво ответила Леля. – Если, конечно, ты не возражаешь!

Катька качнула головой.

– Главное, чтобы ты, мама, не возражала!

От подъезда красивого кирпичного дома медленно отъезжала коричневая «Вольво».

Наступал вечер, и город загорался разноцветными огнями – праздник был совсем близко – только протяни руку. И снова поверь.

Самые родные, самые близкие

«Сонька, родная! Вот, пишу тебе. Занялась этим глупым делом оттого, что окончательно потеряла надежду тебе дозвониться. Представляю сейчас твое раздражение и вижу твое недовольное лицо. Да-да, я, конечно, знаю, что долгие телефонные разговоры ты ненавидишь. Что у тебя «устает ухо, начинает болеть голова, и вообще!». Что все это, по-твоему, потеря времени и ты лучше – а это и вправду лучше! – почитаешь что-нибудь или прошвырнешься по улице.

Ты не берешь трубку неделю. Нет, даже две! Вот я и решилась.

Я решилась на это от большой тоски и печали и от огромного моего «скучания» по тебе. Подсчитала – мы не виделись ровно три года. Три года я не обнимала тебя, не заглядывала тебе в глаза, не прислушивалась к тебе, не ловила жадно твои «штучки» – твой морок, разящий наповал, твою жесткую иронию, твой сарказм. И не любовалась твоим прекрасным лицом.

Грусть. Ну и самое главное – я не разговаривала с тобой. А для меня это как воздух, как хлеб. Как сама жизнь. Ну вот я и решилась.

Да и потом – ну, ты все знаешь сама, – поговорить и поделиться мне больше не с кем. Совсем. Мама – ну, ты понимаешь. Она уже давно, лет пять, между небом и землей, в своем странном мире. Наверное, это нормально. Линка – это вообще за пределами. Она и сама по себе штучка та еще, а уж сейчас, в этом ужасном возрасте! А Ася... Ася вообще не хочет общаться. Ни с кем. Смотреть на это невыносимо. Ася, моя добрая и прекрасная девочка!.. И еще – я очень скучаю по Ганке. Очень. Как без нее тяжело! Знаешь, я вот как-то подумала: вы, ты и Ганка, – это и есть лучшее, что было в моей жизни. Самые родные, самые близкие, ты и она. Нет, правда. Не родители, не мужья, не любовники, ха-ха! Мои жалкие любовники числом два. Ты засмеялась? Ну слава богу, я тебя развеселила. Даже не дети. Потому что все они приносили мне одни страдания, печали и головную боль. Нет, были, конечно, и радости. Но как-то мелко. Растворились они, разлились, утекли мелким ручейком в океане всего остального дерьма. Вот так.

Самые лучшие и дорогие воспоминания – лето, наш двор и мы. Ты, Ганка и я. Нам лет по восемь. Мы сидим на краю песочницы и, как всегда, болтаем – делимся секретиками и мечтами, планами на ближайшее время – например, на два часа, – и на всю остальную, такую длинную, жизнь. Наши секреты смешные и незначительные. Наши мечты наивные. Наши планы – сплошные фантазии. Мы в почти одинаковых сарафанах, обычных сатиновых сарафанах довольно мерзкой расцветки – советский легпром. Мы в дурацких и страшных сандалиях, помнишь? Ох, эти «испанские сапожки»! Три первых дня пытка, оскорбление вкуса, а потом ничего, разнашивали и привыкали. И через пару недель они уже слетали с наших загорелых, ободранных ног.

Мы мечтаем. Знаешь, у меня эта картинка перед глазами. Такая грусть! Мы, маленькие и глупенькие девочки, почти уверенные в том, что за углом нас ожидает волшебная и прекрасная жизнь! Топчется в нетерпеливом ожидании – когда же, когда? Когда эти дурочки подрастут? И уж тогда вывалю на них все свои подарки, все сюрпризы! Все заготовки свои. Осыплю счастьем, как новогодним конфетти. Слава богу, мы пока ничего не понимаем. Иначе – кранты.

Ганка водит ободранным носом босоножки по земле, вычерчивая какие-то загогулины. Молчит. Она всегда поначалу молчит. Но мы-то знаем: она самая смелая и самая шкодливая из нас трех. Вот она-то точно ничего не боится. «Оторва», называет ее моя бабушка. Ганка за любой кипиш, лишь бы не было скучно.

Она еще и самая хорошенькая из нас – прости! Нежное тонкое лицо, изящные скулы. Какой абрис, а? Изумленные глаза фиалкового цвета, пять веснушек на носу – помнишь, мы сосчитали? И волосы – в медь, искрящиеся на солнце, крупными завитками падающие ей на глаза. Как они ее раздражали, помнишь? Как она завидовала тебе – твоим гладким, прямым, ослепительно-черным. Индейским, как она говорила.

Ганка молчит – болтаем ты и я, две болтухи. Учителя нас ругали за это: «Матвеева и Литовченко! Хватит болтать!» Эх, замечания в дневники мы ловили, по-моему, через день.

Мы бежим за мороженым к метро. Выскребаем из карманов, полных песка, фантиков от конфет, раскрошенного печенья, каких-то подобранных бусин, мелочь, копейки. Иногда хватало на три пачки. Иногда на две. Ну и ничего, разделим две на троих! А если уж мы оказывались «страшно богаты», то тогда хватало еще и на три пирожка – с повидлом, самых дешевых, по пять копеек.

Ах, какой у нас праздник! Мы облизываем грязные, сладкие от повидла пальцы, запиваем все это газировкой из автомата – три копейки с сиропом, щекотно в носу и в горле, – и мы счастливы!

Нам по четырнадцать, и мы снова сидим во дворе. Правда, теперь уже не в песочнице – там нам неловко, там малышня. Сидим мы на лавочке. Нашей любимой лавочке на «заднем» дворе. И снова мечтаем. Нам уже нравятся мальчики, мы влюблены. Ты – в Алешу Фролова, жуткая судьба, да? Такая ранняя и нелепая смерть. Я в Гришку Рабиновича. А Ганка, поросенок, молчит! Но мы пытаем ее, укоряем, стыдим, что подруги так себя не ведут, что это нечестно. А она мотает красивой рыжей башкой:

– Да отстаньте вы, дуры! На фиг мне эти ваши любови? На фиг эти идиоты? Нет, вы вглядитесь! Вот твой Фролов, – говорит она тебе с возмущением, – и что в нем хорошего? Коротышка и тупица! Ах, синие глазки, ах, мускулатура! Баран. Сонька! Ты не видишь, что он тупой? Дура ты, Сонька!

Ты обижаешься – я бы тоже обиделась. Потому что Лешка Фролов вполне себе ничего – мачо такой, как бы сказали сейчас.

Потом она берется за меня и бедного Гришку:

– Ну а твой Рабинович! Нет, он умный, конечно. А уж по сравнению с Фроловым, – и осуждающий взгляд на тебя, – так просто Спиноза! Но тощий такой, носатый, неловкий и несовременный. Вот как ты с ним пойдешь в ресторан? Он же одет как чучело!

Я вздрагиваю от неожиданности.

– В какой ресторан? – испуганно спрашиваю я.

– В обыкновенный! – презрительно бросает Ганка. – В «Арагви», например.

Мы с тобой переглядываемся. Нет, про этот «Арагви» мы знаем – сто раз проходили мимо по Горького. Оттуда выходили черноволосые, носатые, шумные солидные мужчины и пышнотелые нарядные женщины. Но при чем тут Гришка и я?

А Ганка продолжает свои фантазии:

– А что тут такого? Куда ходят приличные люди? Конечно же, в ресторан.

Мы пытаемся возразить, что приличные люди ходят на выставки, в театры и в кино. В крайнем случае в кафе-мороженое.

Ганка презрительно усмехается:

– Ага, вы еще забыли упомянуть библиотэку! Мужчина водит свою даму в рестораны, покупает ей цветы и духи. Возит ее на курорты, – продолжает ликбез наша Ганка. А мы растерянно хлопаем глазами и молчим, ни минуты не соглашаясь.

Ганка, Ганка! Она всегда мечтала о красивой жизни – так, как себе ее представляла. А что получилось?

Но после этого я немного задумываюсь: мой объект и вправду слегка нелеп – и внешне, и вообще. Гришка Рабинович из очень интеллигентной и нищей семьи – я видела его родителей. Мама преподает в медучилище, кажется, биологию, а папа служит в оркестре не самого знаменитого театра и вечно болеет – астматик. Плюс еще бабка и дед – в общем, им сложно. «Нищая советская интеллигенция», – грустно вздыхает Гришка, явно повторяя слова кого-то из взрослых. Он носит коротковатые брюки с пузырями на коленях и довольно страшную курточку с короткими рукавами. Но как он умен, мой герой! А сколько он знает стихов! Это он, Гришка Рабинович, открыл мне Ахматову и Пастернака, Бродского и Рейна. Но в ресторан? С Гришкой Рабиновичем в ресторан? С нелепым, неуклюжим и неловким Гришкой?

От этих мыслей мне становится дурно. Да и откуда у Гришки деньги? Смешно.

И вот жизнь, да? Помнишь Гришку на нашем слете одноклассников на двадцатилетие школы? Помнишь, как никто, даже я, его не узнал? Как зашел в актовый зал невозможно элегантный и роскошный мужик – высокий, стройный, красивый. В шикарном твидовом пиджаке и умопомрачительных мокасинах, с дорогими часами на запястье, пахнувший неземным одеколоном? Еще бы – профессор Калифорнийского университета! Мистер Рабин, ага! Мистер Грегори Рабин. Неплохо?

А на улице его ждало такси.

Ничего не осталось от прежнего смешного и нелепого Гришки. Ничего. Наверное, только мозги. И его добрая, бескорыстная душа. Помнишь, как он всем старался помочь? Дал денег Ганкиному отцу, дяде Боре. Ты тогда спросила, не жалею ли я. Он ведь и вправду был «тепленьким» – раз, и попался. Да, поймать его было несложно. Но жалею ли я? Знаешь, мне сложно представить свою жизнь там, в Америке, с мужем-профессором. Даже почти невозможно. Вот эти его фотографии, помнишь? Трехэтажный дом из розового кирпича, ровнехонькая лужайка перед парадным входом. Кусты синей гортензии у крыльца. Дорогущая машина. Он даже смущался, показывая все это, – Гришка есть Гришка.

Нет, не жалею, Сонь! А не жалею потому, что никогда не представляла себе ту, другую жизнь и не мечтала о ней. Я про нее не знаю. Вот мне и легче, ага.

А ведь Гришка звонил мне еще года четыре, почти до самого своего отъезда, когда уже был Понаевский.

А твой герой, твой Фролов... Тоже личность, ха-ха! Глава ОПГ, каково? Что ж, вполне предсказуемо, а? Ну и итог его жизни – тоже можно было представить с самого начала.

Наш двор. Наши и только наши липы и тополя. Наша сирень, помнишь? Белая, фиолетовая, розовая. Как мы ее ждали! Помнишь, как ломали охапки и растаскивали по домам? Мама ругалась – куда? Ваз не хватало, ставили в банки. И запах сирени, невозможный запах сирени расползался по нашим убогим комнатухам, заползая в душные кухни, пытаясь забить, заглушить невыносимые запахи коммуналки – щей, жареного лука, бельевой выварки и всего остального.

Кому помешали наши липы, тополя, наша сирень? Варварство просто. Вам легче – вы уехали из нашего двора гораздо раньше, чем я. А мне пришлось наблюдать.

Наши семьи. Родители. Твои тетка и мама. Мои – мама, отец, бабуля.

И Ганкин отец.

Осталась одна моя мама. Все остальные, увы, ушли. Знаешь, я часто думаю о них – например о твоих. Обе красавицы – и тетка Рая, и мать. И такие вот судьбы. И все-таки зря тетя Рая отвергла Ганкиного отца! Мы никогда не говорили с тобой на эту тему. А вот сейчас я решилась, прости. Тебе так не кажется? По-моему, он был не самым плохим мужиком? Ну да, поддавал. Но при его-то судьбе – похоронить любимую жену, остаться вдвоем с пятилетней дочерью. Кошмар. Он ведь и не женился ни на ком из-за Ганки! А тетя Рая ведь была своя, почти родная. Она бы Ганку точно не обидела. Зря она, зря. Чего испугалась? Уж точно не Ганки – она ее любила. Может, все вообще сложилось бы по-другому? Впрочем, история не знает сослагательного наклонения.

Помнишь, как после ухода Ганки дядя Боря страшно запил. Страшно, по-черному. Все повторял: «За что меня бог наказывает? Сначала жена в двадцать семь, потом дочь в двадцать пять. За что? За какие грехи и так страшно?» Бедный, одинокий старик.

Говорили, что дядя Боря никого не пускал – открывал только медсестре из поликлиники. Был у них какой-то пароль. А она потом разносила по двору – тараканы, клопы, смертный ужас. Он и мне не открывал – ну, ты знаешь. Я пару раз попробовала и поставила точку. А что я еще могла? А вообще-то кошмар.

Сколько этих кошмаров за жизнь, да? И ничего, пережили. Мы пережили. А Ганка нет.

Я стараюсь не смотреть фотографии, где мы все вместе. Невыносимо. Но иногда рука тянется сама, и я подолгу разглядываю наши славные детские мордочки, милые, лучистые, наивные. Прекрасные наши мордахи.

Это сейчас я шарахаюсь от зеркал, как от чумы. Нет, правда! Смотреть на себя не могу. А ведь была ничего, а, Сонь? Куда все делось! Да растащили! Первым был Понаевский. Уж он постарался. Вторым – первый мой, Галкин. Первый законный. Следующим – второй законный, Васильев. Ну а потом – все остальные. Все растащили, разграбили, уничтожили, как не было. Точнее, это я оказалась такой идиоткой, что позволила все растащить по кусочкам, по крошкам, по каплям. И ничего не осталось. И вот теперь я одинокая и ущербная, по мнению моей собственной младшей дочери Линки, всеми брошенная разведенка, почти старуха. Неухоженная и запущенная. Да-да, старуха – именно так Линка и считает. Для нее наши пятьдесят два – глубокая старость, Сонь! Хотя... Мы в ее годы, помнишь, и сорокалетних считали старухами, что говорить.

Моя дочь меня презирает за многое, почти за все – за суетность мою, за тревожность, за вечное пустое беспокойство, за постоянную усталость. И правильно делает, кстати. Я себя тоже за все это презираю. Все я в жизни делала неправильно, все не так. Всё. И со всеми себя вела не так. Ты правильно говорила – я себя не любила. Вот оно, главное! Всех любила, кроме себя.

Дура, чего уж там. Моя дочь права. Но все равно от этого горько.

А у тебя получилось – в смысле, любить себя получилось. Твои слова: «Здоровая доза эгоизма еще никому не вредила!» Ты права. Поверь, говорю это с огромным восхищением – никакого сарказма. Я всегда мечтала научиться быть эгоисткой, тем более что рядом имелся учитель – ты. Но, как я ни старалась, не получалось. Думаю, с этим нужно родиться – с чувством собственного достоинства, которого у меня никогда не было. Всегда, всегда лучший кусок мужьям, детям, родителям. На себе сплошная экономия. Главный слоган, рефрен моей жизни – «Я перебьюсь». Маме нужно пальто, Линке – ролики, Асе – новые туфли. Первый муж копил на машину, второй мечтал о морском круизе. И у всех получилось – один купил машину, второй отправился в путешествие. Правда, без меня, ха-ха! На две путевки денег не нашлось.

Вот жалуюсь, жалуюсь. Ты уж прости – знаю, как ты этого не любишь. Жалею себя, жалею. Реву. А ведь виноватых нет и искать не надо. Вернее, есть. Я. Только я одна, всё. Но жизнь-то прожита, и поэтому очень обидно. Знаю, ты сейчас усмехаешься, и ты снова права, как всегда. Жизнь, разумеется, в пятьдесят два не кончается. Но это у нормальных людей, к коим я себя давно не отношу. Поверь, это не пессимизм – это всего лишь горький реализм, констатация фактов. Я отлично понимаю, что у меня впереди, и иллюзий не строю.

Можно коротко. Неудачный брак Аси. Это уже всем понятно, только не ей, кажется, она все надеется. Дурочка, в мать. Двое внуков, которых еще нужно поднять. Линкины гадости – ничего хорошего я от этой стервы не жду. Это тоже понятно. Замуж она не выйдет – кто будет ее терпеть, с ее невыносимым характером, вечными претензиями ко всему свету, капризами, алчностью, нетерпимостью, даже злостью? И даже если найдется – случайно, конечно, – такой дурачок, то глаза у него откроются быстро, поверь. Сущность свою ведь не скроешь. Я ничего не преувеличиваю – даже кое-что опускаю. Матери сказать *такое* непросто, поверь. Но что я буду перед тобой валять дурака? В смысле – дурочку? И перед собой, кстати, тоже.

Мама. Здесь все понятно. Но и мои силы на исходе. А там все новые капризы, все новые претензии. Невыносимо. Мне ее очень жаль, безумно жаль! Но и себя мне жаль тоже. Вот, прорыв, Сонька! Я, кажется, научилась себя жалеть. Но все это от безысходности, только от нее. Чуть бы пораньше научиться жалеть себя, а? Когда еще все не так плотно сели тебе на голову. Ладно, хватит. Это уже перегруз для тебя, подруга. Я понимаю.

Давай лучше о прошлом – куда веселее. Правда, до определенного момента. Ну вот, опять сплошной пессимизм. Снова прости.

Почему-то я очень ярко помню несколько моментов из нашей юности. Например, Парк культуры – ты помнишь? Это было, кажется, второе мая, праздники. Да-да, точно – везде продавались воздушные шарики и гремела веселая музычка – праздник трудящихся, как же.

И вот мы, втроем. Рыжая бестия Ганка с шальными глазами и шальной же улыбкой. Я ловлю встречные взгляды. Мужики столбенеют, сбиваются с шагу, спотыкаются, краснеют и бледнеют. Еще бы! Вся она, наша Рыжая, сама нс ведая того, всем своим отчаянным видом обещает райские кущи. Но такие опасные райские кущи! Ее яркая весенняя красота бьет в глаза, ошеломляет и немного пугает. К тому же она горда и независима, а это притягивает еще сильнее. На ее лице написано: «А мне на все наплевать!» Помнишь, как кто-то назвал ее Лесной колдуньей? Кто – убей, не помню. Кстати, а какие еще бывают колдуньи? Может, морские?

Потом взгляды переводят на тебя. И тут еще хлеще! Я вижу их лица – восторженные, но перепуганные до смерти. Еще бы! Твои гладкие, блестящие, черные, до талии волосы переливаются на солнце, сверкают, как антрацит. А глаза! «Твои зеленые глаза» – помнишь такую песню? Так вот, твои зеленые глаза тоже покоя не обещают, куда там! И добротой они, увы, не полны. Они яростно и возмущенно сверкают, обещая сплошные тревоги и неудобство. Но от этого и пробирает дрожь – я видела, как мужики замирали и не могли оторвать от тебя глаз. И твои строго, по-учительски поджатые губы и сведенные к переносице брови – твои соболиные, с отливом, длинные четкие брови, – обманка!

Ты их презирала – всех подряд, без исключения. И они это чувствовали и боялись тебя. Но еще и желали – больше всего на свете! Черт с ним, что потом – смерть, виселица, гильотина, вечная каторга. Ты заманивала, расставляла силки, одним взмахом ресниц рыла могилу. И все они, глупые и смешные, мечтали туда попасть.

Но была еще третья – я. И вот тогда-то, разглядев вас двоих, после паралича и остановки дыхания, они переводили взгляд на меня. И вырывался облегченный выдох: мы, кажется, живы. Я, обычная, вполне заурядная и такая понятная, тут же приводила их в чувство. Милая блондиночка, ничего особенного, но все-таки милая, да. Хвост на затылке, пара непослушных завитков, заложенных за ухо. Серые глаза, нос, рот – все такое знакомое, среднерусское, как говорил Понаевский, помнишь? А я обижалась. Вот дура! Я всем была понятна, как дважды два. Я не пугала – таких девчонок море, оглянись вокруг: глуповатых, прыскающих в кулак от смущения, легко краснеющих, вечно хихикающих – своих. С этими дурочками можно целоваться в подъезде, пороть всякую чушь – которую ты бы, например, никогда не простила. С ними можно сидеть на последнем ряду в кинотеатре и мять их потную ладонь своей, не менее потной, класть им руку на колено. Они, эти дурочки, как бы им ни было тревожно и муторно, эту ладонь никогда не оттолкнут. Попробуй взять за руку тебя или Ганку! Даже представить страшно. Ганка укусит, а ты – ты обольешь таким презрением, как ошпаришь.

Так вот, глядя на меня, мужики тут же выдыхают, моментально успокаиваются, перестают чувствовать дрожь в ногах и холодный пот на спине. Они быстро приходят в себя и начинают нести свои глупости: «Девушки, девушки, ах, какие красавицы! А пойдемте в кино! Там такая комедия с Луи де Фюнесом, просто шикарная!»

От слова «шикарная» тебя мутит, а Ганку воротит. А вот меня – нет! Что тут такого? Кстати, я бы пошла с удовольствием! А вы, ты и Ганка, презрительно фыркаете им в лицо, снова вводя их в анабиоз.

Вы гордо и быстро идете прочь. «Подальше от этих идиотов», – говорите вы. А что в них плохого? Лично я не заметила. Парни и парни. Обычные. Студенты. Лично я бы с ними и в кино пошла, и куда б ни позвали. Но я фыркаю вместе с вами, подпеваю вам, подыгрываю, словно я такая же, как вы: красивая, умная, гордая, неприступная.

Но я точно знаю – я не такая. И еще точно знаю – мне надо стремиться к идеалу. А идеал – мои лучшие подруги.

Мы ели мороженое, катались на каруселях, толкались в комнате смеха у кривых зеркал и помирали от смеха. Кривые, косые, толстые, худые, перекошенные. Как же мы ржали, помнишь?

А потом сели в шашлычной. Конечно, деньги, как всегда, были у Ганки, потому что дядя Боря ей ни в чем не отказывал. Она небрежно махала рукой:

– Это все от комплексов, девочки! Снова бабу завел, дома три дня не ночует. И слава богу!

Итак, мы сели в шашлычной. Стеснялись. Даже вы с Ганкой стеснялись – ведь мы играли во взрослых. А взрослыми не были – соплячки. Ну и заказали три шашлыка, три салата и бутылку вина. Ох! Шашлык был жестким, салат безвкусным, а вино кислым. Но мы не сознались в этом. Мы ели и пили с таким удовольствием! Мы так вошли в эту роль – в роль бывалых, искушенных, взрослых.

А потом закурили. Какие же дуры – высмолили всю пачку, и нас затошнило. Ганку вырвало сразу, в кусты. Повезло. А мы с тобой шли и качались. Бледные как полотно, с синяками под глазами, кошмар. И все-таки мы были довольны собой. Нет, даже горды!

А помнишь наш выпускной? Ганка, как всегда, отличилась – пришла в брючном костюме. Все обалдели, еще бы! Кто бы еще мог себе такое позволить? Уж точно не я. Как она была хороша, правда, Сонь? Узкая, длинненькая, невозможно стройная. А костюм? Югославский, да? Да, югославский, кримпленовый. Брюки-клеш и пиджак, фиолетовые. Достала Ганке этот костюм папашина любовница – выпрашивала ее расположение. А блузку под пиджак Ганка не надела – ну кто бы на такое осмелился в те годы-то, а? Все обалдели – пиджак на голое тело! Глубокий вырез, а там – дорожка. Невинная такая, полупрозрачная ложбинка, ведущая в рай или в ад. Ну и все дружно, как крысы за дудочкой, обреченно и радостно туда поплелись – на свою же погибель.

Что там наши мальчишки, придурки и сопляки, – фигня. А вот приглашенные музыканты... Кажется, это называлось ВИА – вокально-инструментальный ансамбль. Взрослые дядьки с волосами до плеч в модных джинсах и батниках. Недосягаемые! Для меня точно боги. А боги эти моментально сбились с нот, едва завидев нашу красотку. Стали переглядываться, перешептываться, чуть не побросали свои электрогитары, тарелки и барабаны.

И ты в своем красном платье. Немыслимом красном платье, шелковом, с открытой спиной. Всё. Здесь можно остановиться. И какой хитрый ход, Сонь! Под твоими длиннющими, до попы, волосами этого никто вначале не заметил. А потом ты волосы забрала. Легко так: раз – и заколка. И всё, всем кранты. Всем нам кранты – учителям, родителям, девчонкам, стонущим в голос от зависти. И мужикам. Конечно, речь не о наших одноклассниках. Что о них говорить – много чести, напыщенные, прыщавые и тупые индюки. Хотя было парочку нормальных – Кротов и Тазетдинов. Всё. Кротов даже присвистнул. Тазик, Тазетдинов, тогда уже сильно нажрался и дрых в раздевалке.

А вот музыканты вообще выпали в осадок – сначала Ганка, потом ты. Ты еще опоздала, помнишь? Мне кажется – уж прости! – это был ход, чтобы ошарашить. Музыканты и ошалели – такие девочки! А никуда не денешься – все оплачено.

Пилите, Шура, пилите. Со сцены не спрыгнешь – попробуй! Директриса, наша Бомба, их бы разорвала в ту же минуту.

Бомба, кстати, Ганкин брючный и пиджак без «поддевки» – как она выразилась – пережила. Только строго велела «на сиськах заколоть булавку».

А вот твою голую спину... Я помню, как все забегали – наша классная, завуч, чьи-то мамашки. Поджимали губки, кривили ротики, закатывали глазки, возмущались, всплескивали ручками: «Ох, Литовченко! Ох, и зараза! Провокаторша, шлюха! Ну, с ней все понятно – шалава. Пропадет ведь! Быстро пропадет – с такими задатками!» А тебе было на всех наплевать. Как всегда. Прости, Сонь, это не осуждение – восхищение! Мне бы так научиться поплевывать на окружающих.

А потом артисты эти возбужденные подослали ко мне казачка – поняли, что мы из одной шайки – ты, Ганка и я. Ну и выбрали самую простую и обычную – меня. И зашептал казачок, обдавая меня горячим дыханием: дескать, в пять утра мы заканчиваем – все, отбой. И приглашаем вас, девочки, на дачу. Недалеко, да и машина у нас. За полчаса домчимся. А там! Там рай, чесслово! Пруд, шашлыки, грузинское вино! Банька, девульки!

Я чуть не задохнулась от волнения и возбуждения. Нет, правда! Чуть не померла. Ну и забормотала что-то невнятное, что, типа, мне надо посоветоваться с подругами. Ха! Как будто не понимала, что волную их не я, а именно вы, мои подруги!

Ганка сразу – почти сразу – согласилась. Глаза у нее загорелись. Она уже тогда запала на этого бас-гитариста. Еще бы – такой высокий, синеглазый блондин. Все наши дурочки с него глаз не сводили. А ты, ты, конечно, завыпендривалась, Сонька! «Куда, с кем, я хочу спать!» Ну и принялась демонстративно зевать, широко и сладко. А я вообще затряслась. Я тогда насмерть влюбилась в барабанщика. Лохматый такой, в очках, как у Леннона. Вот, думаю, сейчас ты откажешься, Ганка подумает – и тоже. Ну а меня – кто спросит меня? Я – так, за компанию. Это ж понятно, кого позвали и кого ожидают. И все, пропала жизнь! Ку-ку моя женская судьба, прощай, мое счастье!

Но Ганка уже завелась:

– Сонька, поедем! Что дома торчать? Ты же не собираешься с этими уродами по Красной площади шататься?

Ты, конечно, не собиралась. А я бы пошла. И на Красную площадь – а что там плохого? Но куда я без вас?

Слава богу, ты согласилась, сделала одолжение.

На часах было три. Музыканты объявили перерыв и пошли перекусить тем, что осталось после нас, выпускников. Я видела, как они по-тихому разливали водку, но никому не сказала – не дай бог, вы откажетесь ехать! А потом всю жизнь себе не могла простить – ведь если бы не я, если бы мы не поехали туда, никакого бы романа у Ганки с этим белобрысым уродом не было. Правда, ты тогда сказала, что она приключения на свою задницу все равно бы нашла. «Свинья грязь найдет», – сказала ты, и я пришла в шок от твоих слов. Но понимала, что ты права. Всегда ее заносило куда не надо. Хотя мне ли об этом говорить, Соня.

Дача эта. Озеро, баня. Пережаренные шашлыки. Водка – рекой. Ну и мы, три дуры. И четыре вполне взрослых и опытных мужика.

Двоих лабухов сразу списали – они быстро нажрались и рухнули спать. Ты тоже ушла – уснула в гамаке. Я из окна на тебя любовалась. Нашла какой-то вытертый плед и укрыла тебя, а сама уснуть не могла. Не спалось. Барабанщик мой напился и спал, некрасиво распахнув рот и похрапывая, никакого дела до меня ему не было. Ну и слава богу, кстати. Я была очень этому рада. Моя влюбленность в него моментально прошла, когда я увидела, как он мочится с крыльца, не обращая на меня никакого внимания. Меня чуть не стошнило.

А Ганка... Ганка ушла на второй этаж с бас-гитаристом. И там состоялось ее грехопадение. Казалось бы, подумаешь! Мы уже окончили школу, так что вперед и с песнями. Но кто ж знал, что так выйдет? Песен не получилось. А получилась ее беременность. С первого раза – вот ведь, а? Да, бывает. И первый аборт. Господи, сколько абортов она от не-

го сделала! А потом родила. Я часто думала – зачем? Неужели чтобы удержать эту сволочь?

Пьяное зачатие, как в кино. Только в жизни это куда страшнее!

Мы с тобой выбрались из этого «веселья» без потерь. А наша Ганка... А нашей Ганке не повезло. Ужасно не повезло, да, Сонь? Ну почему ей выпала такая судьба? Я задаю себе этот вопрос всю жизнь, Соня, всю жизнь! И не нахожу ответа. Вернее, ответ есть – такая судьба.

Господи, я представляю, как ты сейчас злишься! Да-да, отлично представляю, прямо вижу перед собой твое недовольное, крайне недовольное лицо. Ты думаешь, зачем я снова тебя втягиваю во все это, в эти воспоминания, которые ты наверняка назовешь сопливыми и климактерическими. Плохое надо забыть – тоже твои слова. И ты снова права! Но я не умею.

К тому же, если ты помнишь, я всегда была сентиментальной, в отличие, кстати, от вас с Ганкой. Всегда была плаксивой, тревожной. Да. И тут еще добавилось это – моя графомания. Меня и саму это пугает. Нет, честно! Прямо рука тянется к клавиатуре, ей-богу! Наверное, это гены деда Ивана – помнишь, как он обожал строчить кляузы? Просто заваливал ЖЭК, райсовет, Моссовет и что там еще, черт его знает. Помнишь, как он написал кляузу на нашу директрису, на Бомбу, когда в десятом классе нашел сигареты у меня в кармане и обвинил во всем школу. Кстати, после смерти деда я нашла его записи – типа воспоминаний. Довольно интересные записи, кстати, даже увлекательные – война, послевоенные годы, неудачи, удачи и все остальное. Веришь, написано здорово!

Бабушка говорила – и мама ее поддерживала, – что до инсульта дед был вполне нормальным и приличным человеком. Не знаю, по его воспоминаниям так не скажешь. Там на каждой странице обвинения всех и во всем – во всех его несчастьях виноваты другие: родители, жена, преподаватели, друзья, коллеги.

Когда дед ушел, я только обрадовалась. Нет, правда – признаться в этом неловко, но так и было. Сразу стало легче дышать. Мою позицию разделяли и мама, и папа – я это чувствовала. А вот бабушка горевала, да как – плакала, убивалась по нему лет восемь, до самой смерти. Знаешь, я тогда с удивлением думала – надо же, любят и таких! И за что, интересно? А бабушка говорила – у всех людей есть недостатки, а его было за что ценить и любить.

Позже я поняла – было, да. Дед всегда был добытчиком. Хорошая зарплата и все в дом. На рынок и в магазин ходил только он, со слесарями и врачами общался тоже он, за квартиру платил он – бабушка не брала в руки квитанции и не знала, как их заполнять. А на даче? Это дед развел огород и вырастил – помнишь? – помидоры с кулак и виноград. И это у нас в Подмосковье! А грибы? Он притаскивал их корзинами, даже не в грибные годы, и солил, мариновал. Какие были у него закрутки, помнишь? Как мы открывали банки с солеными огурцами и вишневым компотом? А? Он был хозяином, мой склочный дед, и был хорошим мужем, хорошим отцом и хорошим дедом. И даже тестем он был хорошим. Мой склочный, невыносимый, занудный дед Ваня.

Ну вот! Опять меня потащило в какие-то дебри.

А что до моей графомании... Сонька! Я и вправду хочу писать! Смеешься? Конечно, смеешься! Ну вот, я тебя развеселила, ура! А может, и вправду попробовать? Ну пишут же сейчас все, кому не лень. А мне вот точно – не лень. При моей жизни это, скорее всего, единственная отдушина, барьер, стена, чтобы отгородиться от всех и всего. Как будто я ныряю в теплое озеро и вижу прекрасный подводный мир – разноцветных рыб, кораллы, качающиеся растения. И на какое-то время меня отпускает. Я ничего не помню, когда пишу – что было сегодня, что ждет меня завтра. Вот такой релакс у меня, Сонь! Так что прости уж, а?

Так вот, про Ганку. Ты тогда сказала на мои причитания по поводу гитариста и того, что он погубил нашу Ганку, что «она сама во всем виновата», ее выбор, добровольная Голгофа.

Да, наверное. Никто ее не тянул на аркане, правда. Но разве это повод не жалеть ее, не тосковать, не горевать по ней, бедной? Она оказалась слабой, наша девочка. Но мне слабых еще жальче, потому что сама, наверное, не из сильных.

Вот и получилось, что умная и сильная у нас только ты, Сонька. Нет, главное – ты умная, сразу разобралась, чего хочешь от жизни. А это самое главное.

Знаешь, признаюсь тебе, мне было неловко слушать твои рассуждения по поводу детей. Я даже думала, что у тебя просто не получается, вот ты и утешаешь себя.

У меня тогда уже была Аська. Я смотрела на нее, и мое сердце рвалось от любви, восторга и нежности, а еще от страха. Это кошмарное чувство – вечный материнский страх. Он буквально сжирает тебя – ни дня не дает передышки. Жрет изнутри, грызет по кускам, лязгает зубами, снедает и истязает. Вечный страх, понимаешь – до самого твоего конца. И если по-честному, не для того, чтобы потрафить тебе, нет! Просто набраться смелости и произнести это вслух. Да-да, набраться смелости! Потому что и про себя это подумать страшно. Невозможно. Неприлично. Ужасно.

И все-таки. Дети. У меня их двое, две дочери. Я всегда думала – счастье, что девочки! Боже, какое счастье! Мы будем подружками, а как же! Станем шушукаться, доверять друг другу самое сокровенное, самые-самые невозможные секреты, меняться шмотками и обувью. Они, разумеется, будут поливаться моими духами. Я стану злиться и орать на них. Без скандалов не обойдешься – бабы ведь! Но мы будем и читать вслух стихи – они, мои девочки, станут обожать поэзию и бардовские песни, как и я, я их научу, все объясню. Хотя вряд ли можно любовь объяснить. Мы будем рассуждать о мужчинах. Я научу их многому – да-да, не смейся! Потому что у меня опыт – горький, но опыт. А это еще лучше, что горький – я предостерегу их от ошибок, которые совершила сама. В конце концов, мы будем печь пироги, все вместе на нашей кухне, заляпанные мукой и вареньем. И они, мои девочки, будут очень дружные. И я буду спокойна – когда я уйду, они останутся вдвоем. Ничего не получилось. Ни-че-го.

Что у нас в сухом остатке? Вот именно. Правда, и остаток тот не сухой, а мокрый, щедро сдобренный моими слезами.

Девки мои не то что не дружат – они с трудом выносят друг друга. И дело не в том, что они разные и рождены от разных отцов, нет, я уверена. Значит, это моя вина? Копаюсь, ковыряюсь, мучаюсь, страдаю. Но ответа не нахожу, веришь? Мне кажется, что любила я их одинаково. Жалела тоже. Баловала обеих. Покупала всегда всего поровну. Уделяла внимание тоже поровну, одинаково. Тогда почему так вышло?

А самое главное, что ни с одной, ни с другой у меня ни дружбы, ни взаимопонимания не получилось. Нет, с Асей, конечно, лучше. Она хорошая, нежный, тонкий, тревожный человек. Все чувствует, все понимает. Но она не нуждается во мне, в наших с ней разговорах. Не страдает от того, что нет у нас с ней близости. Она бы вполне обошлась без меня, будь у нее все в порядке, – мне так кажется.

А Линка – ну здесь вообще тяжелый случай. Я понимаю: Ася хорошая, но вечно несчастная. Она всегда, при любых обстоятельствах, будет считать себя жертвой – такая натура. Еще хуже, чем я. С ней очень сложно. Линка – та просто стерва. Банальная стерва, и все. Вот эта всех сожрет, всех подомнет под себя. Для нынешнего времени, наверное, хорошо. Не такая мямля и тетеха, как мы с ее старшей сестрой, за это она нас и презирает.

Но мне неприятно, что моя дочь с таким откровенным презрением относится ко всем вокруг. Такой я ее не растила. Она очень цинична, моя младшая дочь, и не собирается это скрывать. Она гордится своими недостатками, как другие гордятся достижениями. Она пинает и без того несчастную, депрессивную Асю, насмехается над больной бабушкой – жалости и сострадания в ней нет ни на йоту! И посмеивается надо мной: «Ну-ну, давай продолжай! Ты же у нас жертвенница! Герой Соцтруда. Вы же с *этой*, – кивок на Асину комнату, – тащитесь оттого, что вам плохо и тяжело. Вы ж как маньяки – чем хуже, тем лучше!»

Глупости. Бред. Я упиваюсь своим одиночеством? Своими неприятностями? Вранье. И сравнивать меня и Асю глупо – я ведь выстаивала всегда, правда? Всегда боролась – как могла, как умела. Сопротивлялась. Шла наперекор. Падала,

да. Мордой об стол – да сто раз, кто ж спорит! Но поднималась и шла дальше. А Ася, бедная Ася! В ней, мне кажется, совсем нет жизненных сил, энергии. Слаба она во всем – телом и духом. Чуть что – в слезы. Правда, не без оснований. Ей и вправду сейчас очень сложно. Очень. И ничего у нее хорошего – что правда, то правда. И самое ужасное, что Линка нисколько не жалеет старшую сестру. Представляешь? Ей незнакомы сочувствие, сопереживание, эмпатия, жалость. Какая-то душевная ущербность. Она моральный ампутант. И к племянникам она совсем равнодушна. Дети ее раздражают, выводят из себя, «бесят», как она говорит. Мне кажется, она вообще какой-то душевный инвалид, наша Линка. В общем, резюме, дорогая! Дети – далеко не цветы жизни! Ох, не цветы! Нет, были, конечно, и радости, и умиление, и даже восторги. Но – мне ты можешь поверить! – куда больше в жизни родительской печалей, нескончаемых хлопот, тревог – бесконечных, непрекращающихся. Обид и неоправданных ожиданий.

Ты уж прости. Пишу об этом не для того, чтобы ты меня пожалела, нет! А чтобы ты посмеялась над такой дурой, как я. И порадовалась за себя, что ты от всего этого свободна. В общем, почувствуйте разницу. Ха!

Вот мой день. Итак, раннее утро. Точнее, полседьмого утра. Сейчас декабрь, и за окном – ну, ты понимаешь. Тоска смертная, вот что за окном. Кстати, снега почти нет, и это печально. Он, по крайней мере, дает освещение. А сейчас кругом черный и мокрый асфальт, грязные лужи, даже не серость – сплошная чернота. А уж по утрам!.. Куда делись зимы, Соня? Куда? Куда делись морозное свежее утро, снегири под окном, рыхлый серебристый снежок? Помнишь, как мы балдели зимой? Санки и горки, коньки и лыжи? Ничего этого нет и в помине, увы.

В окно я стараюсь не смотреть. Да и времени нет. Я подхожу к маме, слушаю ее дыхание – дышит. Облегченно выдыхаю и бегу в ванную. По дороге ставлю чайник. Умываюсь и – шмяк, бяк крем на лицо. И снова на кухню. Чайник вскипел, и я кидаю в чашку две ложки растворимого кофе. Страшная расточительность, совесть мучает. Но так хотя бы его можно пить. Ты знаешь, что кофе я обожаю. А вот варить его в турке времени нет. Сыр на хлеб, масло не мажу – экономлю время. Ну и не нужно мне масло – стройнее буду. Сыр – барахло. Точнее, полное дерьмо этот наш сыр. Почти несъедобный, жухлая трава. Просто отрава. Ладно, проехали.

Тут же, одновременно, крашу глаза. Дело это минутное, я давно не заморачиваюсь на эту тему. Пудра, тушь, чуть духов на шею. Духи, кстати, твои! Хорошо, что я экономная – им уже три года, а все не кончаются и продолжают меня радовать. Чудный запах, настоящая Франция, не подделка, спасибо тебе! Помнится, ты привезла их из Андорры?

Все, чашка пустая, и я громко выдыхаю – пора! Захожу к Линке, как в клетку с тигром, потому что знаю, что меня ждет. Треплю ее за плечо:

– Лина, вставай, опоздаешь!

Выбрасывает ногу из-под одеяла – я отпрыгиваю на шаг. Нет, она не собирается меня пинать – просто так выражается ее недовольство.

– Отстань! – шипит она. – Как же вы все надоели!

Я, конечно, не отстаю:

– Лина, пора! Ты опоздаешь!

Никакого ответа, только шипение сквозь зубы. Отворачивается к стене и укрывается одеялом.

– Пошли все на...

Боже! Может, все-таки мне послышалось?

Я уже ору:

– Лина! В конце концов! У тебя сегодня английский! Тебе в этом году поступать! Как можно так легкомысленно...

Я не успеваю закончить, как она резко поворачивается ко мне. Я сталкиваюсь с ней взглядом, и мне становится страшно: ненависть, ненависть. Сплошная ненависть, даже не раздражение!

– Я знаю! – Змеиное шипение сквозь плотно сжатые зубы. – Я помню! Отстань! Я пойду ко второму уроку, слышишь? Или к третьему! Поняла? Все, уходи! И закрой плотно дверь!

– Стерва, – бросаю я и чуть не плачу. – Мне, как ты думаешь, легко платить твоим репетиторам? Какая ты дрянь!

– А я тебя не просила, – широко зевает она. – И кстати, это твоя прямая обязанность – платить за несовершеннолетнюю дочь, поступать ее в институт. Позвони своему бывшему и попроси у него. Точнее – поклянчи!

Я с бешенством хлопаю дверью. Ну как могла у меня получиться такая вот дрянь? Такая стервоза? Не понимаю! У меня дрожат руки, подкашиваются ноги и ноет сердце. Пытаюсь взять себя в руки – у меня впереди трудный день. Хотя почему трудный? Обычный. Обычный трудный день, ничего нового.

Я знаю, что ты усмехаешься, читая про эту дрянь, мою дочь. И ты, как всегда, права. Но, поверь, я все время откручиваю пленку. Все время анализирую. Все время ищу свои ошибки – ну ты меня знаешь, помучить себя я умею. И представь, ничего крамольного не нахожу, даже при моем колоссальном чувстве вины всегда и перед всеми!

Тогда – почему? Почему она получилась такая? И кто виноват? Может быть, дело в наших отношениях с ее отцом? Но скандалов, громких, отвратительных, у нас не было. Мы выясняли отношения тихо, чтобы не слышал никто из домашних. Да и было ей тогда три с небольшим. Что она может помнить?

Обида на отца – вот причина ее поведения? Да вряд ли. С ним она довольно мило щебечет и никогда не отказывается от встреч. Еще бы! Он поведет ее в дорогой ресторан и подкинет деньжат.

Может быть, она осуждает меня, что я его упустила, а потом отпустила? Не хватала за рукав, не удерживала: полюбил – уходи. А могла бы перетерпеть, переждать, пере... И дочь осталась бы при отце, а я при муже. И все его деньги принадлежали бы нам, его семье. И ничего не пришлось бы выклянчивать, унижаться.

Не знаю. Она как-то с презрением сказала: «А что вообще он в тебе нашел? Вы же совсем не подходите друг другу!»

Конечно, ее успешный отец и курица-мать! Не пара. А вот следующая жена ее отца – в самый раз! Умница, красавица, молодуха. К тому же у нее свой цветочный салон.

Ладно, поехали дальше. Со злостью думаю: «Черт с тобой, дрыхни дальше».

Темочка. Я осторожно захожу в комнату Аси и внуков. Главное, не разбудить Асю и малышку – бедная Ася и так не высыпается. И это при ее-то здоровье и настроении! Темочка – теплый и сладкий, любимый комочек. Пока еще комочек – три года! Самый нежный возраст. Невообразимо теплый и сладкий – чуть потненький кудрявый затылочек, самый любимый на свете!

Не знаю, возможно, кто-то любит детей сильнее, чем внуков. А у меня не так – внука и внучку я точно люблю больше, чем своих дочерей. И не только потому, что они маленькие и беззащитные – внуки пока не приносят мне боли и огорчений. Не обижают меня. Они не хамят мне, не требуют денег.

Они просто меня любят, я надеюсь. И кажется, чувствую это. Темочка особенно, Лизонька еще слишком мала. К тому же он нуждается во мне, а мои дочери – нет.

Мне ужасно жалко его, моего мальчика. Ему достались слишком нервная мать и неважный, равнодушный отец. А мальчик хочет любви. А кто не хочет любви, Соня? Даже в преклонном возрасте. Это я про себя, но не о мужской любви речь – от них мне не надо любви, отлюбилась.

Ася занята девочкой. Мой зять... Ну об этом чуть ниже. Тетка детьми пренебрегает – и это в лучшем случае, а то и пошлет. Прабабушка болеет и почти ничего не понимает. Сестричка слишком мала. И кто у него остается? Правильно – я, его бабушка. Ну я и стараюсь хоть как-то компенсировать, хоть как-то долюбить. Дать то, чего ему не хватает. И мне кажется, что он это чувствует. Дай-то бог!

Мне безумно, просто до слез, жалко его будить, умывать, одевать, кормить кашей, тащить по этой хмари в сад. Сердце рвется, но надо! Ася не справляется с двумя, ей тяжело. Да и Лизонька дает прикурить – неспокойный ребенок. А какой она может быть при такой нервной беременности, таких родах и вечно плачущей матери?

Темочка удивленно смотрит на меня, и на его личике появляется жалкая гримаска:

— Баба! А давай не пойдем в сад?

Я чуть не плачу.

Но он встает, мой храбрый солдатик, и медленно, пошатываясь, бредет в ванную. Он тоже не выспался — Лизонька спит плохо, тревожно. Но взять его к себе я не могу — мама. Я встаю к ней раза три за ночь — попить, поменять памперс. Мама громко стонет по ночам и даже разговаривает во сне.

Темочка умыт и послушно сидит на кухонном табурете — ждет ненавистную кашу. Молча глотает, не спорит — знает, что каша полезна. Сидит напротив и хлопает сонными глазенками. Невыносимо.

Я говорю ему, что иду проверить бабушку, и он послушно и обреченно кивает — привык. А когда я вернусь от мамы, он будет дремать, прислонив головку к стене. Так, все. Теперь к маме. «Держись, дорогая, держись! Тебе зачтется», — усмехаюсь я про себя.

Только когда, а? Кажется, я не дождусь, просто не доживу.

Так, маме каша, теплое молоко, таблетки, чистый памперс и выслушать поток жалоб. Все как обычно. Обедом ее покормит Ася — не обедом, так, перекус, детское питание из баночки, Лизонька поделится.

Я уже одеваю Темочку, когда из своей комнаты выползает Ася. Смотреть на нее страшно — тощая, бледная в синеву, под глазами черные круги, волосы всклокочены. И я начинаю понимать своего зятя. Сейчас его нет — очередная командировка. Точнее — очередной побег от семьи. Конечно, его можно понять — ядовитый плющ, наша Линка, стонущая старуха в соседней комнате, неприбранная и раздраженная жена и теща с вечно поджатыми от недовольства губами. Теснота, одна ванная и один сортир. Вечная нехватка денег, и как следствие — бесконечные разговоры на эту тему. Тоска, что говорить, я понимаю. И Ася его раздражает. Так же, абсолютно так же, она выглядит и при нем. Представляешь?

Я бьюсь с ней, без конца разговариваю на эту тему, а она только плачет и огорчается:

— Мама, прекрати, ради бога! Ну нет настроения, нет!

А как-то хмыкнула:

— Ага, вот ты всегда прибиралась, всегда старалась быть дома в порядке. А результат? Было два мужа — и? Не помогло, да?

Ну я и заткнулась. Мне вообще лучше молчать, не вступать с ними в дебаты, все равно проиграю.

Ася ползет по стене. На лице сплошное страдание. Мне ее жалко, но внутри поднимается раздражение. Зачем она вышла за него замуж? Мне этот Денис никогда не нравился. Господи, что я несу? Как будто моей маме нравились мои мужья. Я считаю, женился — обеспечь семью. Не нравится жить в коммуналке — сними квартиру! Правда, я понимаю: зарабатывает он не ахти как много. На приличную квартиру, пусть в две комнаты и чистую, не убитую, в нормальном районе, вряд ли хватит. К тому же здесь Темочкин сад и я на подхвате.

Сбегает этот Денис при каждом удобном случае. Не командировки — так рыбалки, бани, встречи со старыми друзьями, поездки на родину, в Волгоград. Дома он почти не бывает, особенно в последние два года. Ни погулять с ребенком, ни помочь по хозяйству, ни сходить в магазин или на рынок. А уж про то, чтобы сходить куда-нибудь вдвоем с женой — про это вообще я молчу. За последние пару лет ни разу. Ни разу, Сонь! А ведь я предлагала. Да тысячу раз предлагала: «Ася, сходите в кино. Или в кафе. Или просто пошляйтесь по улицам — я готова остаться с детьми, да ради бога!» Так нет! Она ему предлагает, а он: «Я устал. Отстань. Не хочу. Это ты не работаешь, а я...» Нет, представляешь? Он искренне считает, что дом и двое детей — это так, ерунда. Аська, конечно, плачет — обидно. Говорит: «Мам, он что, стесняется меня?»

«Глупости, глупости», — бормочу ей я.

Ты же знаешь, Аська хорошенькая! Тоненькая такая, даже после двоих родов. Волосы замечательные, в Мишу, помнишь? Еврейские волосы — густые, темные, крупными кудрями. Глаза большие. Да все у нее совсем неплохо! И вообще, знаешь, мне кажется, что у него кто-то есть. Нет, точно, поверь мне, я чувствую! Опыт — сын ошибок трудных. Это Аська-дурочка не хочет об этом думать, ей так проще. А я, старая фронтовая

лошадь, все понимаю. Я и сама побывала в любовницах. Пока мой Васильев не ушел от первой жены.

Помню, как пугалась своих воспаленных глаз — сумасшедших, вечно блуждающих глаз, как подолгу разглядывала себя в зеркале — и чего там искала? Как роняла чашки и ложки, поливалась духами, меняла наряды. Рвалась из дома — и на дочку, кстати, мне тоже было почти наплевать. Так и он, этот Денис. Наряжается в новые шмотки, поливается одеколоном, накупил какого-то дорогого белья — «Кельвин Кляйн», что ли. И самое главное, я вижу, как он смотрит на Асю — с таким пренебрежением, с таким раздражением, с такой неприкрытой тоской. Вот, кажется, так бы и завыл как волк. И рвется, рвется из дому. Как будто шило в заднице. Одна мысль — сбежать. А приезжает? Ну это вообще! Больные и безумные глаза, растерянность, озабоченность. Скука. Такая непроглядная скука написана на его лице и даже почти ненависть — ко мне, к Линке. И к Асе.

Прости, скачу по странице, как блоха по собаке. А еще собралась в писатели! Ха!

Итак, я перекидываюсь с Асей парой слов — и тоже стараюсь поскорее смыться, чтобы не слушать ее нытье и вечные жалобы. И снова понимаю своего зятя, увы.

Напяливаю на полуспящего Темочку пуховичок и шапку, втискиваю его в сапоги, и мы выскакиваем за дверь.

На улице уже чуть светлее, но все равно темновато и сыро, промозгло, просто до костей пробирает. Я снова думаю про здоровый морозец. Как давно его не было. Тащу бедного сонного ребенка за руку, почти бежим, чтобы не пропустить автобус. В сад мы едем на автобусе — пять остановок. Нет, есть сад, конечно, ближе, в пяти шагах от нашего дома. Но, говорят, он плохой, а наш — замечательный: и чудесные воспитатели, и приличная еда, и замечательная территория. Вот и ездим.

В автобусе усаживаю мальчика на сиденье, сама стою. Он снова засыпает. Бедный ребенок!

Ну все, довела, раздела, коротко поговорила с воспитательницей — и вперед, на работу!

Знаешь, работа – мое спасение, правда. В нашей комнате четыре тетки, мои коллеги. Точнее так – три тетки, включая меня. Мать-одиночка Лена Васильева, Лариса Петровна – пенсионерка и Валечка – моя ровесница.

Лариса всю жизнь замужем, с мужем ей повезло, но не повезло с сыном – сын пьет. У Валечки, наоборот, муж барахло, поддающий, «слабо пьющий», как она говорит. А вот сын замечательный! Просто гордость и материнская услада ее сын – музыкант, скрипач, служит в приличном оркестре, ездит по миру, хорошо зарабатывает, осыпает мать подарками – норковая шуба, колечки, сережки. Не сын, а сплошное счастье. Но не женат. Валечка страшно переживает по этому поводу – хочет внуков и покоя, а он все никак. А парню уже тридцать три.

Однажды я предложила ей познакомить его с Леной Васильевой. Она прекрасная женщина, умная, симпатичная, очень хозяйственная, в понедельник всегда тащит нам пироги. К тому же своя квартира, машина. Не повезло – родила дочь, а возлюбленный не женился. Так и осталась одна.

Вот я и озвучила гениальную, как мне показалось, мысль Валентине. И что получила в ответ?

– Что вы, Аля! О чем вы говорите? Лена и мой Володя? У Лены же ребенок!

– И что? – возразила я. – От этого она стала хуже?

Валечка, красная и возмущенная, яростно качала головой:

– Нет, Аля! Нет! Но зачем нам чужие дети? Володя здоров и вполне может родить своих! Зачем ему женщина с прошлым? Да еще и таким непонятным, туманным?

– Туманным? – переспросила я. – А что там туманного, Валя?

– Да все! – возмущенно проговорила она. – Все, как вам не ясно? Вот почему тот мужчина на ней не женился? Вы знаете почему? Вот и я не знаю! Значит, было там что-то не так! – Валентина гневно сверкнула очами и, кажется, обиделась на меня.

«Ну вот, – подумала я, – нашла себе врага. И зачем? Лезу, как всегда, впереди паровоза».

Вечно мне больше всех надо. Но за Лену я обиделась. Какая глупость! Мы знаем нашу Лену три года, и за это время можно было вполне составить о ней впечатление. И Валю я знаю давно. Знаю как добрую и мудрую женщину. Казалось бы... Но Валя-коллега и Валя – будущая свекровь, видимо, истории параллельные. Ты мне, Соня, всегда говорила – не лезь в чужие дела, не давай дурацких советов. И была права. Чего я и вправду полезла?

Наш конфликт с Валечкой скоро был забыт, и снова все стало отлично. Комната у нас небольшая, но очень уютная. Я прихожу и сразу ставлю чайник – как только начинается рабочий день, мы пьем кофе, это обычай, привычка.

Завариваем его в прессе.

Кофе покупает Валечка – с деньгами у нее в порядке, спасибо сыну.

Вот тут я и наслаждаюсь первой чашкой настоящего кофе. И вообще расслабляюсь – здесь спокойно, никто никого не трогает, не дергает и не грузит. Все молча пьют кофе и перебрасываются короткими фразами – погода, вчерашний сериал, последние новости. Я прихожу в себя, мне хорошо. Как мне хорошо, Соня!

Я отключаюсь от своих домашних, и это счастье. Я забываю про Линку, про Асю, про маму и зятя. Отвлекаюсь от Темочки и Лизоньки – на короткое время перестаю о них волноваться. И я вижу, как мои женщины тоже расслабляются и приходят в себя. Выходит, что я не одна – у всех, как говорится, свое. После получасового кофепития мы приступаем к работе.

Знаешь, я люблю свою работу. Тебе, конечно, это покажется странным – как можно любить эту нудьбу, как ты всегда говорила. Да, бухгалтерское дело кажется нудным, не спорю. Цифры, цифры, отчеты. Но я как-то отключаюсь от своих проблем, ныряя в бесконечные столбики цифр. Эти монотонность, размеренность и предсказуемость меня точно успокаивают. И потом, никто меня не теребит, не просит есть, пить, дать таблетку, выгладить блузку. Никто от меня ничего не требует, не цепляет меня, не насмехается надо мной. Со мной все дружелюбны и тактичны. К тому же мы устраиваем себе перерывы на кофе и булочки. Как мы говорим, на баловство. За булочками бегает Леночка, как самая молодая. А булочки – прекрасные, свежие, только что из печи – продаются напротив, в замечательной булочной.

Леночка притаскивает целый пакет, и наша комнатка тут же тонет в сладких, восхитительных запахах корицы и лимонной цедры, ванили и горячей сдобы.

Да, хулиганство. Конечно! И нас немного мучает совесть. Но это такая радость, и мы с радостью идем на этот страшный проступок. В нашей жизни так мало радости и так много печалей.

Полчаса на кофе с плюшками – и снова работа.

Конечно, к концу дня устают глаза, затекает спина. Хочется на воздух. К тому же я начинаю нервничать и поглядывать на часы – мне нужно поторапливаться за внуком, я боюсь опоздать. Я снова боюсь, Соня. Я снова тревожусь.

На улице я глубоко вдыхаю и пару минут стою у подъезда нашего офиса. Скидываю с себя рабочую усталость и – вперед! Вперед, Александра Сергеевна! Дела-то не ждут. И снова забег – метро, автобус, скользкая дорожка, ведущая к садику. Темка. Он бросается мне в руки и, кажется, счастлив.

– Ба! – кричит он. – Ты пришла? Мы едем домой?

Мы медленно идем по аллее и болтаем. Внук рассказывает о событиях прошедшего дня – суп съел до дна, по рисованию получил три звездочки, на физкультуре устал, а на полдник давали ватрушки с повидлом. Подрался с Федькой, помирился с ним же. В общем, жизнь. Маленькая жизнь маленького человечка.

На остановке покупаю ему мороженое. Слава богу, что об этом не знает Ася, это наш секрет. Темка меня не выдаст, я знаю.

Он такой умненький, Сонь, такой сообразительный! И хорошенький очень. Я схожу с ума, когда он болеет. И еще я горжусь им, очень горжусь! И опять жалею. И бесконечно люблю.

Ну и снова дом. Снова дом! Господи! Я открываю дверь, и мне не хочется заходить внутрь. Ведь это ужасно, правда? Я понимаю, как это ужасно. Но никуда не деться, Соня. Никуда. Некуда мне деться, увы – все без меня пропадут.

Знаешь, о чем я мечтаю? Вот, расскажу. Только не смейся! Если бы у меня были деньги – нет, не миллионы, о миллионах я не мечтаю. Зачем мне они? Так, скромные, но все-таки деньги – тысяч двадцать, например, долларов. А что? Не такая уж страшная сумма, правда? А для кого-то вообще смех, ерунда. Но не для меня. Так вот, я бы уехала. Да-да, уехала к морю, все равно к какому – Черному, Азовскому, Каспийскому. О Средиземном я не мечтаю, это понятно. И купила бы домик. Домишко. Домок. Избушку. Совсем маленький домик – в одну комнатку. Но, конечно, с терраской. Помнишь, мы жили в таком в Лоо? Меня бы устроила комнатка в двенадцать метров, не больше: шкаф, кровать, стол, два стула. Ну и закуточек для кухни, кухоньки. Метр на метр, не больше. Плитка в одну конфорку, рукомойник и маленький холодильник, все. Поверь, мне вполне достаточно. Что мне нужно одной? Знаю, смеешься. Нет, правда, мне хватит, поверь. Жизнь приучила меня к аскетизму. Попробуй пожить в моих условиях.

Так вот, продолжаем. Итак, комнатка, кухонный закуток и терраска. Вот последнее обязательно, без терраски никак. Конечно, желательно с видом на горы, на море. А на терраске шезлонг и маленький круглый столик. Такие продаются в «Икее», ты знаешь – черные или белые, из металла, под чашку с чаем и под книжку. И вот оно, мое счастье: я сижу на терраске и пью чай. Или кофе. Или – морс, все равно. А в руках у меня книжка – тоже все равно какая, Сонь! Пусть ерундовый пустой детектив, пусть про любовь, пусть что-то из классики – например, Золя или Толстой. Повторяю – мне все равно! Потому, что и Золя, и Толстой, и дурацкий детектив – это счастье и покой, уединение, одиночество. Меня никто не дергает, никто ничего от меня не ждет. Ни-че-го, понимаешь? Мне не надо стоять у плиты, сгибаться над гладильной доской и раковиной. Выслушивать жалобы и стенания. Бежать в магазин. Торопиться. Не надо – я сама себе хозяйка, Соня! Хочу – сижу, хочу – лежу. Хочу – читаю, хочу – сплю. А захотела пройтись – пошла и прошлась! В кино. В парк. На море.

На рынок – купить теплых лепешек и стакан варенца. И не надо мне никаких супов и котлет – господи, как они надоели! На что потрачена моя жизнь? На эти котлеты, борщи, пеленки, пылесосы и тряпки. И все это почти убило меня.

Тебе, конечно, не понять. Ты просто поверь.

Ну и вот – я спокойна и счастлива, да. Сбылась моя мечта: я одна. Я отдыхаю от мамы, детей, даже внуков. От работы. От этого города, давно мною разлюбленного, чужого и неудобного, даже опасного. Но я понимаю: это иллюзии. Ведь все припрутся туда, Соня. Точно Ася с детьми. Линка – та навряд ли, хотя черт знает, что там ей стукнет в голову?

Да, самое главное – мама. Ты же понимаешь, что все это будет возможно при определенных обстоятельствах, когда мамы не будет. Я сволочь, да? Сволочь, я знаю.

Мамы когда-нибудь не будет. Привыкнуть к этой мысли невозможно. Но и мечте моей никогда не сбыться, никогда. Потому что у меня никогда – никогда! – не будет двадцати тысяч долларов. А для кого-то ведь это такой пустяк, правда? А для кого-то – невообразимое и невозможное богатство. Такая жизнь.

Но я все-таки продолжаю мечтать. Например: Ася и этот чертов Денис наконец купят квартиру. Глупость, конечно – на что? Да и нужно ему все это? Сомневаюсь. Я вообще жду плохого – самого плохого, Сонь. Жду, что он свалит. А он точно свалит, я чувствую. *Там* у него серьезно – это я тоже чувствую, все это не просто так.

Но я продолжаю мечтать – итак, Ася с семьей уезжает в свою квартиру. Линка удачно выходит замуж. Да, очень удачно – за обеспеченного человека, конечно, с квартирой. Ну и валит туда, к нему. А?

Только Линка моя... Вряд ли она вообще выйдет замуж, кто ее возьмет, мою дуру? К тому же она так некрасива. Может быть, в этом причина ее говенного характера? Комплексы? Вполне возможно, зеркала еще не отменили. Ей не повезло – вылитый папик. Только папик ее, как мужик, был очень даже, а, Сонь? Ты же сама говорила: «Васильев – красавéц!» Ничего он был? Высокий, худощавый, поджарый, черноглазый, носастый – для мужика это плюс. Да, губы узковаты. Но это его не портило, правда? Фактурный он был мужичок, не зря же меня понесло. Так вот, Линка – копия своего папаши. Ко-пи-я! А с возрастом – еще больше. От меня ничего, от него – все, до деталей. Только в мужском варианте это прекрасно, а вот для девушки... Не совсем. Бедная Линка. Глаза маленькие, глубоко посаженные, чего уж там. Рот узкий. Нос... Да, и с этим не повезло, еще как. Тощая, голенастая цапля. Да, цапля на тонких ногах, с большим клювом.

Мне так хочется ее утешить, сказать ей, что все поправимо. А уж сейчас-то – смешно говорить! Нос можно уменьшить, губы поддуть, широкие брови выщипать. Сделать хорошую стрижку – и вперед! Тощие в моде, худоногие – тоже. Если приложить усилия и добавить денег... Правда, с последним плохо – в смысле, с деньгами. Мне так хочется ее утешить!

Но разве можно все это сказать? Никогда. Я даже не представляю, чем это может закончиться. Скорее всего, она меня разорвет на мелкие части, спалит, уничтожит. Она же изо всех сил делает вид, что у нее все в порядке. Она самая красивая, самая умная и остроумная. Все от нее просто тащатся.

А на деле... Я слышала, как она ревет, наша железобетонная, наглая хамка. В подушку ревет.

Наверняка влюблена. Первая любовь – самое время. А он, наверное, не отвечает. Зачем ему наша некрасивая и ядовитая Линка? Разве любят таких, тем более в шестнадцать лет?

Вот и злится наша дурочка и всех ненавидит. И ее жалко, и себя. Всех, Соня, жалко! Маму – столько лет без движения. Аську – кажется, почти брошенную, с двумя детьми на руках, мал-мала, Линку-страшилку, нашего ежика. Нет, слишком мило, – нашего дикобраза.

И себя, Соня. Очень жалко себя. А ты говоришь – на море, на море, в тишину и на покой. Какой покой, Соня? Покой, как говорится...

Да, глупо я прожила свою жизнь. Очень глупо. Думала, что так и надо – заботиться обо всех, стать для них незаменимой.

И что на выходе? А ничего. Одна пустота. А ведь ты мне говорила: «Пошли их всех подальше, Алька! И хоть чуть-чуть поживи для себя».

Ты у нас умная, Соня. В отличие от меня. Ты всегда жила для себя. И их, мужиков, использовала. И правильно делала! Здесь ведь два варианта, только два: или ты, или тебя.

Знаешь, когда я вспоминаю нашу молодость, нас трех, Ганку, тебя и себя, я отчетливо понимаю, что жизнь уже на излете и ничего хорошего в ней больше не будет. Все хорошее, лучшее, осталось там, далеко, за горизонтом, в нашей юности.

У всех разные судьбы. Ганкина – страшнее и не бывает. Такая умница, такая красавица и так бесславно ушла.

Ты говоришь – сама виновата. Да, это так. И все-таки судьба, Соня. Судьба.

Почему она так вцепилась в этого бородатого козла? Чем он ее покорил? Может, тем, что был первым? Не знаю. Как объяснить любовь?

Она же его очень любила, просто сгорала от этой любви. А наша бедная Ганка всегда как в омут. И еще часто думаю: надо было нам взять ее мальчика. Ну, не нам – мне. Это мучает меня все эти годы, всю мою жизнь. Я и тогда об этом думала, честное слово! Но испугалась, тоже честное слово. Я же трусиха, Соня. У меня тогда все было непросто – закончился Понаевский, я была разобрана на куски, помнишь? Торопливый первый брак – я так тогда спешила! Я спешила спастись. Понимала ведь, что погибаю. И тут же беременность – Аська. Потом эти жуткие роды, вечная нехватка денег, мамина операция, Аськины бесконечные хворобы – все в кучу и все как всегда. А тут еще этот ребенок – больной ребенок, чужой. Ганкин, но все равно чужой. Я уже все понимала, потому что у меня уже был свой. Как Ганка могла, думала я, как она могла так уйти и оставить его? На кого она рассчитывала? На нас? Наверное, да. Только на нас, больше не на кого. Я помню, как она однажды сказала, тихо так, полушепотом: «Алька, если что вдруг, не забудьте про Герку».

Я тогда ничего не поняла – правда, она была прилично поддатая, и, скорее всего, там было что-то еще, ты понимаешь. Я вообще тогда не догадывалась про это «еще»! Я и не знала, что это бывает – вернее, как это бывает. Нет, слышала, конечно, это страшное слово – «наркотики». Но чтобы рядом со мной? Моя подруга? Нет, невозможно.

Я так осуждала ее тогда – добровольно уйти из жизни, имея ребенка, к тому же больного ребенка. Как это возможно, как она могла?

Могла. Потому что ей было так тяжко, так страшно, так невыносимо жить, что она просто не справилась. А кто бы справился, господи? В двадцать-то с небольшим и без всякой поддержки? Мы с тобой не в счет, это надо признать. Ты уже наполовину жила в Питере, я была вся в себе, в своих проблемах и бедах. Дядя Боря – ну о чем тут вообще? Смешно. Только собирался выдохнуть – вырастил девку один, без матери, поднял вроде бы. И тут такое! Рожает, идиотка, больного ребенка от заезжего козла и пьяницы, да еще, как оказалось, от наркомана. И мотается, как дура, за этим уродом по городам и весям, пьет вместе с ним.

После похорон он сказал мне, что про наркотики ничего не знал. Не знаю, правда ли это. Все может быть. Мы ведь тоже не знали. А даже если бы и знал! Он ведь тогда только женился, помнишь? Вроде нормальная тетка попалась. Он тоже намаялся – легко ли ему было? Вот-вот. А тут Ганка, больной внук. Понятно, что его жена воспротивилась – на черта ей все это? Сначала неуправляемая падчерица, потом этот несчастный ребенок.

Нет, правда, разве на такое она шла? Нет. Шла она на спокойную пенсионерскую семейную жизнь – дачка, огородик, покой. Кто ее осудит? Ее можно понять.

На кого рассчитывала наша бедная Ганка? Сама ведь росла без матери. Значит, на нас с тобой, самых близких подруг. Больше не на кого – самые близкие и самые родные. А мы?

Дядю Борю и его жену нельзя осуждать за то, что они отдали мальчика. Их можно понять. Они бы его не подняли.

В детском доме у Ганкиного сына я была три раза. На третий мне сказали, что он усыновлен. И честно говоря, я успокоилась – просто выдохнула, честно. Какая ноша с плеч, какое облегчение! Значит, с меня это снято, ура.

Адреса усыновителей, конечно, не дали – их никогда не дают. Я пыталась выяснить, как он и что. А тетка та, в комитете по усыновлению, смотрела на меня как-то странно, с осуждением, что ли? Уж точно с недобрым прищуром. А потом и выдала:

– Ну если вас так волновала его судьба, Александра Сергеевна, что же вы, дорогая? Вы ведь замужем, так? Сама уже мать. Могли бы взять ребенка-то вашей, как вы говорите, лучшей подруги! Сестры – как вы говорили!

Я тогда и сдулась. Окончательно сдулась. Противно было и стыдно.

Действительно, все это выглядело неважно. Две лучшие подруги, здоровые и крепкие женщины, а испугались.

Но я не могла. Не могла решиться. К тому же я была почти уверена, что Миша никогда не согласится на это. А я сидела дома, с Аськой. Не работала – кормильцем был он. Впрочем, каким там кормильцем? Смешно. Мы всегда считали копейки.

Но я его так и не спросила – мучилась, мучилась, страдала, не спала по ночам, а не спросила! Когда рассказала ему про усыновление, он сказал: «Надо нам было его забрать, Аля. Все-таки он тебе не чужой». Вот так, Сонь. Плохо я о нем думала, о Мише. А зря. Потом, при разводе, выяснилось, что зря. Повел он себя благородно, помнишь? С неверными женами так благородно не поступают.

Но, знаешь ли, одно дело мучиться, а другое – решиться и сделать.

А я не сделала, не смогла. Еще часто думала. А Ганка? Ну, если бы зеркальная история, наоборот? Меня бы не стало, а Ганка осталась на этом недобром свете? И знаешь, я почти уверена – нет, не почти, – наверняка! Ганка бы забрала мою Аську, точно тебе говорю.

А ты? Ты об этом не думала? Наверное, нет. Ты была уже далеко, в Питере. А когда уезжаешь куда-то, строишь новую жизнь, все видится немного не так, немного по-другому, верно?

А я была рядом. Каждый день проходила по нашему двору, мимо ее подъезда. Вот так.

Спустя много лет мне показалось, что я встретила Ганкиного гитариста – а может, ошиблась. Очень, очень похож. Хотя он был красавцем, а стал каким-то хануриком. По-прежнему волосатый, правда, теперь абсолютно седой – неровные и неряшливые патлы, которые ужасно выглядели на немолодом человеке. Старые рваные джинсы, потертая, грязная, засаленная куртешка. Жуткие остроносые башмаки из восьмидесятых годов, типа ковбойских сапог. Музыканты носят такие, мне кажется. И глаза – вымершие, тусклые, без толики эмоций и каких-либо мыслей. Пустые глаза пропойцы и наркомана. Хотя странно, он выжил? Несмотря на все? Чудно. А может, это был и не он, я точно ведь не уверена. Может, просто похож.

Вспоминает ли он – хоть иногда, – что его любила прекрасная рыжеволосая женщина, родившая ему сына и покончившая с собой из-за этой любви в самом расцвете лет?

Вряд ли.

А ведь мы могли ее остановить, Сонь! Вылечить, образумить, уговорить – ну, я не знаю... Поддержать как-нибудь.

Если бы мы знали... Но каждый из нас жил своей жизнью. Нет, наверное, это нормально. Каждый отвечает за себя – ты права, как всегда, ты права, Соня.

Да! Недавно, кстати, звонил Галкин, мой бывший, ты представляешь? Я и сама обалдела! Сто лет не слышались, а тут! У него все в порядке, он в Мюнхене, я тебе говорила. Работает в какой-то энергетической компании старшим инженером. Зарабатывает прилично, по его же словам. Имеет дом, родил двух дочек. Посетовал: «У меня одни девки, Аля!» Дочки удачные, обе студентки. Не замужем, у них рано не выходят – его слова. Типа, надо встать на ноги, окончить вуз, найти хорошую работу, купить квартиру. А уж потом... Это, конечно, намек на Аську – выскочила замуж «чуть свет», тут же родила одного, потом второго. Институт бросила, работы нет – куда уж, с двумя-то детьми! Сидит на голове у матери, в жутких условиях. Ну и кому хорошо?

Он прав, Соня. Конечно, он прав. Кажется, она повторяет мою судьбу – судьбу неудачницы. Карма матери – кажется, так сейчас говорят? Миша прав. Бросить институт – какая глупость! Никогда этого ей не прощу. Идиотка. Как можно сейчас без высшего, а, в наше-то время? Точнее – не в наше. Нашим я его не считаю. А ты? Так вот, опять я о своих баранах. Вот бросит ее этот, с позволения сказать, муж, мой нелюбимый зятек. И что? Куда она пойдет? Опять ко мне на шею? Сколько я смогу тянуть этот воз?

Ну вот и что получилось – я вырастила полную дуру (потому что без Миши), а его дочки – умницы и красавицы, видимо, потому, что без меня, не я их растила.

Видишь, чувство юмора еще не утрачено, да?

Но Миша прав! Хотя кто знает, как на самом деле? Никогда он не признает, что у него что-то не получилось, это понятно. Внуками он интересовался мало и вяло – что ж, и это понятно. Кто они ему? Так, чужие дети. Кстати! Уехав, он быстро забыл и об Асе, родной дочери. А как ее обожал, а? Ты помнишь, каким он был отцом? Трепет сплошной, а не отец. И нá тебе.

Это ровно то, что я тебе говорила: уезжая далеко и надолго, в данном случае навсегда, человек забывает свою прежнюю жизнь. Или очень стремится забыть. И правильно, так ему легче. Легче вливаться в новую жизнь, оставив на обочине чемодан со старой, уже прошлой, ненужной и неинтересной.

В общем, я порадовалась за него. Звонил он из Казани – там какие-то дела по работе, командировка. Сказал, что непременно заедет в Москву – повидать Асю и внуков. «И тебя». Это он мне, представляешь? «Очень хочу увидеть тебя, Аля! Пойдем куда-нибудь, посидим. Найди какой-нибудь приличный и дорогой ресторан, ок?»

Ок, ок, непременно приличный и дорогой, а как же? А в другие мы и не суемся, как ты понимаешь! Мы – и не в дорогой? Не, мы так не привыкли! Обидно даже! Мы ж только к дорогим приноровились, правда ведь? Что нам дешевый?

Нет уж, спасибо. Премного вам благодарны, но нет! Да и зачем? Кто мы друг другу? Бывшие супруги, ну и что? Короткий брак, пусть и есть общая дочь. И что? Все давно позабыто и поросло травой. Нет, кустарником – колючим, шипастым, густым, непроходимым. Да и показываться ему неохота – ничего хорошего он не увидит, увы. Располневшая и постаревшая тетка. Ну, может, порадуется: «Вот, Аля! Не ушла бы, не бросила хорошего мужа, жила бы сейчас, дура, в Европе, в собственном доме, с вечнозеленым газоном». А что, красота!

Так вот. Ни в какую Москву он не приехал. И на фиг ему не нужна моя Ася и мои внуки. Правда, позвонил и попросил номер карты – перевести детям деньги. Ну и перевел. Сонь! Знаешь, было такое желание отправить ему назад. Обратно. Честно! Веришь? И это при нашем скромном доходе! Но удержалась. В конце концов, деньги эти не мне – детям. Теме и Лизоньке.

А сколько там было? Стыдно писать. Сто евро, Сонь! Честное слово! За все эти годы – надо пересчитать – сто жалких евро на двоих. Теме и Лизе. Нет, на троих – еще Асе.

А ведь он не был жадным.

Да черт с ним! Не о ком говорить – чести много.

Хотя чем он виноват? Да ничем. Это я плохо с ним обошлась, я ушла от него. Да и как – оборвала все махом, одним днем! А он умолял одуматься, обождать – вдруг пройдет? «У тебя, Аля, затмение. А затмение быстро проходит».

А я? Вычеркнула его из жизни – как не было. Хорошо? Выперла его в один день.

Ты мне тогда говорила – я помню: «Да не жалей ты его! И вообще их не жалей, не стоят они того. Ведь они нас бросают, как собак у магазина – привяжут за шею веревкой, и тютю, поминай как звали. А собака рвется, воет, веревка режет шею, рвет кожу. Но еще долго не может отвязаться – веревка уже горло перетерла, а все никак не порвется».

Я жалела Мишу, маялась чувством вины – за что так с хорошим и приличным человеком? Правда, недолго, если по-честному. Совсем было не до него.

Снесло мне тогда крышу. Снесло. Начисто и бесповоротно. И не жалела ни о чем, ну ни капельки! Правду говорят – если уж бабу несет, то она все сметает на своем пути. Вот я и сметала – без сожаления, без раздумий, без раскаяния. И без головы. Потому что влюбилась. И что? Ничего не получилось – ни там, ни тут. Правды ради, во втором моем браке хотя бы было счастье – пусть кратковременное, пусть. И радость была. И, ты помнишь, мы тогда с Васильевым приехали в Питер – я не ходила, а летала, ноги земли не касались, крылья вместо рук. Было. Но – коротко, три года всего, да. Коротко, правда? А потом появилась Линка. Дитя любви. Моей любви – Васильев тогда уже подостыл. А потом... Господи, не приведи. Как я его ревновала, как сходила с ума! В реку хотела броситься, честно. Вот дура, да, Сонь? Тебе говорить стеснялась – знала, что поднимешь меня на смех.

Ладно, и это проехали – что теперь вспоминать? Было и было. Счастье и горе – все как у всех.

Кстати, Линка папашу своего обожает – ну, я тебе говорила! Это я у нее неудачница, а он-то герой! И небеден, и успешен. И такая маши-и-ина! И жена молодая – в рот ему смотрит. И Линка тоже ему в рот смотрит. Линка, которая всех высмеивает, презирает и ненавидит – ну мне так кажется.

Хотя надо же кем-то восхищаться, правда, кого-то любить? Иначе – как? Как, Сонь? Иначе невыносимо.

Как мне жалко их, моих девок! Ночами не сплю, думаю, думаю. И ничем им помочь не могу. Да они сами не очень хотят моей помощи. Нет, Ася, конечно, не против – только не против чего? Вот именно. Не против помощи с детьми – это пожалуйста. Тема на мне – целиком, ну, ты уже поняла. Ну и Лизонька частенько. Нет, я все понимаю – ей трудно, двое детей и условия проживания, если по-честному, невыносимые.

Вот думаю: свалит этот милый Денчик – она его так называет – и не появится больше. Дети ему до фонаря, поверь. И останется моя Аська одна. Кому она нужна с двумя детьми, если родному папаше они не нужны? Странный народ – мужики. Ладно, ты охладел к женщине, допускаю. Сама разлюбляла и уходила. Бывает. Но дети? Как можно разлюбить родных детей? Как можно забыть о них? Не понимаю. И никогда не пойму. Как, Сонь? Я вижу, что он стал к ним равнодушен. Не только Аська его раздражает, но и они. Вот так.

Я его никогда не любила – ты, наверное, помнишь. Почему? Да не знаю. Чувствовала, что ли? Или предчувствовала, так будет точнее. А вот почему – не пойму. Вроде все у них было нормально. К Аське он относился прилично, к Темочке – тоже. А потом все пошло-поехало. А уж когда родилась Лизонька, тут все окончательно рухнуло.

Скажу тебе честно, я отговаривала Аську рожать второго ребенка. Опять же почему – объяснить не могу. Снова предчувствие. А она – нет, и все! «Как можно, мама, сделать аборт от законного мужа?» Для них это сейчас преступление. Наверное, правы. Это мы, дурочки, бегали по этим делам, и ничего, живы остались и убийцами себя не считали, правда ведь? Это, конечно, неправильно. Но для нас это было плевое дело, если по правде. Мы тут же забывали об этом. А сейчас – нет. Убийство, тяжкий грех, не отмолить. Видимо, да. Вот поэтому наше поколение, в смысле, женщины, такое несчастливое. Переломанные какие-то судьбы, правда? Разводы, разводы, аборты. Знаешь, что я тут придумала? Семья – это дом терпимости, в прямом и переносном смыслах! Как тебе, а? По-моему, здорово. Лямка, короче. Немного я видела удачливых и счастливых, ей-богу. Вот и Аську мою счастливой не назовешь.

Я даже хотела за этим Денчиком, чтоб ему, проследить. А потом остановилась: зачем? Предъявить фото Аське и стать ее главным врагом? Или подтолкнуть ее к разводу? Глупо. А вдруг еще все образуется? Ну бывает же такое, правда? Расстанется он с той бабой и вернется в семью. Бывают же случаи? И будут они снова радостны и счастливы.

Я вспоминала тут, как рассуждала в молодости о детях. Что ты говорила. Ты ведь была, Сонь, как говорят сейчас, – чайлдфри. Раньше я и думать об этом не думала, неприлично. А сейчас... Ладно, не будем. И вправду мне неприлично! Это же живые люди и мои дети! А я про чайлдфри.

Я вообще очень часто стала вспоминать твои перлы. Например, о мужиках. Мужики, по твоим, дорогая, словам, должны приносить пользу и украшать жизнь. Облегчать ее, а не усложнять. Мужчина должен быть или богатым, или веселым, или для плотских утех и радостей – точно цитирую, а? Ну а если всем вместе, то вообще красота, считай, что тебе повезло.

Сонь, а ведь мне не повезло ни разу, представляешь? Вот, например, Миша, мой первый муж, – скучный, хоть и крайне приличный человек. Богатый? Смешно, простой инженер. Веселый? Ни-ни. Скучный и занудный. Для плотских утех? Ну не знаю. Со мной – нет, точно. Правда, я его не любила.

Второй мой, Васильев. Богатый? Теперь вполне. А пока жил со мной, точно нет. Веселый? Ну, так, бывало, не скрою. Для тех же утех? Было дело. Но как-то все быстро закончилось.

А Понаевский? Ну что я тогда, в свои девятнадцать, соображала? Смешно! Богатым он не был. Веселым? Нет, тоже не был. Остроумным – да, но не веселым. Скорее желчным, циничным. И юмор его был какой-то злой, что ли, недобрый.

А что касаемо секса... Первый мужчина. Тогда мне казалось, что он – бог. Во всем. Неподражаем, тоже во всем. А потом, спустя годы, поняла: а ничего в нем особенного не было. Абсолютно. Среднестатистический такой мужичонка за тридцать, обычный такой препод. И внешне обычный, и изнутри. Было бы мне лет двадцать шесть, например, прошла бы мимо, честно! Не обернулась. А ведь как любила, а? Как сходила с ума! А как ревновала? Губы в кровь. Как мечтала о нем, жену его ненавидела. А за что? Сама не пойму. Но ненавидела точно, даже смерти ей желала. Как тебе, а? Вот помрет – и это чудо достанется мне в безраздельное пользование. О господи, какие же мы, бабы, дуры! И за Мишку несчастного выскочила, вылетела в момент, в секунду, как пробка из бутылки с шампанским. Бежала от своей несчастной любви. Тоже, кстати, не подумав ни разу.

Вот так, Сонь. Такие итоги, можно сказать. А жизнь-то уже за спиной. И если прикинуть, то счастливого — или даже хорошего — в ней было немного.

Три главных мужчины в моей жизни — любовник и два законных мужа. С Понаевским я встречалась четыре года, почти четыре. С Мишей прожила около семи лет. И с Васильевым в сумме восемь лет. Хотя последние года четыре это уже была не жизнь, а сплошная мука. А я все цеплялась, надеялась. И в тридцать шесть родила Линку. А в тридцать девять с ним развелась. И ведь понимала, что ребенок наш брак не спасет! И что в итоге? А вот что — сколько дней за эти девятнадцать лет я была счастлива? Я призадумалась. Нет, точно, конечно, не сосчитать. Так, приблизительно. А приблизительно получилось... Сонь! Ты будешь смеяться, а я, наверное, плакать. Так вот, в общей сложности год. Год, не больше! Ну хорошо, полтора, если по дням. Как тебе эта статистика? Каков результат?

Вот итог моей личной, женской, так сказать, жизни. Грустно, правда?

И вот сейчас, например. Если бы случилось что-то. Шансов, конечно, почти ноль, но вдруг, случайно, я встречу мужчину. Так вот, Сонь! Нет и еще раз нет! И дело даже не в том, что у меня кошмарная ситуация дома — не в маме дело, не в девках моих и не во внуках. А дело, подруга, во мне! У меня эта ситуация вызвала бы только страх.

Я поняла, что не хочу этого, совсем не хочу. Боюсь? Возможно. Только, скорее всего, себя. Но больше, чем боюсь, я не хочу! Веришь? Нет, ты, скорее всего, мне не веришь — думаешь, что кокетничаю. Нет, Соня, нет! Где я и где кокетство? Так вот, мне не надо. Ничего из этого набора — ни прогулок вдоль набережной, ни посиделок в кафе, ни совместных поездок. Подарков не надо, потому что отвыкла, буду считать себя обязанной. Дура, да? Ага. И секса не надо — увы. Даже в варианте облегченном, варианте лайт. Потому что смешно это в нашем возрасте. Ладно с родимым мужем – здесь все понятно. С ним прожита жизнь. И ему наплевать на твои растяжки, складки, животик и дряблые ляжки. Он привык к тебе, и ты привыкла к нему. Да страшно представить – проснуться утром с чужим мужиком! Наверное, это мои страшные комплексы. Да. И он – вижу, как ты засмеялась, – давно не молод и не свеж: зачесанная, плохо прикрытая лысина и тоже живот. Руки дряблые, второй подбородок. Но у мужиков комплексов куда меньше, мне так кажется. Знают ведь, что возраст им не помеха. Самый лежалый товар и то в ходу. И эти, с пузами и мешками под глазами, все равно могут рассчитывать на молодуху или приличную женщину средних лет. А я уже «не средних», Соня. Про тебя я не говорю, ты не в счет! Ты другая. Не такая, как все. Ты не жила в «доме терпимости».

А нам, теткам за пятьдесят, что остается? И кто? Те, кому за семьдесят? И на фига? А приличные и молодые – это уже не про нас, Сонечка! Я права? Нет, есть бабы, конечно. Красотки! И в нашем не юном возрасте есть! Ну тут надо иметь и деньги, и время, и желание. Это главное! Все эти косметички, массажисты, хирурги – это не про меня, как ты понимаешь.

А те, которые с молодыми парнями? А? Ну этих я вообще не пойму – смелые, правда? И совсем нестеснительные. Есть у нас в подъезде одна такая. Красивая, не спорю. Все при ней – и фигура, и ноги. Ухоженная – как отполированное палехское яичко, аж блестит. Ну и модная, разумеется, – такие шубки, такие сапожки! Мечта. Волосы распускает, как девочка. Издали можно дать даже тридцать, ей-богу! Разведена, зарабатывает сама – кажется, у нее магазин белья, точно не помню. Да какая разница. Так вот, ходит к ней мальчик. Ей-богу, мальчик, без преувеличений, лет двадцать пять. Хорошенький такой, смазливый, накачанный, фигуристый. Ходит раза два в неделю. Рано утром уходит – я часто еду с ним в лифте. И знаешь, самое смешное, что сынок этот еле стоит на ногах, представляешь? Как будто вагоны разгружал, как тебе? Бледненький, осунувшийся, с синяками под глазами. Зевает. Уделала его моя соседка! Весело, а? Еле сдерживаюсь от смеха, ей-богу. Но в то же время смотрю на него материнским оком и очень жалею. Бедный мальчик, как же тебя угораздило?

Да ладно, это его выбор, в конце концов.

Так что вот, Соня! Молодец эта тетка! Я искренне восхищаюсь. Но не завидую. И еще думаю: да слава богу, что мне это не нужно. Что нет у меня на это сил – на свидания, на уход за собой, на разговоры, на что-то новое. Я просто счастлива, веришь? И друга задушевного мне не надо. А ну их, друзей! У меня есть ты, есть мои девочки на работе. Мама. Могу сесть и поплакать рядом. Взять ее за руку. Пусть она ничего не поймет! Главное, что я могу это сделать. В конце концов, есть мои девки! Правда, надежды на них никакой. Но может быть, только пока? Я все еще верю, надеюсь.

А мужчина? Это его придется жалеть и поддерживать! А сил нет и желания тоже. Вот так, Соня. Отказалась бы, честно. Даже от самого приличного бы отказалась. Я писала тебе о своей мечте: домик у моря и – покой, тишина. Вот оно, счастье! Мое придуманное и намечтанное счастье, моя мечта!

Вижу, как ты усмехаешься. Постарела я, да? Сама знаю. В общем, укатали сивку крутые горки. Итог – год счастья со всеми моими мужчинами и еще меньше – с детьми. С ними всегда было больше тревог и волнений, чем счастья и радости. Всегда тревоги и волнения перекрывали, всегда.

Ладно, оставим эту грустную тему.

О другом. Очень хочу взять Темочку и поехать с ним в наш старый двор – такая вот у меня скромная мечта. Скромная и исполнимая. Но все никак, все не получается – такая малость, а не получается. Ничего у меня не получается, Соня! То я валюсь с ног, то дела. То он простужен, то с мамой плохо. Но доберусь. Обещаю себе и тебе – доберусь!

Смотрела тут наши фотографии. Ты, Ганка, я... Школа, двор. Хорошенькие, молодые. Глаза такие... Живые глаза. Полные надежд. Свои свадебные смотрела. У Ганки свадьбы не случилось. Ты сама от этого отказалась.

Но на моей вы были – такие красавицы! Ну и я ничего. Невесте положено. Попались и наши общие с тобой, курортные. Помнишь Ялту? Аська крошечная совсем – ты держишь ее на руках. Она, как всегда, ревет, мордочка перекошенная. Чего ревет? Не помню, конечно. Она часто плакала. А ты ее утешаешь. Миша рядом – смешной, тощий, костлявый, коленки вперед.

И все-таки хорошо там было, да, Сонь? Помнишь, как мы воровали у хозяйки инжир? А Миша орал, что мы попадемся. Нервничал страшно. Впрочем, он всегда нервничал страшно. Ну и Аська в него. А вино помнишь? Темное, цвета граната. Вязкое – язык обжигало. Сладкое. Из молочных бутылок. И горячие хачапури – ох, как же вкусно! Вот и начало меня там разносить. Тебе-то и Мишке хоть бы что, все по барабану. Конституция. Нет, правда, счастье! Счастье сохранить свой размер – ешь не хочу. Мне, правда, тоже давно наплевать, если честно. Хочу и ем, много у меня радостей, что ли? Но тебе повезло – знай это, Соня! Как ты влезла в выпускное платье в сорок восемь, а? Я и говорю, ты счастливица.

Вот поставить нас рядом – ты и я. Про себя не хочу. И так все понятно. А ты? Та же фигура. Те же ноги. Те же волосы – густые, блестящие, с отливом, антрацит. Грудь – молодые позавидуют.

Выходит, ты все сделала правильно – и что замуж не хотела и не пошла, и что не родила, и что жила для себя, и что сейчас живешь для себя. Умница ты. Признаю.

Ладно, разнылась опять. Извини. Зато полностью удовлетворила свои графоманские потребности. Уж прости, что ты попалась под руку! Терпи, подруга! Вроде не так часто я тебя достаю.

Да и вообще – вот что у меня плохого, а? Руки, ноги работают, голова на месте. Мама жива, девки здоровы. Внуки прекрасные. Чудные внуки, сплошная радость. Квартира своя, дом приличный, соседи чудесные. Работа. Отличная работа, между прочим! А коллеги? Да мечтать о таких! И в кафе позволяю себе сходить иногда. С девочками с работы в «Му-му», например. А с Темочкой мороженое поесть или пиццу где-нибудь в торговом центре. Ну чем не жизнь? А я все ною! Прости. Все, взяла себя в руки и – радуюсь!

Ну а теперь, Соня, о главном. Просто боялась начать разговор... Сонечка! Ничего у меня не получится с отпуском, прости, прости! Ничего. Нет, я честно копила, поверь, как ты учила. Откладывала, собирала. И даже накопила немного – сама от себя не ожидала. Но... То Линке был нужен срочно новый планшет, то Темочке курточка, то Асе сапоги, то маме платный врач. В общем, тю-тю мои денежки! Да и фиг с ними – переживу. Ну не увижу я твою любимую Грецию в этом году. Начну копить на следующий год – честное слово, клянусь! Так что прости, Сонька, прости! Прости, что срываю твои планы, что снова я дуреха, тетеха.

Повинную голову меч не сечет, а? Ну, Сонь?

А может, ты к нам? Ну хоть на недельку? Нет, я все понимаю – у нас, в этом бардаке, тебе нельзя, ни в коем случае! Но знаешь, рядом с нами есть маленькая гостиничка, отельчик такой частный. Номеров пять, не больше, я знаю. Аккуратненький такой, симпатичный. Минут двадцать ходьбы от моего дома. И стоит недорого, честно, тебе по карману. В моем дурдоме мы сидеть не будем, будем сидеть у тебя. Съездим в наш двор, к Ганке на кладбище – три года ведь не были.

В театр сходим, а? Хотя вас, питерцев, театром не заманить. Да просто пошляемся по Москве, вспомним наши любимые места – Маросейку, сад Эрмитаж, Замоскворечье. В парк Горького сходим – из него, говорят, сделали немыслимую красоту. Вспомним, как там на катке рассекали! На Воробьевых горах посидим – на нашей лавочке, на обрыве. Да просто будем сидеть у тебя в номере и трепаться. Трепаться до бесконечности, а? Вот счастье! Нет, правда, Сонька! Давай, а? Раз с Грецией не получилось? Да и я вырваться к тебе не могу – мама, ты понимаешь. На девок оставить ее не получится.

Сонька! Мы ведь три года не виделись! Почти три года. Страшно! Да-да, я посчитала. Ты была у нас ровно три года назад, Темочке тогда исполнился годик.

Соня, родная, приезжай! Очень тебя прошу, умоляю! Что тебе стоит? Ты ведь свободна. Раз – и ты здесь! На «Сапсане»! Одно удовольствие, правда? Обещаю, грузить тебя не стану, честное слово! И ныть тоже не стану, клянусь. Будем просто гулять и болтать, всё.

А к тебе в Питер я подошлю свою Аську – если ты, конечно, не против. На дня два-три, не больше, больше и я не справлюсь сама, с двумя-то детьми. Она тихая, моя Аська, ты знаешь – молчаливая и неприхотливая, это не Линка. Вот ту бы не отправила к тебе никогда, постеснялась бы просто.

Погуляла бы наша Аська по Питеру, зашла бы в Русский. С тобой, умницей, пообщалась бы. Вот ты бы ума ей вложила, не то что я, родная мать. Да и кто меня, неудачницу, послушает? Уж точно не мои близкие. В своем отечестве пророков, как известно, не бывает.

Подумай, Сонечка! Если тебе это не в тягость, я бы была счастлива, да и Ася тоже – ей ведь так трудно сейчас, с этим Денисом.

Все, закругляюсь, и так тебе досталось, родная.

Соня! Кто у нас остался из той жизни? Все мы родом из детства, правда? И ничего дороже детской дружбы нет. Ты со мной согласна? Лично я в этом уверена. И никого у меня ближе, чем ты, нет. Самая родная и самая близкая.

Кстати, почему ты не отвечаешь на мои звонки? Почему не берешь трубку? Неохота болтать? Это я могу понять, Сонь. Я и сама так частенько делаю – ни сил нет, ни настроения. Знаю. Но все-таки, Соня! Ты хотя бы ответь эсэмэской, прошу тебя! Два слова – «жива, здорова». Все! Мне будет достаточно. А то я не знаю, что и думать. Ты не в обиде на меня, Соня?

Ты сама спровоцировала эту мою писанину. Поговорили бы по телефону, и я бы, глядишь, успокоилась, угомонилась. А так – развела на десять листов. В общем, ты сама виновата.

Шутка, конечно! И еще – оправдание.

Все, заканчиваю! Даже проститься не могу в три слова – говорю ж тебе, графоман.

Люблю тебя и очень нуждаюсь в тебе.

Твоя Аля.

Жду пару слов. Обнимаю тебя. И очень скучаю».

Женщина нажала клавишу и выключила ноутбук. Пару секунд монитор еще светился, но понемногу гас, пока не погас совсем.

Она подошла к окну. Было темно. На настенных часах – полшестого утра. Совсем рано. Какое счастье, что не надо спешить. Уже никуда не надо спешить.

Она может позволить себе бухнуться в постель, завернуться в одеяло и уснуть. Счастье. Счастье, что не надо спешить на работу. Счастье проснуться тогда, когда хочется – можно в десять, а можно в одиннадцать. Сколько счастья, господи! Счастье сесть у окна в своей уютной кухне и долго пить вкусный кофе, листая журнал. А потом, спустя час или больше, снова улечься в постель, смотреть фильмы, читать. И снова уснуть. Или пойти на прогулку – в магазин, на рынок, куда угодно! Деньги, слава богу, есть. Есть счет в банке. Не то чтобы большой, нет! Но дающий уверенность, что, если, не дай бог, она точно не пропадет.

Она прошлась по своей квартире, которую обожала – все здесь сделано так, как хотела она. Да, квартирка небольшая, что говорить. А зачем ей большая? Больше уборки.

Ей хватает – она одна. Две комнатки – совсем маленькие, гостиная и спальня – что еще надо? Да и район – она бы ни за что не поменяла свою малышку в тридцать пять метров на большую, а могла бы, желающих море! Еще бы – квартирка ее, на минуточку, расположена в самом центре, на Марата. И окна во двор. Тишина и покой. И в двух шагах Невский.

На кухне она попила воды и снова постояла у окна – минут пять, не больше. Замерзла.

Она громко вздохнула и пошла в спальню.

На кровати – темное дерево, резная спинка, начало двадцатого века, модерн, ар-деко, – широко раскинувшись, спал молодой мужчина. Уличный фонарь освещал его красивую, мощную, гладкую спину.

Женщина пару минут смотрела на эту прекрасную спину, откинула край одеяла и осторожно прилегла с краю, с самого краю. «Не упасть бы», – подумала она и погладила мужчину по коротко стриженному затылку. Тот не шелохнулся – молодые спят крепко.

– Эй! – тихо засмеялась она и мягко уткнулась в его гладкое плечо. – Я сейчас упаду. Ты бы подвинулся, милый!

Он вздрогнул и через пару секунд повернулся – на лице его читалось недоумение.

– Спи, спи! – прошептала она. – Только подвинься чуток, пока я не свалилась.

До него наконец дошло, и он улыбнулся. Пару минут он изучал лицо женщины и, окончательно проснувшись, зевнул и спросил:

– Сколько времени, Сонь? Мне не пора?

– Половина шестого, – отозвалась она, пристраиваясь у него под мышкой и сладко вдыхая запах мужчины. – Половина шестого, милый! Еще можно поспать.

– Нет уж! – засмеялся мужчина и развернулся всем телом к ней. – Нет уж, прости!

И она звонко, по-девичьи, рассмеялась:

– Прощаю.

Он обнял ее и наклонился, отбросив рукой ее тяжелые волосы.

Она, что-то вспомнив, мягко его отстранила:

– Эй, подожди!

Он мотнул головой:

– Не хочу!

– Подожди, – нахмурившись, строго приказала она. – Я тебе скажу кое-что важное.

Он приподнялся на руках, по-прежнему нависая над ней.

– Теща твоя... – Соня осеклась на секунду. – В общем, она отказалась. От отпуска отказалась, от Греции, в смысле. Ну, дошло до тебя?

Он кивнул.

– Так вот, – с воодушевлением продолжила она, – может быть, ты со мной? Раз место под солнцем свободно? – И она рассмеялась удачной шутке.

Мужчина снова наклонился, покрепче прижал ее к себе,

уткнулся ей в шею и, вздрогнув, жарко шепнул, обдавая ее кожу горячим, нетерпеливым, молодым дыханием:

– С тобой – куда угодно! Хоть в рай, хоть в ад, куда позовешь!

Она чуть изогнулась, подлаживаясь под мужчину, плотно прижалась к нему, прищурила глаза и прошептала:

– Возьму. Так уж и быть, позову! – И засмеялась: – Если заслужишь!

За окном медленно и лениво наплывал слабый рассвет.

Кто-то еще крепко спал, а кто-то уже торопился. Кто-то плакал, а кто-то смеялся. Кто-то мучил кого-то, а кто-то кого-то обнимал. Кто-то был счастлив, а кто-то страдал.

Кого-то мучила совесть. Ну а кого-то – нет. Все как обычно у нас, живых и грешных людей.

Приезжие

Звонок раздался в половине одиннадцатого. Назавтра предстоял рабочий день, и Лагутин уже собирался спать.

— Кто-кто? — переспросил он.

Слышно было ужасно. А когда услышал короткое «Нина», сразу понял: отец.

В последние годы эта самая Нина была сиделкой отца.

— Я понял, — ответил Лагутин и поспешно добавил: — Конечно! Рано утром я вылетаю.

Отец... После смерти первой жены, матери Лагутина, он очень рьяно стал устраивать новую жизнь, но неудача — жизнь еще раз дала серьезный сбой, через несколько лет он снова оказался вдовцом. Фатально не повезло.

Отец и их отношения Лагутина волновали не очень — все давно поросло жухлой травой. А то, что отец стар и нездоров, так здесь совесть Лагутина была абсолютно, кристально чиста — уход за ним он обеспечил.

Он достал из комода бутылку виски и плеснул в стакан. Одним махом выпил и плюхнулся в кресло. Глянул на часы —

похороны послезавтра. Успеет? Билет, расписание – что там еще? Да, взять денег! Конечно, снять в банкомате. А сколько? Да черт его знает. Когда хоронили маму, все было не так – другая страна, другие деньги.

Он открыл Интернет и набрал в поисковой строке расписание авиабилетов на Москву. Давненько он не был в родном городе. Ох, как давно, четыре года назад. И, что самое странное, совершенно по нему не скучал.

Билет, конечно, нашелся. Стоил он ого-го, но кто думает про это в такие моменты?

После смерти матери Лагутина, примерно через полгода, отец женился и переехал в квартиру новой супруги. Лагутин так и не смог простить ему эту поспешность и именно тогда, в те страшные месяцы, перестал с ним общаться – совсем. Чуть позже он понял, что обида его была признаком юношеского максимализма и что так яростно негодовать, скорее всего, не стоило.

Спустя лет пять он восстановил отношения с отцом, но прежней любви и близости не получилось. Нет, он бывал у него дома, в новой семье. И ничего криминального там точно не было – нормальной теткой оказалась эта новая жена, вполне нормальной – моложавой, домовитой, хозяйственной, ловкой, гостеприимной. Было заметно ее волнение, когда Лагутин впервые пришел в их с отцом дом. Тогда она расстаралась – холодцы, пироги, салаты. Все вкусно, обильно, красиво. Но в рот ничего не лезло. Он смотрел на отца, наблюдая его в совершенно других декорациях, и не узнавал. Это был другой, незнакомый ему человек. А перед глазами стоял тот, *его* отец, горячо когда-то любимый. Сейчас напротив него сидел и глупо хихикал чужой, смущенный, растерянный дядька.

Квартирка, кстати, была вполне уютная и чистенькая – жена отца, Полина Сергеевна, хвалилась ремонтом:

– Все своими руками, все! Все вместе с Петенькой. – Тут она смутилась и продолжила уже не так бойко: – Обои вот... Линолеум, плитка. А шторы какие? Петенька выбирал!

От неожиданности Лагутин вздрогнул и коротко глянул на отца. Тот все понял и опустил глаза – ему тоже стало неловко. А шторы, кстати, были ужасны – оранжевое на ядовито-зеленом. Кошмар. Мама бы такие никогда не повесила.

Лагутин диву давался: никогда за отцом подобных талантов не наблюдалось – вот чудеса! «Отец – человек неприспособленный, – повторяла мать, – и к нему лучше не обращаться – дороже выйдет». Она освободила его от всех домашних дел – мечтала, чтобы он защитился: сначала кандидатская, потом докторская. Она искренне считала, что мужчина обязательно должен сделать карьеру и отвлекать его на остальные дела неправильно, поэтому взвалила все на себя – дом, сына. При этом, конечно, работала, но на привилегированном положении, на пьедестале, всегда оставался отец. При этом мать еще и сделала неплохую карьеру – довольно быстро стала начальником отдела, кстати, самым молодым в институте. Да и, честно говоря, зарабатывала больше отца.

Жили они хорошо, без скандалов, разборок, претензий. Растили сына, ездили в отпуск, ходили в театры, принимали гостей. Лагутин рос благополучным мальчиком в благополучной семье. Все было прекрасно. А потом мама заболела. Лагутину было шестнадцать. Она долго скрывала от них диагноз – берегла. Сына – понятно. Подросток, тяжелый возраст. Но мужа? Зачем? Открылась ему поздно, когда уже не давали надежды. Почти не давали надежды.

Отец страшно растерялся – и мать же его утешала, ругала себя за то, что решилась сказать. Переживала страшно – за него переживала, не за себя. Таким она была человеком. Держалась до последнего и держала себя в руках – при них ни одной слезинки, ни одной. Только улыбка была у нее тогда какой-то дрожащей, что ли? Слабой, беззащитной, изнеможенной, истощенной, как и она сама. И было видно, что ей страшно неловко – поставила своих любимых и близких в такое вот положение.

Лагутин запомнил ее накануне смерти – в больницу он пришел в семь вечера, мама долго и подробно расспрашивала его обо всем – что едят, как справляются с хозяйством, что в школе. Он помнил, как она беспокоилась за отца – кажется, больше, чем за сына. Или ему казалось?

Он ушел в полдевятого, когда строгая медсестра его погнала – посещения закрывались. И никакого предчувствия не было. Абсолютно. Нет, он, конечно, видел, как мать плохо выглядит, как она похудела и почти ничего не ест. Он видел, как быстро она устает. Но плохого предчувствия не было – он даже сходил в кино с другом Вовкой.

А наутро позвонили из больницы.

Он помнил, что ничего не понял: что, как? Как это – мамы нет? Нет совсем? Нет, такого не может быть. Она же только что еще была – еще вчера была! Живая, даже веселая – смеялась над его шутками, учила жарить котлеты – сначала большой огонь, чтобы схватились, а уж потом поменьше, чтобы дошли.

Они говорили даже про лето, про отпуск – да-да! Мечтали поехать к морю, как всегда. Это он завел разговор, а мама поддержала.

И вот – ее нет? Навсегда?

Он замер, стоял у окна. Сколько стоял – час, два? Три?

Вздрогнул, когда услышал голос отца. Нет, сначала хлопнула входная дверь, а потом отец выкрикнул:

– Лешка! Ты дома?

Он не ответил. Рот открыл, попытался отозваться, но голоса не было – вырвался хрип, клокотанье какое-то птичье.

Отец разделся и зашел в комнату:

– Ты что? Не слышишь?

Лагутин посмотрел на него, и тогда отец понял. Сел на стул, обхватил голову руками и завыл – страшно завыл, по-волчьи. Вот тут Лагутин и пришел в себя – бросился к отцу и закричал.

Они обнялись, два человека, тонущие в своем горе, не понимающие, как им жить дальше. Как вообще – жить?

Лагутин не понимал долго. А отец понял довольно быстро – всего-то через полгода женился на этой Полине.

В шестнадцать лет Лагутин остался один – ни матери, ни отца. Сирота. Да ничего, справился. Всему научился – точнее, жизнь научила. Но как же было тоскливо! И еще – страшно.

Как это вообще могло быть, по-прежнему недоумевал он. Еще вчера, ну хорошо, не вчера, а полгода назад, была семья. Семья из трех человек. А сейчас? Мамы нет. Да и отца, собственно, нет. И он, Леша Лагутин, остался один на всем белом свете.

Он помнил, как не хотел, не желал слушать торопливые и неловкие оправдания отца: «Не могу один, не могу без женщины, не могу без мамы». Какой бред! А он, Лагутин, привык быть один? Привык сам себе стирать, готовить, молчать дни напролет – да просто потому, что не с кем было перемолвиться словом.

Как мог отец оставить его так быстро, не дав привыкнуть к тому, что нет мамы? Хотя разве можно к такому привыкнуть?

Оказалось, что можно. Правда, прошло лет десять, прежде чем он до конца осознал, что произошло. А привык ли? Вряд ли.

По прошествии времени отношения с отцом восстановились, и он – редко, совсем редко, раза два в год, на дни рождения отца и его новой жены, – даже приходил к нему домой. И во время этих встреч все никак не мог поверить, что это его отец клеит обои, шинкует на засолку капусту, бурно радуясь ее сочности, правит на даче жены забор. Бедная мама – она-то наивно считала, что он ничего не умеет.

А Полина эта Сергеевна молодец! Простая такая с виду, а как запрягла! Как перегнула через колено! Браво, бис! Все, что не удалось матери, удалось ей, этой скромной домохозяйке.

Впрочем, пусть живут как хотят. Какое ему дело?

А жили они, судя по всему, хорошо. Только недолго, увы. Через пять лет Полина Сергеевна, кровь с молоком, скоропостижно скончалась. Как же отец тогда убивался! Ей-богу, в сто раз сильнее, чем по первой жене. Лагутин тогда обалдел: нет, все понятно – жена. Но прожил он с ней гораздо меньше, чем с мамой! А с мамой вся молодость, общий ребенок. Не странно ли? Да все понятно – отцовский эгоизм. За себя испугался. Он снова остался один. Но кумушки на поминках шушукались: «Хороший этот Петр мужик! Найдет себе женщину, куда денется». На поминках Лагутину поскорее хотелось свалить – отец быстро напился и принялся плакать. Сына не отпускал и все причитал:

– Как жить теперь, Леша? Как жить?

Лагутин тогда не сдержался – не прав был, но нервы сдали:

– Да женишься, пап! У тебя ж это быстро!

Навсегда он запомнил взгляд отца после этих слов – тяжелый, мутный, злой. Чужой. Совсем чужой человек.

Коротко бросил:

– Не простил, значит!

И скоро отец объявился, вернулся домой как ни в чем не бывало – в квартиру жены Полины въехала ее дочь от первого брака. Вместе они не ужились, что и следовало ожидать. Кому он нужен, этот чужой дядька?

Лагутин тогда собирался жениться – влюбился, как в последний раз. Оказалось, и правда – так сильно в последний.

На четвертом курсе универа он встретил Дашу, свою будущую жену. Училась она в параллельной группе. Было странно, что легкомысленная на первый взгляд Даша смогла поступить на такой сложный, «мужской» факультет – вычислительной математики и кибернетики, знаменитый на весь мир ВМК. К тому же она была очень хорошенькой. Нет, девицы там, конечно, учились – немного, человек пять. Но, как правило, – и почему, интересно? – были они скучные, слишком заумные и, мягко говоря, несимпатичные. Словно в подтверждение всем известной поговорки, что красота и ум несовмсстимы.

А тут эта Даша – тоненькая, длинноногая, с переливчатыми, блестящими, почти смоляными волосами, с модной короткой стрижкой «паж», или «Мирей Матье». К тому же светлоглазая, вот как бывает. Оказалось, все просто – осетинская кровь. У осетин часто бывает такая необычная красота – темные волосы, светлые глаза. Одногруппницы ее ненавидели – зависть. А парни, конечно, млели.

Даша была очень живой, смешливой, кокетливой и загадочной. Приехала она из города Урюпинска. Лагутин тогда удивился – он был уверен, что городок этот вымышленный, имя нарицательное для обозначения глухой провинции и всего, что к этому прилагается. Городок этот, кстати, оказался древним, казачьим и стоящим на известной реке Хопер.

Как получилось, что красавица Даша обратила внимание на Алексея Лагутина? Чудеса, да и только. Он был сдержанным, молчаливым, довольно хмурым, совершенно некомпанейским парнем. Наверное, он тоже показался ей загадочным, этот Лагутин.

Все вились вокруг хорошенькой Даши, отпускали ей комплименты, подкладывали в сумку шоколадки, оставляли записочки с приглашением на свидания. А Лагутин был в стороне. Конечно, и ему она нравилась, да еще как. Но он был несмел и неопытен в отношениях с девушками, суров из-за рано выпавших испытаний, замкнут от одиночества и вообще имел кучу комплексов. К тому же у него совсем не было денег – ни в кафе с девушкой, ни в театр. Нет, он, конечно, подрабатывал, а как же. Разгружал вагоны на Рижском вокзале, позже занимался репетиторством – подтягивал по математике балбесов-школьников. Плюс стипендия. Но все равно было мало – хватало только на скромную жизнь. Его ровесники жили в семьях и не думали о хлебе насущном – получали от родителей «на карман» и были беззаботны, как и положено в этом прекрасном возрасте. Лагутин же на четвертом курсе писал курсовые за лоботрясов и три раза в неделю по ночам разгружал машины в булочной по соседству – таскал тяжелые деревянные поддоны с еще теплым, невозможно вкусно пахнущим хлебом. От помощи отца он отказался сразу. Брать у него деньги? Нет, никогда. Он искренне считал его предателем. Даже на памятник матери деньги не взял – объявил, что справится сам. Так и вышло – скопил. Памятник вышел неважный – невысокий, недорогого серого гранита, с бюджетным керамическим медальоном – смету урезали и экономили на всем. Лагутин мечтал, что, когда встанет на ноги, поставит такой, какой надо.

Закрутилось у них с Дашей случайно – на предновогодней вечеринке в квартире у одногруппника. В большой, просторной и богатой квартире собралась почти вся группа, за исключением самых некрасивых девиц-ботаничек. Кому они нужны, да и зачем? На журнальном столике в гостиной в изобилии стояли заграничные пузатые бутылки с шотландским виски, французским коньяком и итальянским вином. По-студенчески были нарезаны сыр и колбаса, правда, тоже не простые, а заграничные – узенькие палочки перченой салями, камамбер с плотной, словно картонной, корочкой, издающий неаппетитный запах и нежнейший, словно сметана, на вкус. Хозяин квартиры небрежно бросил:

– Да предки привезли из Финляндии.

Конечно, было плотно накурено – хоть вешай топор. Свет был притушен, и сцепившиеся в танце парочки бестолково и забавно, словно нанайские мальчики, толкались на пятачке в середине комнаты.

Гостеприимный хозяин обхаживал Дашу и не думал этого скрывать. Угощал сигаретами с ментолом, немыслимым шоколадом с миндальными орехами и зазывал в свою комнату – продемонстрировать диски.

Даша мотала головой и отсмеивалась – было видно, что этот дешевый понтярщик смертельно ей надоел.

Лагутин курил на кухне и смотрел в окно. Он почти не пил – просто не любил, и всё, это у него от отца – и думал, как поскорее свалить. Надоел выпендреж этот кошмарный, разговоры про джинсы и диски, музыка, страстный шепот, душные запахи крепкого молодого пота от возбуждения, цветочных, душных духов и, конечно, спиртного. Ему было скучно. Даша подошла к нему сзади и тихо сказала в спину:

– Леш, как же мне надоело! Может, уйдем?

Он вздрогнул, обернулся, увидел ее синие бездонные глаза и смущенно забормотал:

– Да-да, конечно.

Он помнил, как у него дрожали руки. Они быстро оделись и незаметно выскочили за дверь.

На улице было чудесно – свежо, морозно, бело, а еще торжественно и тихо. Преддверие Нового года. По тихой улице медленно – гололед – скользили машины.

Даша взяла его за руку, и, ничего не обсуждая, они молча пошли вперед. А руки по-прежнему предательски дрожали, и он страшно боялся, что она это может заметить.

Наконец Даша объявила, что страшно замерзла и ей очень хочется горячего чаю.

– Где? – растерянно пробормотал Лагутин. – Где же найти сейчас этот дурацкий чай? Все же закрыто!

– Не все! – улыбнулась она. – А вокзалы?

Он смутился: болван, недотепа, не сообразил. Недалеко был Белорусский, и они дошли до него минут за двадцать. Там и вправду работали какие-то прилавки, где продавали чай, бутерброды и булочки.

Они сели за столик и поняли, что страшно голодны. Ели чуть подсохшие булочки с изюмом, которые казались им восхитительными, и пили горячий, сладкий, некрепкий чай. И снова молчали. Как хорошо им было молчать!

На вокзале они проторчали почти до трех ночи, а когда спохватились, метро уже было закрыто, а на такси денег не было.

Они пошли в зал ожиданий. Совсем скоро Дашу сморило, и она, положив голову Лагутину на плечо, быстро уснула. А он сидел ошарашенный и совершенно счастливый – сидел прямо, с напряженной и затекшей спиной, боясь пошевелиться, чтобы, не дай бог, не потревожить ее крепкий сон. В те минуты, счастливейшие, надо сказать, минуты, ему показалось, что вот теперь, с этого дня, он не один на этом неласковом свете – у него есть она.

Встречались они полгода, а потом поженились. Лагутин никак не мог поверить в свое нежданное счастье – эта прекрасная девушка с ним? Ничего в нем особенного, ничего, а вот как сложилось.

Любил он ее до дрожи, до обморока – абсолютное солнечное или лунное затмение. Расставание на пару часов воспринимал как катастрофу вселенского масштаба.

Он так торопился к Даше, как родитель к больному ребенку. Не замечал вокруг никого – какие женщины, о чем вы? Женщин никаких по этой земле не ходило – была одна она,

его молодая жена. Все остальные – призраки, миражи, он их не видел.

Свадьбу сыграли не самую скромную. Как Лагутин ни сопротивлялся, будущий тесть настоял на дорогом ресторане. Правда, и расходы взял на себя, что тоже естественно для кавказского человека. Из Владикавказа съехалась родня – человек сорок, не меньше. Даша смеялась:

– Лешка, разве у нас есть выбор? Смирись – просто смирись, выхода нет.

Свадьбу пережили. Отца и Полину он, разумеется, пригласил. Но ушли они быстро – у Полины подскочило давление.

А Лагутин только выдохнул, когда они стали прощаться: ну и слава богу. Видеть их вместе по-прежнему было больно. На месте этой чужой женщины должна была быть его мама.

Всю ночь разбирали подарки и смеялись. Особенно веселилась его молодая жена, вытаскивая очередную золотую купеческую цепочку или колечко:

– Что делать? У них принято дарить золото и украшения. Эх, жаль, что такие дурацкие.

Ничего, справились и с «дурацкими»: через месяц оттащили в ломбард и загуляли – рванули в Ригу. Сняли комнатку в Старом городе, под крышей, крошечную, с окном под самым потолком. В открытую форточку проникал запах угля – им еще кое-где отапливались старые дома.

Бродили по городу, слушали в Домском орган, шатались по пустым пляжам Юрмалы, пытаясь найти янтарь. У Даши просто была идея фикс – найти янтарь и сделать кольцо. Янтаря не нашли, а кольцо он ей купил – потихоньку от нее, отправившись в магазин за колбасой и хлебом на ужин. Тоненькое серебряное колечко с прозрачной солнечной каплей. Как она радовалась, господи – просто до слез.

И вот чудеса – она не сняла это колечко, даже когда все закончилось, когда они развелись, когда у нее началась другая жизнь. Не сняла и там, в Барселоне, куда уехала с новым, испанским мужем. Лагутин удивлялся: ничего в этом колечке не было примечательного, абсолютно. Он специально разглядывал фотографии из Барселоны – пристально, под лупой. Да, колечко, скромное, с дешевым янтарем, ценой в восемь советских рублей, было на месте. Рядом с новыми, из новой жизни – с крупным ярким изумрудом, довольно большим и чистым бриллиантом.

На последнем курсе, перед дипломом, они ждали дочь. Она родилась в аккурат после защиты. Было нелегко – Настенька, названная в честь Лешиной мамы, росла беспокойной, крикливой, болезненной. Помогала теща – спасибо большое, – приехала из Урюпинска. Первое лето проторчали в Москве, а на второе годовалую Настю увезли к родне деда во Владикавказ.

В то лето они почувствовали себя молодоженами – свобода! Это было хорошее лето, очень хорошее, нежное и – последнее.

Почему так случилось? Лагутин отказывался понять. В голове не укладывалось, потому что ничего логичного в этом не было. Ну да, поругивались – так, по ерунде, по мелочам, ничего особенного. Уставали, раздражались, правда нечасто. Но в целом неплохо ведь жили?

Даша объясняла все просто:

– Я влюбилась, прости. Нет, тебя я любила. И даже люблю! Но, Леша, это была другая любовь, понимаешь? Другая! Юношеская, что ли, детская... Первая. Так часто бывает.

Он не понимал, как ни старался.

– Послушай, – взывал он. – Нет, ты просто мне объясни. Ты говоришь, что любила меня. Пусть это, как ты говоришь, другая любовь, не взрослая. Но любила же? Тогда как это так – любить одного и одновременно влюбиться в другого?

Лагутину, максималисту, человеку до глупости прямому, предельно честному, доходящему в своем максимализме до крайностей, было это совсем непонятно. Как так? Он, любя ее, вообще никого не видел вокруг. Даша плакала и ничего не могла объяснить. Только шептала:

– Не мучай меня, умоляю – не мучай!

И ему, дураку, наивному дураку, становилось Дашу страшно жалко – он страдал оттого, что страдает она. Выходит, что она мучается, чувствует себя виноватой. Сомневается. Или

нет, уже все решила? Он втайне надеялся – а вдруг? Вдруг это пройдет – бывает же так? Она опомнится, придет в себя, и все будет по-прежнему. Он не думал о прощении – вообще не думал. Ему было важно одно: чтобы жена и дочь остались с ним, чтобы как раньше и как прежде – все вместе.

Он не спрашивал ее о том человеке – боялся. Боялся услышать, что он хорош. Боялся сравнить с собой. Будучи уверенным, что он, *тот*, конечно же, окажется лучше – иначе Даша не ушла бы от него. Но вскоре Лагутин все, конечно, узнал: новый возлюбленный его жены оказался испанцем. Ничего себе, а? Зрелый мужчина под сорок, не чета ему, пацану. Хорош он был, этот амиго, что уж там. Хорош, высок, широкоплеч. Улыбчив. Просто сплошной Голливуд: с улыбкой на сорок два зуба, загорелый и мускулистый – понятно, климат, море, страна. Возраст шел ему, тоже понятно. Даша смотрела на него с обожанием – Лагутин это видел. Взрослый красивый мужик из другого мира, с другой планеты. А кто б устоял?

До самого развода она не уходила – говорила, что возвращаться некуда, с родителями она разругалась. Они и вправду с ней не общались долго, лет пять. Первой в Барселону поехала бывшая теща – не выдержала разлуки с внучкой. А отец так и не съездил к своему новому зятю. И дочь не простил – опозорила.

Лагутин все годы после развода с родителями жены общался – звонил, заезжал. Они по-прежнему считали его родным человеком, сыном, и он это ценил.

С бывшей женой отношения были вполне достойные, и их связь не оборвалась – Даша часто писала ему, присылала фотографии дочки, рассказывала обо всем подробно, не упуская мелочей, интересных ему: как Настенька ходит в садик, как пошла в школу, что любит есть, какие ей нравятся книжки. Он и высылал ей эти русские книжки – сказки, былины, стихи, – боялся, что дочь забудет русский язык.

Он знал подробности про дочку, но не видел ее. Проситься в гости было неловко, а Даша находила вечные причины и отговорки, чтобы не приезжать. Скорее всего, боялась отцовского гнева. Приехала она лишь однажды, с Настей, на похороны своего отца. Но Лагутин в то время был на Кубе в командировке. Такая вот неудача.

Тоска по Даше и Насте в какой-то момент сделалась невыносимой.

Невыносимо было в этой квартире – сначала ушла мама, потом уехали его девочки. Не-вы-но-си-мо. И к тому же туда вернулся отец, от которого Алексей давно отвык.

К этому моменту он отца не то чтобы простил, нет, но почти смирился с его поступком. И все же жить с ним было сплошным кошмаром – Лагутин с трудом мог представить, что этот малознакомый человек, громко кашляющий и невыносимо топающий по коридору, его отец. Тот самый отец, которого он когда-то любил.

Странно и непривычно было встречаться с ним по утрам перед работой. Он по привычке вставал рано, и в голову ему не приходило, что надо чуть-чуть переждать, обождать, пока сын соберется на работу, просто чтобы не мешать, не болтаться под ногами, не занимать ванную, туалет, не толкаться на маленькой кухне.

Лагутин раздражался и злился.

И встречаться вечером, после работы, тоже было кошмаром, ноги домой не несли. Отец, кажется, радовался его приходу и тут же бросался на кухню, чтобы что-нибудь приготовить.

Лагутину было смешно – какая забота! Забота, в которой он давно не нуждался. А где был отец, когда ему, шестнадцатилетнему, почти ребенку, было так плохо?

И эти дурацкие хлопоты с ужинами раздражали ужасно – Лагутин давно привык ужинать по-холостяцки, полуфабрикатами из кулинарии. Да и в прежней жизни было примерно так – Даша готовить не любила.

А отец неловко пытался поджарить картошку, и брызги разлетались по кухне, на стены, плиту, пол, или курицу – та же история. Все плавало в жиру, пригорало, выкипало и невыносимо воняло.

Лагутин терпеливо объяснял, что ему это не нужно. Отец обижался, уходил в свою комнату, громко при этом хлопнув дверью.

На кухне было грязно. В ванной и в туалете тоже. Лагутин был аккуратистом – мама приучила с самого детства.

Отец же всегда был неряшлив. Пару раз взялся гладить лагутинские рубашки – сжег воротники. Запарывал стрелки на брюках. Лагутин умолял его не прикасаться к его вещам – пустое. Тот словно не слышал его. Видимо, считал, что наверстывает упущенное и проявляет отцовские чувства.

Лагутин стал задерживаться на работе. Но не ночевать же там, в конце концов! Да и привыкать надо было, куда деваться? Жить им предстояло вместе – другого выхода не было. Еще Лешу бесило и обижало, что каждую неделю – каждую! – отец ездил на кладбище к Полине, а к маме – раз в год, не чаще. Не простил ему Лагутин маму, так и не простил.

По Полине отец тосковал страшно и не скрывал этого – рассматривал ее фотографии, хлюпал носом, утирал слезы и приговаривал, что страшно осиротел. Лагутин смотрел на него и удивлялся – вот как бывает.

Когда появилась возможность уехать в Академгородок под Новосибирском, он вцепился в нее зубами – не дай бог не срастется! Но срослось, повезло, и он уехал в новую жизнь. Сбежать, сбежать. Сбежать из этого шумного города, от тоски по маме, от боли и тоски по дочке и бывшей жене. От отца, превратившего его жизнь если не почти в ад, то, во всяком случае, в большую неприятность.

Отец растерялся и очень расстроился:

– Как же так, Алексей? Как я останусь один? Как смогу жить без тебя? А если вдруг что-то случится? Я ведь немолод, Алеша, и у меня никого нет! Некому позвонить. Если бы Полечка меня не оставила, если бы Полечка была жива!

– Выживешь! – резко ответил Лагутин. И не сдержался: – Я тогда тоже остался один, после маминой смерти. Ты думал об этом? О моем одиночестве, например? И ничего, я пережил! А ты... Ты даже год не смог обождать, – с горечью бросил он и вышел из комнаты.

И все-таки сердце сжалось. Но он взял себя в руки. Понимал – если останется, будет все только хуже и хуже. Их уже не переделать.

Конечно, деньги все эти годы он высылал. А когда отец занемог, тут же нашлась помощница – женщина из Украины. Отец воспрял, воскрес, ожил и был ею очень доволен. Без конца повторял: «Ниночка, Ниночка! Ниночка расчудесная, милая такая, расторопная! И все у нее выходит ловко! Ах, какие моя Ниночка варит борщи!»

Лагутин не удержался: «Что, лучше Полины?»

В общем, за отца он был спокоен. Ниночка эта иногда брала трубку и отчитывалась:

– Алексей Петрович, у нас все хорошо! Петр Алексеевич хорошо ест, гуляет во дворе, я, конечно, вместе с ним. Делаю ему витаминные уколы – врач прописал, конечно. Откуда умею? Да я за мамой ухаживала – она у меня двенадцать лет не вставала.

Ну и отлично. Отлично все складывалось – Ниночка эта и хозяйка, и почти медработник. Если что, сразу окажет помощь. Нет, определенно им повезло с этой Ниной! Только бы не ушла – со стариками непросто. Но Ниночка, кажется, была всем довольна – с отцом справлялась, общий язык был найден. Отец был счастлив, что в доме живой человек, уход ему был обеспечен.

Словом, Лагутин был спокоен. И совесть его была чиста.

В Городке все сложилось. Он и сам не ожидал, если честно. Побег его был вынужденным, жизнь *до* была невыносима. Он думал – ну вот, года два-три, пока поднимает свою тему, поживет здесь, а там наверняка придется вернуться, наверняка. Ну что ж, небольшая передышка ему необходима.

Но вышло совсем не так – с темой он закончил через три года, но началась новая работа, еще интереснее прежней. Увлечен он был очень – в Москве этого бы никогда не случилось, он это понимал. Да и Соболевский математический институт – это, знаете ли, имя.

Местная публика, коллеги его восхищали – недаром ведь город ученых. Нет, конечно, и здесь встречались зависть, под-

халимаж, подсиживание. Но, как ему казалось, не в такой степени точно. Все-таки люди здесь были другими.

Первый год он жил в общежитии, правда, в отдельной комнате, удобства там же. А через два с половиной года ему дали квартиру.

Окна его однокомнатной берлоги, как он ее называл, выходили на лес – нет, даже не так: в окна третьего этажа стучали по ночам ветки елей, а на балконные перила присаживалась рыжая белка. Лагутину казалось, что она его узнавала.

В Городке было тихо, дышалось легко и свободно.

Он кое-как обставил квартиру – купил диван, кто-то из соседей отдал ему письменный стол, кто-то – кухонный буфет. Лагутин был почти счастлив – здесь ничего не напоминало ему о его прежней жизни.

Иногда ездил в город – так у них говорилось, всего-то за двадцать километров. Но можно было и обойтись – в Городок часто приезжали столичные артисты и привозили прекрасные фильмы. Знаменитый клуб «Под интегралом» и не менее знаменитое кафе «Эврика» были любимыми местами сбора молодежи.

На Новый год собирались компаниями – иногда в клубе, иногда по домам. У него появились приятели – две семейные пары физиков из Питера и холостяк из Ижевска Димка Бобров, биохимик.

На выходные ездили на Обское море, рыбачить или загорать. Иногда забирались на острова, Дикий или Атамановский, там можно было ухватить и редкую ныне нельму, и даже муксуна, чира или стерлядь. Но это бывало нечасто – в основном брали щуку, судака и чебака. Этого добра было навалом.

По вечерам, на выходные, часто расписывали пулечку. Ходили в баню, под местную вяленую рыбку и пивко. Сибиряки часто лепили пельмени, привлекая для этого грандиозного дела соседей. Участвовал в этом и Лагутин.

Конечно, у него появилась женщина – лаборантка Тамара, из местных, из старожилов. Молчаливая, спокойная и сдержанная. Не девочка – тогда ей было за тридцать.

Нет, он не влюбился в нее, но понимал – в жизни мужчины должна быть женщина, иначе какая-то ненормальность, патология, нонсенс. Тамара не обременяла его – по негласному договору приходила вечером в пятницу, так уж сложилось. Утром спешила домой, к сыну, в город. И надо сказать, Лагутин был счастлив, когда за ней закрывалась входная дверь.

Ни разу он не подумал, что ему стоит обзавестись семьей в полном смысле этого слова. Бирюк. С бытом он справлялся, да и какой у него быт? Ерунда, он привык. Как привык и к холостяцкому образу жизни – который, кстати, его очень устраивал. Более того – он его полюбил. Полюбил свою свободу, тишину и покой. Да, покой. С годами он стал уверен – семейная жизнь определенно не для него. Его жизнь – наука, его работа, лаборатория, банные посиделки и нечастые встречи с новообретенными друзьями, точнее приятелями.

Тамара ни разу не задала ему вопрос по поводу их совместной дальнейшей жизни и его жизненных планов. Он это ценил. Да и вообще об этом не думал: есть она в его жизни – и отлично! Не будет? Да он, скорее всего, этого и не заметит.

Так и случилось – спустя четыре года Тамара от него ушла. К кому? Ну, тут вообще смешно – просто кино. Тогда веселился весь Городок. Тамара ушла к Димке Боброву, самому близкому Лешиному другу. Спустя месяц – всего-то – Тамара и Димка сыграли шумную свадьбу.

Нет, разумеется, Лагутин туда не пошел – что народ-то смешить? И в гости к Димке больше ни разу. Но обид и страданий не было, нет. Скорее – облегчение. Пару раз он встретил Тамару на улице, она прошла, гордо откинув голову, во взгляде читалось: «Вот тебе! Получи!»

Лагутин усмехнулся и вежливо кивнул. Она на кивок не ответила.

Питерские друзья Боброва осуждали – предательство. Знал ведь – твоя женщина, тоже мне, друг! Лагутин отмахивался: «Бросьте, бросьте! Счастливы люди – и хорошо». Он так считал совершенно искренне и радовался за них тоже искренне. Да и к тому же он был страшно занят – взялся за докторскую.

Писал по вечерам, до глубокой ночи. В общем, жизнь его ему нравилась – никаких претензий.

И вот звонок. Завтра лететь.

Самолет приземлился в десять утра во Внукове. Было морозно, но не ему, сибиряку с солидным стажем, страдать от московских морозов.

Он взял такси и поехал... домой. Города он почти не видел – такси ехало по Окружной. Но уже понимал – его город изменился до неузнаваемости. Правда, ему было все равно – этот город он давно разлюбил, и никакого сожаления у него не было, равно как и тоски. А вот дом остался прежним – что ему сделается? Даже код в подъезде не поменялся – правда, вспоминал Лагутин его долго, несколько минут. И запах в подъезде все тот же.

Он зашел в лифт, и вот тут накатило. Нахлынуло все, накрыло – разом. Мама. Настя. Дашка. Отец. Отец, который сейчас лежит в этой квартире. Накрытый простыней.

Лагутин начал дышать – глубоко, по системе Бутейко, которую он уважал, – чтобы взять себя в руки, прийти в себя. Иначе негоже – предстоят тяжелые дни.

Наконец он выдохнул – чуть отпустило, – достал из портфеля ключи. Но открыть ими дверь не решился – позвонил. Должны же открыть? Наверняка же там кто-то есть? Ну, Ниночка эта, сиделка отца, она же там?

Он прислушался. Тишина. Наконец раздались шаги, и дверь открылась. На пороге стояла испуганная молодая женщина лет тридцати или чуть больше. Она растерянно и смущенно заправляла за ухо светлые вьющиеся волосы и теребила пуговицу халата. Он подумал, что ни за что бы ее не узнал – такая неприметательная у этой Нины была внешность.

– Добрый день! – кашлянул он. – Ну... или недобрый.

Она вздрогнула, словно очнулась, покраснела и забормотала:

– Да-да, конечно! Вы уж меня извините, не сообразила! Две ночи без сна, простите меня ради бога, такая оплошность!

Она продолжала бормотать, пропуская его в прихожую. Лагутин стал раздеваться. Ему было тоже неловко.

Конечно, отца в доме не было – вернее, не было его тела. Нина объяснила, что его забрали – такие порядки: вскрытие и все остальное. Лагутин кивал:

– Да-да, конечно, я все понимаю, так положено и так у всех.

Но выдохнул. Было время привыкнуть к тому, что отца нет, оттянуть время до их последнего свидания, которого, как ни странно, он все же боялся, хотя и давно отвык от отца.

Нина торопливо и сбивчиво говорила про предстоящие дела – отвезти вещи в морг, дооформить бумаги, заказать похоронные принадлежности – словом, все то, что сопровождает покойного и его родственников в такой ситуации.

Лагутин пил чай и исподволь оглядывал кухню. Было очень опрятно, очень. Чувствовалась женская рука – никакой запущенности и ощущения, что в доме жил неумелый и неловкий старик.

Но странно – у Лагутина не было ощущения, что он оказался дома. Ни грамма. Дом его был сейчас там, в Городке, в Сибири.

Он давил зевки и боролся с искушением завалиться поспать после ночного перелета. Все же взял себя в руки, они оделись и вместе вышли из дома. Взяли такси, и Лагутин с удивлением разглядывал в покрытое изморозью окно незнакомый город.

Это был не его город, это было понятно. И все-таки он признавал – город этот был красив и ухожен. И еще – почти ему незнаком.

На Востряковском лежала мама. Где хотел отец обрести последний дом? Лагутин не знал. Никогда об этом не спрашивал. Потому что боялся услышать ответ: «Конечно, с Полечкой!»

Решил сам – на Востряковское, к маме. В конце концов, семейная могила, легче ухаживать.

К трем часам с делами было покончено, и Лагутин, поняв, что страшно проголодался, предложил Нине зайти пообедать.

– Куда? – испуганно спросила она.

– Да куда угодно, мест-то полно. – И он обвел взглядом окрестности.

Нина растерянно хлопала глазами:

– Ой, Алексей Петрович. А может, не надо? Дома ж все есть. – И она деловито стала перечислять: – Суп есть гороховый, котлеты куриные – Петр Алексеевич их любил. Кисель есть, черничный. Зачем деньги-то тратить? – осторожно добавила она и покраснела.

– Да бросьте! – махнул рукой Лагутин. – Какие там деньги? Вдвоем пообедать в кафе? Когда еще доберемся до дома! Простите, но очень хочется есть.

Она согласилась, но было понятно, что его идею она не одобрила. Кафе, конечно, нашлось, с очень смешным названием: «Зайди – обалдеешь!»

В гардеробе Нина снова страшно смущалась, одергивала кофточку и приглаживала перед зеркалом волосы.

«Красивые у нее волосы, – равнодушно подумал Лагутин, – легкие такие и пышные. Все из пучка выбиваются. И цвет такой... Необычный. Пепельный, в перламутр. А лицо неприметное, совсем неприметное. Пройдешь мимо – не обернешься. Я вообще бы ее не узнал, если честно».

Он видел ее лишь однажды, когда прилетал к отцу в Москву. Было это года четыре назад. Прилетал, чтобы познакомиться с новой сиделкой, и совсем ее не запомнил. Показали бы фото и спросили, кто это, думал бы долго.

Наконец сели за столик, и Лагутин открыл меню. Нина сидела с прямой спиной и, кажется, боялась дышать. «Кажется, для нее это стресс, – подумал Лагутин. – Так робеет. Меня стесняется или вообще обстановки? Да ладно, сейчас поедим, и все. А завтра вообще все это закончится. Кстати, надо же взять обратный билет! На послезавтра? Или позже?»

Его размышления прервал официант.

– Нина, – обратился к ней Лагутин, – вы что-нибудь выбрали?

Она так отчаянно замотала головой, что он чуть не рассмеялся.

— А можно... вы? — тихо спросила Нина. — Я в этом не разбираюсь, простите.

Лагутин заказал на свой вкус: харчо — хотелось горячего, люля-кебаб, овощной салат и кофе.

«Дикая она какая-то, — подумал он, глядя на Нину. — Правда, на зарплату сиделки по кабакам не походишь. Но все равно — смущается, как девочка. А ведь все-таки в столице живет. Правда, что я про нее знаю? Наверное, из глухого села, где совсем нет работы. Ничего в жизни не видела. И все-таки странная, да».

Только теперь невнимательный к деталям Лагутин разглядел, как она скромно одета — серая старушечья кофточка на мелких пуговицах, простая черная юбка — такую носила еще мама в те времена. Сапоги — практичные, прорезиненные, чтобы не промокнуть. И пальтишко такое... сиротское. Ни колечка, ни сережек. Да уж.

— Послушайте! — сказал Лагутин. — А может, выпьем?

Она как будто испугалась:

— Нет-нет, я не пью!

Он усмехнулся:

— Так я ж вам не пить предлагаю, а выпить! За упокой души Петра Алексеевича.

Нина, робея, согласилась. А как отказать?

Он исподтишка наблюдал — ела она осторожно, аккуратно, даже красиво, и было не видно, что она голодна.

— Вкусно-то как! — удивилась она. — Не хуже чем дома!

Он усмехнулся:

— Это у кого как. Бывает, и дома в рот не возьмешь! Разве нет?

— Я не знаю. Наверное. Мне не с чем сравнить.

«Ладно, что я к ней прицепился, — подумал Лагутин. — Девочка, домработница. Понятно, мало что видела. А я тут — вкусно, невкусно, дома, не дома».

Принесли коньяк, и она снова испугалась:

— Крепкий, наверное? Я его никогда не пила. Мы с мамой только кагор пили, и то на праздники. Мама его любила — сладенький, говорила.

Лагутин увидел, как она расстроилась и запечалилась.

— А где мама? — равнодушно спросил он.

Надо было же проявить внимание. Хотя Лагутин был точно не из любопытных и всегда считал, что лишняя информация ему не нужна.

— Нет мамы, — тихо ответила Нина. — Умерла пять лет назад от болезни. А отца у меня не было. В смысле, был, конечно, — она покраснела, — но бросил ее еще беременную, я его ни разу не видела.

«Ну, все понятно, — подумал Лагутин, — обычная история, обычная житейская драма. Папаша сбежал, мать тащила одна. Разумеется, денег не присылал, какие там деньги. Алиментщиков этих у нас полстраны, а может, и больше. Такое мужичье у нас образовалось — ни ответственности, ни чести, ни совести.

— А вы откуда? — поинтересовался он.

Нина удивилась:

— А я ж вам писала, когда к вам устроилась!

Теперь смутился Лагутин:

— Да-да, простите, забыл.

«Сволочь я, — подумал он. — Ничего мне не интересно: ни кто жил с моим отцом четыре года, ни кто ухаживал за ним, ни кто жил в моей квартире. Так, пришел человек, и ладно — лишь бы мне было спокойно».

— Вы, наверное, забыли, — улыбнулась Нина. — Я из Низов.

Лагутин вконец смутился:

— Да будет вам! Мы ведь тоже не из графьев.

Пару минут она смотрела на него почти с ужасом. А потом, когда до нее наконец дошло, громко, в голос, рассмеялась.

— Ой, да вы не поняли! Это поселок такой — Низы! В Сумской области. А вы что подумали?

Теперь смутился Лагутин. Самое умное было посмеяться вместе с ней, он так и сделал.

Напряженная обстановка тут же исчезла. Нина глотнула коньяку, смешно поморщилась и посмотрела на Лагутина.

— Невкусно, простите. И зачем люди пьют?

Лагутин вздохнул:

— По-разному. Кому-то нравится сам процесс, кому-то последствия. А кому-то, представьте, и вкус! А другим это просто помогает, поверьте.

Нина раскраснелась от съеденного и выпитого, и он подумал, что она вполне милая. Нет, ничего особенного, конечно. Глазу, как говорится, зацепиться не за что — совсем обычное, рядовое лицо. Таких лиц в стране — тысячи и миллионы. Обычная женщина из толпы. Пройдет — не заметишь. Увидишь — не вспомнишь. Но краснеет она мило, робеет смешно. Наивная какая-то. Впрочем, может, обман? Где они, эти наивные? Кажется, исчезли как класс.

Да и вообще — кто знает, какая она и что у нее за плечами? И кстати, ему это совсем неинтересно. Совсем.

А молчаливая Нина после рюмки коньяка разговорилась — рассказывала про свой поселок, и было видно, что по малой своей родине она тоскует и любит ее.

— Что вы, — горячилась она, — прекрасное место наши Низы! Речка есть, Псел называется. Между прочим, там у нас, в Низах, древнее поселение раскопали! Да-да! Не верите?

Лагутин сделал протестующий жест:

— Что вы, что вы! Конечно же, верю, как не поверить.

И Нина вдохновенно продолжила:

— Поселение железного века, — гордо сказала она, наблюдая его реакцию.

Он изобразил удивление:

— Да что вы? Ну надо же, а?

— А в девятнадцатом веке построили сахарный завод, — гордо объявила она. И тут же грустно добавила: — Правда, сейчас он банкрот. А самое главное, — она таинственно замолчала, словно готовилась предложить необычайный сюрприз, десерт, который непременно приведет Лагутина в изумление, — у нас каждое лето отдыхал Петр Ильич. Представляете? Почти каждое лето, — с напором повторила она и откинулась на спинку стула.

Взгляд у нее был торжествующий, важный, и Лагутин выдавил:

— Ну ничего себе, а? Сам Петр Ильич!

— Да, — с радостью подхватила Нина, — и музей есть Петра Ильича, в усадьбе Кондратьевых. И пьесы Кондратьевым он посвятил: «Вечерние грезы» и «Салонный вальс» — это супругам. А дочери Дине — «Вальс-безделушку».

Лагутин не нашел что сказать и повторил:

— Ну надо же, а?

А раскрасневшаяся Нина не умолкала:

— А знаете, и Чехов бывал в наших местах. И конечно, заехал в усадьбу! Он обожал музыку Петра Ильича. И у нас построили первый деревянный храм, кстати, Иоанна Богослова. Правда, сейчас он каменный. Но...

— А работы, конечно, нет? — с сарказмом перебил ее Лагутин.

— Нет совсем. А если и есть... — Она махнула рукой.

— Все понятно, — отозвался Лагутин. — Все стремятся в столицу — здесь всегда есть работа. Ну а потом возвращаться уже не хотят — привыкают к большому городу, к столичной жизни, к нормальной зарплате. В общем, вытуривают людей с насиженных мест! Я прав?

Нина посмотрела на него с удивлением:

— Ну за всех я не отвечаю, только за себя. Я за столицу не держусь — ни минуты! — раскрасневшись от возмущения, выпалила она. — И очень хочу вернуться в Низы. Потому что тишину люблю, а суету эту ненавижу. Толпу персношу с трудом, потоки машин, вечный шум за окном. Только спустя три года спать под него научилась. Нет, — твердо добавила она, — я мечтаю вернуться домой. А как сложится, не знаю. Да как сложится, так и сложится! Да и к кому мне туда возвращаться? Там уже никого. Никого у меня нет вообще.

«Надо же! — подумал Лагутин. — Не нужна ей столица. А может, и врет. Черт ее знает. Поди их пойми».

Официант принес кофе, и Лагутин посмотрел на часы:

— Ого! Время-то позднее. Ну что? Поехали? Нужно еще добраться до дома. А завтра у нас день непростой.

Взяли такси, но ехали долго и медленно, пробираясь по пробкам, словно сквозь дикие джунгли.

Лагутин ушел в свою комнату, не раздеваясь и не включая свет, лег на диван и закрыл глаза.

Он был дома и не чувствовал, что вернулся домой. Не то чтобы ему было здесь неуютно или тревожно – совсем нет. И все-таки странные ощущения: дом – не дом, свой – чужой. Где его дом? И почему так сложилось? Теперь его дом был там, в Городке. Здесь – своя родная квартира, в которой он родился и вырос. Где прожил свои самые счастливые и самые горькие дни. А там, в Городке, квартира служебная. Нет, все-таки там! Меня туда по крайней мере тянет. А здесь, здесь мне тяжело, здесь только тянет сердце. Вот так.

Он задремал, но скоро проснулся и чуть не подпрыгнул. Вот ведь болван! А люди? В смысле – народ? Знакомые отца, родственники, соседи, коллеги? Как он не сообразил? Надо ведь обзвонить, ну кому можно успеть или кто еще остался на этом свете.

Он торопливо поднялся и постучал в комнату отца, где сейчас жила Нина.

– Войдите! – услышал он.

Она сидела в кресле и читала. Интересно, что? Но спрашивать было неловко. Он объяснил ей суть проблемы, и она тоже всплеснула руками.

С трудом отыскали старую отцовскую записную книжку – помятую, засаленную, с обтрепанными и пожелтевшими краями ветхих страниц. Сели на кухне, и Лагутин принялся ее листать.

Кое-кого припомнил: двух сослуживцев отца, когда-то, в той еще жизни, лет сто назад, еще при жизни мамы, бывавших у них в доме. Позвонили. Один номер глухо молчал. По второму ответили:

– Иван Михалыч? Да что вы! Помер он, помер, еще в десятом году. Я? Я его дочка! Сын Петра Алексеича? Как же, помню! Ох, царствие небесное, соболезную, мой дорогой.

Дальше по книжке – вспомнил про дальних родственников отца, кажется, троюродного брата и племянника. Те оказа-

лись живы, но брат был в санатории, а племянник, естественно, тут же назвал причину, по которой прийти не сможет – и это вполне объяснимо. Кто ему этот призрачный, виртуальный дядя Петя? Никто.

Лагутин положил трубку и не обиделся – все понятно. Сто лет не виделись, и не надо, все правильно.

Сделали еще пару звонков – соседу по коммунальной квартире, старому другу отца. И того уже не было на этом свете. Дозвонились тетке, тете Кате – Лагутин вспомнил ее, – вдове отцовского двоюродного брата. Лагутин помнил, что мама ее не жаловала, называя сплетницей и хабалкой. Ну и еще одной вдове – Рите Ростовцевой. Ростовцев был отцовским приятелем и коллегой тоже в те далекие и давно забытые времена – в другой жизни. Рита взяла трубку и коротко сказала, что будет. Ну и дядя Леня, школьный друг отца. Лагутин был почему-то уверен, его давно нет в живых. И почему? Сам не понял. Но дядя Леня оказался живой и, услышав Лагутина, тут же заплакал. Конечно, обещал быть. И что получалось? А вот что – две соседки по подъезду, один сосед, Рита Ростовцева, дядя Леня, Нина и он, единственный сын. Такие дела.

А поминки?

– Так сама все и сделаю! – тут же сказала Нина. – Что там, на несколько человек? Блинов напеку, винегрет нарежу. Селедка с картошкой. Ну и курицу можно запечь. А уж вино и водка – это ваша забота.

На том и порешили – Нина готовит с раннего утра, он идет в магазин, а уж потом вместе в морг.

Прощание назначено на двенадцать дня, все можно успеть.

Он валялся на диване и размышлял – да, странная жизнь. Нет, не только у отца и у самого Лагутина, вообще странная жизнь! Первая половина отцовской жизни – семья, любовь, сын, прочие радости – например, эта квартира. Как они ее ждали, как мечтали о ней! Мама все придумывала и советовалась с отцом, даже с сыном, который тогда был маленьким: «Лешка! А как думаешь, желтые шторы пойдут в гостиную? А к тебе, к примеру, синие, а?»

Ему, разумеется, было наплевать на цвет штор и на сами шторы. Ему было скучно рассуждать на эти темы – где достать кухонный гарнитур, купить светильники. «А ковер? – тревожилась мама. – Нет, я, конечно, не мещанка – на стену вешать не будем, – ловила она испуганный взгляд отца, – а вот на пол... Так же уютнее, Петь? Да, Лешка?»

Леша соглашался – уютнее.

И вот квартира и переезд. Вещей было мало – еле набралось на грузовик с открытым верхом – не обросли они тогда барахлом. Барахлом обрастают во второй половине жизни. Правда, к Лагутину это не относится.

Вошли в квартиру – там еще пахло масляной краской и клеем.

Вошли и остановились на пороге комнаты. Замерли. «Господи, – бормотала мама, – и все это наше?»

И плакала, плакала. Леша даже слегка разозлился.

А отец засмеялся:

– Женщины, Леш!

Сели на кухне отметить – три стула, тумбочка. Мать ловко нарезала колбасы, помидоров и хлеба – вот и угощение.

Достали бутылку водки и тяпнули, как сказал отец. Так, по рюмочке. За новое счастье.

А мама все ходила по дому и причитала.

Первую ночь спали на полу – старые кровати решили с собой не брать: купим новые!

Диваны скоро купили – сначала Леше, а потом уж родителям.

Ну и обрастали потихонечку вещами – необходимыми и разными, для дела и удовольствия, как говорила мама. Вазочки, скатерки, покрывала на диваны. Фиалки в горшках. Телевизор, палас. Коврик в прихожую. И кухню, конечно, достали. Правда, стояли две ночи, дежурили у магазина – сначала мама, потом отец.

Мама все терла и мыла – по вечерам, по выходным. Каждую субботу звали гостей – ее подруги, родня, сослуживцы. Каждые выходные. А какие мать накрывала столы!

Как Леша любил на следующий день, скорее всего в воскресенье, пока родители спали, подкрасться на цыпочках к новенькому пузатому «ЗИЛу» и... стырить оттуда «остатки прежней роскоши», как смеялась мама. Пирожки, селедку под шубой – прямо из салатника, большой ложкой.

Наевшись от пуза, плюхнуться обратно в постель – конечно же, с книжкой, например с Конан Дойлом.

Воскресные поездки в Сокольники или в Парк культуры. В киношку, в кафе-мороженое. Да просто во двор, с приятелями.

А походы в театр? Он любовался наряженной мамой. А как вкусно пахло ее духами! Он помнил глаза отца – сияющие, счастливые. Семья.

Отец писал кандидатскую, и мама строго следила за этим. «Петя! С твоими мозгами ты должен двигать науку!» Петя и двигал – пока мама была жива. А потом... Потом все закончилось, все.

Как быстро с уходом мамы кончилось счастье.

Скороспелая женитьба отца на этой Полине. Нет, наверное, она была совсем неплохой. И даже вполне хорошей. Но отец? С его тонким юмором, даже сарказмом. С его образованностью, с его книгами и музыкальными пристрастиями: часами слушал джаз. С его интересом к истории и с его глубокими знаниями.

Куда все подевалось, куда? Как быстро он опростился, стал обывателем – обычным таким мужичком средних лет, пудящим и очень хозяйственным.

Если с мамой они ездили отдыхать дикарями – на море или озера, в Карелию или на Волгу, под Ахтубу, где ставили палатку, ловили рыбу, собирали ягоды и грибы, то с Полиной они ездили в санатории или к Полининой родне в деревню – за сто верст, в глухомань, куда-то под Вятку. Ни воды, ни электричества – вот удовольствие.

А их разговоры? Огурцы и клубника на даче, тля, кроты, удобрения. Полинины кусты и цветы. Бесконечные закрутки, подсчет банок с «консервой», как говорила Полина.

И их семейные посиделки – Полинины дети, дочки, зятья. Короткие пьянки – напивались зятья быстро и начинали спорить друг с другом. Громко, по-хамски, противно.

Лагутину видеть и слышать все это было невыносимо, и он быстро смывался.

Да нет, хорошей была эта Полина. Точно, хорошей. Простая, добрая женщина – в прихожей всегда совала Лагутину кульки с чем-нибудь вкусным – куском пирога, курицей, котлетой. Но он не ел это – отдавал дворнику Кольке, горькому пьянице. Вот кто был счастлив! А иногда он Полинину снедь выбрасывал. Плохо, конечно, выбрасывать еду, но... Выбрасывал.

Он помнил Полинину квартиру – в каждой комнате по ковру на стене – красный, зеленый. Да ради бога, у всех свои вкусы! Но отец? Он же смеялся когда-то над мамой: ковер – это мещанство.

Старые приятели отца в его новый дом не ходили – по крайней мере, дядю Леню Алексей там не видел. Может, его и не приглашали – наверное, отцу было неловко: после мамы – Полина? Да нет, вряд ли. Полину он, кажется, очень любил. Страдал же по ней после ее ухода.

Или просто уже подходила старость, и он понимал, что все, время уходит, впереди болезни и немощь. На Полину он мог рассчитывать. И был прав – заботливая была женщина, хозяйственная. И еще – очень здоровая. После болезни мамы он стал бояться больных. По всем законам справедливости она должна была уйти позже отца. А как вышло? Ушла первой – крепкая деревенская женщина. Сгорела в два месяца.

Наверное, он понимал, что жениться в третий раз неприлично. А значит, и понимал, что остался один, и ему стало страшно. Не по Полине он выл – по себе.

Лагутин слышал, как на кухне льется вода и тихонько позвякивают кастрюли. Но выходить из комнаты не хотелось. И разговаривать не хотелось – совсем. И видеть кого-то тоже. Даже эту тихую и почти незаметную, молчаливую Нину, которой он был страшно благодарен за все – за сегодняшний день, за отца. И за то, что она так тихо возится на кухне – наверняка готовит на поминки. Как родной и близкий его семье человек. Хотя... Какая у него семья? Нет у него семьи. И вообще никого нет. Он волк-одиночка. Ну или кролик – какой он волк?

Он уснул и спал до утра. А когда проснулся, за окном было довольно светло – значит, утро. Значит, вставать. Значит... Сегодня похороны его отца. Это значит, что сегодня он окончательно простится со своей прежней жизнью. И никого из нее не останется – теперь уже навсегда.

Нина встретила его на кухне – одетая в черное платье, с широкой черной лентой на волосах.

Она коротко и тревожно глянула на Лагутина и без слов поставила перед ним чай и тарелку с бутербродами. На тарелке стопкой лежали блины, испеченные на поминки.

Быстро глотнув чаю, и, несмотря на протесты Нины, решительно отказавшись от бутербродов, Лагутин быстро оделся, и они вышли из дому.

У больничного морга робко стояла жалкая кучка людей. Он никого не узнавал – узнала Нина, к которой тут же бросилась полная женщина в темном пальто с облезлым меховым воротником и высокой вязаной шапке. «Такие пальто и шапки из мохера носили сто лет назад, – подумал Лагутин, – еще в советские допотопные времена».

Женщина обнялась с Ниной и подошла к Лагутину.

– Ну здравствуй, Алексей! – прищурилась она, внимательно и строго оглядывая его.

Он вспомнил: тетя Катя, вдова дяди Шуры, того самого отцовского брата. Он не видел ее еще с похорон матери – значит, много лет назад. Тогда, на маминых похоронах, мощная, громкая и языкатая Катя была совсем молодой – моложе сегодняшнего Лагутина. Кажется, у нее была дочь. Или нет? Лагутин не вспомнил и спрашивать, естественно, не стал – боялся что-то напутать.

Тетя Катя продолжала буравить Лагутина острым, недобрым взглядом – понятное дело, осуждает: бросил немощного старика. Не сын, а дерьмо.

Но Лагутину было категорически наплевать на тетю Катю и всех остальных. «Поскорее бы все прошло, закончилось, – думал он, – как это тягостно все. И изображать непомерную скорбь – в том числе. Скорби не было, вот в чем дело, как ни горько в этом признаться.

Он увидел женщину, которая спешила к ним, сильно припадая на ногу и опираясь на палку. Она подошла к Лагутину и обняла его.

– Леша, милый! Ну как же так?

Он узнал ее – Рита, жена отцовского сослуживца Андрея Ростовцева. Он вспомнил – тогда, лет двадцать назад, а может, и больше, в отцовском институте был большой скандал – завлаб Ростовцев ушел из семьи, оставив жену и двоих детей. Супруга Ростовцева, дородная и красивая женщина с мощной халой из вытравленных соломенных волос, шла по жизни уверенно – это читалось во взгляде. Ну и отправилась она, – это рассказывал отец, – в парторганизацию, чтобы изменника призвали к ответственности, а заодно и к совести. Но ничего не получилось – не возымели действия ни партсобрание, ни понижение в должности – с завлаба до рядового сотрудника. Только потеря в зарплате, ну и как следствие – алименты уменьшились.

Случилась любовь – это все понимали. Ростовцев был крупным и фактурным мужиком – рано поседевший, но сохранивший роскошную шевелюру сибиряк с тяжелым подбородком, властно сжатым упрямым ртом и стальным блеском в глазах. Бабы, конечно, на него заглядывались. А влюбился он в лаборантку, совсем девочку, так, ничего особенного – маленькая, худенькая, остроносенькая и тихая. Одним словом – мышка-норушка.

Так вот, Ростовцев ожил, помолодел, засверкал глазами – и на все ему было наплевать, он был счастлив.

Квартиру, конечно, оставил семье, а сам переехал в коммуналку к молодой жене. Отец тогда посмеивался и рассказывал матери: «Ходят за руку, представляешь? Ну просто как дети».

Однажды Ростовцев с новой женой были у них дома – что-то привезли отцу, кажется, какие-то бумаги. Мать поила муж-

чин чаем в отцовском кабинете, а «молодуха» сидела на кухне с матерью, они о чем-то шептались.

После их ухода мать задумчиво сказала отцу:

– Знаешь, Петь, а они все правильно сделали. Молодец твой Ростовцев, хвалю. Любовь у них, большая любовь.

А вскоре Ростовцев погиб – лет через пять после этих событий, разбился на машине. Молодая жена тоже здорово пострадала – Лагутин слышал краем уха, что она долго лежала в больнице, что-то с костями таза, с ногами, словом, разбилась здорово – по частям собирали. Мама, кажется, ездила к ней в больницу.

«Надо же, пришла, – удивился Лагутин. – Значит, помнит отца». Он видел, что жена Ростовцева здорово постарела, высохла – просто старушка, ей-богу. И эта палка, и хромота, и седина в волосах. Сколько ей лет, этой Рите? Да за пятьдесят, не больше – она была лет на десять старше Алексея.

Среди присутствующих были два соседа, один с женой, Лагутин их помнил прекрасно. Ну и Леня, еще старинный друг отца, совсем старик, господи! Леня, дядя Леня, Лагутин не знал его отчества – стоял в стороне, курил и плакал. Небритый, плохо одетый старик. А когда-то Леня был франтом. Он долго ходил в холостяках, каждый раз появляясь с новыми дамами – одна краше другой. К пенсии, кажется, женился.

И вот зал прощания.

У Лагутина сжалось горло. Отец лежал в гробу – незнакомый, чужой, абсолютно чужой старичок.

Распорядительница монотонно вещала заученные слова и немного позевывала. Покончив со своей краткой речью, она обратилась к присутствующим, предложив сказать пару слов о покойном.

Все растерянно поглядывали друг на друга. Слово взял сосед:

– Прощай, друг, прощай, Алексеич! – Утер слезу. Все были смущены и старались не встречаться взглядами. Кажется, не находился человек, стремящийся сказать что-то доброе о лагутинском отце.

Но тут слово взял Леня. Было видно, что говорить ему невыносимо тяжело.

– Прощай, моя юность. Вот и ты... Ну а следующий – я.

Нина явно робела, страшно смущалась, и это все давалось ей невообразимо тяжело.

– Петр Алексеевич! Земля вам пухом! – сказала она. – Спасибо за все, хорошим вы были человеком. Душевным. И еще – простите, если что не так. – И Нина громко расплакалась.

Подошла Рита Ростовцева и обняла ее.

Лагутин уже не мог сдержать слез. Стоял и плакал. По прежней жизни? По тому, молодому, отцу? По маме? По детству? Да бог его знает.

А может быть, по своему одиночеству.

Но все, слава богу, закончилось. Все на свете заканчивается, все.

Вышли на улицу, погрузились в автобус. Ехали молча. Лагутин смотрел на гроб, стоявший в хвосте катафалка. Гроб, в котором лежал его отец.

Последний путь.

На кладбище было пасмурно, мрачно, почти черно. Подтаявшие, опавшие черные сугробы мешали пройти. В небо с громким, резким, невыносимым карканьем взлетела стая ворон.

До места было близко – минут пять, не больше. Могильщики стояли у открытой ямы, поджидая процессию.

Перед тем как опустить гроб, старший кивнул на провожающих:

– Ну, речи будут? В смысле – прощальные? Заколачивать надо!

Лагутин вздрогнул и с удивлением посмотрел на работягу – испитое лицо, хитро прищуренные глаза, папироска в углу узкого рта. Типаж.

Он увидел глаза Нины – она смотрела на него с тревогой. Подошел к гробу, наклонился.

– Прощай, отец. И еще – прости.

Поцеловать отца Алексей почему-то не смог – осторожно погладил по руке и отошел. Он стоял чуть поодаль, отвернув-

шись. Было неловко – он опять заплакал, слезы лились по щекам, и он оттирал их замерзшей ладонью.

Услышав стук комьев о крышку гроба, обернулся. Все стояли молча, скорбно опустив головы. Плакала только Рита Ростовцева – видимо, о своем. Лагутин расплатился с работягами и быстро, не оглядываясь, пошел догонять своих.

В автобусе все оживились и разговорились – почувствовали, как замерзли и проголодались. Жизнь продолжалась и брала свое, что ж, нормально.

Нина предложила помянуть усопшего:

– Милости просим на поминки.

Лагутин усмехнулся. Это он, родной сын, должен был сказать последние слова на кладбище. И он должен был пригласить к поминальному столу. А все это сделала Нина, по сути, чужой человек.

Он вспоминал ее прощальные слова: «Спасибо за все, хорошим вы были человеком. Душевным». Нет, все правильно – конечно, на кладбище не звучат другие слова: «Спасибо, прости, спи спокойно».

Но, кажется, сказано это было от души, значит...

Да ладно, ничего это не значит! Просто отец зависел от этой Нины. Зависел и страшно боялся, что она уйдет и оставит его. Поэтому и вел себя прилично. Вот в чем правда. «Господи, – подумал Лагутин, – и даже в такой день! И даже в такой день, сто лет спустя, я не простил его за маму, за себя. Не простил его эгоизм».

Краем уха он слышал разговоры – тетя Катя шепталась с Ниной и осторожно поглядывала на Лагутина. Нина мотала головой, видимо, с ней не соглашаясь. Соседи обсуждали свои дела – внуков, футбол, огороды. Дядя Леня дремал, прислонившись головой к холодному стеклу. Только Рита Ростовцева молчала и ни с кем в контакт не вступала. Ну и Лагутин молчал.

В квартире столпилась очередь из желающих вымыть руки. Нина хлопотала на кухне, ей вызвалась в помощь Рита Ростовцева.

Тетя Катя уселась в кресло и громко говорила с дочерью по телефону – ругалась и спорила. Фрукт эта тетка, ей-богу, недаром мама ее не любила. Да и зачем так громко? Все-таки на поминках.

Уселись. Ели торопливо и жадно – проголодались, подмерзли. Налили по первой.

Встала Нина, сказала коротко:

– Светлая память.

Не чокаясь, выпили.

Лагутин увидел на комоде фотографию отца и рюмку водки, накрытую черной горбушкой. «Тоже Нина, – подумал он, – а я бы не догадался».

Леню быстро развезло, и он начал вспоминать их с отцом детство, школу, родителей, первых девочек. И опять плакал, вытирая лицо огромным несвежим носовым платком.

Все молчали и слушали внимательно, видимо, соотнося все это с собственной жизнью.

Нина хлопотала вокруг стола, и получалось у нее все ловко и четко – понятно, за что отец ее очень ценил. «Славная женщина, – часто повторял отец по телефону, – славная женщина эта Нина».

Лагутин быстро опьянел, и ему хотелось остаться одному. Уйти к себе в комнату, забраться под одеяло и... уснуть.

Все закончилось, думал он. Еще немного – и все разойдутся, оставят его наконец одного. А завтра – завтра домой, в Городок. Как он хочет туда, как он соскучился по дому. Скорее бы, а? Он представлял, как машина привезет его к Городку, а он выйдет за пару кварталов, чтобы пройтись, вздохнуть полной грудью свежий и чистый воздух, взять в ладонь снег, смять его, понюхать, даже лизнуть! И домой, домой, в свою норку – к своей чашке, дивану, письменному столу. А на следующий день – на работу, в лабораторию. К своим ребятам – вот там его место, там его жизнь.

Рита Ростовцева подняла рюмку за память «ближайшего друга моего любимого мужа». Говорила, что именно Петр Алексеевич их поддержал в то тяжелое время, когда отвернулись все остальные. Он и его жена, Анастасия Михайловна.

– Настя, – повторила она и обвела глазами сидящих.

Тетя Катя усмехнулась, но промолчать ума, слава богу, хватило.

Потом Лагутин стоял в прихожей и подавал дамам пальто. Тетка долго пыхтела, упаковываясь в свою доху, с кряхтеньем застегивала сапоги, а поднявшись с табуреточки и отерев с красного лица испарину, не удержалась:

– Бросил ты отца, Алексей! Совесть не мучила?

Лагутин вздрогнул от неожиданности и замешкался.

Ответила Нина – тихо и мягко, без напора:

– Что вы, Катерина Васильевна! Это Алексей Петрович-то бросил? А деньги? А еженедельные звонки? Нет, вы не правы, простите! И вообще... – Она помолчала. – Мне кажется, это дело семейное.

Ничего себе, а? Лагутин совсем растерялся. «Вот и у меня появился адвокат», – хотел пошутить он, но вовремя удержался. Слава богу, ума хватило.

Тетка от растерянности чуть не поперхнулась собственным возмущением:

– А ты-то тут с какого боку, а? Ты, что ли, семья?

Нина связываться не стала, просто ушла на кухню.

Рита Ростовцева надевала у зеркала шарф.

– Алеша, – грустно улыбнулась она, – не обращайте внимания. Вы же все понимаете! Такие вот, – она усмехнулась, – считают всегда себя вправе. А на деле – слоны в посудной лавке! – И повторила: – Не обращайте внимания!

Тетка, пыхнув на прощанье оскорбленным и возмущенным взглядом, наконец выкатилась на лестничную клетку.

Рита погладила Лагутина по руке.

– Держитесь, Алеша! В конце концов, вы привыкли к одиночеству, верно?

Лагутин кивнул. Все ушли, он отправился на кухню, где Нина мыла посуду.

– Простите, ради бога, – пробормотал он, – вот, расслабился. Совсем не помогаю! Сейчас я соберу стол и подмету, да? И что еще нужно? Вы подскажите! Я не очень-то понимаю, если честно. И еще, Нина! Спасибо вам! Огромное спасибо, ей-богу – если бы не вы... – Он махнул рукой и пошел в комнату собирать стол, убирать лишние стулья ну и все остальное, как обычно, как всегда после гостей. Правда, он забыл, как это бывает – после гостей.

Наконец все было сделано. Нина сидела на кухне и пила чай. Лагутин сел напротив. Молчали. Начала она, Нина, и было очевидно, что она страшно волнуется.

– Алексей Петрович, – голос ее дрожал, – я к вам с такой вот просьбой... Ужасно наглой, я понимаю!

– Нина, – удивленно вскинул брови Лагутин, – да с любой, ей-богу! С любой просьбой! Выполню с превеликим удовольствием, правда! Я вообще всем вам обязан.

Она откашлялась.

– Я прошу вас не выгонять меня из квартиры – ну, несколько дней максимум. Хотя бы несколько дней! Самое большое – неделю, дней десять от силы, за это время я точно управлюсь. Мне надо найти новую работу, конечно же, с проживанием. Аренду комнаты, а уж тем более квартиры мне не потянуть. – Густо покраснев, она замолчала.

– Господи, Нина, да вы вообще о чем? Такая ерунда, а вы, я вижу, переживаете! И не ищите, ради бога, работу с проживанием. Найдите что-нибудь... полегче, что ли? И живите здесь. Не надо вам никакой аренды, никакого съема. Знаю я эти квартиры – двадцать человек на пятьдесят метров и нары вдоль стен! Забудьте, умоляю вас. Живите, сколько вам нужно. Мне эта квартира, как вы понимаете, уже ни к чему. Сюда возвращаться я не собираюсь, дом мой давно там. – И он неопределенно махнул рукой. – А если я смогу вас хоть как-то отблагодарить, хоть чем-то помочь, то буду счастлив, поверьте! – Он облегченно выдохнул и повторил: – О чем тут вообще говорить? Все, забыли!

Нина смотрела на него не моргая. Ему так и хотелось сказать ей: «Отомри!» Как в детской игре.

– Я думала, – тихо сказала она, – что вы будете ее сдавать. Зачем ей простаивать, верно?

Лагутин недоуменно пожал плечами.

– Да нет, я об этом не думал совсем. Лишние хлопоты. Да и денег мне вполне хватает – я-то один, без семьи. Какие у меня траты? Смешно. Нет, я бы ее не сдавал. И в голове этого не было. Сдавать ее в таком виде... Здесь вещи и мамы, и отца... Не хочу, чтобы их трогали чужие люди. Да и ремонт здесь нужен. А времени у меня категорически нет – завтра вечером самолет, я взял отгулы всего на три дня. Так что живите, Нина, сколько вам нужно. Да и потом, вы столько для нас сделали. О чем тут вообще говорить? Спокойной ночи. – Он встал со стула. – И еще раз спасибо. Завтра я улечу, и хозяйничайте тут на здоровье.

Он услышал, как она тихо лепетала слова благодарности. Из коридора сказал:

– Забудьте! Ей-богу, не о чем говорить.

Улегшись в постель, Лагутин блаженно вытянул гудящие ноги. «Вот все и закончилось, – думал он. – Все проходит – старая мудрость. Теперь я сирота. Хотя с этим ощущением я давно свыкся, Рита Ростовцева права. Она ведь еще совсем не старая женщина. Ее мужа нет уже столько лет – целая жизнь! Он ушел, когда ей было немного за тридцать, а она так и не устроила свою жизнь. Значит, у них действительно была большая любовь. Ухажеры наверняка у нее были – что-то в ней было, в этой тихой и незаметной Рите. А она выбрала, мягко говоря, очень немолодого мужчину, который после скандального развода остался гол как сокол. А ведь многие им не верили!»

Потом его мысли переключились на дядю Леню. «Совсем старик. Дряхлый и немощный старичок. Жалко его». Лагутин знал, что у дяди Лени есть дочь – точнее, дочь той женщины, с которой он жил последние лет десять, не меньше. Да, дочь – его падчерица. И с этой падчерицей – как ее звали? – Леня был в замечательных отношениях, гораздо лучших, чем сам Лагутин с родным отцом. Эта падчерица ухаживала за Леней, приезжала, привозила продукты, покупала лекарства, убирала в квартире. Как-то все по-людски у них вышло. Не то что у Лагутина с отцом.

Потом он вспомнил о тетке и Нине: «Катя эта дура. Всегда была дурой – что про нее говорить. Дядя Шура с ней мучился – все это знали. Нина. Без нее бы не получилось как надо. Все было бы скомкано, сжевано, неправильно. Не по-людски – как говорила мама. Хороший человек она, эта Нина, дай ей бог».

Лагутин ворочался с боку на бок и все никак не мог уснуть. Вдруг запищал мобильный. Он дернулся, протянул руку и нашарил его на прикроватной тумбочке. На телефоне вспыхнуло табло времени – полвторого, ничего себе! Кто это, господи? Из Городка? Что-то случилось?

– Да, – хрипло сказал он, – слушаю вас!

Это была Даша.

– Лагутин, – услышал он, – я послезавтра буду в Москве. Мама в больнице. Ну и вообще... – Она замолчала, и ему показалось, что она всхлипнула.

– Можешь прилетать! А то потом опять скажешь, что я тебе не даю увидеть ребенка!

– Ты с Настей? – спросил Лагутин. – Ты летишь с Настей?

– Ну разумеется, с ней, иначе чего бы я тебе звонила? Я же понимаю, что по мне ты не соскучился! – Она усмехнулась. – Ну, что молчишь? Прилетишь?

– Да я, собственно, здесь, в Москве, – пробормотал Лагутин, – отца сегодня похоронил. Вот как сложилось. Да, конечно, я сдам билет! – горячо заверил он. – Я так соскучился по Насте! Вот ведь совпало, – в волнении повторял он, – рядом с горем всегда ходит... – Он смутился и осекся, а Даша рассмеялась:

– Вот видишь, свезло.

От этих слов Лагутин вздрогнул и поморщился.

– Да уж, свезло, по-другому не скажешь. Похоронить отца – это, конечно, свезло.

Впрочем, от его бывшей жены услышать подобное неудивительно. Даша всегда была человеком... не очень тактичным.

– Лагутин, – оживилась она, – а ты нас встретишь? В Шереметьеве, а?

— Да-да, — быстро ответил он, — конечно, встречу, о чем говорить?

— Номер рейса я вышлю, — кажется, она обрадовалась. — Ну что, значит, до завтра?

— До завтра, — ответил Лагутин, и в трубке раздался отбой.

Сна теперь не дождаться, это ясно. Он резко встал, прошелся по комнате, постоял у окна.

«Вот как бывает, — подумал он. — И вправду, вот горе, а вот радость. Даша ведь права! Она всегда говорила то, что думала».

Лагутин вспомнил, что иногда просто столбенел, застывал от растерянности, изумления и даже шока. А Даша обижалась: «А что тут такого? Ты же тоже так подумал! Но промолчал. А я — я просто озвучила наши общие мысли. Разве не так?»

Ладно, что он о Даше? Кто она ему? А вот дочь... Завтра он увидит свою дочь, и это главное.

Звякнула эсэмэска — Даша прислала номер рейса. «Надо бы поспать, — подумал Лагутин. — Эх, как надо поспать! Но это вряд ли. Слишком много событий. Слишком много волнений. А он от них отвык».

Утром, при встрече с Ниной, он начал разговор — дескать, простите, нарушаю ваши планы, сегодня не улетаю, задерживаюсь на несколько дней, пять-семь, сам пока не знаю.

— Простите великодушно. Получилось все внезапно, и сам не предполагал! Потерпите меня еще немного, ладно?

Нина отчаянно замахала руками:

— Господи, Алексей Петрович! О чем вы? О чем? Это вы здесь хозяин. Вы и так сделали мне такой сказочный, невозможный подарок, и вы еще извиняетесь! Ну как я должна чувствовать себя в этой истории, а? Давайте я уйду на эти дни, чтобы не мешать вам? Зачем вам быть тут с чужим человеком? Я преспокойно уйду, не сомневайтесь! Мне есть куда, честное слово! А когда вы решите свои проблемы и если не передумаете, то я с удовольствием вернусь.

Она продолжала бормотать, а он решительно ее остановил:

— Нина, все. И не думайте уходить, о чем вы? Вы мне совсем не мешаете, честное слово! Даже наоборот, приятно вернуться домой, когда там есть живая душа. Все, все, закончили. Надеюсь, я вас не слишком обременю своим присутствием. И хватит извинений и реверансов, ей-богу!

Нина кивнула и тут же спохватилась:

— Ой, Алексей Петрович! А я же вам в дорогу пирожки напекла! С капустой! Ну, в дорогу и в самолет. — И она покраснела.

— Нина, милая! — застонал он. — Ну зачем же? Какие пирожки, вы о чем? В самолете кормят, а уж до аэропорта я бы доехал, не помер, ей-богу! Зря вы беспокоились, зря.

Она еще больше смутилась — своей неосведомленности, деревенскости, глупости.

— Да не расстраивайтесь вы так! — улыбнулся Лагутин. — Пирожки ваши мы вечером с чаем съедим, ладно?

Она кивнула.

— Ну вот, — улыбнулся он. — Выход найден.

До прилета Даши и Насти оставалось шесть часов. Чем себя занять? Валяться он устал, на улицу не хотелось — погодка была, прямо скажем, паршивая. Он отвык от слякотной, серой и грязной московской зимы — дома, в Городке, зима была снежной, чистой, настоящей.

Нина хлопотала по хозяйству — он слышал, как зажурчала стиральная машина и после заработал пылесос.

Он перебирал фотографии и старые бумаги, среди которых были и его письма из пионерского лагеря: «Мама, папа! Скучаю! Но здесь хорошо. Ходим на речку, играем в «Зарницу». Два раза ходили в лес встречать рассвет. Пекли картошку — вкусно ужасно! Пап, а давай и на даче спечем? Мама! Не присылай мне пряники! Только овсяное печенье! Пожалуйста! Пряники я разлюбил. А вообще питаюсь я хорошо, не волнуйтесь! Манную кашу, конечно, не ем, врать не буду. А все остальные — пожалуйста! Овсянку там, пшенку. Рисовую — да! В обед съедаю все — суп и второе, хлеб и компот. Фрукты, мамочка, дают! Вечером, на ужин, яблоки, сливы. Один раз был виноград. Но страшно кислючий, никто его не ел. Повариха

сказала, что завтра сварит из него компот. Домой, конечно, хочу! Но и здесь хорошо, если честно! Дружу с Витькой Крыловым, Павликом Световым и с Колькой Ершовым немножко. Он все-таки вредный. На танцы, мамочка, не хожу – неохота. Да и что там делать, если честно? А вот в кино – с удовольствием. Правда, возят только старые фильмы – «Неуловимых» и «Корону Российской империи».

Но мы все довольны, это девчонки нудят.

Ну все, кажется. Обо всем доложил. Как ваше здоровье? Что слышно вообще? Скучаю по вам.

Ваш сын Алексей Лагутин, с приветом!»

Как мама тогда смеялась! «Лагутин с приветом!» – говорила она, если он делал что-то не так.

Еще пара писем из лагеря и одно письмо из Бердянска, отцу. Тогда они уехали вдвоем с мамой – отец не смог из-за работы. Он видел, как мама грустила, скучала и все бегала на почту звонить отцу.

Обратно везли здоровую связку вяленых бычков – отец обожает! Три дыньки-колхозницы, сладкие и ароматные, которые залили запахом все купе, груши и помидоры – все, что любил отец.

Он встречал их на вокзале, и было видно, что и он страшно соскучился. Лагутин помнил, как ему было неловко за родителей: прижались друг к другу – не оторвать. До дома не дотерпели бы, что ли?

Его письмо отцу с юга. Написать заставила мама. Нет, он скучал по отцу, но дел было столько! Не до писем, понятно. Рыбалка с дядей Васей, хозяином дома, где они сняли комнатку. Отправлялись в пять утра, а как хотелось поспать! Но Леша мужественно сползал с кровати и, покачиваясь, шел во двор и умывался холодной водой из-под крана. Вода была соленой на вкус. Случайно глотнешь и тут же сплюнешь – противно.

Почти не открывая глаз, вяло жевал горбушку серого хлеба – мама, кстати, была от него в полном восторге, – кусал от огромного бледно-розового помидора, запивал квасом и ждал дядю Васю. Скоро выползал и он. Широко зевая, показывая всему миру и ему, квартиранту, как он называл Лешку, стальные страшные зубы, почесывая волосатое голое пузо, он наконец замечал мальчика.

— А, пацан! — удивлялся он. — Надо же, не проспал!

Быстро шли на причал, где стояла дяди-Васина лодка с моторчиком, и уплывали далеко, за волнорез и маяк. Там лодку выключали, «бросали якорь», как говорил дядя Вася, и закидывали удочки. В основном попадались бычки — главная рыба Азовского моря. Маленькие, серые, чуть пятнистые. И большие, головастые, черные — королевские. Лагутин называл их неграми. Иногда попадались и таранька, и мелкая тюлька, и даже средних размеров жирная камбала. Мама ее очень любила.

В девять солнце начинало припекать, и Лагутина страшно клонило в сон. Иногда он засыпал, отчего страшно смущался. Рыба плескалась в ведерке, а дядя Вася доставал из старого рюкзачка завтрак — тот же серый ноздреватый хлеб, колесико краковской колбасы, пахнувшей чесноком, пару вареных яиц и знаменитые помидоры — гордость бердянцев. Так вкусно, как там, в дяди-Васиной лодке, Алексею не было никогда. Ни в одном ресторане, ни в каких гостях. Кажется, он всю жизнь помнил вкус этих завтраков — крупную соль, тающую на языке, сладкую мякоть помидоров и острую мякоть краковской колбасы.

Дядя Вася сушил бычков на продажу. На рынке торговала его жена, Зуля. Зуля шептала, что бычки приносят хороший доход: «Всю зиму держимся на бычках!» Продавали они и абрикосы — мелкие, ярко-рыжие, с розовыми бочками, кисло-сладкие и невозможно ароматные. Абрикосовое дерево росло в их дворе. На крыше низенького сарайчика, в котором жили куры, абрикосы сушили, вялили. Перед отъездом Зуля дала им гостинцы — в белой наволочке с голубыми цветочками эти самые сушеные абрикосы. Всю зиму мама из них варила компот и приговаривала: «Спасибо Зуле. Одни витамины! Лешка, ешь ягоды! Витамин С!»

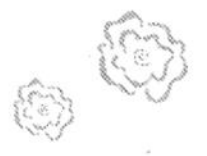

Он вспоминал все это, застыв в кресле и держа в руках старые письма. А перед глазами проплывала вся жизнь.

Письма матери – оттуда же, из Бердянска, отцу: «Петя, у нас все прекрасно. Лешка поправился и загорел. В общем, стал настоящим красавцем! Ты его не узнаешь – Геркулес, Бамбула! Ест хорошо, даже суп, представляешь? Фрукты тоже ест, правда, не очень охотно – заставляю. С удовольствием только виноград. Ну и то хорошо. Питаемся и в столовых, и дома – по-разному. Он, конечно, обожает в столовой. Хотя что там хорошего? Ты ж понимаешь. А этот дурила...

Море теплое и мелкое, пляж песчаный и, конечно, не слишком чистый. Но главное – море! Лешку из него не вытащить.

Хозяева очень приличные и не вредные – угощают, не придираются, разрешают пользоваться своей плитой и холодильником. Хорошие люди. У них дочь, Алла. Милая девочка. Наш, кажется, слегка заглядывается. По крайней мере, когда появляется эта Алла, смущается. В общем, Петя, недолго нам осталось – скоро начнется! Ждем.

Я очень скучаю. Очень! Считаю дни. Но при этом все понимаю – ехать было необходимо. Для Лешки в первую очередь, но и для меня тоже, ты прав.

И все-таки очень хочется домой, к тебе, в нашу квартиру.

Как работа? Что ты успел? Как там Ростовцевы? Все немножко угомонились? Обнимаю тебя и люблю. В субботу буду звонить – в девять вечера будь у телефона».

И ответ отца: «Милые мои, дорогие ребята! Как без вас плохо! Как медленно бежит время! Течет как глицерин. Настюша, не волнуйся – питаюсь нормально. Днем в столовой, вечером – чем придется. Но не голодаю, поверь, даже не похудел! А однажды сварил щи! Ну мне медаль, а? Правда, они совершенно несъедобные. На работе все по-прежнему. Ильинский защитился. Но шло все тяжело. Кажется, он и не надеялся. У Ростовцевых по-прежнему – снимают комнату в Замоскворечье, Андрей держится молодцом, а бедная девочка хуже. Хочет уволиться, но он ее отговаривает. Первая жена его все строчит – в партбюро, в райком, Брежневу. Идиотка. Жить не дает – как же, он-то счастлив...

Но они справятся, я уверен! С диссертацией туговато, если честно. Работается плохо, вяло. Казалось бы, никто не мешает, в квартире тихо, как на кладбище, прости за сравнение. А не работается! И вообще без вас не живется. Вот так. Я тоже считаю дни – зачеркиваю на календаре. Но ты, Настюша, не нервничай, отдыхай и расслабляйся! Это главное для тебя и для Лешки! Как с деньгами? Может, немного выслать? Ради бога, не стесняйся – я трачу мало и даже отложил, представляешь? Это ты у нас транжира, Анастасия!

Обнимаю вас и люблю! И очень скучаю!

Ваш муж и отец, Петр Лагутин».

Жизнь. Была жизнь. Была семья. Любовь. Уважение. И ничего нет. И никого уже нет – ни мамы, ни отца.

Странно, ему казалось, что отца тоже давно нет. Да так, собственно, и было – отца давно не было в его жизни. Он сам так решил. А может быть, он был не прав? Может быть, зря он его вычеркнул, от него отказался? Теперь кажется, что да... Но – ничего не попишешь и не исправишь.

Он не должен был, не должен. Он сам обрек себя на сиротство – по доброй воле. А отец был, до вчерашнего дня был! Только сейчас Лагутин остался один.

А мама, впервые задумался он, разве она бы приняла его позицию? Да наверняка нет! Его мудрая мама отца бы поняла – негоже нестарому и полному сил мужику оставаться вдовцом. Он представил: что, если бы мама была жива и подобное случилось бы с их знакомыми? Конечно бы, мама не осудила бы, нет! Она вообще никого и никогда не осуждала. Говорила с сожалением: «Ну, это жизнь! Все в ней бывает».

Невыносимые мысли, невыносимые. Он виноват, он, Лагутин! Господи, ведь взрослый мужик – сам нахлебался по полной. У самого не сложилось. Ладно тогда, в юности, а позже, став взрослым, почему он так и не понял отца, почему не простил?

Поздно. Все закончилось, ничего не исправить и никого не вернуть.

Какой же он остолоп! Правильно говорила мама: «Твое упрямство, Леша, до добра не доведет».

Вот и не довело...

Нины дома не было, ушла по делам. Ей надо искать работу, надо на что-то жить. Выживать. Рассчитывать не на кого – она тоже одна. Но он мужик, а она женщина.

На кухонном столе, накрытые салфеткой, лежали пирожки – те самые, которые она напекла ему в дорогу. Он усмехнулся и надкусил один – вкусно, да еще как! Да нет, найдет она работу, конечно, найдет! Милая женщина и такая умелица.

Лагутин посмотрел на часы – надо бы поторопиться. Пока доберешься до аэропорта! Он заказал такси, быстро оделся и вышел во двор. На улице подморозило, но было приятно – никакой слякоти, хотя и опасно – скользко.

Зима. Вовсю сверкали гирлянды – украшены были витрины магазинов, подъезды домов, арки и фонари.

В здании аэропорта он увидел цветочный киоск. Купить цветы? Кому? Даше? Глупости какие. Хотя встречают же близких с цветами, тем более женщин. Да, два букета – ей и Насте, маленькой женщине. Он выбрал букеты и пошел в зал ожиданий.

Минут через десять объявили, что самолет из Барселоны приземлился.

Лагутин взмок от волнения.

Он вглядывался в толпу и искал глазами дочь и бывшую жену.

Руки вспотели и дрожали. Во рту пересохло.

Наконец он услышал знакомый голос:

– Лагутин, я тут!

Он увидел стройную фигуру в черном длинном пальто. Даша. Она махала рукой и улыбалась.

Рядом с ней никого не было.

Через минуту она подошла к нему и дежурно чмокнула его в щеку.

– Ну, привет? – спросила она, внимательно и с интересом разглядывая его. – Эй, Лагутин, очнись! – Она рассмеялась.

— Где Настя? — хрипло спросил он. — Почему ты одна?

Даша скривилась:

— Да ну ее к черту! С ней уже и не сладить! Возраст такой — говеный! Упрямая, как... Как ты, Лагутин! — И она вновь засмеялась.

— В смысле? — хмуро спросил он. — С ней все в порядке?

— Да все с ней отлично! — раздраженно ответила Даша. — Просто не захотела поехать, и все! Ослица упрямая, а не девка — так с ней тяжело! Если б ты знал! Да откуда тебе...

Лагутин пребывал в полной растерянности. Он не знал, что ответить. Молчал.

— Ну, — нетерпеливо и капризно спросила Даша, — долго будем стоять? Может, пойдем?

В ее голосе послышалось раздражение.

— Ты обманула меня? — наконец произнес он. — Настя и не собиралась в Москву? Ты наврала? Хотя чему удивляться? — усмехнулся он и с интересом посмотрел на Дашу, словно видел впервые.

И надо сказать, она была хороша — очень хороша была его бывшая жена. Хороша и молода, словно девочка. «А ведь ей уже сорок два, — подумал Лагутин. — Но время над ней не властно. Кажется, с возрастом она стала еще красивее. Да. Только какое мне до этого дело?»

— Да брось! — воскликнула Даша. — При чем тут я? Зачем мне врать, Лагутин? Я ее уговаривала, умоляла. Но она ни в какую — не поеду, и все. Знаешь, мы так поругались.

— Ладно, — хмуро проговорил Лагутин. — Пошли.

И они двинулись к выходу. Поймали машину — их было море, бери — не хочу.

Лагутин сел впереди — сидеть сзади, рядом с ней, ему не хотелось. Он ей не верил.

— Домой? — спросил он.

Она молчала.

— Ты едешь домой? — повторил он. — На Калужскую, к матери?

Она грустно вздохнула:

— А куда же еще? Только где мой дом... Сама не знаю.

Он удивился, но ничего не спросил. Разговаривать ему не хотелось.

Молчание нарушила она:

– Лагутин, а я развелась! Слышишь?

Не поворачивая головы, он кивнул:

– Да. А что так? Кажется, у тебя было все хорошо.

– Было, но прошло.

– Бывает, – согласился Лагутин, – я помню.

Даша не ответила. Так и доехали молча. Он вышел из машины и достал ее чемодан. Коротко бросил водителю:

– Подождите!

Вошли в подъезд, молча поднялись на лифте. Лагутин поставил Дашин чемодан у знакомой двери.

– Не зайдешь? – тихо спросила она. – Мне... страшновато... одной и так паршиво.

– Нет, не зайду, – твердо сказал он. – Удачи тебе! – И нажал кнопку лифта.

«Почему так колотится сердце? – подумал он. – Ведь все давно прошло – столько лет! Мы совершенно чужие люди. Я все про нее знаю. Все. И от этого мне должно быть легко и просто. Я знаю, какая она, и она не изменилась. Люди ведь не меняются».

Он плюхнулся на заднее сиденье, чтобы не общаться с шофером, уткнулся в воротник куртки и стал смотреть в окно.

Новый год. Надо лететь домой. Какой он дурак, что взял билет на следующую неделю. Снова надо менять. Бежать, бежать из Москвы. Только так он спасется.

Завтра он улетит и Новый год будет встречать дома. Новый год все встречают дома, так положено. И у него есть дом, какой-никакой, а дом. Но как же паршиво на сердце! Как гнусно. Настя. Но почему она не приехала с матерью?

Хотя ответ ясен – кто он ей? Отец? Нет. Чужой человек. Вот как сложилось. Плохо сложилось. Точнее – не сложилось. Не получилось. Ничего, ничего не получилось в его жизни. Сам виноват – упрямый дурак. Гордыня заела. Мама была права, как всегда.

Шофер бормотал что-то себе под нос и чертыхался:

– Каток! Блин, ну полный капец! Просто заносит, тормозить не могу! Вообще тормоза не реагируют! Капец, блин, полный капец!

Ну и так далее. Лагутин прикрыл глаза. «Как я устал! – подумал он. – Просто невыносимо, нечеловечески устал за эти несколько дней. Какое счастье, что скоро новогодние каникулы, которые все проклинают, в основном несчастные жены, вынужденные стоять у плиты и видеть помятые рожи мужей. Но только не он, Лагутин. Уж он-то стоять у плиты не обязан. А вот зимний лес, лыжи и просто прогулки ему обеспечены. Можно смотаться в город, сходить, к примеру, в театр. Или просто посидеть в кабаке, например, с Илюшкой Ревзиным. Илюшка молчун, как и он сам, проблемами не грузит, выпивает в меру, правда, любит пожрать. Но это не недостаток. К тому же любит готовить – замутить какой-нибудь сложный плов или лагман. Или шурпу. А еще можно пойти в лес на шашлыки всей честной компанией. Вот это дело! И еще стоять у окна и наблюдать за белками и снегирями. Снегирей в Городке полно – усядутся на голые ветки, словно помидоры из банки. А белки! Прыгают по сосне, что в аккурат возле лагутинского окна. А самое приятное в этой истории – просто рухнуть на любимый диван и валяться до бесконечности – читать, дремать, слушать музыку. Он представил себе все это и даже слегка улыбнулся: «Домой! Как же я хочу домой, господи!»

Ехали медленно, шофер продолжал чертыхаться. В кармане запищал мобильный. Лагутин вздрогнул от неожиданности и вытащил телефон.

Даша. Не брать? Он медлил. А как не взять?

– Да, – раздраженно сказал он, – что-то случилось?

– Лагутин, мне плохо! – Она захлебывалась в слезах. – Ну пожалуйста, приезжай, умоляю тебя, приезжай! Мне страшно одной в этой квартире! Лагутин, ты меня слышишь? Я тебя умоляю! Я слоняюсь тут и вою волчицей! Ну, что ты молчишь?

– Даша, – не сразу ответил он, – прекрати. Прошу тебя, возьми себя в руки. Ну выпей, в конце концов! Есть что-нибудь из спиртного? Куда я приеду, Даша? Я почти у дома. Мне

надо выспаться, я завтра улетаю. У меня были сложные дни, я похоронил отца, ты в курсе. Да и потом... Где ты и где я? И где наша общая жизнь? Что у нас общего?

– Лагутин! – Он услышал удивление и возмущение в ее голосе. – Да как ты можешь? Что значит – «что у нас общего»? А наша молодость? А дочь, наконец? Что ты такое несешь? Тебе что, совсем на меня наплевать? Мы же с тобой не чужие!

– Это ты несешь, Даша, – устало откликнулся Лагутин. – И это тебе на меня наплевать. Впрочем, тебе на всех наплевать, тоже мне, новость! А про нашу общую дочь... Так ты и здесь меня обманула. И снова удивляться нечему. Все как всегда.

– У тебя были сложные дни, – закричала она, – а у меня!.. – Она осеклась. – А у меня был очень сложный год, Лагутин! Я чуть не сдохла! Ты же вообще ничего не знаешь, вообще ничего! А у меня, Лагутин, огромная драма! – Она зарыдала.

Драма? Только драм бывшей жены ему не хватает! Что там у нее? А может быть, вправду? Ну, например, со здоровьем? Кажется, она похудела и бледная очень. Может, действительно беда?

– Хорошо, – коротко бросил он, – я сейчас приеду. То есть не сейчас, а как доберусь, дороги кошмарные, гололед.

Даша всхлипнула и жалобным голосом пропищала:

– Лагутин, захвати что-нибудь, ну коньяк, например! Ты прав, мне надо выпить.

Он ничего не ответил и нажал на отбой.

– Шеф, обратно!

Шофер обернулся на него и покачал головой:

– Да ты шутник, мужик! Я вот думаю, как тебя поскорее скинуть и до дома добраться!

– Надо, командир! Обстоятельства, понимаешь? Заплачу, сколько скажешь. Пожалуйста.

Водила крякнул и, качнув головой, резко крутанул баранку. Машина закружилась, как фигуристка на льду. Но, по счастью, вырулили. По дороге заскочили в круглосуточный гастроном,

и Лагутин купил бутылку конька, кусок сыра и большой лимон. Принести Даше торт или коробку конфет ему показалось нелепым.

Она открыла дверь – бледная, зареванная, растрепанная и какая-то родная.

Лагутин ужаснулся – бред, бред. Бред! Они давно чужие, сто лет. После была целая жизнь и новые встречи. Да, он любил ее. Очень любил, больше жизни, но она его предала, бросила его. Как он это пережил? Да чуть не сдох! Если бы не работа и не Городок... Они его и спасли.

Нет, Лагутин Дашу не простил. В душе все те же обида и боль – сейчас он это понял. Нет, конечно же, не такие, как раньше. И все-таки он не простил.

Так, возьми себя в руки, Лагутин! Ты же мужик, в конце концов. И тебе все про нее известно, ты знаешь ее до молекул, знаешь цену ее слезам, словам, клятвам. Ты знаешь все – у тебя отличная память. Да, ты ничего не забыл.

Но почему так бухает сердце?

Он шагнул в квартиру и протянул Даше пакет с покупками.

– Молодец, – улыбнулась она, и он почувствовал, как от нее пахнет спиртным. Они прошли на кухню, и он увидел початую бутылку кофейного ликера и стакан.

– Вот, – усмехнулась Даша, – какая же гадость! Но больше ничего не было. – И она жалко улыбнулась.

Лагутин молчал. Сели напротив друг друга. Даша поставила мутноватые рюмки, и он откупорил бутылку коньяка. Она порезала сыр – крупными, неровными, неряшливыми ломтями – его бывшая жена была еще той хозяйкой.

Выпили. Даша всхлипнула:

– Сердишься?

– Да какая разница, сержусь или нет... Уверен, тебя это мало волнует.

Даша скривилась и всхлипнула:

– Лагутин! Я развожусь, кончилась моя семейная жизнь, понимаешь? Все, кранты. Ил финал, как говорят испанцы.

– А что так? – спокойно спросил он. – Не срослось? Вы вроде столько лет прожили. Чего вдруг?

– Чего, – передразнила его она. – Да все банально донельзя – баба у него молодая, вот и все. Как у всех вас: надоела, состарилась – вон!

– У всех? – усмехнулся он. – Думаю, ты ошибаешься.

– Да какая разница, – возмутилась Даша, – у всех или через одного? Лично меня волнует моя жизнь, как ты понимаешь, а на всех мне наплевать!

«Тебе всегда было на всех наплевать, – подумал Лагутин. – На всех, кроме себя».

– Ну и что дальше? – вздохнув, поинтересовался он. – Какие планы на жизнь?

Дежурный вопрос предполагал дежурный ответ: «Ничего, как-нибудь переживу. Страдать из-за вас, мужиков – чести много! Сопли утру и – вперед! К новым достижениям и горизонтам». Это было бы вполне в Дашином стиле – такой вот бодренький и веселый ответ. Но она расплакалась.

– Да ничего! Мне сорок два, Лагутин! Денег – ноль, квартиры своей нет, профессии – тоже. С дочерью отношения кошмарные. Кредитка пустая. Вот я и решила вернуться в Москву. А что мне делать, Лагутин? Что мне еще остается?

– Ну подожди, – разгорячился он, – подожди! Мне кажется, ты сильно преувеличиваешь! Вы столько лет прожили – и у тебя ничего нет? У вас же там, в Европе, закон на стороне жены, женщины. Тем более – женщины с детьми! Ну не может же он выставить тебя на улицу? А алименты? Он же обязан! Сколько вашему мальчику?

Она глотнула коньяк и безнадежно махнула рукой.

– Да нет, все не так. Я ничего не знала про его финансы. Работу он потерял, с работы его уволили, квартира под банком, в кредит. Выплачивать еще черт-те сколько. А денег нет. Баба эта, в смысле его новая, не из бедных. Я думаю, он с ней и спелся, чтобы поправить свое бедственное положение. У ее родителей три обувных магазина – пропасть зятьку не дадут, не сомневайся.

– Да я о нем, что ли? Я о тебе и о Насте!

– А Настя твоя... – Даша снова зло усмехнулась. – Настя твоя его обожает – я останусь с папой, и точка. Ты представляешь? Вот такая выросла стерва наша с тобой общая дочь.

У него чуть не вырвалось: «Ну я тут вообще ни при чем». Вовремя остановился.

Она налила себе еще и, поморщившись, выпила. Лагутин видел, что она уже здорово набралась – лицо раскраснелось, пошло пятнами, руки дрожали, и она то и дело отбрасывала назад густую и длинную челку.

«А она постарела, – подумал он, – вот сейчас я это увидел: морщинки под глазами, складка у губ, седина в волосах». И все же его не покидало странное, пугающее его самого острое чувство жалости к ней. Не только жалости, но и обиды за нее. А его застарелые и заскорузлые обиды вроде как отошли. Ему хотелось утешить ее, погладить по голове, как свою маленькую дочь. Сказать ей утешительные и банальные слова: «Да брось ты, Дашка! Ты еще так молода и так хороша! А фигура? И это после двоих-то детей! Не плачь, все у тебя еще сложится! Ты же умная, сама понимаешь!»

Но он молчал.

Она закурила.

– Сволочь, да, этот Хосе? Боже, какой же он оказался сволочью! А я его любила. Столько лет безупречной и верной службы – и так со мной обойтись! Оставить меня без копейки! А ведь знает, гад, что деваться мне некуда. Нет, конечно, алименты ему присудят, а как же! Только что с него, с безработного, взять? Вот именно – ничего. Он говорит, пойдешь к адвокату – заберу у тебя сына! Грозится еще, как тебе, а? Нет, ты представляешь? А эта стерва, – она зло глянула на Лагутина, – сама говорит: я с папой останусь – с папой и с этой Кармен! Ну как тебе? Все она понимает: у этой испанской козы дом на море, в Марбелье, прислуга. И деньги, конечно! Они с ней подружки – смешно? Нет, не очень. Короче, выбросили меня за борт, Леша. Как ненужный мешок со старым хламом. И никому я не нужна – даже дочери и сыну. – И она бурно, в голос, разрыдалась.

Лагутин удивился:

– А она и вправду Кармен, тетка эта?

Даша с удивлением подняла на него глаза:

– Какая тетка? А, эта... Да нет, конечно, шучу. Смешно ведь – Хосе, Кармен. Прям до слез, до икоты. – И ее лицо исказила гримаса обиды и отчаяния.

– Подожди! – остановил ее он. – Ну подожди, Даша! Зачем им Настя? Уверен, она им не нужна. Кому нужен чужой ребенок-подросток? А мальчик... Да и мальчик твой вряд ли. Ты говоришь, что она молодая. Ну значит, новенького родят, своего. Зачем ей чужие дети? Подумай! А ты? Зачем тебе возвращаться? Ты ведь давно отвыкла от России, от этого города, климата, этой жизни. Начни там. В конце концов, у тебя же гражданство! Язык, наконец. Сними квартиру, устройся на работу. И – живи!

Даша смотрела на него почти с ненавистью.

– Устроиться на работу? А кем, не скажешь? Официанткой в кафе? Продавщицей? Или уборщицей? Ты забыл, что у меня давно нет профессии? Ты забыл, что я там вообще ни дня не работала? Ты забыл, что мне за сорок? А какая сейчас безработица по всей Европе? На что мне содержать детей? На его жалкие копейки? На что снимать жилье? Нет, ты скажи! И все одним махом, Лагутин! Развод, Настя. Мама. За ней надо ухаживать, понимаешь? А денег нет – ни шиша!

– Ну я не знаю. Должен же быть выход. А здесь? Здесь у тебя есть профессия?

– Здесь, – зло передразнила она его, – здесь у меня мать, родной язык, подруги. Квартира, наконец. Город, где я родилась. А профессия, – она замолчала. – Так помогут, устроят. Здесь все и всегда было по знакомству, верно? Ну, например, пойду к Лильке администратором – у нее свой мебельный салон, она предлагает. Или пойду учителем в частную школу, например. Думаешь, не возьмут?

– Ну, насчет салона не знаю. А в школе, Даша, платят копейки. Да и выдержка там нужна – ого-го! Учительство не для тебя.

Она снова налила себе коньяку и выпила залпом.

– Ну да, Лагутин. Ты всегда знал, как утешить. Не делом помочь, а прочесть нотацию. Здесь ты большой спец, я помню.

Он от отчаяния повысил голос:

– При чем тут я, Даша? Я тут вообще ни при чем! Тебе надо поспать: перелет, нервы, выпивка. Тебе же завтра в больницу. Нужно выспаться, Даша. Силы нужны. Иди отдыхай! А я поеду.

– Хреновый ты утешитель, Лагутин! Очень хреновый. – Она пьяно и хрипло засмеялась. – Ладно, прости. Прости, что дернула тебя, сорвала. Приехать заставила – прости, ради бога! Просто мне так хреново, Лешка! Хоть в петлю... – Она уронила голову на стол и снова расплакалась.

Он видел, как вздрагивают ее худенькие плечи, как дрожат тонкие, беззащитные руки.

Он погладил ее по голове.

– Дашенька! Пойдем спать. Идем, я тебя уложу. Ну, будь умницей, Дашка! Пойдем!

Она покорно кивнула, поднялась, утерла мокрое лицо ладонью, и, обнявшись, как старые и добрые друзья-собутыльники, они, покачиваясь, пошли в комнату.

Лагутин уложил Дашу на кровать и выключил свет. Он помнил эту квартиру – две небольшие комнатки, из маленькой – балкон. Квартирку эту купили ее родители, переехав к дочке в Москву и продав свой большой дом в Урюпинске. Он вспомнил, как после Дашиного отъезда в Испанию горько плакала теща, жалея проданное жилье в маленьком городке.

Лагутин укрыл Дашу одеялом – она всегда была мерзлячкой. И когда в те страшные для него дни она собралась в Испанию, он вспомнил еще один ее аргумент: «Лагутин! Там же тепло!» Даша всхлипнула, открыла глаза и схватила его за руку:

– Только не уезжай, Лагутин! Слышишь, не уезжай! Побудь до утра, а? Мне правда страшно.

Он вынул свою руку из ее горячей и мокрой руки и вышел из комнаты, плотно притворив за собой дверь.

Прибрался на кухне, вымыл рюмки, почистил пепельницу, полную окурков, проветрил и вернулся в комнату. Не раздеваясь, лег на узкий и неудобный, потертый диван, подложив под голову твердую, словно каменную, диванную подушку, укрылся старым пледом, небрежно брошенным на кресло. От пледа пахло собакой – теща всегда держала собак, рыжих, коротконогих и визгливых такс.

Он лег и тут же, почти сразу, уснул.

Проснулся он от Дашиного жаркого шепота:

– Лагутин, подвинься!

Он вздрогнул, покрылся испариной и хотел вскочить на ноги.

Но она уже улеглась рядом, перегородив ему пути к отступлению – узкая, худая, много места не надо. Она вытянулась и прижалась к нему. Он почувствовал жар ее тела – она была не просто горячей, казалось, что она сейчас обожжет его или даже спалит. Заболела, что ли, температура?

– Даша! Не надо! – не узнавая своего голоса, просипел он.

Она тихо и хрипло засмеялась ему в самое ухо:

– Ну почему не надо? Надо, Леша! Ты же хочешь этого, правда?

И медленно и обстоятельно, словно наслаждаясь процессом и получая удовольствие от его страданий, стала расстегивать пуговицы его рубахи. Он застонал, вжался в диванную жесткую спинку. От нее пахло коньяком, горькими духами и большой бедой для Лагутина. Он это знал. Как знал и другое – Дашу невозможно было остановить, если ей чего-нибудь страстно хотелось. Она всегда доказывала себе, что лучшая, самая-самая, что ей все подвластно. А сейчас уж тем более. Он все понимал: брошенная, оставленная, покинутая и преданная мужем Даша – это нонсенс. Она не может в это поверить и не может с этим смириться. Ей надо срочно опровергнуть это, срочно доказать, хотя бы себе, что у нее все прекрасно – ее по-прежнему все хотят и все восторгаются ею. Самое большое горе для нее – утрата своего лица, потеря реноме, крах ее женской истории.

Когда все закончилось, он лежал недвижимо, словно окоченев – раздавленный, уничтоженный, разбитый, опустошенный. Она лежала рядом и гладила его по груди. Потом приподнялась на локте, внимательно посмотрела на него и спросила:

– Слушай, Лагутин! Я вот что придумала. Отдай мне квартиру – она же пустая, да? Я подумала: с матерью жить я не смогу – ты ее знаешь. Мы и тогда, сто лет назад, с ней бывало... до драки. А сейчас... Нет, не смогу. Мы просто друг друга сожрем. Или ты надумал квартиру сдавать? Скажи, не стесняйся! Я все пойму.

Лагутин вздрогнул и почувствовал, как его обдало густым жаром. Язык словно прилип к нему, в горле стало сухо и колко.

– Сдавать? – наконец выдавил он. – Нет, сдавать я ее не буду. Но там живет человек. Я ему обещал и выгнать его не могу.

– Какой человек? – В ее голосе было искреннее, неподдельное удивление. – Кому ты ее обещал?

Он резко сел и кашлянул.

– Женщине. Сиделке отца. Пустил ее пожить на неопределенный срок. Отказать я ей не могу, – решительно добавил он и повторил: – Я обещал.

Даша откинулась на подушку.

– Ну рассмешил! Сиделке! Лагутин, ты что? Кто она тебе, эта сиделка? Ты спятил? И кто я? Ты забыл? А если вернется Настя? Где нам тут разместиться? – И она обвела глазами комнату, в которую уже заползал мутный и жидкий рассвет.

Лагутин встал и стал натягивать джинсы.

– Ты же сказала, что Настя не вернется.

Даша молчала.

– Ну, я пошел, – одевшись, неуверенно сказал он. – Всего тебе... доброго.

Она лежала, отвернувшись к стене, плечи ее подрагивали. Молчала. Не отвечала. Лагутин вышел в коридор и стал надевать ботинки. Вдруг он задумался, вынул из кармана портмоне, отсчитал приличную сумму и положил деньги на

тумбочку под вешалкой, на которой лежала красная вязаная шапка и стоял флакончик духов «Красная Москва» – видимо, тещины.

– Я пошел! – выкрикнул он еще раз.

Даша не ответила.

Лагутин толкнул подъездную дверь и зажмурился – в лицо ударил колючий ветер, грубо и нагло швырнув ему в лицо горсть снега. Он вздрогнул от неожиданности, потряс головой и поднял воротник куртки. Метель разыгралась не на шутку. На улице было снежно и бело. Он глубоко вдохнул свежий воздух, почувствовав, как закололо и защемило сердце.

Он был сломлен, почти убит. Растерзан и очень, очень несчастлив.

Часы показывали почти шесть утра.

Спускаться в метро не хотелось – хотелось продышаться, пройтись по морозцу, выдохнуть свою боль и тоску. Поскользнулся он спустя полчаса, когда уже стало чуть легче. Он помнил свое падение, странный звук, как будто сухого хлопка. Тонкий вскрик – неужели его? – и острую, почти невыносимую боль. Где – непонятно.

И все, темнота. И тишина.

Очнулся он уже в машине «Скорой помощи». Лежал на каталке, и напротив него сидела молодая, усталая женщина в форменной ушанке и в синей, со светлой полосой, куртке.

– Что со мной? – спросил Лагутин.

– Перелом ноги. Видимо, ушиб головы. Больше не знаю. У меня нет аппарата, рентген сделают в больнице. В приемном разберутся, не беспокойтесь. Мы почти подъехали. Я вас обезболила. Очень болит?

Это бог его наказал – зачем он поехал туда, к ней? Зачем? Какой он идиот! Лагутин, взрослый, сильный, здоровый мужик, заплакал.

Фельдшерица встрепенулась:

– Что, больно? Ну-ну, все! – Она глянула в окно. – Мы совсем близко, через пять минут будем!

Ну а дальше все было обычно – приемный покой, анализы, осмотр хирурга-травматолога, пожилого и серьезного мужика.

На дребезжащей каталке его долго везли в отделение. В палату не положили – сразу в операционную.

Слепящий свет. Странный тревожный запах. Наркоз.

Глаза он открыл в палате. Белый потолок, лампа дневного света, резь в глазах. Острая боль в ноге. Он застонал. Невыносимое чувство жажды. Невыносимое, нечеловеческое – сильнее, чем боль.

Он вспомнил все и застонал громче. Как ему было жалко себя! И как было стыдно, словно он сделал что-то отвратное, дикое, что-то украл или предал кого-то, и это *ужасное* невозможно исправить.

Невезуха – это совсем не то слово, которое здесь подходит, не то. Ему не просто не везло в последнее время – фатально не везло.

Словно кто-то там, сверху, решил ткнуть его носом: «Смотри! Смотри, Лагутин, как оно может быть! Ты думаешь, что можешь распоряжаться своей жизнью? Ага! Как бы не так».

Зашла медсестра, сделала укол. Лагутин спросил, где его телефон. Она порылась в его тумбочке и достала.

Набрав номер Даши, услышал ее бодрый и веселый голос.

– Дашка! – закричал он. – Я в больнице! Ногу сломал, голову ушиб. Лежу тут... – Он еле сдержался, чтобы не расплакаться.

Она молчала – ни слова.

– Ты меня слышишь? – удивился и испугался Лагутин.

– Слышу, – усмехнулась она. – И что дальше? Что ты мне названиваешь, Лагутин?

– Я? – растерялся он. – Я названиваю тебе? Кажется, я первый раз позвонил... – И тут же промямлил: – Ну... я не знаю. Даш, а ты можешь приехать?

– Тебе что-то нужно, Лагутин? – жестко спросила она.

– Да... Или нет... – растерялся он окончательно. – Нет, но...

– Ну а на нет и суда нет, – четко ответила Даша. – Не болей, поправляйся!

Отбой. Лагутин не мог прийти в себя. Как же так? Даша ведь знает, что она единственный близкий ему человек в этом городе. Как же так? Даже если незнакомый, сосед, просто приятель попросит о помощи? А тут все-таки бывший муж.

– Как же так, – бормотал он, – как же так? Как вообще такое возможно? Ведь столько лет...

– Чё, послала?

Он обернулся – сосед, молодой, чернявый и кучерявый парень. Рука в гипсе, нога тоже.

– Послала? – повторил он и усмехнулся: – Бабы, они такие! Моя вот...

Лагутин перебил его:

– Я понял.

Парень с удивлением посмотрел на него и, кажется, обиделся.

Ну и черт с ним.

С трудом перевернувшись на бок, отвернувшись к стене, Лагутин закрыл глаза.

Как же тошно, господи! Как же отвратно. Лучше бы башкой об этот чертов лед и с концами. Было бы легче, ей-богу.

Утром пришел палатный доктор и все объяснил:

– Если пойдет по плану, выпишем через дней десять. Аккурат к Новому году, – пошутил он. – Дома будете в праздник! За столом, с семьей, все как положено.

Лагутин усмехнулся. Ага, дома. За столом и с семьей. Как и положено, да. Легче от бодрого прогноза не стало.

Три раза в день обезболивающие. Раз в два дня перевязки. Боль утихала – физическая. Душевная – нет, ни на йоту.

На третий день дверь открылась, и в палату вошла Нина. Он обалдел и даже привстал на локте – от неожиданности и смущения.

– Вы? Откуда? Как вы узнали?

Она, кажется, была смущена не меньше, чем он. Что-то залепетала в свое оправдание:

— Я поняла, что-то случилось. Вещи вы не забрали. Паспорт тоже. Не попрощались. Ну я и подумала, не могли вы так просто улететь — не попрощавшись, без документов. — От смущения она опустила глаза. — Ну я и стала обзванивать больницы. Вы быстро нашлись, сразу почти! Я так обрадовалась. Ой, ну в смысле... Не тому, что вы здесь, а что вы так быстро нашлись... Извините.

— Ну вы даете, Нина. И ради бога, простите меня — сволочь я порядочная! Действительно — не позвонил, не предупредил. Простите, так получилось.

Она запричитала:

— Что вы, о чем вы? Конечно же, вам было не до этого — такое несчастье! Врач сказал, что у вас сильные боли. Сейчас полегче — это так?

Он кивнул:

— А вы говорили с врачом?

— А что тут такого? Ну да, спросила. А что, не надо было? Ой, простите меня, простите! Вы рассердились?

— Нина, хватит реверансов, — строго сказал Лагутин. — Просто я удивился.

Она засуетилась, принялась вытаскивать из сумки продукты.

— Курица вот. Бульон, еще теплый, в термосе. Котлеты. Огурцы. Винегрет.

— Ну что вы, зачем? Такие хлопоты. Мне и вправду неловко.

— Да что вы, какие там хлопоты? Ерунда. Я знаю, как кормят в больницах. Петр Алексеевич лежал, вы помните? Ну, в пятнадцатом году в кардиологии! Так там кормили... Ой, не дай бог! Свиней лучше кормят, правда! Зачем так унижают людей?

Он не помнил. Ни кардиологию, ни что была она в пятнадцатом году. Ничего он не помнил про своего отца, потому что ему это было неинтересно.

Нина расстелила на тумбочке свежее полотенце, принесенное из дома, и разложила еду. Он принялся есть. С каким удовольствием он ел! И винегрет, и котлеты, и курицу

эту. Ел и не мог наесться, даже неловко было. А Нина радовалась:

— Вот видите! А вы на меня ругались!

Она принесла ему тренировочный костюм — отцовский, конечно, и свежие журналы, и чай в жестяной баночке, и вафли к чаю. А еще кроссворды.

— Вы разгадываете кроссворды?

Он виновато улыбнулся:

— Нет, извините.

Примерно через час, вымыв грязную посуду и завернув в пакет остатки еды, Нина ушла.

— Жена? — подмигнул ему чернявый. — Чё, простила?

Лагутин коротко бросил:

— Не жена, так, соседка. — И снова отвернулся к стене.

— Соседка тоже баба! — заржал чернявый. — Какая разница? Все они одним миром...

Лагутин покрепче сцепил зубы.

Нина вновь появилась через день, снова с полными сумками еды, с какими-то дурацкими газетами и кроссвордами.

— Зачем вы, Нина? — Лагутину было неловко и радостно одновременно. — Зачем беспокоитесь? Все нормально, я справлюсь. Да и выписать обещали накануне Нового года. Зря вы, ей-богу.

Она, не обращая внимания на его причитания, принялась доставать из сумки банки, судки и свертки. Он стеснялся есть при ней — глупость какая эта ее забота! Кто он ей? Но и прогнать было неловко — старается человек. Это, конечно, можно объяснить — благодарность. Баш на баш. Благодарность за его щедрость. Еще бы не щедрость — бесплатная квартира в столице! Не многим приезжим выпадает такое вот счастье, чистая правда.

Но он устыдился этих мыслей — нет, это не про нее, не про Нину. Она другая, и дело здесь не в корысти.

И все-таки он очень стеснялся — немощи своей, неприкаянности, этой дурацкой сломанной ноги, забинтованной головы, небритости, старой, заношенной больничной пижамы, висящей на нем, как на пугале.

Он почти не смотрел на нее, отвечал односложно, и ему нестерпимо хотелось, чтобы она поскорее ушла. Правды ради, она не задержалась. Но все-таки заставила его поесть:

– Нет, Алексей Петрович! Вы обязательно поешьте при мне, знаю я вас! Вот, винегрет я оставила в холодильнике, а он пропал! Вам же сложно до него доскакать. А медсестру звать не будете – постесняетесь, правильно?

И он послушно жевал – пирожки с капустой, салат витаминный, оладушки с яблоком. Она так и сказала – «оладушки». Она что-то рассказывала ему про новую работу, но он особенно не слушал – неинтересно, да и ни до чего, такое поганое настроение. Уловил только, что работа нашлась, кажется, тьфу-тьфу, не сглазить! Хорошие люди, семейная пара – муж и жена. Она совсем лежачая, он ничего, до туалета доходит. Точнее, доползает.

– Ну там, конечно, все: уборка, готовка, уход, магазины, – рассказывала Нина, ловко убирая пустую посуду и подсовывая ему очередную плошку с едой, – трудно, что и говорить. Два человека – это вам не один. Но люди хорошие, это же главное, правда?

– Хорошая баба! – прокомментировал чернявый, которого звали Валериком, когда Нина ушла.

К нему, кстати, ходили две девушки, параллельно.

– Жена и любовница, – гордо объяснил он.

– А зачем? – удивился Лагутин. – Хлопотно ведь, разве нет?

– Хлопотно, – подтвердил Валерик. – А что делать? И ту люблю, и эта нравится. Вот такая у меня, брат, беда. – Он погрустнел. – Чё делать-то, а? Не посоветуешь, брат? Запутался я. С женой у нас дочка. А у той своя. Боюсь я чужих детей, если честно. Раздражать будет. Меня и своя раздражает. Выбешивает прям! Как заскулит: «Папа, папа!»

«Раздражает, – с тоской подумал Лагутин. – А если не видеть своего ребенка тысячу лет? А если твой ребенок чужого дядю называет папой? Посмотрел бы я на него. Хотя что на него смотреть? С ним и так все понятно».

Кстати, и жена, и любовница Валерика были «одинаковы с лица» – обе полные блондинки с густо накрашенными лицами и невероятным начесом. Можно и перепутать.

Ох, от безделья и не такая чушь полезет в голову. Лагутин лежал с закрытыми глазами и думал о Городке, о своем доме. Впрочем, каком там доме? Дом – это когда шумно, весело, вкусно. Когда пахнет праздником: елкой, едой. Когда тебя ждут. Когда тоскуют по тебе. Интересуются твоей жизнью. Переживают из-за твоих неудач. Радуются твоим победам. Дом – это там, где *близкие*. А у него? Ну да, приятели. С натягом можно сказать, что друзья. Только с натягом, если по-честному. И виноват в этом только он сам, Алексей Лагутин. Это ему, одинокому волку, никто, по большому счету, не нужен. Или все-таки нужен? Может, поэтому ему так тоскливо, так муторно на душе, так паршиво? И снова по-честному – там, в Городке, вряд ли его дом. Там – служебная жилплощадь, временное жилье. С неудобным диваном, с чужим столом и окном без занавесок. С разнокалиберными чашками – с миру по нитке, с некрасивыми, серыми, застиранными полотенцами и дешевым, копеечным плафоном вместо люстры. Никакого уюта. И тишина. Вечная тишина. Ему казалось – спасительная, а вышло – убийственная. Холодная и пугающая. Беспросветная.

«Да ладно! Бывают разные дома, – принялся он себя утешать, – разные! И безмолвные тоже. И одинокие, пустынные, когда в них нет отражений, кроме твоего собственного. И когда окна темные, пока именно ты не включишь там свет». Бывают. Например, у него. Так вышло. Значит, такая судьба.

Приезжий. Он приезжий. И там, и здесь, в родном городе. Все приезжие – Дашка, Нина эта и он сам, Лагутин.

Гипс сняли через одиннадцать дней и наложили легкую и удобную лангету. Теперь он почти скакал. Настроение немного улучшилось.

Нина, кстати, не приходила уже дня четыре, чему он был очень рад. Нет, она позвонила и тысячу раз извинилась – подопечные ее, те чудесные бабушка с дедушкой, разболелись, и она была вынуждена уезжать от них поздно вечером, почти в ночь, уложив старичков спать. И появлялась у них рано утром – часам к семи.

Но за два дня до выписки Лагутин все-таки вынужден был ей позвонить, попросил привезти его вещи.

– Заезжать домой не буду, – объяснил он. – Тяжеловато мне разъезжать. Поеду прямиком в аэропорт, а там уж и до дома недалеко. Меня встретят, не беспокойтесь. Встретят и довезут. Билет я уже заказал и такси тоже.

Но получилось все не так – или не совсем так. Нина приехала в день выписки, привезла его вещи и отказалась уходить – вместе с ним стала ждать машину.

– Я вас провожу, и не спорьте. Как я вас отпущу одного?

Лагутин безнадежно согласился – а что оставалось? Спорить с ней – себе дороже, это он уже понял. «Ладно, потерплю еще пару часов. В конце концов, она права. На ее месте и я бы так поступил. А упрямая какая, – с удивлением подумал он. – С виду тютя тютей. А тут: не спорьте – и все тут. Смешно».

Наконец позвонил водитель, и они пошли вниз. Конечно, перед этим еще была долгая и безуспешная борьба за пакеты и сумку – Нина хватала все подряд, не давая ему нести: тяжело!

– А вам? – раздраженно спросил Лагутин. – Не тяжело?

– Я привыкла, – коротко бросила она, – а вы после больницы.

«Вот ведь ослица», – подумал он.

В машине молчали. Лагутин сидел впереди, Нина сзади. Да и о чем им говорить?

На улице опять мело, и машина ехала медленно, тащась как черепаха, – начинался настоящий буран.

Доползли, выгрузили нехитрый лагутинский скарб, и он уговорил Нину не отпускать машину и побыстрее возвращаться в город.

Она подняла на него глаза.

– Алексей Петрович! Вы хоть эсэмэску мне напишите. Два слова: долетел, все нормально. Вам же несложно?

– Это уже три слова, Нина! – отшутился он. – Да, конечно, напишу. Вы за меня не волнуйтесь, я давно большой и самостоятельный мальчик, ей-богу. Ну, будем прощаться?

Она грустно кивнула.

Он приобнял ее за плечи – слегка, чуть-чуть, осторожно, как приобнимают двоюродную сестру или жену друга.

– Большое спасибо вам, Нина! Я вам очень признателен, очень. Без вас бы я точно пропал. – Он подхватил свои вещи и, прихрамывая, вошел в здание аэропорта. Хотелось обернуться и посмотреть, как отъезжает желтое такси, в котором сидела Нина. Но он не обернулся – лишнее, лишнее.

Много было лишнего в его жизни. Лишнего, суетного, ненужного. А уж в последнее время особенно – зачем умножать. Он зарегистрировал билет, медленно дошел до зала ожидания, выпил кофе в кафе – настоящий черный несладкий кофе, какого не пил уже две недели, уселся в кресло и тут же задремал – сказывались и волнение, и нездоровье, и чудовищная усталость. Поскорее бы закончился этот ужасный год. Какое счастье, что осталось около суток. Господи, какая наивность! Нам, наивным и глупым людям, кажется, что вот, пробьют куранты, и начнется другая, новая и счастливая жизнь, а все плохое, ужасное, неприятное останется в прошлом году. Глупость, конечно. Все – включая наши горести, неприятности, беды, страдания, комплексы – мы забираем с собой в новый год, в предстоящую жизнь. Но мы по-прежнему верим, как глупые дети. И усталость свою забираем, и обиды, и одиночество. И даже боль в своей сломанной ноге Лагутин, конечно, прихватит с собой – в новый год и в новую-старую жизнь.

Он очнулся от дурной дремоты – народ, находившийся в зале, суетился, возмущался, даже кипел. Открыв глаза, Лагутин прислушался. Ну все понятно – неприятности продолжаются. Никак не хочет отпустить его с миром старый год и этот чужой и давно нелюбимый город – рейсы откладывались по причине нелетной погоды. Хотя чему удивляться? Он посмотрел в окно – буран или буря, называйте как хотите, казалось, усилился. На улице было темно, серо, мело сильно – зима куролесила от души.

Счастливы те, кому не надо в дорогу, подумал он, кто сидит на своей кухне, понемногу хлопочет, готовясь к празднику. И слышится уже запах – точнее, запахи. Пирогов, запеченного мяса, острого маринада. Запах хвои и счастья. Люди ждут гостей, праздника, подарков, сюрпризов, неожиданностей и обновления. Только не он. Он вспомнил, что сто лет не получал подарков к Новому году – сто лет. С тех пор, как не стало мамы. Подарков он давно не ждал, а ждал одного – поскорее вернуться домой, оказаться дома, в Городке, в своей холостяцкой берлоге. Наедине со своим одиночеством. Он так устал от людей! Разве так много он просил у судьбы?

До чертиков разболелась нога. Он поменял положение, стараясь удачнее ее пристроить, и застонал. Сколько продлится эта чертова метель? Сколько торчать ему здесь, в этом душном и шумном зале? Как хочется лечь, вытянуть ногу.

Лагутин почувствовал, как в глазах закипают слезы. Какой стыд – не дай бог кто увидит! Хотя разве ему не наплевать на всех?

Так, надо взять себя в руки! Немедленно, слышишь, Лагутин? Не распускаться. В конце концов, что случилось? Что такого случилось, Лагутин? Ну, подумаешь, рейс задержали. Делов-то с копейку! Надо попробовать снять номер в гостинице – он где-то читал, что сейчас это возможно здесь же, рядом, в аэропортовской гостинице. У него заключение, выписка из больницы. Его должны разместить. Хотя... Он оглянулся – женщины с детьми, старики. Вот кого надо размещать в первую очередь. А не его, здорового лба.

«Ничего, ничего, справлюсь – подумаешь! Не на улице же замерзаю, ей-богу. Деньги есть – на еду хватит. Туалет – пожалуйста! Смена белья – имеется. Проживем как-нибудь. К тому же успокоится же вся эта хрень за день или два? Должна же она успокоиться!»

В воздухе отчетливо пахло паникой. Люди метались, кричали, возмущались и – строили прогнозы. Лагутин услышал, что вылеты задерживаются на сутки точно.

«Ну ничего ж себе», – подумал он и поудобнее угнездился в кресло. Сутки. Сутки. Сутки не мыться – и это после больницы. Как он мечтал залезть в душ, под горячую воду. И стоять под горячей водой полчаса, час... А потом бухнуться на свой родимый диван. Конечно же, с кружкой горячего крепкого чая.

Но все откладывалось: расскажи Господу о своих планах, если хочешь его насмешить.

Лагутин прикрыл глаза. Ничего. Были времена и похуже. И – пережил! Пережил ведь, правда?

В голову стукнуло: позвонить Илюшке, ведь он должен встречать. И еще Нине! Хорошо, что вспомнил – обещал ведь, когда долетит... Не заслужила она такого пренебрежения, точно не заслужила. Нет, звонить неохота – кинет ей эсэмэс: «Рейс задерживается, напишу, когда прилечу».

Так и сделал. А потом он уснул. Разбудил его телефонный звонок. Илюшка? Глянул на дисплей – Нина. Ну да, этого следовало ожидать. А как иначе? Любой бы на ее месте, собственно... Процедил:

– Да, Нина. Слушаю.

– Я внизу, в зале ожидания, – протараторила она очень быстро, словно боялась, что он бросит трубку. – И не спорьте, Алексей Петрович! Глупость какая – оставаться здесь на сутки. А если придется дольше? В вашем-то состоянии! После больницы, в лангете! Нет-нет, не спорьте! Я внизу, на такси. Спускайтесь, пожалуйста! Я узнавала – прогноз плохой, не меньше суток, а то и больше! Ну не упрямьтесь – это же глупо. В конце концов, отлежитесь, помоетесь, поедите нормально. Новый год, между прочим, как ни крути, – печально добавила она.

Кряхтя, Лагутин поднялся, подошел к регистрации, где ему отметили билет и наказали звонить – что, как и когда. Он спустился в зал прилета и увидел Нину. Было видно, что она очень нервничает. Он окликнул ее, и она, встрепенувшись, бросилась к нему навстречу.

Оба смутились.

До дома, конечно, добирались долго – на улице по-прежнему мело. Нина открыла квартиру, и на него обрушились запахи. Невозможные, давно позабытые запахи – пирогов, чего-то жареного, острого, пряного и душистого, кажется, маринованных огурцов. И еще – елки. В комнате стояла елка. Нет, не так – елочка. Маленькая и очень пушистая елочка стояла на табуретке в гостиной, как раньше, в детстве. Отец укреплял ее именно на табуретке. И игрушки на елочке висели знакомые – заяц с морковкой, снегурочка в синем кокошнике, космонавт в блестящем малиновом шлеме. Синий шар, голубой, зеленый и красный.

И в эту минуту ему показалось, что вот сейчас, в это мгновение, из комнаты выйдет отец, в старых трениках и клетчатой домашней рубашке, с газетой в руках. А из кухни появится мама – с бигуди на голове, как инопланетянка, в кухонном переднике и с поварешкой в руке:

– А, это ты, Лешка! Ну давай, раздевайся, что ты застыл? Раздевайся и помоги отцу разложить стол. – Мама посмотрит на настенные часы и нахмурится: – Время-то, а! Через два часа гости! А у вас конь не валялся. – А потом испуганно вскрикнет: – Ой, утка горит! – И тут же исчезнет за дверью.

А отец повторит:

– Ну что застыл? Давай, сын, шевелись! И вправду – время!

Лагутин стоял в коридоре, не в силах снять куртку, ботинки и пройти в комнату. Ему было трудно дышать.

– Алексей Петрович! – услышал он и наконец *вернулся.*

Нина испуганно смотрела на него и лепетала:

– Праздник все-таки! Простите, что я тут… хозяйничаю.

Он вздрогнул, очнулся и, кажется, немного пришел в себя. Улыбнулся:

– Да, праздник. Конечно! И… Спасибо вам, Нина.

Она протянула ему свежее полотенце.

– В душ, Алексей Петрович?

Лагутин счастливо кивнул.

— Ну а потом отдыхать! — продолжила Нина. — Вам обязательно нужно лечь и отдохнуть! Ну а потом... Потом будем ужинать. — И повторила: — Праздник все-таки!

Да. Праздник. А какой праздник без ужина? Новый год, как ни крути. А к празднику прилагаются салат оливье, селедка под шубой, запеченная утка, медовый пирог. И конечно же, елка. Как же без елки? Ну и компания — уж какая есть. Большая или не очень.

Главное, что человек не один. И все как у людей.

И Лагутин страшно огорчился, что у него нет подарка. Подарка для Нины. Ведь полагается же? Все-таки Новый год.

Может быть, после? В смысле — когда-нибудь.

Три взгляда на одно обстоятельство

ОНА

Я, кажется, схожу с ума... Нет, без кокетства! Иногда мне это кажется. Пару раз такое случалось. Мне даже себе стыдно в этом признаться! Мне было... наплевать на детей! Еще два года назад если бы мне кто-нибудь такое сказал! Я бы... растерзала того человека!

Я, конечно, не идеальная мать, и у меня наберется куча ошибок. Но я — нормальная мать! И даже, возможно, вполне приличная! Потому что дети мои всегда были для меня на первом месте! А как иначе? Не представляю! Точнее, не представляла. Но в тот момент мне было... почти наплевать на них. А страшно стало потом. Когда я все поняла.

Просто тогда мне показалось, что не дети самое главное в моей жизни, а...

Нет, не он! А, скорее всего, я. И то, что случилось со мной. А что со мной, собственно, случилось?

Да ерунда — я влюбилась! Влюбилась, как пятнадцатилетняя девочка! В первый раз. Или как тетенька предпенсионного возраста — как в последний.

В общем, крышу снесло, чердак отъехал, резьбу сорвало. Вот так. Вот это со мной и случилось. Беда... Или счастье? И то и другое. И каждый раз по-разному.

Иногда мне хочется, чтобы случившееся было сном. Чтобы все оборвалось, прекратилось, как будто и не было. Забыть, забыть! Мне все только приснилось!

Хочется проснуться утром с ощущением, что всего *этого* нет! И улыбнуться блаженно.

Потому что так жить дальше... Ну, просто нельзя! Невозможно!

А иногда... Иногда кажется, что мне неслыханно повезло! Несказанно, фантастически повезло! У кого *так* было? У кого *это* есть? Бывает, что я просто задыхаюсь от счастья!

На работе прислушиваюсь к разговорам молодых девчонок – хорошеньких, длинноногих, стройных. А ведь нет ничего! Говорят о мужчинах, как о... неодушевленных предметах. Этот скуп, тот – слабоват в постели, а этот неудачник и юзер. И ни слова о любви! Просто ни слова! Рассматривают мужской пол только с одной точки зрения: а хороший ли это *вариант*?

Для брака, для постели или в качестве спонсора.

Никто из них не бледнеет и не худеет. Никто не страдает и не рыдает. Никто не коротает бессонные ночи на кухне. Никто не готов пойти за любимым на край света и разделить с ним любую беду.

Никто! Они только подсчитывают, прикидывают, примеряют...

Мне странно это. И меня это пугает. Такой прагматизм! Просто бывает неловко их слушать...

Потом идут женщины замужние и не очень. Последние – одинокие. Хотя замужние тоже... почти все одиноки.

Замужние, как правило, поливают своих благоверных. Кто-то больше, кто-то меньше. Но все недовольны. Ну или почти все. Любимая тема: мужики обмельчали.

Я в разговор не вступаю, потому что не согласна категорически! Или мне повезло? Впрочем, смешно говорить о везении. В моем-то случае! Просто смешно!

Одинокие делают вид, что им повезло больше всех. В смысле – никто не давит, не треплет нервы и не капризничает. Не нужно обстирывать, обхаживать, подавать и выслушивать упреки и недовольства. Сами себе хозяйки. А в глазах – тоска. Им я тоже не верю. Женщина не должна быть одна. В смысле, совсем одна. Должен быть хотя бы ребенок. Тогда это не одиночество. А просто неустроенная судьба.

А мне, получается, повезло. У меня дети! И еще – муж и любовник.

Господи, как же мне не нравится это слово! Как мне оно режет слух! В нем есть что-то пошлое, временное, стыдное. У меня совсем не так! У меня есть любимый!

И у меня есть муж. Хороший муж... Приличный человек, прекрасный отец и замечательный зять. Не многовато? Не много ли для меня, самой обычной и заурядной женщины среднего возраста? Вполне заурядной внешне, без особых признаков таланта. К тому же в весьма зрелом возрасте – тридцать семь уже набежало. Взрослая тетенька...

Иногда мне кажется, что у тех, одиноких, я что-то украла. Ну или просто отобрала.

Мои дети... Мои любимые Миша и Света. Я... пару раз забывала о вас! Наверное, я преступница... Однажды я забыла забрать Светку из сада. Ну нет, не то чтобы забыла. А просто... я опоздала! Между прочим, на два часа! Ничего себе, а? Набрехала что-то раздраженной воспитательнице: на дороге авария, и поэтому дикая пробка...

А она та-ак на меня посмотрела! Наверное, видок у меня был...

Глаза безумные, волосы встрепанные, губы распухшие. В общем, ужас!

Я протянула воспитательнице деньги. Она усмехнулась, но деньги взяла. Я бормотала, что это моя благодарность за ее нерабочее время... Короче говоря, мое извинение.

Мне показалось, что она все поняла и молча стала моей соучастницей. Соучастницей моего преступления.

А однажды... Я отправила Мишу в Питер. На экскурсию.

А он тогда приболел... Ничего серьезного! Так, сопли, немножко горло... И ехать он не очень хотел. Но я его уговорила.

Для чего мне было это нужно? Да потому что муж вместе с дочкой уехал к своей матери, моей свекрови. И тоже на три дня. А мне нужна была свобода... Хотя бы на эти три дня. Полная свобода! Днем и ночью. Вот так!

Миша вернулся с температурой... Ну, каково? Получается, что я дважды преступница! Как неверная жена и как гадкая мать.

И то, что эти три дня были наполнены счастьем, меня не оправдывает! Лишь прибавляет мне муки стыда и боли.

Я вспоминаю свою прежнюю жизнь. Ту, которая была *до того.* И там, представьте, все было прекрасно!

Мы жили дружно. Может быть, скучновато. Серовато и очень обыденно, но...

Это все же была семейная жизнь. Честная семейная жизнь. А она, как известно (источников много – вся русская литература, рассказы подруг и знакомых) не очень располагает к веселью.

Но повторяю: все было отлично! И считалось, что с мужем мне повезло.

Я не то чтобы сомневалась в этом... Нет. Я все понимала.

Как и то, что я его... никогда не любила!

Страшно, да? И я еще смею осуждать девочек на работе!

И все же у меня было немножко не так. Точнее, я не сразу поняла, что я его не любила! Тогда мне казалось...

Он был – кстати и есть – хороший и надежный человек. Семьянин и добытчик. Прекрасный отец. Дети любят его. Я повторяю это как мантру. Правда, легче мне не становится...

Он может помыть посуду, погладить рубашки, почитать детям на ночь.

Когда их блудная мать... Ну, словом, отсутствует.

Мы почти никогда не ругаемся. А если что и случается, то делаем это интеллигентно, не орем друг на друга и посуду не бьем.

Он совсем неплох внешне: высок, поджар. Ну да, слегка лысоват... Так что? Сейчас это даже модно! С ним приятно пройтись по улице и не стыдно его где-то показать.

Он не отказывается вместе пойти в театр. К слову сказать, мужья моих подруг в театры не ходят.

По воскресеньям он плавает в бассейне и ездит на рынок.

Не пьет – у него аллергия. И не курит. По той же причине.

Он старше меня на одиннадцать лет. Когда мы познакомились, мне было всего девятнадцать. Ему – соответственно... Мужчина должен быть старше жены!

Я была глупой, неопытной и очень наивной. Наверное, это его и подкупило.

Впервые мы встретились у общих знакомых. Он сказал, что ему очень понравились мои родители. (В гостях мы были все вместе.)

Маме и папе он тоже понравился. Он приходил к нам в дом с конфетами и цветами. Моих это подкупало.

Мама смотрела на него почти влюбленно. Папа вел себя сдержаннее, но было видно, что о таком зяте он только и мечтал.

В воскресенье мы обедали вместе: он как-то сразу влился в нашу семью, и получилось, что выбора у меня просто не было.

И парней до этого у меня, кстати, тоже не было. Я всегда была скромницей...

Мама принялась меня уговаривать. Доводы были разумные: холост, свободен, образован, хорошо зарабатывает. Словом, не жених, а подарок.

Наверное, так и есть. Точнее, было. Но... Я чувствовала, что мне с ним как-то тоскливо. Знаете, как говорят: не мой человек.

Когда я попыталась объяснить это маме, она рассмеялась: «Для жизни важно не это! Для семейной жизни важны надежность и стабильность».

Я долго не понимала. Стабильность важнее любви? Да как же так? Разве в книгах нас не учили, что самое главное – это любовь?

Мама махнула рукой: «Лилечка, то книги, а здесь – жизнь. И в жизни главное – разум! Именно так: не горячее сердце, а холодная голова».

Нет, они не настаивали! Но... тактично давили. Если вообще можно тактично давить!

«Сергей умен, Сергей рукаст, Сергей обязателен, Сергей воспитан. Сергей – серьезный, надежный и взрослый человек!»

И все это, кстати, чистая правда! Подталкивали, пришептывали, качали головой: ах-ах! Короче, восторгались.

Встречали его как дорогого гостя: Сереже – лучший кусок!

Что говорить: я сдалась. Замуж мне не очень хотелось. Тем более вот в таком раскладе. А мама постоянно рассказывала страшные истории про одиноких дев и их страдания.

В общем, я согласилась.

Свадьба была шумная и веселая. Больше всех, по-моему, веселились мои родители.

Свекровь смотрела на меня с недоверием: видимо, она понимала, что в ее сына я не очень-то влюблена.

Началась семейная жизнь. Ничего плохого в ней не было! И ничего плохого про своего мужа я сказать не могу: ну да, сдержан, немногословен. Слегка холодноват. Немного расчетлив. Ну, или просто расчетлив. А как не рассчитывать бюджет по нынешним временам? Иначе не выжить! Очень серьезен. Не всегда понимает юмор. Но в целом – прекрасный муж и отец. Это правда!

Жили мы без страстей – это понятно. Мой муж и страсти – вещи несовместимые. А разве семейная жизнь – это страсть? Я уже понимала, что нет.

Мечтала ли я о любви? Когда-то, наверное, мечтала... Но дети, семья и работа. Все это было на первом плане. Это и было моей жизнью. А девичьи мечты, печаль и надежду я давным-давно убрала куда-то подальше. Словно засунула за ненадобностью новую, еще ни разу не надеванную вещь далеко на антресоли. Выкинуть жалко, а доставать скорее всего не придется.

Только иногда, нечасто, вдруг подкатывала такая тоска, что хоть волком вой!..

Но я быстро справлялась, честное слово! Например, включу пылесос или пойду стирать руками белье – и все, как рукой.

Иногда я просыпалась среди ночи и плакала. Тихо поскуливала, чтобы муж не проснулся. Но, по счастью, у него крепкий сон. Сон человека, уверенного в том, что он проживает свою жизнь правильно, как надо. В отличие от меня.

Маме я, разумеется, ничего не рассказывала. К чему ее будоражить? Да и при ее любви к зятю! Смешно... Она бы точно была на его стороне. Поставила бы меня на место. А близких подруг у меня нет. Со школьными мы потерялись, техникум я заканчивала беременной – было не до женской дружбы. А на работе я близко ни с кем не сошлась. Так получилось.

Грустила я иногда, что жизнь протекает мимо меня, параллельно.

А в общем – все хорошо! Было хорошо...

Его я встретила совершенно случайно. В страховой компании. Он страховал свою машину, а я отправилась страховать нашу квартиру. Муж настоял. Он любит, чтобы все было по полочкам.

Ну, и разговорились в очереди – так, ни о чем. А очередь, надо сказать, была очень приличная. И перед самым нашим носом начался обеденный перерыв.

Мы вышли на улицу, и он предложил зайти в кофейню за углом выпить кофе.

Кофе мы пили почти два часа, забыв про страховую компанию, нашу очередь и закончившийся обеденный перерыв.

Почему-то нам было очень весело и легко. Мы говорили на разные темы. О чем именно – я, честно говоря, смутно помню. Помню одно: мне было легко! Страшно легко и страшно весело. Как никогда не было весело и легко с моим мужем...

Потом мы оба глянули на часы и дружно расхохотались.

– Нам ничего не остается, кроме как пойти погулять! – заявил мой случайный знакомый.

– Погулять? – удивилась я. – Как это – погулять? Просто так?

Он удивился:

– А что, вы никогда *просто так* не гуляли?

Я смутилась и что-то пробормотала в свое оправдание.

А выходило, что *просто так* я действительно давно не гуляла!

Мы с мужем ездили за покупками, с детьми в зоопарк и за город.

Ездили на экскурсии. Пообедать в кафе. Отвезти ковер и куртки в химчистку. Но просто так? Всегда была какая-то цель, было дело.

Да и потом, «просто так» с моим мужем... Нет, это как-то не вяжется.

Сергей слишком разумен и рассудителен. Ему нужна цель! Деловая или познавательная.

А тут – *просто так...*

«Просто так» оказалось Измайловским парком – с белками, пеньком, сидя на котором я слушала, как он читал мне стихи. С сосиской в булке – ничего не ела вкуснее! А еще были кислый квас и мороженое в стаканчике. Пять воздушных шариков, которые мы отпустили в небо, загадав желания. Божья коровка на моей ладони, которую он осторожно сдул...

Маленький букет незабудок, собранный им.

Время остановилось. Жизнь замерла. Планета пуста. Мне казалось, что на свете больше нет ничего – только он и я. И все! И прежней моей жизни тоже нет...

А она была! И надо было спешить, торопиться! Настал вечер, ждали дела.

Но больше всего на свете мне хотелось... не возвращаться в ту жизнь!

Ну, как можно в этом признаться? Даже себе?

Расстались мы у метро. Я настояла. В вагоне, под мерный и успокаивающий перестук колес, я закрыла глаза. Я растворилась. Я уплывала куда-то. Где мне было так хорошо! Что даже стало немножко страшно.

А нужно было возвращаться. В свою прежнюю жизнь.

Я вышла на своей станции, глотнула свежего воздуха, с сожалением посмотрела на чуть подвядшие незабудки и... бросила их в урну.

Дома я делала все как во сне: картошка – почистить, поставить варить; фарш – слепить котлеты, нагреть сковородку, сначала сильный огонь, потом убавить.

Хлеб, помидоры, редиска. Компот. Тарелки и чашки. Я накрыла стол и села на стул. Что сегодня случилось со мной? Мне все приснилось? Привиделось?

Да, разумеется! Глупость какая! Божья коровка, шарики в небе, булка с сосиской, горчица течет по руке. Незабудки под тонкой березкой. Стихи...

Сжала руки под темной вуалью...
«Отчего ты сегодня бледна?»
– Оттого, что я терпкой печалью
Напоила его допьяна.

Моя любимая Ахматова...

Все страдали...

Я мотнула головой, сбросила морок и громко позвала детей ужинать.

Прибежали дети, пришел муж.

Все было как обычно: обычный, рядовой семейный ужин. Дети болтают, перебивая друг друга. Муж, как всегда, сдержан и тактично делает им замечания. Между прочим, по делу. Все мило и знакомо. Все хорошо.

Потом я мыла посуду и почему-то плакала...

Телефон я ему дала. В этом была моя ошибка. Ошибка? До сих пор я этого не знаю! Наверное, да, ошибка. Я ведь уже тогда понимала, что хорошим это не кончится. Но... Не дать телефон я не могла! Я не могла пройти мимо этой встречи! Я не могла пройти мимо... своего счастья? Все это – счастье? Или все же большая беда?

Он говорит, что наше знакомство – несчастный случай. Потому что мы жить друг без друга не можем. Такой вот

юмор у моего любимого. Только в каждой шутке, как известно...

Он позвонил на следующий день. Я даже не успела попсиховать на эту тему.

Позвонил и просто сказал: «А нечего нам выпендриваться! Нечего дразнить судьбу и играть с нею в прятки! Нечего банально терять время». И я сразу после этих простых и понятных слов согласилась на встречу.

Мы снова гуляли. В «Сокольниках». Был очень теплый, даже жаркий вечер, и мы лежали на траве, подстелив его рубашку. Я провела пальцем по его груди и тут же вздрогнула, испугавшись и поразившись своей смелости.

Тогда он впервые поцеловал меня. А потом мы вскочили с травы, отряхнули одежду и поехали к нему, поймав такси. Побежали.

В такси мы держались за руки. Так крепко, словно боялись, что нас разлучат. И обоих била дрожь.

Мы не дождались лифта и бегом взлетели на четвертый этаж.

Он жил в однокомнатной квартире. Точнее, снимал ее. Квартира была совершенно необжитой, холостяцкой и явно чужой. Но это была ерунда. Нам ничего не мешало: ни скрипучий, рассохшийся пол, ни старый диван, стонущий под нашими телами.

Мы почти задыхались от счастья. Ну а я... еще и от открытий.

Время, время... Проклятое время! Хозяйские часы с полуживой кукушкой.

Господи, как оно летит, это время! Словно смеется над нами!

Он вышел меня провожать. Поднял правую руку, чтобы поймать машину. А левой обнимал меня. И еще – шептал в ухо. Но я почти ничего не услышала – на улице было шумно. А ведь все, что он говорил, было так важно для меня! Переспрашивать я постеснялась. Глупо как-то было переспросить...

В машине, на заднем сиденье, меня начало трясти. «Потрясающий озноб» – есть такой термин в медицине.

Шофер оглянулся:

– Вы заболели?

Я мотнула головой:

– Нет, все в порядке.

– Тогда надо выпить! – хохотнул он.

Я подумала, что он, наверное, прав.

Дома, слава богу, никого не было – муж с детьми уехали к бабушке, моей свекрови. Это было как «Отче наш» – раз в неделю наносить ей визиты. На моем присутствии она не настаивала. Чему я была очень рада.

Я вошла в квартиру, сбросила туфли, выпила полстакана вина и встала под горячий душ.

Трясти перестало, и я понемногу приходила в себя.

Когда они приехали, я дремала. Слышала, как муж сказал детям:

– Потише! Мама устала, спит. Тишина!

И мне почему-то стало так стыдно, будто я что-то украла.

Впрочем, я и украла! Что тут скажешь? Украла!.. Только *что* – этого я еще не очень понимала.

С той поры начался наш роман. Встречались мы раз в неделю – чаще не получалось. Впрочем, иногда выходило и два. Он подъезжал ко мне на работу в обед. И мы шли гулять. Он беспокоился, что я не поем, и брал с собой бутерброды. Это было так трогательно, что я каждый раз хлюпала носом.

Я вообще много плакала. От печали, от радости, от тревоги, от стыда. От счастья. И от любви!

Мне было так спокойно с ним и так хорошо, словно он раздвинул рукой какой-то плотный занавес, который закрывал от меня настоящую жизнь. Впустил свежий воздух и солнечный свет. И жизнь моя наполнилась солнцем, теплом, свежим ветром и запахом. Запахом счастья!

Мне было так сладко с ним, что я даже боялась вытащить свою руку из его руки.

Мне нравился его запах, его лицо, его руки. Я верила ему, как не верила никому! Точнее... Я ему доверяла. Мне каза-

лось, что он никогда не сможет меня предать, обмануть или расстроить.

Мы, как и в первый раз, продолжали дрожать, обнимая друг друга. Я волновалась и краснела, услышав его голос в телефоне. Я повторяла про себя его слова, его имя. И оно было для меня прекрасней всех имен на земле!

Я впервые летала, а не шла по земле! Я впервые любила весь мир! Все люди мне казались доброжелательными и милыми.

Я находила прелесть в самом ничтожном и малом, на что не обращала раньше внимания. Кислое яблоко казалось мне сладким.

Запретный плод... Я сорвала его, не подумав. Не подумав о последствиях, как не подумала Ева.

Но... Иногда на меня наваливались такая тоска, такой стыд, такое отчаяние!..

Я начинала задыхаться. В те минуты мне казалось, что я – страшная преступница, которая заслуживает самого сурового наказания.

Я предательница. Я предала семью, детей и мужа. Я позволила себе! Допустила. Позволила то, на что не имела права. Я ставлю под угрозу свою семейную жизнь. Да что там свою – жизнь моих детей! Вот что самое страшное.

И я казнила себя, терзала, презирала и снова казнила. Я чувствовала себя лживой тварью, позволившей себе... Свое счастье, на которое я, замужняя женщина, не имею ни малейшего права!

Я изводила себя, рвала на куски, кромсала и терзала.

Я не спала по ночам, худела и бледнела, но глаза мои горели нестерпимым огнем.

Я видела, что я, совершенно обычная и рядовая женщина, стала красивой!

И это открытие меня потрясло!

Это заметили многие: коллеги по работе, соседи. И даже моя мама внимательно разглядывала меня, не очень понимая, что происходит.

А мужчины стали оглядываться на улице, смотреть мне вслед. Пару раз я обернулась. Просто ради интереса! И очень смеялась.

Такого не было со мной никогда. Даже в далекой юности. Я стала красивой... Потому что я была желанной. Любимой!

И ни с кем не поделиться... Когда из тебя счастье рвется наружу!

Мама... Конечно, она догадывается. Она ведь женщина. Мама смотрит на меня с таким осуждением... Вглядывается, качает головой, тяжело вздыхает. Что ж, я ее понимаю. Почти понимаю. Хотя... Считаю ее во многом виновной. Как она могла тогда заставить меня, совсем юную дурочку? Нет, не заставить, конечно. Но подтолкнуть! Это уж точно. Вот как? Как можно уговаривать свою девочку пойти под венец без любви? Нет, я понимаю: она боялась. Боялась, что я, тихушница и скромница, останусь в девках. А тут такой вариант! Подходящий по всем, можно сказать, параметрам. И все же... Я не могу представить, чтобы я свою дочку?.. Особенно когда у самой есть такой опыт – жить с нелюбимым.

И снова тяжелый мамин взгляд. Я отвожу глаза. Что-то вру: собрание, срочная работа, день рождения коллеги... Она презрительно хмыкает и, конечно, не верит.

Ее страхи понятны: куда это все заведет? Насколько серьезно? Что там за мужчина? И внуки... Это главное!

Вот я бы на ее месте просто поговорила! Села бы напротив и сказала: «Знаешь что, дочка! А давай-ка поговорим! Просто по-женски, как две подруги».

Но у нас так не бывает, не принято. Не принято разговаривать, не принято делиться. Она – хорошая мать. В том смысле, что я всегда была хорошо одета, меня водили в кружки и на плавание, пытались учить музыке.

Как любая нормальная мать, она переживала, когда я болела. Вывозила меня на курорты – в детстве я много болела. Она все делала для меня! Я это очень ценю! Но... Мы никогда не были близки. Никогда. Наверное, просто она не умела быть искренней, говорить по душам.

Так было и в ее семье, с ее матерью. Кстати! У моей мамы есть родная младшая сестра, Наташа. Моя тетка. Наташа в разводе. От мужа ушла сама. Муж был человек неплохой, но пьющий. И Наташа забрала дочку Машу и ушла в никуда. Жила бедно, снимала комнату. Выживала. С вечно сопливой Машкой оставалась соседка. Сидели они на кашах и на винегрете. Мама ее осуждала. «Как можно было уйти от небедного мужа? Как можно было оставить без отца ребенка? Как можно жить в чужой конуре и питаться овсом (мамины слова)?»

Муж Наташи и вправду хорошо зарабатывал. Квартира была большой, в тихом центре. Однако тетка моя выбрала бедную, но спокойную жизнь. Хотела сохранить свое достоинство и Машкину психику.

А моя мама просто отвернулась от нее. Хотя могла бы помочь! Например, взять Машку к нам на дачу летом. Или на море. Или просто помочь деньгами. Мой отец хорошо зарабатывал, и это было нам совсем нетрудно. Но мама была непреклонна.

«Сама выбрала такую жизнь. Вот и терпи!»

Моя мама – ханжа. Наверное, так. Но она сама всегда оставалась верной женой. И даже помыслить о чем-то *таком*, думаю, никогда не посмела.

В юности мама была прехорошенькой: кудрявая блондинка с большими карими глазами. Талия тоненькая, стройные ножки. Взгляд задумчивый и мечтательный. Нежная девочка!

Мама смотреть старые снимки не любит. Говорит: «Ерунда. В юности все мы были красавицами. Не это главное! Вот Наташка была еще лучше меня! А итог?..»

Сейчас у мамы всегда поджаты в нитку губы и сведены к переносице брови. Вид хмурый и недовольный. Вот чем? У нее же все хорошо! Крепкая семья, хороший муж, полный достаток. Казалось бы, мама – счастливая женщина.

Я не помню семейных скандалов. По-моему, их никогда и не было. Хотя мой отец – человек непростой. Строгий молчун. Немного зануда. Нужно, чтобы все всегда было по распорядку: завтрак, обед, ужин. На ночь кефир. Уборка, смена постельного белья (раз в неделю!). Рубашки, галстуки – все по цвету, все в ряд. Носки тоже по цвету! Мой муж рядом с ним – просто ангел.

Но мама, наверное, все же права: семья у нас хорошая. И мой отец – замечательный семьянин. «Надежный человек» – главное мамино определение. Главная похвала. За это же они ценят и моего мужа.

Я не могу представить, что мои мать и отец говорят по душам. Может быть, я ошибаюсь? И я со своим мужем никогда не говорила по душам...

Считается, что дочь часто повторяет судьбу матери. По крайней мере, живет по ее лекалу.

А я поняла, что не хочу так жить.

Хотя озвучить это... Почти неприлично! При общем дефиците мужчин в нашей стране. Ведь у кого-то совсем ничего...

Значит, мне все-таки повезло?

Я долго терзалась. Очень долго. И наконец поняла! Точка невозврата, что ли? Я... готова! Страшно произнести эти слова, но я готова!

Я готова уйти от мужа к любимому! Я готова объясниться, собрать вещи, забрать детей и уйти! Только носильные вещи, и все! Больше мне ничего не надо, и я ни на что не рассчитываю. Ведь это я обманула... И я ухожу...

После того как я это поняла, мне стало гораздо легче!

И в тысячу раз тяжелее...

Наверное, я пустоголовая дура. Эгоистка. Ничего не ценящая свинья. Отвратительная мать. Похотливая баба. Влюбленная идиотка.

Я – счастливая и несчастная! Что мне делать? Как быть?

Господи, подскажи! Помоги мне! Пожалуйста!

Ведь я не Анна Каренина! И жизнь свою, как она, закончить не хочу!

И муж мой, кстати, совсем не Алексей Каренин! Совсем!

Это если быть честной...

А любимый мой? Вронский?

А может, я просто наивная дура?..

Мать

Я не сплю уже полгода. С тех пор как все поняла. Не помогает даже снотворное. Как она может? Ну как? Когда все так хорошо! Когда ей так повезло! Когда тысячи женщин отдали бы все на свете, чтобы было так, как у нее? Любовь? Да помилуйте! Какая любовь? Страсть? Ну, наверное... Бывает.

Только крушить свою жизнь? Подставлять под угрозу жизни детей? Свою стабильность и благополучие? Свой покой? Нет, так может поступить только идиотка! Законченная дура. Безголовая курица. И в кого она? Не понимаю!

Чтобы вот так пустить свою жизнь под откос? Нет, я, конечно, не знаю, что у этой дуры в башке? Могу только догадываться.

Смотрю на нее... Вся трясется. Руки трясутся, глаза сумасшедшие. Телефон постоянно на виду, перед носом. Из рук его не выпускает. Даже в ванную берет с собой. В туалет, кстати, тоже. Совсем сбрендила!

Если приходит эсэмэс – тут же прячется. Вцепится в телефон и... поплыла!

Глаза стекленеют. Отпишет и улыбается. Как придурочная, ей-богу!

Ходит с дурацкой улыбкой весь вечер, как сомнамбула. На углы натыкается.

То суп пересолит, то мясо сгорит. Зять приходит и смотрит на нее с недоумением. А она: «Ой, прости! Целый день болит голова!»

В кладовке накопилась огромная стопка неглаженого белья. В холодильнике – черт-те что: засохшие корки, колбаса с плесенью, прокисший компот...

Бедный зять, бедные дети! Ей и на них, по-моему, наплевать!

Живем мы близко – два квартала пешком. Я прихожу часто, раза три в неделю. Когда зять уезжает в командировки. А это бывает довольно часто. Все ей в пандан! Его командировки, мои приходы... Только и слышу: «Мам, свари супчик! Мам, прокрути котлеты! Мам, забери детей из сада!»

Хамить стала! Вот уж совсем новости... Всегда ведь была смирной и тихой, всегда!

А тут... Приходит домой, кивнет молча. Сядет есть и снова молчит. Ковыряет котлету, а взгляд – мимо. Мимо тарелки и мимо меня, насквозь. Смотрит в стену. Меня словно нет.

Встанет, тарелку за собой не уберет и молча в комнату. Захожу – лежит одетая, поверх одеяла, и взгляд в потолок.

«Чего не доела?» – спрашиваю.

«Отстань!»

Вот и весь разговор. «Мама, не доставай! Мама, отстань! Мама, я хочу помолчать!»

Я сначала не понимала: «Может, ты заболела, Лиля? Может, неприятности на работе? Может, с Сергеем что-то не так?»

Молчит. Потом еле-еле прошелестит в ответ: «Все нормально, мама. Все хорошо».

Я и вправду подумала: может, болезнь какая-нибудь ужасная? Она узнала, а нам боится сказать? Жалеет. И похудела здорово... Бледная вечно, глаза ненормальные и блестят.

А потом поняла! Все поняла! Дело – швах! Влюбилась моя дура, и крышу снесло! Господи, что же будет? Что она еще придумает, эта малахольная? Что ей в голову взбредет? А если?.. Да не дай бог! Тьфу-тьфу!

У таких, как она, уж если заклинит... Жди беды. Она ведь и не встречалась ни с кем толком! Так, в институте сходила пару раз с мальчиком в кино. Потом еще на даче с сыном соседей... Ну, это вообще детский лепет! Было им тогда по четырнадцать лет.

А тут Сережа. Мы, конечно, обрадовались: такой парень, с такими перспективами! И собой хорош, и семья приличная. И настроен серьезно. На брак. На семью. Такого днем с огнем не сыскать! А он вокруг нашей дурочки круги нарезает. Мы-то с отцом понимаем: нельзя упускать! Ни в коем случае! Такое бывает раз в жизни. Сейчас все норовят пожить гражданским браком. Да и вообще, острый дефицит хороших мужиков. Да и вообще любых!

И тогда я решила: уж в этом я Лиле помогать точно не буду! Еще не хватало! Выручать ее с детьми, чтобы она свободу

обрела. Разбежалась! «Мама, сделай то, сделай это...» Мне нетрудно! Для любимых внуков особенно. Но потакать ей я не стану! Чтобы она совсем с катушек съехала?

Вот и рвись сама – между детьми, мужем и... этим... твоим!

Я тебе в этом деле не помощница. Может, так скорее все и закончится? Если я ее не стану страховать? И нечего обижаться! Была бы поумней – поняла бы, что все во имя ее же блага! Ее счастья и ее семьи.

Сестрица моя, Наташка... Вот уж пример! От мужа ушла – «не хочу больше терпеть». Как я ее уговаривала! Семья – главное, основа всего. Дочь у тебя, пораскинь мозгами! Квартира какая! На Пречистенке! Набита, как шкатулка добром. Родители мужа – известные люди, архитекторы.

Когда Наташка собралась от него уходить – смеялась: «Да я еще сто раз замуж выйду! Не беспокойся!»

И что, вышла? Есть какой-то мужичок на работе. Женатый. И что? Праздники – с семьей, в отпуск – с семьей. А к ней – украдкой, на пару часов. Обнимает и на часы смотрит. А Наташка, между прочим, настоящая красотка! Глаз не оторвать! Хотя при чем здесь красота? Чтобы семью сохранить, нужны мозги! Мозги и терпение – вот основа всего.

Да, он поддавал! Ну и что? Мог поскандалить. Но ведь не бил! Добро из дома не выносил.

Нет, и все! Как рогом уперлась! И никакие уговоры не помогли! Надоело, говорит! Скандалы и пьянки. Обрыдло! И дочка растет в этом кошмаре... Что будет с Машиной психикой?

Что будет с психикой? А то, что дочке нечего жрать? А то, что сидит с чужой и дремучей бабкой? А то, что кроссовки ее по десятому разу латает? Это как? Хорошо?

Зато, говорит, спокойно. «Сплю по ночам, а не жду, когда вломится в спальню и скандалить начнет. Да еще и пьяный полезет. Тебе хорошо! Твой муж ни разу пьяным в дом не пришел! И ты меня не суди, поняла?»

Ну и черт с тобой! Бейся, как рыба об лед! Да, мне хорошо! Мой муж до скотского состояния ни разу не напивался.

Зарплату всю отдавал, это так. Ни разу меня не оскорбил и не обозвал, все правильно.

А то, как мне *хорошо*...

Никто не узнает. Никто!

Он

Я скучаю. Я очень скучаю по ней! Даже сам от себя такого не ожидал! Влюбился... Конечно, влюбился! Отрицать это смешно! Честно говоря, думал, что это уже нереально. После того, через что пришлось мне пройти. После развода – два года лечился. У кого? Да и так понятно. У того самого. Эндогенная депрессия – ни больше ни меньше. Такая гадкая штука, надо сказать. Еле вылез, ей-богу! Еле спасся, еле ноги унес. Накрыло конкретно! Лежал на диване и думал. Времени было навалом! С работы тогда уволился – кто бы стал меня терпеть такого? Я и сам терпел себя с огромным трудом.

Лежал и думал: жизнь, в сущности, мерзкая вещь. Предательство самого близкого человека... Есть что-то страшнее? Решил тогда: если выскочу – больше никогда и ни за что! Никогда не поверю, никогда не открою душу. Звучит по-девичьи... да. Но у нас, мужиков, тоже имеется сердце! И ранимая душа, вы уж поверьте!

Женщин стал откровенно презирать и почти ненавидеть. Надеялся, что это уже установка, а не болезнь.

А вышло, что нет. Не установка. Потому что, когда начал выскребаться из этого дерьма... Опять захотелось... Нет, любви тогда не хотелось. Совсем не было сил. На себя не было – какая там любовь? До сортира еле доползал – ноги дрожали и подкашивались.

Захотелось тогда, чтобы просто был человек рядом. В каком качестве – мне было без разницы. Друг, сестра, любовница... Просто положить голову на колени и... забыться. Со сном, кстати, тоже было тогда очень паршиво. Дремал целый день от бессилия. Но вздрагивал от каждой мелочи, от каждого шороха, скрипа. Ни радио, ни телевизор тогда не включал – бесило все страшно, и голова рвалась.

Не секса хотелось, не пылких страстей – немножко тепла и покоя. И еще, чтоб пожалели.

Правда, стыдно было. Жалость, как нас учили, – тема совсем не мужская.

Ладно, думал, я же болею! Ну и прощу себе эту слабость. Мужчины тоже ведь люди! И тут... Наша встреча. Вот чудеса! В страховой компании. Начинался обеденный перерыв. Она была впереди меня, и нам с ней не повезло – перед ее носом начался обед у сотрудников.

Мы вышли на улицу, погода располагала. Зашли в кафе, выпить кофе. И как-то потек разговор. Первая мысль про нее: «Какая она милая!» Именно так: не красивая, не сексуальная, не манкая, а именно *милая*! Есть женские лица с этой отметиной милоты. Что это? Честно говоря, не очень понимаю. Сдержанность какая-то, смущение. Никакого блеска в глазах – только робость. И при этом чувствуется пылкое сердце и способность разрушить все на своем пути во имя любви. Отчаяние какое-то было в ней, откровенность. О, как сказал! Сам застеснялся. Пафос какой-то. Но чистая правда! В голове так и стучало: милая, милая...

Она от всего смущалась: протянул ей салфетку, подвинул стул, подал упавший шарфик. Краснела, как девочка.

Есть такие лица: неброские, словно написанные акварельными красками. Вроде ничего особенного. А приглядишься, точнее – вглядишься, и сердце замрет от восторга!

Кажется, что женщина с такими глазами и с такой улыбкой никогда не сможет предать. Пунктик у меня на это дело образовался конкретный.

В общем, в офис страховой компании мы не вернулись, а пошли погулять. Когда она услышала мое предложение, просто зарделась, как школьница: «Погулять? – переспросила она. – А как... погулять?»

Как будто она не знает, как люди гуляют...

Нервничала здорово. Смотрела на часы, оглядывалась по сторонам. Вздрагивала, все время роняла свой многострадальный шифоновый шарфик.

А в парке мы сели на траву. И я разглядел в солнечном свете ее почти прозрачную, молочно-белую кожу и тоненькую голубоватую жилку на правом виске. И темную родинку, со спичечную головку, на мочке левого уха. Было все это как-то трогательно, что ли. И ее растерянность, и смущение...

Словно она не женщина бальзаковского возраста, не мужнина жена и мать двоих детей. А восьмиклассница на первом свидании.

Это только потом я понял: по сути, так и есть – она восьмиклассница.

Замуж вышла по-дурацки – рано и без любви. Родители настояли: прекрасная партия, прекрасный жених...

А что она, дурочка, не воспротивилась – так это понятно. Послушная дочка, почти отличница. Родители – большие авторитеты. Она их боялась. Такая вот глупая девочка.

Муж оказался неплох, но... счастлива с ним она не была – это было сразу понятно. По глазам. Говорить о нем она не хотела, плохого в его адрес – ни-ни. Но в разговоре что-то проскальзывало, все равно прорывалось.

Правда, хвалила его: заботливый, внимательный, любит детей и порядок.

– А что больще? – шутливо спросил я.

Она не поняла:

– В каком смысле?

Она оказалась нежной... Такой нежной, что у меня начинало болеть сердце. Робость ее, смущение, скованность – отступили. Вот бы никогда не подумал, что...

Не люблю об этом говорить, но страстность ее меня зачастую пугала. Не только в постели – вообще. Страстность натуры. Решительность. Готовность на все. Именно так: готовность на все!

В ней не было ни грамма расчетливости, ни грамма разумности, ни грамма опаски и страха!

Летела, как мотылек на огонь. Абсолютно бесстрашно.

Все готова была сокрушить, разрушить, преодолеть.

Для того чтобы нам с ней... быть вместе. Дом, квартира, машина, достаток. Дети, родители – все нипочем. Лишь бы... Любовь.

«Я и не знала, что так бывает! – шептала она. – Ты просто лежишь рядом или сидишь. К примеру, на кухне – не важно! Главное, что ты рядом, ты – здесь! Мне важно то, что ты просто *есть*! В этом городе, на этой земле. Что ты просто ходишь, дышишь, живешь... Этого достаточно. Потому что я уже счастлива!»

Милая моя! Спасибо тебе! Спасибо за жизнь – ни больше ни меньше. Ту, что ты мне опять подарила! Это чистая правда: к жизни меня она точно вернула. Ценнее подарка нет. Я влюбился. Я думаю о ней постоянно. Мне нужно видеть ее. Хотя бы раз в неделю. Мне хорошо с ней! Так хорошо мне не было ни с кем. Никогда. Я верю ей, как, возможно, не верю себе. Она – моя женщина! Это я понял.

Такое огромное счастье...

Просто встречать ее на пороге, прислушиваться к шуму лифта, смотреть в окно. Нервничать, не спать, терять аппетит. Нюхать ее волосы, слышать ее дыхание, замирать от ее слов, ловить их жадно, как будто я – юный пацан.

Проверять каждые десять минут, все ли нормально с моим телефоном. Строить планы.

«А давай поедем на море? Нет, ты представь – мы на море! Вдвоем! Шум волны, душная ночь, темное небо утыкано звездами, словно пирог зажженными свечками!.. И я у тебя на плече. Или в Париж! И снова вдвоем! Мы сидим в саду Тюильри и просто молчим! А потом пьем кофе на Елисейских! И снова молчим. Потому что слов нам не нужно – мы и так все понимаем! Мы чувствуем друг друга без слов.

А дальше будет ночь. Наша ночь, понимаешь? И мне никуда не нужно спешить!»

Да. Это все замечательно. Просто сказочно! Но это мечты. Фантазии. Полеты... Во сне и наяву. У нас – только во сне.

А между тем есть обычная жизнь. Где надо ходить на работу. Ходить в магазин. Отвозить детей в сад. Пылесосить квартиру. Мыть окна. Стоять у плиты. Выносить мусорные пакеты. Планировать жизнь и бюджет.

Воспитывать детей, наконец! Дать им хорошее образование. Медицину. Одежду.

Вот она – проза жизни!

Не хочешь слушать? Нет, ты подожди! Никуда от нее не деться, от этой прозы. Увы...

Что я могу тебе предложить? Съемную однокомнатную квартиру? Своей, как ты знаешь, у меня нет. Свою я оставил жене и ребенку. Машины у меня тоже нет. Зарплата... Так, слезы. Нет, одному мне хватает. Но на семью? Большую семью?..

...Сложно признаться себе, что ты трус. Противно и стыдно. Но вот придется. Иначе никак.

Да, я боюсь. Боюсь! Разлюби меня, запрезирай. Возненавидь, наконец!

Я боюсь! Боюсь забрать тебя оттуда. Боюсь ответственности – за тебя и твоих детей. Боюсь, что не дам им того, что у них есть. А ведь не дам!.. Потому что нету!

А дальше... Ты от меня сначала просто чуть отодвинешься. Пока незаметно, даже для тебя самой. Не будешь смотреть на меня *теми* глазами.

Потом ты станешь обращать внимание на то, на что раньше не обращала: я, например, чавкаю, когда ем суп. Я оставляю зубную пасту на зеркале в ванной. Я крошу хлеб. Я оставил носки там, где не надо. Я купил не тот кефир и слишком мелкие яблоки. «Что, пожалел? На детей пожалел?»

«Да нет, я просто не разбираюсь в продуктах!» Но ты не поверишь.

Я не так посмотрел на Мишу. Я сделал замечание Свете. И ты, уж поверь, не станешь разбираться, кто прав, а кто виноват. Ты просто обидишься. И все!

Ты замолчишь, а после мне, конечно, бросишь: «Это же не *твои* дети! Это *мои* дети!»

И как бы я ни оправдывался... Вот тогда ты вспомнишь про мужа! Какие он выбирал яблоки и как он любил ваших общих детей!

Возможно, я оправдаюсь. Возможно... Но зерно сомнения в твоей душе уже взошло. Росток пробился.

Ты захочешь поехать на море, в Париж. Все вместе – мы же семья!

А денег не хватит. Просто банально *не хватит денег!* И все!

Ты снова обидишься и вспомнишь мужа. Когда вы были вместе – денег хватало.

И ты всегда повторяла, как заклинание: «Он хороший человек, он – хороший».

А какой я? Какой я человек?

Да я и сам не знаю...

Одно знаю точно: я отчаянный трус! Мелкий такой... Не рассудительный человек, не ответственный мужик, а банальный трус!

«Трусло» – как говорили у нас во дворе. А это обидней, чем «трус».

Мать

Доченька моя! Родная моя девочка! Не слушай меня! Ох, не слушай!

Чушь я несу, ерунду и глупость. Да и как я смею? Как смею советовать, упрекать тебя, презирать?

Я – ничтожество полное! Трусиха и дура. Я, которая...

Ты ведь ничего не знаешь, моя милая. Совсем ничего! И мне от этого еще тяжелее.

Мне так тяжело, что если бы ты понимала, то наверняка пожалела меня.

Но я и жалости твоей не стою. Я вообще ничего не стою, ты мне поверь!

Я, которая пустила жизнь свою под откос. Коту под хвост. И как я могу советовать? Как могу тебя осуждать? Я, мелкая, корыстная, жалкая трусиха? Предательница и негодяйка?

Я так жалка, что даже сейчас, почти прожив жизнь, не став счастливой ни на минуту, пытаюсь отговорить от счастья тебя.

Жалкий я человек. Впрочем, жалеть меня не надо – я этого недостойна. Потому что сама все разрушила и растоптала.

Как мне хочется подойти к тебе! Обнять и сказать: «Девочка моя любимая! Да, конечно! Иди! Точнее – беги! Хватай в охапку детей и беги!

И поскорее! Наплевать на все эти блага! Квартиру, машину, поездки. Все это пыль и пустяк, потому что счастливой они еще никого не сделали! Ни-ко-го! Уж мне ты можешь поверить! Что называется, из первых уст.

Не держись ты за всю эту чушь! Все наживется. А нет – так тоже, поверь, ничего страшного! Ну, будет квартира поменьше и победней. Ну, не будет автомобиля. Денег в обрез. Все ерунда! По сравнению с... Нелюбовью. С отвращением. С колючими и острыми мурашками, которые пробегают по телу, когда он...

И когда он ест – опрятно, но так отвратительно! На края тарелки раскладывает лепестки вареной моркови. И морщится. Боже, как же он морщится! Я говорю: давай я не буду в суп класть морковь. А он отвечает: клади, это полезно.

Да что там полезного? В отварной-то моркови?

А этот чертов кефир? Я ненавижу даже слово «кефир», не то что его вкус или запах.

Кефир. Бррр!

Обязательно свежий! Потому что свежий «способствует»! Он так и говорит: способствует! А несвежий, вчерашний, – *не* способствует! То есть крепит.

«И каждый вечер в час назначенный»... Незыблемый ритуал. Непоколебимый. Пусть рухнут стены, обрушится небо и погаснут звезды! Пусть я лягу в гроб! Но каждый вечер, в половине десятого, как «Отче наш». Стакан кефира на блюдце. Не до краев! На палец не доливать. Глаз у меня, конечно, наметанный. Не доливаю.

Кефир, чайная ложка сахарного песка. Все размешать. И поднести. «Они» уже готовятся ко сну – лежат в кровати, свежая пижама из чистого шелка, свежее белье (менять раз в неделю!). Каждый раз спрашивает: «Ты белье поменяла?» «Конечно, Всеволод! Разумеется!»

Итак, пижама, очки на носу. В руке книга – на сон грядущий. Газет на ночь не читает... Не дай бог, расстроится! Газеты прочтутся за завтраком.

Будет хмурить брови, кхекать, со стуком ставить стакан с чаем на блюдце – выражать недовольство. Но это утром.

Горит ночник, книга в руке. Скорее всего, «Война и мир». Причем мир он пропускает, презирает, ему нравится только

война. Я приношу этот чертов стакан. На краю блюдца – ванильный сухарик. Тоже как «Отче наш». Причем средней мягкости. Или жесткости? Короче говоря, не твердый и не мягкий – приятный для зубов. Плюс салфетка. Не бумажная – льняная. Бумажными «мы» брезгуем!

Я ставлю всю эту хрень на тумбочку и жду. Я жду! Потому что я *должна* отнести пустой стакан. Забрать и отнести на кухню. Потому что если он останется на тумбочке и будет пахнуть!.. Чем? Да, разумеется, кефиром! То есть кислятиной. А в спальне ничем не должно пахнуть. Ничем! Только свежий воздух, и все! Никакого запаха крема, духов. Ни-че-го!

«Они» не любят этого...

И я стою. Он пьет медленно, со вкусом. Глотает громко, неторопливо. Причмокивает губами. Хрустит сухарем. Крошки падают на салфетку, разложенную на пододеяльнике. Выпивает все, до последней капли. Даже стучит указательным пальцем по дну стакана.

Потом стряхивает крошки с салфетки и брезгливо морщится: ему это неприятно.

Не глядя на меня, он протягивает стакан и молча кивает.

Я беру стакан с блюдцем, салфетку и желаю ему «спокойной ночи».

Он отвечает: «Спасибо». Мне же спокойной ночи он никогда не желает.

Он не смотрит на меня, взбивает подушку, кряхтит, переворачивается на правый бок, подтыкает одеяло и бурчит: «Погаси свет!»

Несколько секунд я смотрю на его крупный, в складку, затылок и чувствую, как меня затопляет черная и душная волна ненависти.

Я иду на кухню, сажусь на стул, не зажигая свет, и смотрю в темное окно.

Потом я подхожу к двери и слышу его равномерный храп.

А если... Вот сейчас я зайду и возьму подушку. Накрою его этой подушкой и... Буду свободна! А если тюрьма? Ха-ха! Мне даже это не страшно!

Боже мой! Что лезет мне в голову? Что? Наверное, я сумасшедшая...

Я тут же гоню эти мысли. Мне становится страшно. Впрочем, мысли мои не страшнее моей собственной жизни.

Доченька! Где мне взять смелость, чтобы рассказать тебе все? Рассказать, чтобы ты поняла: главное в жизни – любовь. Все остальное труха! Пыль и тлен.

Жить можно только с любимым! Да потому что с любимым все не так страшно. Все можно пройти, пережить...

Можно приспособиться, да... Но какая этому цена, знаешь? Цена – жизнь. Не так уж и мало... Правда?

Я должна рассказать тебе! Все! От начала и до конца. Рассказать о своей жизни. Историю своего брака. И своей несчастной любви. Я обязана сделать это! Чтобы ты сделала выводы, чтобы поняла.

Что в жизни ценно и за что стоит держаться. А что стоит моментально забыть, как нелепый сон, как ошибку.

Вовремя остановиться. Вовремя!

И все попытаться исправить.

Ну, я попробую... Хотя сделать это мне ужасно, безумно тяжело. Страшно. Но я должна!

Он был прекрасен! Во всех отношениях! Не к чему было придраться. Да я, собственно, и не хотела. Я не искала в нем огрехи, не выуживала секреты, не удивлялась его положительным качествам. Потому что, когда любишь, это все ни к чему. Любимого принимаешь таким, как он есть.

Он был красив, умен и воспитан. Остроумен и любознателен. Ему предрекали большое будущее! И я была с этим совершенно согласна!

В него были влюблены все мои знакомые девушки. А дамы «в возрасте» с ним просто кокетничали и обожали его. Притягательность его была запредельной! Как сейчас говорят – харизма. А тогда говорили проще: обаяние. Ну и, конечно же, я влюбилась. И по-другому быть не могло!

То, что он выбрал меня, удивило всех. Я была самая обыкновенная. Нет, скромничаю, конечно. Я была тогда вполне себе ничего. И даже очень!

А кто плох в восемнадцать лет? Я была стройной блондинкой с большими глазами. Тихой и скромной. Воспитанной. И еще я была спортсменкой. Волейболисткой. Это его и зацепило. Он обожал спортивных людей. Потому что спорт ему был недоступен. Мой любимый прихрамывал – какая-то давняя детская травма ноги. Попал на велосипеде в легкую аварию.

А болельщик он был заядлый! Не пропускал ни одной моей игры. Потом признался, что там и влюбился.

Ну, и начался наш роман. Прекрасный роман, красивый и нежный. Мы гуляли по улицам, читали друг другу стихи. Делились самым секретным и сокровенным. Ему я могла доверить любые сомнения, любые секреты. Так же как и мне он.

Мы были духовными братом и сестрой. Мы доверяли друг другу.

Ну а потом стали любовниками. Он был у меня, разумеется, первым. Но, увы, не последним...

Он открывал мне таинственный, сложный и простой, удивительный мир. Мне, наивной дурехе. И я тонула в этой нежности, захлебываясь от любви.

Все это было огромным счастьем. И это я хорошо понимала. Уже тогда понимала.

А где-то через год я забеременела. Испугалась, конечно. А он – нет. Совершенно! Смеялся и говорил: хорошо, что все разрешилось так быстро! Мы поженимся и будем так же оглушительно счастливы – даже еще больше, чем прежде. Ведь нам не придется уже расставаться!

Я верила его словам и все же... Я страдала. Почему, отчего? Не понимала. Ведь все у нас было прекрасно! Может быть, это было предчувствие?

Мы подали заявление, но пока не объявляли о свадьбе. Хотели сделать сюрприз. Он говорил, что свадьбу надо сыграть. Обязательно! С белым платьем, фатой, гостями и вкусным столом. Потому что «свадьба нужна любой девице» – он так говорил. Я отказывалась, убеждала его в обратном. Но он стоял на своем. Мы присматривали свадебное платье. Обсуждали меню. Составляли список гостей.

Я чувствовала себя прекрасно и почти успокоилась. Только сетовала: «Где мы возьмем деньги на свадьбу?» На эту чертову несостоявшуюся свадьбу, погубившую нашу судьбу.

Через полтора месяца его арестовали. За продажу валюты. Статья в то время была страшная, расстрельная. Слава богу, сумма была небольшой...

Он просто решил заработать. Заработать быстро, чтобы состоялась наша свадьба. Для меня состоялась. Для моих родителей и подруг.

Для нашей родни.

«Чтобы все видели, какая ты красавица в белом платье!» – говорил он.

Он сидел в Лефортове и ждал суда. Его мать отказалась искать адвоката и носить передачи – сын-то преступник!

Она вообще от него отказалась.

Я попыталась... Но денег у меня не было. И занять не у кого – все от меня отвернулись. Мать поняла, что я в положении: меня стало рвать каждый день. Я лежала и плакала. Мать ничего не обсуждала, просто однажды села на мою кровать и тихо сказала: «Делай аборт. Мы не справимся».

Этого делать я не собиралась. Ни за что и никогда!

А жили мы действительно трудно. Комната в коммуналке, одна на троих: мать, отчим и я.

Отчим много болел и почти не работал. «И как? – спрашивала мать. – Как ты себе это все представляешь?»

Представляла я слабо. Все ее слова были абсолютно справедливы.

И что мне было делать? Идти к его матери, которая отказалась от сына? Наверняка она не поможет. Идти было некуда, воспитывать ребенка – не на что.

«Тогда выходи замуж! Найди себе мужа, – бросила как-то мать. – И уходи из дома. Расхлебывай сама, что натворила!»

У меня появился выбор: аборт или замуж.

Я выбрала второе. Без раздумий выбрала. Но надо было еще найти жениха...

И тут подвернулся жених. Мы познакомились у маминой подруги — вернее, она познакомила нас. Мать срочно объявила поиск претендента.

Передачи я носить перестала: мать втемяшила в голову, что мой любимый меня предал. Подставил. В конце концов, я свадьбу не требовала! Так решил он. И пуститься в такую страшную авантюру... Подставить меня, беременную?

Сердце мое рвалось на куски! Я любила его, скучала по нему невыносимо, жалела его, жалела себя и злилась на него с той же силой, с которой жалела.

Мой новый жених оказался человеком спокойным, рассудительным, здравым. Он был нацелен на карьеру. Окончил Высшую комсомольскую школу и работал в горкоме комсомола. Он был представителен, хорошо и аккуратно одет, собирался покупать машину и ждал однокомнатную квартиру. Квартиры *там* давали легко.

Он торопил меня. Уже потом я поняла, что спешка была связана с квартирой. Женившись, он получил бы двухкомнатную.

Довольно быстро — после месяца знакомства и двух походов в театр и одного в кино — он сделал мне предложение.

При этом мы ни разу не обнялись и не поцеловались — даже представить такое мне было страшно!

К тому же восемь недель беременности моему желанию никак не способствовали. И еще, меня мучила совесть.

Но я дала согласие... Я понимала, что любимого я уже предала. Понимала, что одна с ребенком на руках я не выдюжу.

Чувствовала, что мать смотрит на меня и ждет, когда я уйду. И я согласилась.

Накануне свадьбы ко мне пришла однокурсница Нина Фролова.

Мы не были близкими подругами — просто приятельствовали.

Нина была некрасивой, болезненно худой и какой-то замученной, что ли.

Она посмотрела мне в глаза и сказала: «Любимыми не бросаются, Зоя! И их не предают! Подумай об этом!»

«Я уже подумала, – усмехнулась я. И добавила с вызовом: – И вообще, я выхожу замуж!»

Нина вздрогнула и посмотрела на меня с такой брезгливостью, будто раздавила огромную жабу.

Она молча кивнула и пошла прочь.

А я ревела часа три или больше. Никак не могла успокоиться.

Через две недели после свадьбы я объявила мужу, что беременна.

Он очень обрадовался и сказал, что теперь есть все шансы просить трехкомнатную!

Я посмотрела на него и ничего не ответила. Да и как я могла его осуждать? Я, предательница и лгунья?

Мать все подстроила – с моими сроками и родами. Ее подруга работала заведующей отделением в роддоме на окраине города.

Подруга хмыкнула: «Вы не первые и не последние! Таких «честных» у нас полроддома!»

Словом, все срежиссировали. Просто как по нотам!

Ну и я роль свою сыграла неплохо.

Тринадцатого марта я родила тебя. Мою дочь. Ты родилась мелкой – наверное, сказалась моя тревожная беременность.

Два шестьсот, сорок шесть сантиметров. Вполне сошла за недоношенную – спасибо тебе!

Муж ничего не заподозрил, и мы стали жить.

Квартиру и вправду дали трехкомнатную. Сочли его перспективным работником. Он лихо двигался по служебной лестнице. Лихо!

Вскоре его перевели в горком. Дали черную «Волгу». Служебную дачу. Еженедельные продуктовые заказы. Причем такие, что хватило бы на три многодетных семьи.

Были и спецсекции, где мы одевались. Мы – жены партийных работников. Слуг народа. А народ тогда томился в очередях за куском колбасы.

Мне было немного неловко, но... Я ни от чего не отказывалась.

Мы с тобой ни в чем не нуждались, ни в чем. Немецкая коляска, чешская шубка, югославская обувь... Ты была одета как куколка! Ведомственный детсад – с черной икрой, фруктами не по сезону. Елки в Кремле, путевки в лучшие санатории Крыма...

Ну а про все остальное... Я тебе не скажу. Потому что стыдно. Стыдно матери говорить такое дочери.

Хотя нет, скажу! Смелости наберусь и скажу. Как мутило от его запаха, от прикосновения. Как я с удовольствием подмечала его огрехи, и мне становилось от этого легче. Как ненавидела. Все расскажу. Если смогу. А я смогу, обещаю тебе!

Чтобы была тебе наука, девочка! Любимыми не бросаются и любимых не предают!

Ох, какая же это правда! Нина Фролова была права.

Кстати, эта Фролова поехала за твоим отцом! После суда. Сначала носила ему передачи. Нашла адвоката. Достала денег. Срок дали минимальный.

И после суда поехала за ним. Поселилась в селе, в шести километрах.

В Москву они потом не вернулись – осели в Саранске.

Поженились, родили сына. Живут счастливо.

Она приезжала как-то, эта Нина. Нашла меня. Просила дать ей твои фотографии. Я не дала. Решила, что ни к чему. Где он и где мы? К тому же ты называешь отцом другого человека.

И он тебя, кстати, любит! Надеюсь, что ты это всегда ощущала. По-моему, ты единственная, кого он любит.

Ну, вот и все, моя дорогая! Все я тебе рассказала. Без утайки. А теперь сама делай выводы.

И сели ты сделаешь их правильно, я буду жить с ощущением, что моя жизнь – дурацкая и нелепая – все же прошла не зря.

Кое-чему я тебя научила. Ну, как смогла. Извини...

Содержание

Литературно-художественное издание

Метлицкая Мария

ЧЕРНО-БЕЛАЯ ЖИЗНЬ

Ответственный редактор *Ю. Раутборт*
Младший редактор *К. Захарова*
Художественный редактор *П. Петров*
Технический редактор *Г. Романова*
Компьютерная верстка *Г. Балашова*
Корректор *Н. Овсяникова*

Страна происхождения: Российская Федерация
Шығарылған елі: Ресей Федерациясы

В оформлении обложки использована фотография:
© Taigi / Shutterstock.com
Используется по лицензии от Shutterstock.com

ООО «Издательство «Эксмо»
123308, Россия, город Москва, улица Зорге, дом 1, строение 1, этаж 20, каб. 2013.
Тел.: 8 (495) 411-68-86.
Home page: www.eksmo.ru E-mail: info@eksmo.ru
Өндіруші: «ЭКСМО» АҚБ Баспасы,
123308, Ресей, қала Мәскеу, Зорге көшесі, 1 үй, 1 ғимарат, 20 қабат, офис 2013 ж.
Тел.: 8 (495) 411-68-86.
Home page: www.eksmo.ru E-mail: info@eksmo.ru.
Тауар белгісі: «Эксмо»
Интернет-магазин : www.book24.ru

Интернет-магазин : www.book24.kz
Интернет-дүкен : www.book24.kz
Импортёр в Республику Казахстан ТОО «РДЦ-Алматы».
Қазақстан Республикасындағы импорттаушы «РДЦ-Алматы» ЖШС.
Дистрибьютор и представитель по приему претензий на продукцию,
в Республике Казахстан: ТОО «РДЦ-Алматы»
Қазақстан Республикасында дистрибьютор және өнім бойынша арыз-талаптарды
қабылдаушының өкілі «РДЦ-Алматы» ЖШС,
Алматы қ., Домбровский көш., 3«а», литер Б, офис 1.
Тел.: 8 (727) 251-59-90/91/92; E-mail: RDC-Almaty@eksmo.kz
Өнімнің жарамдылық мерзімі шектелмеген.
Сертификация туралы ақпарат сайтта: www.eksmo.ru/certification

Сведения о подтверждении соответствия издания согласно законодательству РФ
о техническом регулировании можно получить на сайте Издательства «Эксмо»
www.eksmo.ru/certification
Өндірген мемлекет: Ресей. Сертификация қарастырылмаған

Дата изготовления / Подписано в печать 12.05.2021. Формат 60x90 $^{1}/_{16}$.
Гарнитура «NewBaskervilleC». Печать офсетная. Усл. печ. л. 32,0.
Тираж 5000 экз. Заказ 4979.

Отпечатано с готовых файлов заказчика
в АО «Первая Образцовая типография»,
филиал «УЛЬЯНОВСКИЙ ДОМ ПЕЧАТИ»
432980, Россия, г. Ульяновск, ул. Гончарова, 14

Москва. ООО «Торговый Дом «Эксмо»
Адрес: 123308, г. Москва, ул. Зорге, д.1, строение 1.
Телефон: +7 (495) 411-50-74. **E-mail:** reception@eksmo-sale.ru

По вопросам приобретения книг «Эксмо» зарубежными оптовыми покупателями обращаться в отдел зарубежных продаж ТД «Эксмо»
E-mail: **international@eksmo-sale.ru**

International Sales: International wholesale customers should contact Foreign Sales Department of Trading House «Eksmo» for their orders.
international@eksmo-sale.ru

По вопросам заказа книг корпоративным клиентам, в том числе в специальном оформлении, обращаться по тел.: +7 (495) 411-68-59, доб. 2261.
E-mail: **ivanova.ey@eksmo.ru**

Оптовая торговля бумажно-беловыми и канцелярскими товарами для школы и офиса «Канц-Эксмо»:
Компания «Канц-Эксмо»: 142702, Московская обл., Ленинский р-н, г. Видное-2, Белокаменное ш., д. 1, а/я 5. Тел./факс: +7 (495) 745-28-87 (многоканальный).
e-mail: **kanc@eksmo-sale.ru**, сайт: www.**kanc-eksmo.ru**

Филиал «Торгового Дома «Эксмо» в Нижнем Новгороде
Адрес: 603094, г. Нижний Новгород, улица Карпинского, д. 29, бизнес-парк «Грин Плаза»
Телефон: +7 (831) 216-15-91 (92, 93, 94). **E-mail**: reception@eksmonn.ru

Филиал ООО «Издательство «Эксмо» в г. Санкт-Петербурге
Адрес: 192029, г. Санкт-Петербург, пр. Обуховской обороны, д. 84, лит. «Е»
Телефон: +7 (812) 365-46-03 / 04. **E-mail**: server@szko.ru

Филиал ООО «Издательство «Эксмо» в г. Екатеринбурге
Адрес: 620024, г. Екатеринбург, ул. Новинская, д. 2щ
Телефон: +7 (343) 272-72-01 (02/03/04/05/06/08)

Филиал ООО «Издательство «Эксмо» в г. Самаре
Адрес: 443052, г. Самара, пр-т Кирова, д. 75/1, лит. «Е»
Телефон: +7 (846) 207-55-50. **E-mail**: RDC-samara@mail.ru

Филиал ООО «Издательство «Эксмо» в г. Ростове-на-Дону
Адрес: 344023, г. Ростов-на-Дону, ул. Страны Советов, 44А
Телефон: +7(863) 303-62-10. **E-mail:** info@rnd.eksmo.ru

Филиал ООО «Издательство «Эксмо» в г. Новосибирске
Адрес: 630015, г. Новосибирск, Комбинатский пер., д. 3
Телефон: +7(383) 289-91-42. E-mail: eksmo-nsk@yandex.ru

Обособленное подразделение в г. Хабаровске
Фактический адрес: 680000, г. Хабаровск, ул. Фрунзе, 22, оф. 703
Почтовый адрес: 680020, г. Хабаровск, А/Я 1006
Телефон: (4212) 910-120, 910-211. **E-mail**: eksmo-khv@mail.ru

Филиал ООО «Издательство «Эксмо» в г. Тюмени
Центр оптово-розничных продаж Cash&Carry в г. Тюмени
Адрес: 625022, г. Тюмень, ул. Пермякова, 1а, 2 этаж. ТЦ «Перестрой-ка»
Ежедневно с 9.00 до 20.00. Телефон: 8 (3452) 21-53-96

Республика Беларусь: ООО «ЭКСМО АСТ Си энд Си»
Центр оптово-розничных продаж Cash&Carry в г. Минске
Адрес: 220014, Республика Беларусь, г. Минск, проспект Жукова, 44, пом. 1-17, ТЦ «Outleto»
Телефон: +375 17 251-40-23; +375 44 581-81-92
Режим работы: с 10.00 до 22.00. **E-mail:** exmoast@yandex.by

Казахстан: «РДЦ Алматы»
Адрес: 050039, г. Алматы, ул. Домбровского, 3А
Телефон: +7 (727) 251-58-12, 251-59-90 (91,92,99). E-mail: RDC-Almaty@eksmo.kz

Украина: ООО «Форс Украина»
Адрес: 04073, г. Киев, ул. Вербовая, 17а
Телефон: +38 (044) 290-99-44, (067) 536-33-22. **E-mail**: sales@forsukraine.com

Полный ассортимент продукции ООО «Издательство «Эксмо» можно приобрести в книжных магазинах «Читай-город» и заказать в интернет-магазине: www.chitai-gorod.ru.
Телефон единой справочной службы: 8 (800) 444-8-444. Звонок по России бесплатный.

Интернет-магазин ООО «Издательство «Эксмо»
www.book24.ru
Розничная продажа книг с доставкой по всему миру.
Тел.: +7 (495) 745-89-14. E-mail: **imarket@eksmo-sale.ru**

ISBN 978-5-04-119355-3

9 785041 193553 >